En bons termes

5 ième ÉDITION

En bons termes

5ième ÉDITION

MICHEL A. PARMENTIER ⊕ DIANE POTVIN

Bishop's University

Introduction au français dans le contexte nord-américain

Prentice Hall Allyn and Bacon Canada
Scarborough, Ontario

Canadian Cataloguing in Publication Data

Parmentier, Michel Alfred, 1950–
        En bons termes

5é ed.
For English-speaking students of French as a second language.
ISBN: 0-13-792896-3

1. French language - Textbooks for second language learners - English speakers.* 2. French language - Composition and exercises. 3. French language - Grammar. 4. French language - Grammar - Problems, exercises, etc.. I. Potvin, Diane, 1943–   . II. Title.

PC2129.E5P372 1999   448.2'421   C98-930488-4

ISBN 0-13-792896-3

Vice President, Editorial Director: Laura Pearson
Acquisitions Editor: Dawn Lee
Marketing Manager: Christine Cozens
Developmental Editor: Carol Steven
Production Editor: Susan James/Kelly Dickson
Copy Editor: Trish Brown
Editorial Assistant: Sharon Loeb
Marketing Coordinator: Dayna Vogel
Marketing Assistant: Kathie Kirchsteiger
Production Coordinator: Wendy Moran
Cover and Interior Design: Sarah Battersby
Cover Image: Jacques Laplante
Page Layout: Niche Electronic Formatting

6 7 8 9 10 CK 05 04 03 02

Printed and bound in the USA.

Every reasonable effort has been made to obtain permissions for all articles and data used in this edition. If errors or omissions have occurred, they will be corrected in future editions provided written notification has been received by the publisher.

Contents

Chapitre trois

Parle-moi de toi   36

Chapitre quatre

La ville de Québec   61

Chapitre neuf

Les voyages 170

Chapitre dix

Arts et spectacles 192

Chapitre onze

Les jeunes et la vie 213

Chapitre quatorze

L'Acadie et la mer   268

Chapitre quinze

Un poète québécois   287

Chapitre seize

L'autoroute électronique   303

Chapitre dix-sept

L'environnement   319

Chapitre dix-huit

Les Cajuns de la Louisiane   336

Chapitre dix-neuf

Les Autochtones   353

Chapitre vingt

L'emploi   367

Preface

En bons termes, is a first-year French program which aims to develop a basic proficiency in the four language skills (listening, speaking, reading, and writing) while fostering an awareness of the French presence in North America. It is designed to encourage and enable students to communicate in French not as a "foreign" language but as an alternative mode of expression for everyday living in the North American, and especially in the Canadian, context.

The progressive acquisition, reinforcement, and creative use of language structures quickly give students the necessary confidence to express themselves. This is very much a core program, providing a solid foundation on which students may later build. Difficulties are broken down and presented in stages with numerous exercises to ensure assimilation through interactive use in the classroom. Some grammatical forms traditionally presented at this level have been deliberately omitted so that more time can be devoted to a thorough study of forms more commonly used — for instance, no mention is made of the *passé simple*, whereas the forms and uses of the *passé composé* receive a more detailed treatment than is commonly afforded them.

The fifth edition includes a variety of improvements, many of which were brought about in response to the helpful suggestions and comments made by users of the program. New organizational features have been integrated into each chapter: a list of themes and learning objectives now appears on the chapter title page and the grammar points are numbered for greater ease of referencing. An English-French vocabulary has been added to the appendices to facilitate review. Six new reading passages replace previous selections and greater variety has been introduced in the grammar exercises which, whenever possible, integrate the thematic vocabulary. All the supplements and ancillary material have been revised accordingly.

FORMAT

The textbook consists of twenty-two chapters, each organized according to the following pattern (Chapters 1 and 2 present slight variations).

Vocabulaire utile   An alphabetical list of words and expressions is provided, relating to the chapter readings and exercises and representing a basic vocabulary to be memorized.

Grammaire et exercices oraux   This section is subdivided into separate grammatical units, each followed by a series of oral exercises. The title of each unit is in French so that students may become familiar with French grammatical terms, but the explanations are given in English to facilitate study and review outside the classroom. These explanations are simple and point out differences between French and English. The oral exercises progress from substitution and transformation drills to personalized questions and mini-dialogues. They provide ample material for classroom interaction.

Exercices écrits   These are assigned by the instructor for work outside the classroom and serve as reinforcement. They cover all the material studied in the previous section.

Lecture et questions   The reading passage incorporates grammatical structures studied in the chapter and provides additional vocabulary. A number of reading passages focus on various aspects of French culture in North America, whereas others discuss current issues (such as the environment and employment) or common interests (sports and travelling).

Each reading passage is followed by a vocabulary list and a set of questions. The questions are designed to test comprehension after the text has been read and studied in class. The vocabulary list provides contextual translations for words which the students have not previously encountered.

Situations/Conversations   A range of activities (dialogues, role-playing exercises, and conversation in groups) allow choice and ensure full participation of all students. With supervision, the students can actively use the structures and vocabulary acquired in the chapter to express their feelings and opinions and to interact dynamically with each other and the instructor.

Pronunciation   These sections cover all the basic problems of French pronunciation for English-speaking students. Apart from guiding students through areas such as intonation and liaison, recognition of nasal vowels, and association of letters or letter groups with particular sounds, they provide numerous drills to help the student to develop correct articulatory habits and to distinguish between related sounds.

SUPPLEMENTARY MATERIALS

En bons termes is accompanied by audio cassettes and a laboratory manual. Each unit in these corresponds to a chapter in the textbook and includes additional exercises on structures, a listening comprehension exercise, a dictation, and pronunciation drills. A glossary of grammatical terms has also been added to the laboratory manual.

A *guide du maître* provides suggestions on using the text material and reproduces the listening comprehension and dictation exercises found on the tapes.

A *French Verb Wheel*, with conjugations for 74 commonly used verbs, is available with the book or can be purchased separately.

McBOOKmaster disk provides additional practice exercises and drills in a DOS-based program linked to *En bons termes*. A final set of tests and exams enables students to test themselves at their own pace, and directs them to the text for further reference.

ACKNOWLEDGEMENTS

We wish to express our appreciation to the many colleagues who have responded to a survey on *En bons termes* and whose comments and suggestions have proved invaluable in preparing this revised edition. We owe special thanks to Andrée Mister, Queen's University, Andrew Osborne, University of Manitoba, Pauline Chénier, Georgian College, Joanne Bonneville, University of Regina and Jacqueline Kelley, Niagara College. We would also like to thank the editorial staff at Prentice Hall Canada particularly for their advice and encouragement during the revision and preparation of this fifth edition of *En bons termes*, and the copy editor.

Michel A. Parmentier
Diane Potvin

Chapitre 1

Faisons connaissance

Thèmes
- Les salutations
- Les présentations
- Description des personnes

Grammaire
1.1 Présentations
1.2 L'alphabet
1.3 Les sons du français
1.4 Les pronoms personnels sujets
1.5 Le verbe *être* au présent de l'indicatif — forme affirmative
1.6 Le verbe *être* à la forme interrogative avec *Est-ce que*
1.7 Le verbe *être* à la forme négative
1.8 Adjectifs — masculin et féminin
1.9 Adjectifs — singulier et pluriel
1.10 L'accord des adjectifs avec les pronoms personnels sujets

VOCABULAiRE UTiLE

Les salutations

Bonjour	Good morning	**Monsieur**	Sir
Bonsoir	Good evening	**Madame**	Madam
Salut	Hi, Bye	**Mademoiselle**	Miss

Les présentations

Je m'appelle Nathalie.	My name is Nathalie.
Comment vous appelez-vous?	What is your name?
Comment allez-vous?	How are you?
Je vais bien, merci.	I am fine, thank you.

Les adieux

Au revoir	Goodbye
À demain	See you tomorrow
À plus tard	See you later
À la prochaine	Until next time
À bientôt	See you soon
Bonne journée	Have a good day
Bonne soirée	Have a good evening

Autres formules

Comme ci comme ça	So-so
Je ne sais pas	I don't know
Je ne comprends pas	I don't understand
Pardon	I beg your pardon
Excusez-moi	Excuse me
Pas mal	Pretty good

GRAMMAIRE ET EXERCICES ORAUX

1.1 Présentations

LE PROFESSEUR:	Bonjour!*
LES ÉTUDIANTS:	Bonjour, Monsieur.
LE PROFESSEUR:	Je m'appelle Paul Duval. Comment vous appelez-vous, Monsieur?
RINO:	Je m'appelle Rino Sullo.
LE PROFESSEUR:	Comment allez-vous?
RINO:	Je vais bien, merci.
LE PROFESSEUR:	Comment vous appelez-vous, Mademoiselle?
CATHY:	Je m'appelle Cathy Takeda.
LE PROFESSEUR:	Comment allez-vous?
CATHY:	Très bien, merci.
LE PROFESSEUR:	Et vous, Madame, comment vous appelez-vous?
HEATHER:	Je m'appelle Heather Francis.
LE PROFESSEUR:	Comment allez-vous?
HEATHER:	Pas mal, merci. Et vous?

* In Canada, "Bonjour" and "Bonsoir" are often used when parting as well as in greeting. "Bonne nuit" (Good night) is used only when a person is going to bed.

LE PROFESSEUR: Je vais bien, merci.
   (At the end of the class)
LE PROFESSEUR: Au revoir / À demain / À plus tard / À la prochaine /
                   À bientôt / Bonsoir.*

French ways of greeting

Most French-speaking students greet each other with "Bonjour" or "Salut." If they are good friends, they will use "tu" rather than "vous."

Between friends

PAUL: Salut!
RON: Salut!
PAUL: Je m'appelle Paul. Comment t'appelles-tu?
RON: Je m'appelle Ron.
PAUL: Comment ça va?
RON: Ça va bien, merci. Et toi?
PAUL: Comme ci comme ça.

EXERCICES · ORALEMENT

a.   Répétez selon le modèle.

    Modèle: Bonjour, Monsieur.
    Bonjour, Monsieur.

1. Bonjour, Madame.
2. Bonjour, Mademoiselle.
3. Bonsoir, Monsieur.
4. Bonsoir, Madame.
5. Salut, Didier.
6. Comment vous appelez-vous?
7. Ça va?
8. Comment ça va?
9. À plus tard.
10. À demain.
11. Comme ci comme ça.
12. Pardon.
13. Salut.
14. Excusez-moi.
15. Comment allez-vous?
16. Comment t'appelles-tu?
17. Je m'appelle Jeanne.
18. Très bien, merci.
19. Je vais bien, merci.
20. Au revoir.
21. À bientôt.
22. À la prochaine.
23. Bonne nuit.
24. Bonne journée.
25. Bonne soirée.
26. Je ne sais pas.
27. Je ne comprends pas.

* In the examples given in this chapter, all nouns and pronouns refer to persons and are thus readily identified as masculine (male) or feminine (female). In the next chapter, you will see that all French nouns are either masculine or feminine and that the adjectives modifying them agree accordingly.

b. Students can act out the two sets of dialogues to differentiate between the formal and informal exchanges.

>   Formal exchange — teacher/student (use "vous")
>
>   Informal exchange — student/student (use "tu")

1.2 L'alphabet

In this chart, each letter of the alphabet is followed by phonetic symbols between slash marks, which indicate how the name of the letter is pronounced in French.

a /a/	e /ə/	i /i/	m /ɛm/	q /ky/	u /y/	y /igrɛk/
b /be/	f /ɛf/	j /ʒi/	n /ɛn/	r /ɛr/	v /ve/	z /zɛd/
c /se/	g /ʒe/	k /ka/	o /o/	s /ɛs/	w /dublə ve/	
d /de/	h /aʃ/	l /ɛl/	p /pe/	t /te/	x /iks/	

1.3 Les sons du français

French sounds are given below in phonetic symbols, accompanied by their most common spellings.

Vowel sounds

/i/	pirate, physique, ami	/y/	unité, mur
/e/	aimer, école, les, répéter	/ø/	deux, bleu
/ɛ/	elle, perte, mère, taire, seize	/œ/	neuf, professeur
/a/	la, papa, après, chocolat	/ə/	je, de, retourner
/ɑ/	bas, pâte	/ɑ̃/	anglais, enfin
/u/	nous, vous, debout	/ɔ̃/	bon, mon, savon
/o/	beau, gros, faux	/ɛ̃/	vingt, bain, rein
/ɔ/	sort, coffre	/œ̃/	un, brun

Semi-vowels

/j/	rien, bille
/ɥ/	huit, bruit
/w/	oui, toi

Consonants

/p/	pot, après, pape	/z/	rose, raison, zéro
/b/	balle, robe	/ʃ/	chaise, architecte
/t/	table, rater	/ʒ/	je, manger
/d/	dire, radis	/m/	mari, femme

/k/	<u>k</u>ilogramme, beau<u>c</u>oup, <u>qu</u>atre	/n/	<u>n</u>on, <u>n</u>ous, bo<u>nn</u>e
/g/	<u>g</u>arçon, <u>gu</u>ide	/ɲ/	monta<u>gn</u>e, co<u>gn</u>er
/f/	<u>f</u>inance, <u>ph</u>ilosophie	/r/	<u>r</u>amener, a<u>rr</u>iver, <u>r</u>appo<u>r</u>t
/v/	<u>v</u>ol, arri<u>v</u>er	/l/	<u>l</u>e, <u>l</u>ivre, a<u>ll</u>umer
/s/	<u>s</u>ilence, cla<u>ss</u>e, di<u>x</u>, <u>c</u>ire, gar<u>ç</u>on		

EXERCICES · ORALEMENT

a. Répétez les lettres et les mots suivants:

a   e   i   o   u   m   d   p   k   r   v   w   y

mu   lot   dit   bar   fol   le   papa   mini   taxi   rose   date   musique

mademoiselle   quatre   coco   chose   avis   manger   embrasser

b. Épelez (spell):

pomme	ignoble	potiche	vocabulaire
chaise	bureau	coffre	craie
table	tapis	magnifique	yoyo
madame	photographe	classe	violon

c. Épelez votre nom.

Modèle: Je m'appelle John Kowalski.

J-o-h-n   K-o-w-a-l-s-k-i

1.4 Les pronoms personnels sujets

A pronoun is a word used in place of one or more nouns. It may stand for a person, place, thing or idea. Instead of repeating the proper noun "Paul" in the following example, a pronoun can be used:

Paul is an athlete. Paul goes to practice every day.
Paul is an athlete. He goes to practice every day.

The French subject pronouns

je, j'	I		**nous**	we
tu	you		**vous**	you
il	he/it		**ils**	they (m.)
elle	she/it		**elles**	they (f.)
on	one/people			

Observe that:

1) **Je** is used before verbs beginning with a consonant: **je suis**
   J' is used before a vowel: **j'ai**

2) The **s** in **nous**, **vous**, **ils** and **elles** is not pronounced when the verb begins with a consonant, but when the verb begins with a vowel, a **liaison** occurs:

   > nous̸ sommes
   > nous‿avons

3) The pronoun **on** corresponds to "one," "someone," or "somebody" in English. It can also be used to mean "we," "they," and "you."

4) **Tu** and **vous** both correspond to "you" in English. **Tu** is used as an informal form of address when talking to, for example, a friend, a child, a member of your family, an animal, or to anyone in a situation that allows for informality. **Vous** is used in two distinct ways: 1) to address one person formally, i.e., someone you have met for the first time or someone for whom you want to show respect, or, generally, a stranger; 2) to address a group (more than one person).

✻ Note: To allow for practice of both the *tu* and the *vous* forms and to avoid ambiguities, the following conventions have been adopted throughout the exercises in this book:

a) When addressing the instructor, students use the formal **vous** form:

   INSTRUCTOR: Est-ce que je suis sévère?

   STUDENT: Oui, *vous* êtes sévère.

b) When addressing each other, students use the **tu** form:

   STUDENT 1: Est-ce que *tu* es énergique?

   STUDENT 2: Oui, je suis énergique.

c) When the instructor asks a question using **tu**, he/she is asking an individual student to provide information about him/herself (the student answers with **je**):

   INSTRUCTOR: Est-ce que *tu* es modeste?

   STUDENT: Oui, *je* suis modeste.

d) When the instructor asks a question using **vous**, he/she is asking an individual student to provide information about the whole group of students in the class (the student answers with **nous**):

   INSTRUCTOR: Est-ce que *vous* êtes sympathiques?

   STUDENT: Oui, *nous* sommes sympathiques.

1.5 Le verbe *être* au présent de l'indicatif — forme affirmative

je suis	I am		**nous** sommes	we are
tu es	you are		**vous** êtes	you are
il	he		**ils**	
elle } est	she } is		**elles** } sont	they are
on	one			

EXERCICES • ORALEMENT

a. Répondez affirmativement.

> *Modèle:* Je suis énergique?
> *Oui, vous êtes énergique.*

1. Tu es dynamique?   Oui, je _____.
2. Tu es modeste?   Oui, je _____.
3. Tu es optimiste?   Oui, je _____.
4. Tu es réaliste?   Oui, je _____.
5. Je suis raisonnable?   Oui, vous _____.
6. Je suis calme?   Oui, vous _____.
7. Nous sommes calmes?   Oui, nous _____.
8. Nous sommes énergiques?   Oui, nous _____.
9. Vous êtes dynamiques?   Oui, nous _____.
10. Vous êtes optimistes?   Oui, nous _____.
11. Hélène, elle est optimiste?   Oui, elle _____.
12. Paul, il est dynamique?   Oui, il _____.
13. Hélène et Julie,
    elles sont raisonnables?   Oui, elles _____.
14. Paul et Marc, ils sont énergiques?   Oui, ils _____.

b. Complétez par un pronom sujet approprié.

1. _____ es riche.   4. _____ suis raisonnable.
2. _____ sommes calmes.   5. _____ êtes sympathique.
3. _____ sont timides.   6. _____ est modeste.

c. Complétez par la forme approprié du verbe *être*.

1. Elles _____ timides.   5. Ils _____ sympathiques.
2. Elle _____ réaliste.   6. Nous _____ riches.
3. Je _____ modeste.   7. Tu _____ dynamique.
4. Vous _____ énergique.   8. Paul _____ raisonnable.

1.6 Le verbe *être* à la forme interrogative avec *Est-ce que*

To ask a question orally in French, you may simply give the declarative sentence a rising intonation instead of a descending one. Compare:

Pierre est dynamique.   Pierre est dynamique?

Another way to ask a question, both when speaking and writing, is to insert the expression **est-ce que** before the declarative sentence:

Est-ce que Pierre est dynamique?

As with all oral questions requiring a "yes" or "no" answer, the intonation rises at the end of a question with **Est-ce que**:

Est-ce que Pierre est dynamique?

The verb *être* in questions using *Est-ce que*

Est-ce que je suis dynamique?   Est-ce que nous sommes calmes?

Est-ce que tu es riche?   Est-ce que vous êtes réalistes?

Est-ce qu'il est sympathique?   Est-ce qu'ils sont timides?

Est-ce qu'elle est modeste?   Est-ce qu'elles sont énergiques?

Est-ce qu'on est optimiste?

Note that before *il(s)*, *elle(s)* and *on*, which begin with vowel sounds, the *e* at the end of *Est-ce que* is replaced by an apostrophe.

EXERCICES • ORALEMENT

a. Répétez le verbe *être* en mettant la phrase à la forme interrogative.

Modèle: Je suis riche.
Est-ce que tu es riche?

1. Tu es calme.   Est-ce que je _____ ?
2. Il est sympathique.   Est-ce qu'il _____ ?
3. Nous sommes modestes.   Est-ce que vous _____ ?
4. Vous êtes optimistes.   Est-ce que nous _____ ?
5. Elles sont jeunes.   Est-ce qu'elles _____ ?
6. Je suis réaliste.   Est-ce que tu _____ ?
7. Ils sont optimistes.   Est-ce qu'ils _____ ?
8. David est énergique.   Est-ce que David _____ ?
9. Marie est pessimiste.   Est-ce que Marie _____ ?
10. David et Marie sont timides.   Est-ce que David et Marie _____ ?
11. Thérèse et Louise sont calmes. Est-ce que Thérèse et Louise _____ ?
12. On est dynamique.   Est-ce qu'on _____ ?

b. Posez une question selon le modèle.

> *Modèle:* Vous / optimiste
> *Est-ce que vous êtes optimiste?*

1. Tu / riche
2. Robert / dynamique
3. Lucie / sympathique
4. Vous / énergiques

5. Suzanne et Albert / timides
6. Elles / raisonnables
7. Graham et Henri / jeunes
8. Il / modeste

1.7 Le verbe *être* à la forme négative

Negation is expressed by two words placed before and after the verb: **ne... pas** or **n'... pas** when the verb begins with a vowel.

Je	ne suis pas modeste.	Nous	ne sommes pas contents.	
Tu	n'es pas timide.	Vous	n'êtes pas raisonnables.	
Pierre / Il		Ils		
Suzanne / Elle	} n'est pas riche.	Elles	} ne sont pas pessimistes.	
On				

EXERCICES · ORALEMENT

a. Répétez avec les changements nécessaires:

1. Je ne suis pas riche.
2. Tu _____ .
3. Nous _____ .
4. Pierre _____ .
5. Il _____ .
6. _____ dynamique.
7. Nous _____ .
8. Anne et Marie _____ .
9. Elles _____ .
10. Vous _____ .
11. Pierre et Charles _____ .
12. Tu _____ .
13. _____ pessimiste.
14. Il _____ .
15. Je _____ .
16. Didier _____ .
17. Vous _____ .
18. On _____ .

b. Suivez le modèle.

> *Modèle:* Est-ce que tu es sincère?
> *Non, je ne suis pas sincère.*

1. Est-ce que tu es optimiste?
2. Est-ce que Lucie est pessimiste?
3. Est-ce que nous sommes réalistes?
4. Est-ce que vous êtes calmes?
5. Est-ce que nous sommes modestes?
6. Est-ce que tu es timide?
7. Est-ce qu'elle est sympathique?
8. Est-ce que Charles et Suzanne sont fatigués?
9. Est-ce que je suis dynamique?
10. Est-ce que tu es dynamique?
11. Est-ce qu'Alain est énergique?
12. Est-ce qu'Édith et Juliette sont énergiques?

C. Faites une phrase négative selon le modèle.

> *Modèle:* Louise / jeune
> *Louise n'est pas jeune.*

1. Nous / riches
2. Charles / optimiste
3. Ils / sympathiques
4. Tu / raisonnable

5. Je / timide
6. Yvette et Marie / dynamiques
7. Vous / réalistes
8. Elle / énergique

1.8 Adjectifs — masculin et féminin

Adjectives are words that modify nouns or pronouns. If adjectives describe, they are called descriptive or qualitative adjectives. They agree in gender (masculine/feminine) with the nouns or pronouns they modify.*

1) Most adjectives are made feminine by adding **e** to the masculine form.

Masculine	*Feminine*
Louis est intelligent.	Marie est intelligente.
Il est absent.	Elle est absente.

2) When the masculine singular form of an adjective ends in **-e**, it does not change in the feminine.

Masculine	*Feminine*
Il est sincère.	Elle est sincère.
Jean est modeste.	Louise est modeste.

EXERCICES · ORALEMENT

a. Remplacez les tirets par un adjectif approprié:

intelligent(e), grand(e), petit(e), optimiste, blond(e), calme, amusant(e), dynamique, impatient(e), modeste, content(e), présent(e), absent(e)

1. Elle est _____ .
2. Il est _____ .
3. Je suis _____ .
4. Le professeur est _____ .
5. Sylvie est _____ .

6. Réjean est _____ .
7. Anne est _____ .
8. Tu es _____ .
9. Vous êtes _____ .
10. Robert est _____ .

b. Répondez avec un adjectif contraire, selon le modèle.

> *Modèle:* Est-ce que tu es pessimiste? (optimiste)
> *Non, je ne suis pas pessimiste, je suis optimiste.*

---

* In the examples given in this chapter, all nouns and pronouns refer to persons and are thus readily identified as masculine (male) or feminine (female). In the next chapter, you will see that all French nouns are either masculine or feminine and that the adjectives modifying them agree accordingly.

Est-ce que tu es...

1. impatient(e)?	(patient[e])	6. intolérant(e)?	(tolérant[e])
2. grand(e)?	(petit[e])	7. mécontent(e)?	(content[e])
3. brun(e)?	(blond[e])	8. stupide?	(intelligent[e])
4. arrogant(e)?	(modeste)	9. déraisonnable?	(raisonnable)
5. riche?	(pauvre)	10. irresponsable?	(responsable)

C. Répondez aux questions selon le modèle.

> *Modèle:* Jacques est patient. Et Suzanne?
> *Elle n'est pas patiente.*

1. Henri est grand. Et Marie?	4. Marc est content. Et Lucie?
2. Pierre est arrogant. Et Sylvie?	5. Robert est intolérant. Et Françoise?
3. Julien est amusant. Et Anne?	6. Charles est riche. Et Jeanne?

1.9 Adjectifs — singulier et pluriel

Adjectives also agree in number with the noun or pronoun which they modify. Most adjectives are made plural by adding **s** to the singular form.

Singular	*Plural*
Je suis dynamique.	Nous sommes dynamiques.
Elle est sincère.	Elles sont sincères.

Adjectives ending in **s** or **x** in the masculine singular form remain the same in the masculine plural form.

Singular	*Plural*
Il est gros.	Ils sont gros.
Pierre est heureux.	Pierre et Jean sont heureux.

1.10 L'accord des adjectifs avec les pronoms personnels sujets

Predicate adjectives modifying subject pronouns agree in gender and number with these pronouns. While it is easy to make adjectives agree with subject pronouns in the third person — whose forms (**il**, **elle**, **ils** and **elles**) indicate whether they refer to males or females, an individual or a group — with the other subject pronouns, you must bear in mind to whom these refer in order to make the correct agreement.

1) **Je** may refer to a male or female speaker:

     ♂ Je suis intelligen<u>t</u>.   ♀ Je suis intelligen<u>te</u>.

2) **Tu** may refer to a male or female addressee:

     ♂ Tu es intelligen<u>t</u>.   ♀ Tu es intelligen<u>te</u>.

3) **On** is indefinite; the predicate adjective is always masculine singular:

     ♂ On est intelligen<u>t</u>.

4) **Nous** may refer to a group of males or females:

    ♂ Nous sommes intelligen<u>ts</u>.   ♀ Nous sommes intelligen<u>tes</u>.

5) **Vous** may be used to address a single individual (male or female) formally:

    ♂ Vous êtes intelligen<u>t</u>.   ♀ Vous êtes intelligen<u>te</u>.

6) **Vous** may also be used to address a group of males or females:

    ♂ Vous êtes intelligen<u>ts</u>.   ♀ Vous êtes intelligen<u>tes</u>.

7) Finally, **nous** and **vous** may refer to mixed groups. In the third person plural, mixed groups are referred to by the pronoun **ils**; the predicate adjective must then be in the *masculine* plural form:

    ♂♀ Nous sommes intelligen<u>ts</u>.
    ♂♀ Vous êtes intelligen<u>ts</u>.

EXERCiCES ÉCRiTS

a. *Masculin/féminin de l'adjectif.* Mettez l'adjectif entre parenthèses à la forme qui convient.

1. Suzanne est _____ (tolérant).
2. Il est _____ (tolérant).
3. Pierre est _____ (impatient).
4. Elle est _____ (impatient).
5. Alain est _____ (intelligent).
6. Marie est _____ (intelligent).
7. Josette est _____ (amusant).
8. Elle est _____ (grand).
9. Paul est _____ (arrogant).
10. Hélène est _____ (petit).
11. Elle est _____ (brun).
12. Il est _____ (intéressant).

b. *Pluriel de l'adjectif.* Mettez l'adjectif entre parenthèses à la forme qui convient.

1. Ils sont _____ (jeune).
2. Elles sont _____ (amusant).
3. Nous sommes _____ (intelligent).
4. Vous n'êtes pas _____ (stupide).
5. Ils ne sont pas _____ (absent).
6. Elles ne sont pas _____ (timide).
7. Suzanne et Henri sont _____ (dynamique).
8. Nathalie et Marie sont _____ (occupé).
9. Alain et Paul sont _____ (content).
10. Chantal et Alain sont _____ (impatient).
11. Béatrice et Claire sont _____ (blond).
12. Vous êtes _____ (intéressant).

c. Répondez aux questions affirmativement.

    Modèle: Est-ce que tu es poli(e)?
    Oui, je suis poli(e).

1. Est-ce que tu es fatigué(e)?
2. Est-ce qu'il est arrogant?
3. Est-ce qu'elle est blonde?
4. Est-ce que tu es brun(e)?
5. Est-ce que nous sommes intéressant(e)s?
6. Est-ce que vous êtes grand(e)s?

7. Est-ce que Charles et Marie sont riches?
8. Est-ce que Louise et Anne sont blondes?
9. Est-ce que nous sommes dynamiques?

10. Est-ce que vous êtes mécontent(e)s?
11. Est-ce que vous êtes tolérant(e)s?

d. Mettez à la forme interrogative.

> *Modèle:* Je suis calme.
> *Est-ce que tu es calme?*

1. Mario est jeune.
2. Olive est grande.
3. Pierre et Paul sont intelligents.
4. Louise et Josette sont blondes.

5. Jacqueline est amusante.
6. Je suis timide.
7. Elle est intéressante.
8. Nous sommes dynamiques.
9. Vous êtes sympathiques.
10. Nous sommes brun(e)s.

e. Construisez des phrases avec les adjectifs suivants et le verbe *être*.

1. sympathique   Nous _____ .
2. petit   Elle _____ .
3. fatigué   Tu _____ .
4. blond   Elles _____ .
5. réaliste   Je _____ .

6. amusant   Ils _____ .
7. indépendant   Il _____ .
8. content   Vous _____ .
9. patient   Nous _____ .
10. timide   Vous _____ .

f. Répondez négativement selon le modèle.

> *Modèle:* Pierre est fatigué. Et Suzanne?
> *Elle n'est pas fatiguée.*

1. Lucie est occupée. Et Henri?
2. Anne est grande. Et Sylvain?
3. Robert est petit. Et Hélène?

4. André est content. Et Claire?
5. Julien est amusant. Et Francine?
6. Ils sont pressés. Et elles?

SITUATIONS / CONVERSATIONS

1. *Rôles: dialogue entre deux étudiant(e)s.* Utilisez des variations.

> *Modèle:* CATHY: Salut. Comment ça va?
> RINO: Ça va bien. Et toi?
> CATHY: Pas mal. Comment t'appelles-tu?
> RINO: Je m'appelle Rino. Et toi?
> CATHY: Je m'appelle Cathy.
> RINO: À bientôt.
> CATHY: Au revoir.

2. Préparez un portrait de vous-même à l'aide des adjectifs suivants:

petit(e)	réaliste	patient(e)	indifférent(e)
grand(e)	dynamique	impatient(e)	tranquille
blond(e)	modeste	indépendant(e)	raisonnable
brun(e)	optimiste	intelligent(e)	calme
amusant(e)	timide	tolérant(e)	pessimiste
énergique	sincère	arrogant(e)	responsable

3. Donnez votre première impression de la personnalité de votre voisin/voisine.

Je pense (I think) qu'il/elle est _____.

PRONONCiATiON
(This exercise is at the end of Chapitre 1 on tape.)

i. L'accent tonique et les groupes rythmiques

1) In isolated words, the tonic accent always falls on the last syllable.
   Répétez:

   intelligent, amusant, épatant, malade, absent, présent, actif, sportif,
   dynamique, sympathique, occupé, pressé

2) In rhythmic groups (phrases), words lose their tonic accent. Instead, the accent occurs
   on the last syllable of the final word of the group.
   Répétez:

   Ça va.   Ça va bien.   Ça va très bien.
   Je suis sportif.
   Tu es calme.
   Nous sommes impatients.
   Pierre est intelligent.

ii. L'intonation dans les phrases déclaratives

1) In a declarative sentence, which includes only one rhythmic group, the tonic accent has
   a falling pitch.
   Répétez:

   Je suis timide.   Il est sportif.   Elle est active.

2) When the sentence includes two rhythmic groups, the pitch of the voice rises at the end of the first one and falls at the end of the second one.
Répétez:

Il est actif et dynamique.   Suzanne et Pierre sont absents.

Elle est amusante et jolie.   Paul et Marie sont sportifs.

iii. L'intonation dans les phrases interrogatives

1) By changing the intonation from a descending to a rising pattern, a declarative sentence may be transformed into a question.
Répétez:

Tu es fatiguée?   Vous êtes malades?   Ils sont amusants?

Il est sportif?   Elle est intelligente?

Listen to the following declarative sentences and change them into questions:

Elle est sympathique.   Tu es fatigué.

Il n'est pas amusant.   Vous n'êtes pas contents.

2) When using **est-ce que** at the beginning of a sentence to form a question, the pitch of the voice should also rise at the end of the question.
Répétez:

Est-ce que tu es content?   Est-ce qu'elle est blonde?

Est-ce qu'il est patient?   Est-ce qu'il est intelligent?

Est-ce que vous êtes fatigués?   Est-ce qu'il est amusant?

Transform the following statements into questions by using **est-ce que***:*

Elle est brune.   Il est absent.

Tu es intelligent. Vous êtes contents.

Ils sont bruns.   Elles sont amusantes.

Weblinks

Online French chat room **http://pages.infinit.net/hangar/index.htm**

Phonetics **http://www.unil.ch/ling/phonetique/api.html**

Pronunciation **http://home.worldcom.ch/~obettens/alphabet.html#fn2**

Adjectives **http://cafe.etfra.umontreal.ca/cle/exemples/x129468.html (example)**

Adjectives **http://pages.infinit.net/jaser2/AccAdjEpith.html (exercise)**

Une chambre confortable

Thèmes
- **Ma chambre**
- **Les objets de ma chambre**
- **Identifier les objets**
- **Exprimer la possession**

Grammaire

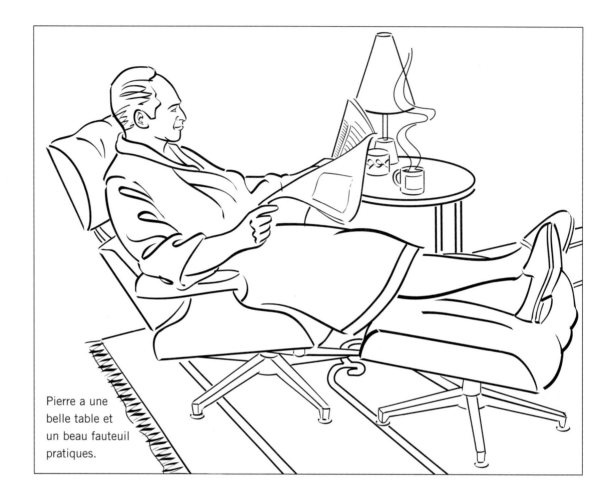

Pierre a une belle table et un beau fauteuil pratiques.

VOCABULAIRE UTILE

ami(e)	friend	**crayon** (m.)	pencil
appartement (m.)	apartment	**luxueux, luxueuse**	luxurious
ancien, ancienne	antique; old; former	**maison** (f.)	house
aussi	also	**milieu** (m.)	middle; environment
bas, basse	low	**revue** (f.)	magazine
bureau (m.)	desk; office	**serviette** (f.)	towel; briefcase
cassette (f.)	cassette	**spacieux, spacieuse**	spacious, roomy
chambre (f.)	bedroom	**stylo** (m.)	pen
chat, chatte	cat	**tableau** (m.)	blackboard

GRAMMAIRE ET EXERCICES ORAUX

2.1 *Qu'est-ce que c'est? / C'est, ce sont*

When you want someone to identify an object, ask: "**Qu'est-ce que c'est?**" (What is that?). To answer, use:

C'est + article + singular noun	**C'est** une table.
or	
Ce sont + article + plural noun	**Ce sont** des stylos.

EXERCICES · ORALEMENT

a. Le professeur indique des objets dans la classe et demande "Qu'est-ce que c'est?"
Répondez:

1. C'est un mur.
2. C'est une fenêtre.
3. C'est une porte.
4. C'est un plancher.
5. C'est un plafond.

6. C'est une lampe.
7. C'est un tableau.
8. C'est un bureau.
9. Ce sont des plantes.
10. Ce sont des fauteuils.

11. Ce sont des stylos.
12. Ce sont des photos.
13. Ce sont des livres.
14. Ce sont des murs.
15. Ce sont des fenêtres.

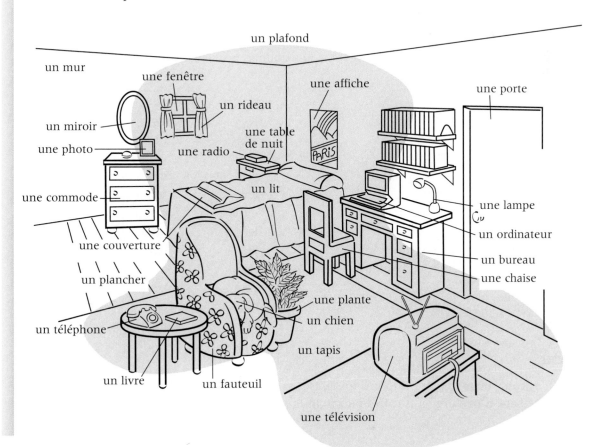

un plafond

un mur

une fenêtre

une affiche

une porte

un rideau

un miroir

une table de nuit

une photo

une radio

un lit

une lampe

une commode

un ordinateur

une couverture

un bureau

un plancher

une chaise

une plante

un chien

un téléphone

un tapis

un livre

un fauteuil

une télévision

b. Indiquez des objets dans la classe et demandez à un(e) autre étudiant(e) «Qu'est-ce que c'est?»

2.2 Noms — genre et nombre

Noun

A noun is a word that refers to:

a person:	**Sonja, Paul, professeur**
a place:	**Montréal, Québec, village**
a thing or animal:	**lampe, chaise, chien**
an idea:	**démocratie, générosité**

Nouns which begin with a capital letter, such as the names of people or places, are called proper nouns. Nouns which do not begin with a capital letter are called common nouns.

Gender

When a word can be classified as masculine or feminine, it is said to have a gender. In French, all nouns are either masculine or feminine. There is no such thing as a neuter noun.

The gender of most French nouns cannot be inferred from their forms: you must memorize the gender along with the noun. However, some endings are usually associated with a particular gender:

Masculine Endings		Feminine Endings	
-age	virage	-ade	promenade
-al	arsenal	-aison	combinaison
-ent	sergent	-ette	cigarette
-ier	fermier	-ière	fermière
-eur	chanteur	-euse	chanteuse
-ien	pharmacien	-ienne	pharmacienne
-isme	communisme	-ie	chimie
-ment	gouvernement	-sion	passion
		-ture	confiture
		-té	charité
		-tion	invention

Number

When a word refers to one person or thing, it is said to be singular. When it refers to more than one person or thing, it is called plural. In French, a word in the plural is usually spelled differently than in the singular. Most often an **s** is added to the singular word; the final **s**, however, is *never* pronounced.

livre (m. sing.)	livre<u>s</u> (m. pl.)
table (f. sing.)	table<u>s</u> (f. pl.)

The plural of nouns ending in:

1) -al ⟶ -aux: anim<u>al</u> ⟶ anim<u>aux</u>

2) -eau ⟶ -eaux: tabl<u>eau</u> ⟶ tabl<u>eaux</u>

3) -eu ⟶ -eux: mil<u>ieu</u> ⟶ mil<u>ieux</u>

❄ Note: If a noun ends with an *s*, an *x* or a *z*, no *s* is added in the plural.

2.3 L'article indéfini — *un / une / des*

The indefinite article in English

"A" or "an" is used before a singular noun when we speak of a person, animal, thing or idea which is not particularized:

She ate *an* apple. (not any particular apple)

He saw *a* man in the street. (not any particular man)

There is no plural form of the indefinite article in English. Plural nouns which do not refer to particular persons or things are used without an article (or occasionally with "some"):

He ate apples. (some apples)

He saw men in the street. (some men)

The indefinite article in French

The singular forms of the indefinite article in French match the gender of the noun they precede.

Un is masculine:

un garçon	a boy
un livre	a book

Une is feminine:

une femme	a woman
une chaise	a chair

As in English, the indefinite article indicates that we do not speak about any particular person or thing. However, in French, there is also a plural form of the indefinite article, **des**, which is used with both masculine and feminine plural nouns and which cannot be omitted. Compare:

J'ai <u>des</u> livres.   I have books. (some books)
Nous avons <u>des</u> chaises.   We have chairs. (some chairs)

EXERCICES · ORALEMENT

a. Employez *un* ou *une* devant chaque nom:

_____ bureau	_____ occasion	_____ couverture
_____ magicien	_____ général	_____ électricien
_____ journal	_____ tapis	_____ animal
_____ fenêtre	_____ porte	_____ ami
_____ mécanicien	_____ sergent	_____ chanteuse
_____ radio	_____ lampe	_____ parade

b. Répétez l'exercice précédent au pluriel.

> *Modèle:* occasion
> *des occasions*

2.4 Le verbe *avoir*

j'ai	I have	**nous** avons	we have
tu as	you have	**vous** avez	you have
il	he	**ils**	
elle } a	she } has	**elles** } ont	they have
on	one		

Note: Liaison is required between *on, nous, vous, ils, elles* and the verb.

vous‿avez   nous‿avons   elles‿ont

on‿a   ils‿ont

The interrogative form with *Est-ce que*

Est-ce que <u>j'ai</u> un crayon?
Est-ce que <u>vous avez</u> un fauteuil?

The negative form: *ne + verbe + pas*

je	n'ai pas	nous	n'avons pas
tu	n'as pas	vous	n'avez pas
il		ils	
elle }	n'a pas	elles }	n'ont pas
on			

In a negative construction, **de** (**d'** before a vowel or a vowel sound) is used in place of **un**, **une**, **des**:

J'ai <u>un</u> chien.   Je n'ai pas <u>de</u> chien.

Il a <u>une</u> flûte   Il n'a pas <u>de</u> flûte.

Ils ont <u>des</u> livres.   Ils n'ont pas <u>de</u> livres.

J'ai <u>des</u> affiches.   Je n'ai pas <u>d'</u>affiches.

Elle a <u>un</u> ordinateur.   Elle n'a pas <u>d'</u>ordinateur.

EXERCICES • ORALEMENT

a. Répondez aux questions.

> *Modèle:* Dans ta chambre, est-ce que tu as une télévision ou des télévisions?
>
> *Dans ma chambre, j'ai...*

Dans ta chambre, est-ce que tu as...

1. une chaise ou des chaises?
2. un lit ou des lits?
3. une fenêtre ou des fenêtres?
4. une cassette ou des cassettes?
5. une plante ou des plantes?
6. une photo ou des photos?
7. un livre ou des livres?
8. une porte ou des portes?
9. un miroir ou des miroirs?
10. une affiche ou des affiches?

b. Répétez avec les changements indiqués:

> *Modèle:* André a un ordinateur.
>
> *Nous avons un ordinateur.*

1. Pierre a un livre.
2. Il _____ .
3. Nous _____ .
4. Juliette _____ .
5. Marie et Pierre _____ .
6. Vous _____ .
7. _____ un bureau.
8. Suzanne _____ .
9. Tu as une commode.
10. Olive et Suzanne _____ .
11. Elle _____ .
12. _____ une télévision.

13. Gaston _____ .   15. Je _____ .

14. Nous _____ .

c. Posez des questions selon le modèle.

Modèle: J'ai un chien. (chat)

Mais est-ce que tu as aussi un chat?

1. Marc a une radio. (télévision)
2. Sylvie a des affiches. (photos)
3. Nous avons une télévision. (ordinateur)
4. J'ai une commode. (fauteuil)
5. La chambre a une porte. (fenêtre)
6. Les étudiants ont des livres. (cassettes)
7. J'ai un lit. (couvertures)
8. Les professeurs ont des chaises. (bureaux)

d. Mettez à la forme négative.

Modèle: Il a une couverture.

Il n'a pas de couverture.

1. Elle a un stylo.   6. Tu as une lampe.
2. Vous avez des livres.   7. J'ai des affiches.
3. Nous avons des chaises.   8. Elle a une chambre.
4. Didier a un lit.   9. Ils ont des photos.
5. Pierre et Karine ont des cassettes 10. Elles ont des plantes.

e. Formez des phrases avec les éléments suivants.

Modèle: Je / avoir / livres

J'ai des livres.

1. Nous / avoir / affiches   6. Les étudiants / avoir / ordinateurs
2. Ils / ne pas avoir / fauteuil   7. Il / avoir / machine à écrire
3. Jeanne / avoir / ami   8. Paul et Toni / avoir / radio
4. Je / ne pas avoir / auto   9. Le professeur / ne pas avoir / téléphone
5. Tu / ne pas avoir / chat   10. Elle / avoir / étagères

f. Posez une question à un(e) camarade. Le (la) camarade répond selon le modèle.

Modèle: télévision / ordinateur

Est-ce que tu as une télévision?
Non, je n'ai pas de télévision, mais j'ai un ordinateur.

1. chat / chien   6. chambre / appartement
2. ordinateur / machine à écrire 7. fenêtre / lampe
3. radio / télévision   8. commode / bureau
4. tapis / plante   9. table de nuit / bureau
5. fauteuil / lit   10. téléphone / ordinateur

2.5 L'adjectif — genre et nombre (suite)

Some adjectives do not have a regular feminine form (adding **e** to the masculine form).
Study the following patterns:

1) Doubling of the final consonant

   a) **-ien, -ienne / -iens, -iennes**

	Masculine	*Feminine*
Singular	canadien	canadienne
Plural	canadiens	canadiennes

   b) **-el, -elle / -els, -elles**

	Masculine	*Feminine*
Singular	rationnel	rationnelle
Plural	rationnels	rationnelles

   c) **-s, -sse / -s, -sses**

	Masculine	*Feminine*
Singular	gros	grosse
Plural	gros	grosses

   d) **bon, bonne / bons, bonnes**

	Masculine	*Feminine*
Singular	bon	bonne
Plural	bons	bonnes

2) Masculine: **-eux** / Feminine: **-euse**

	Masculine	*Feminine*
Singular	heureux	heureuse
Plural	heureux	heureuses

   ✴ Note: Masculine endings in *-eux* do not change in the plural.

3) Masculine: **-eau** / Feminine: **-elle**

	Masculine	*Feminine*
Singular	nouveau	nouvelle
Plural	nouveaux	nouvelles

   ✴ Note: Adjectives ending in *-eau* add *x* for the plural: *-eaux*.

4) Masculine: **-ou** / Feminine: **-olle**

	Masculine	*Feminine*
Singular	mou	molle
Plural	mous	molles

5) Masculine: **-if** / Feminine: **-ive**

	Masculine	*Feminine*
Singular	sportif	sportive
Plural	sportifs	sportives

6) Exceptional adjectives

	Masculine	*Feminine*
Singular	vieux	vieille
Plural	vieux	vieilles

	Masculine	*Feminine*
Singular	doux	douce
Plural	doux	douces

EXERCiCES · ORALEMENT

a. Répétez avec les changements appropriés.

> *Modèle:* Il est heureux.
> *Elle est heureuse.*

1. Elle est bonne.
2. Il _____ .
3. Elles sont _____ .
4. Ils _____ .
5. _____ heureux.
6. Elles _____ .
7. Elle est _____ .
8. _____ ambitieuse.
9. Il est _____ .
10. _____ fou.
11. Elle est _____ .
12. _____ raisonnable.
13. Ils sont _____ .
14. _____ gros.
15. Elle est _____ .
16. Il est vieux.
17. Elles sont _____ .
18. _____ bonnes.
19. Il est _____ .
20. _____ nouveau.
21. Elles sont _____ .
22. _____ sérieuses.
23. Ils sont _____ .
24. Elle est _____ .
25. _____ ancienne.
26. Ils sont _____ .
27. _____ bas.
28. Elle est _____ .
29. _____ mou.
30. Ils sont _____ .

b. Répondez aux questions selon le modèle.

> *Modèle:* Jacques est heureux. Et Madeleine?
> *Elle est heureuse aussi.*

1. Bertrand est vieux. Et Lucienne?
2. Marc est actif. Et Sylvie?
3. Sylvain est doux. Et Isabelle?
4. Jeanne est vietnamienne. Et Paul?
5. Nicole est malheureuse. Et André?
6. Henri est gros. Et Hélène?
7. Annie est folle. Et Richard?
8. Alice est bonne. Et David?
9. Lucien est vieux. Et Lucie?
10. Paul est nouveau. Et Suzanne?

2.6 Place des adjectifs

In English, descriptive adjectives precede the noun. In French, they usually *follow* the noun. Adjectives of colour, religion or nationality almost always follow the noun and agree in gender and number with the noun or pronoun.

	Masculine	*Feminine*
Singular	un fauteuil moderne	une chaise confortable
	un vin français	une revue française
Plural	<u>des</u> fauteuils moderne<u>s</u>	<u>des</u> chaise<u>s</u> confortable<u>s</u>
	<u>des</u> vin<u>s</u> français	<u>des</u> revue<u>s</u> françai<u>ses</u>

 Note: Adjectives of nationality are not capitalized in French.

EXERCiCES • ORALEMENT

a. Répondez aux questions en utilisant un des adjectifs de la liste:
confortable, superbe, moderne, intéressant, exceptionnel, précieux, luxueux, pratique, magnifique, extraordinaire

> *Modèle:* Est-ce que tu as un fauteuil?
> *Oui, j'ai un fauteuil confortable.*

Est-ce que tu as...

1. un lit?
2. des livres?
3. des cassettes?
4. des plantes?
5. un tapis?
6. un ordinateur?
7. une chambre?
8. une télévision?
9. un bureau?
10. des lampes?

b. Montrez votre chambre à un(e) ami(e). Combinez les éléments des quatre colonnes.

c'est	un	fenêtre	solide(s)
ce sont	une	mur	confortable
	des	bureau	intéressant(e)(s)
		plantes	pratique(s)
		photos	superbe(s)
		cassettes	élégant(e)(s)
		affiches	
		chaise	
		bureau	

C. Faites une phrase à partir des éléments donnés.

> *Modèle:* luxueux / avoir / je / tapis
> *J'ai un tapis luxueux.*

1. amusant / avoir / tu / livre
2. fauteuil / Hélène / avoir / confortable
3. Henri / moderne / avoir / ordinateur
4. superbes / avoir / plantes / Pierre
5. avoir / sympathiques / nous / amis
6. spacieuse / avoir / chambre / vous

Place des adjectifs (suite)

The following adjectives normally precede the noun and agree in gender and number with the noun they qualify.

	Masculine	*Feminine*
Singular	un grand lit	une grande table
Plural	de grands lits	de grandes tables

Masculine	Feminine
grand	grande (tall/large)
petit	petite (small)
beau	belle (beautiful)
joli	jolie (pretty)
gros	grosse (big)
nouveau	nouvelle (new)
vieux	vieille (old)
bon	bonne (good)
autre	autre (other)

Note: 1) In front of an adjective that is plural, *des* ⟶ *de*. Compare:

<u>des</u> livres intéressants / <u>de</u> beaux livres

<u>des</u> chaises confortables / <u>de</u> belles chaises

2) When placed before a masculine singular noun which begins with a vowel or a silent *h*, *beau*, *nouveau* and *vieux* become *bel*, *nouvel* and *vieil*:

un <u>vieil</u> ami   un <u>bel</u> homme   un <u>nouvel</u> ordinateur

3) An adjective that modifies more than one noun is plural. If the nouns have different genders the masculine plural form is used:

un garçon et une fille courag<u>eux</u>   un bureau et une table anci<u>ens</u>

EXERCICES • ORALEMENT

a. Posez la question à un(e) autre étudiant(e). Il/Elle répond selon le modèle.

> *Modèle:* une lampe (grand / petit)
> *Est-ce que tu as une grande lampe?*
> *Non, j'ai une petite lampe.*

1. un fauteuil (nouveau, vieux)
2. un ordinateur (vieux, nouveau)
3. un lit (petit, grand)
4. un chien (gros, petit)
5. une télévision (nouveau, vieux)
6. une plante (petit, gros)
7. un tapis (beau, vieux)
8. une couverture (beau, vieux)
9. un stylo (bon, vieux)
10. une radio (vieux, bon)

b. Répondez aux questions.

> *Modèle:* Est-ce que vous avez des tables? (petit)
> *Oui, nous avons de petites tables.*

Est-ce que vous avez...

1. des lits? (grand)
2. des livres? (vieux)
3. des lampes? (beau)
4. des plantes? (gros)
5. des affiches? (joli)
6. des fenêtres? (petit)
7. des photos? (nouveau)
8. des cassettes? (bon)
9. des couvertures? (beau)
10. des chaises? (vieux)

c. Répondez selon le modèle.

> *Modèle:* Est-ce que la chambre de Paul est belle?
> *Oui, c'est une belle chambre.*

1. Est-ce que le livre de Jeanne est intéressant?
2. Est-ce que l'appartement de Sylvie est grand?
3. Est-ce que la maison d'Yvon est jolie?
4. Est-ce que les disques de Pierre sont nouveaux?
5. Est-ce que la chambre d'Isabelle est spacieuse?
6. Est-ce que le chien de Marc est gros?
7. Est-ce que le chat de Margo est petit?
8. Est-ce que le professeur de Pierre est dynamique?

d. Faites des phrases selon le modèle.

> *Modèle:* vieux / confortable / maison
> *C'est une vieille maison confortable.*

1. luxueux / nouveau / tapis
2. petit / pratique / table
3. bon / affectueux / chienne
4. vert / grand / plante

5. vieux / sympathique / homme
6. moderne / beau / chaise
7. intéressant / gros / livre
8. amusant / autre / disque

2.7 Les nombres

1 un	18 dix-huit	35 trente-cinq
2 deux	19 dix-neuf	36 trente-six
3 trois	20 vingt	37 trente-sept
4 quatre	21 vingt et un	38 trente-huit
5 cinq	22 vingt-deux	39 trente-neuf
6 six	23 vingt-trois	40 quarante
7 sept	24 vingt-quatre	41 quarante et un
8 huit	25 vingt-cinq	42 quarante-deux
9 neuf	26 vingt-six	43 quarante-trois
10 dix	27 vingt-sept	44 quarante-quatre
11 onze	28 vingt-huit	45 quarante-cinq
12 douze	29 vingt-neuf	46 quarante-six
13 treize	30 trente	47 quarante-sept
14 quatorze	31 trente et un	48 quarante-huit
15 quinze	32 trente-deux	49 quarante-neuf
16 seize	33 trente-trois	50 cinquante
17 dix-sept	34 trente-quatre	

 Note: The final consonants of all the numbers are pronounced when followed by words beginning with a vowel. The final *x* or *s* of deu<u>x</u>, troi<u>s</u>, si<u>x</u> and di<u>x</u> is pronounced as a /z/ sound.

un͜ami   deux͜étudiants   trois͜exercices

EXERCiCES • ORALEMENT

a. Répétez:

45	11	13	49	2	17	9	48	16	32
12	22	27	26	12	50	13	23	15	42
15	10	32	19	22	30	40	7	14	48

b. Donnez la réponse correcte.

Modèle: 2 + 2 = 4

Deux plus deux font quatre. / Deux et deux font quatre.

plus

15 + 15 =	32 + 13 =	7 + 15 =
11 + 22 =	18 + 16 =	9 + 2 =
13 + 27 =	15 + 7 =	8 + 7 =

moins

17 – 2 =	23 – 9 =	12 – 6 =
40 – 13 =	49 – 23 =	27 – 11 =
48 – 12 =	18 – 16 =	50 – 25 =

fois

2 x 2 =	15 x 2 =	5 x 5 =
13 x 2 =	4 x 4 =	12 x 3 =
10 x 4 =	11 x 3 =	7 x 4 =

c. Répondez aux questions.

Modèle: Combien est-ce que tu as de crayons? (12)

J'ai douze crayons.

Combien est-ce que tu as...

1. de livres?   (22)
2. de tables?   (4)
3. de chaises?   (5)
4. de lampes?   (2)
5. de fauteuils? (4)
6. de fenêtres?   (3)
7. de chats?   (11)
8. de plantes?   (4)
9. de cahiers?   (8)
10. d'amis?   (2)
11. d'affiches?   (4)
12. de stylos?   (23)

EXERCICES ÉCRITS

a. Écrivez *un, une* ou *des*:

1. Est-ce que tu as _____ lit?
2. J'ai _____ commode.
3. Il a _____ chaises.
4. Charles a _____ télévision.
5. Claire a _____ étagère.
6. Ils ont _____ ordinateur.
7. Nous avons _____ chien.
8. Vous avez _____ radio.
9. Elles ont _____ machine à écrire.
10. Ils ont _____ rideaux.
11. Antoine a _____ chambre.
12. J'ai _____ plantes.
13. Est-ce qu'il a _____ affiches?
14. Vous avez _____ fenêtres.
15. Ils ont _____ miroir.
16. Georges et Paul ont _____ fauteuils.
17. Elle a _____ téléphone.
18. Nous avons _____ lampes.

b. Remplacez les tirets par le verbe *avoir* à la forme qui convient:

1. Elle _____ une télévision.
2. Je _____ un tapis.
3. Édouard _____ des livres.

4. Nous _____ des cassettes.
5. Tu _____ un ordinateur.
6. Elles _____ des stylos.

c. Mettez les phrases de l'exercice précédent: 1) à la forme négative; 2) à la forme interrogative avec *Est-ce que*.

d. Mettez au pluriel d'après les modèles.

Modèles: C'est un nouvel ordinateur.
Ce sont de nouveaux ordinateurs.

C'est une chaise confortable.
Ce sont des chaises confortables.

1. C'est un étudiant sportif.
2. C'est une vieille chaise.
3. C'est un gros chien.
4. C'est un livre intéressant.
5. C'est un étudiant sérieux.

6. C'est un bel animal.
7. C'est un grand tableau.
8. C'est une table basse.
9. C'est une bonne idée.
10. C'est un tapis superbe.

e. Mettez l'adjectif ou les adjectifs à la place qui convient et faites-les accorder avec le nom.

Modèle: Elle a des tables (petit, bas).
Elle a de petites tables basses.

1. Nous avons des disques (nouveau).
2. J'ai un lit (grand).
3. Il a un fauteuil (confortable).
4. Il a un chien (intelligent).
5. Nous avons une commode (ancien).
6. Tu as un stylo (bon).
7. Nous n'avons pas de commode (beau).
8. Tu as une machine à écrire (pratique).
9. Pierre a des photos (intéressant).
10. Vous avez une lampe (joli, chinois).

11. Ils ont un fauteuil (bon, moderne).
12. Paul et Louise ont des livres (exceptionnel).
13. J'ai une machine à écrire (vieux)
14. Marie a des lampes (beau, pratique).
15. Elles n'ont pas de couvertures (gros).
16. Vous avez des chambres (luxueux).
17. Ils ont des affiches (superbe).
18. Nous avons des couvertures (doux).

f. Répondez aux questions par des phrases complètes. (Écrivez les chiffres en toutes lettres.)

Combien est-ce que tu as...

1. de chaises?   (3)
2. de tables?   (2)
3. de lampes?   (5)
4. de livres?   (42)
5. de crayons?   (13)

6. de fenêtres?   (6)
7. de fauteuils?   (7)
8. d'affiches?   (5)
9. de photos?   (8)
10. de stylos?   (15)

g. Indiquez les réponses en chiffres écrits.

   Modèle: 5 x 5 = vingt-cinq

1. 4 x 4 =	5. 50 – 12 =	9. 5 + 6 =
2. 16 + 16 =	6. 20 – 10 =	10. 25 – 12 =
3. 35 – 15 =	7. 5 x 3 =	11. 24 – 10 =
4. 10 + 10 =	8. 10 + 13 =	12. 24 – 12 =

h. Faites des phrases à partir des éléments donnés.

   Modèle: Ce / ne pas / être / un homme / beau
   Ce n'est pas un bel homme.

   1. Tu / avoir / un ami / nouveau
   2. Ils / ne pas / avoir / amusants / des livres
   3. Marie / être / une femme / vieux / heureux
   4. Nous / avoir / quatre / fenêtres / grand
   5. Vous / ne pas / avoir / des plantes / joli / vert
   6. Alain / avoir / une télévision / beau / moderne

SITUATIONS / CONVERSATIONS

1. Qu'est-ce que vous avez dans votre chambre?

2. Demandez à votre voisin(e) quelle sorte de table
   de chaise
   de fauteuil
   de cassettes
   etc.
   } il / elle a?

   Exemple: J'ai une table ancienne.
   J'ai une petite table.

COMPOSITION

Faites une description des objets de votre chambre:

   Exemple: J'ai un grand lit confortable, un vieux tapis, de grandes fenêtres. J'ai aussi un ordinateur, etc.

PRONONCiATiON
(This exercise is at the end of Chapitre 2 on tape.)

i. Enchaînement

Within a rhythmic group, when a word ends with a pronounced consonant and the next word begins with a vowel sound, that consonant is linked with the vowel.

> *Répétez:*
>
> Il est amusant.   C'est un nouvel ordinateur.
>
> Il est actif.   C'est un vieil ami.
>
> Il est impatient.

Few words in French end in a consonant which is pronounced. However, a number of words end with the letter **e** which is never pronounced in that position: in such a case, the preceding consonant is pronounced and may also be linked with the following word if that word begins with a vowel sound.

> *Répétez:*
>
> Madame Armand   quatre amis
>
> Mademoiselle Olive   un autre étudiant
>
> Elle est absente   une grande armoire
>
> Elle est sportive.   une petite amie

ii. Liaison

Although in most French words the final consonant is not pronounced, when a word ending in a silent consonant is followed by a word beginning with a vowel sound, that consonant is sometimes pronounced and linked with the vowel sound. Depending on the case, **liaison** is optional, compulsory, or even to be avoided (see Chapter 21). **Liaison** is compulsory between a subject pronoun and a verb, as well as between an article and a noun or an adjective and a noun.

Final **s** and **x** are pronounced /z/ in **liaison**; final **d** is pronounced /t/.

> *Répétez:*
>
> nous avons   de bons étudiants
>
> vous avez   de vieux arbres
>
> ils ont   de vieux amis
>
> elles ont   de nouveaux étudiants
>
> des armoires   un grand arbre
>
> des affiches   un grand ami
>
> des amis   un grand animal
>
> des étudiants   Ils ont des amis.
>
> de grands arbres   Nous avons de bons amis.
>
> de bons amis

Weblinks

Furniture **http://www.afmq.com/tendf.html**

Furniture **http://www.total.net/~machabee/produits.htm**

Grammar **http://pages.infinit.net/jaser2/GenreNomnf.html**

Grammar **http://www2.sp.utexas.edu/fr/student.qry?function=questions**

Home **http://hkstar.com/~jleung/french/french2.html**

Bookstore **http://www.gallimard-mtl.com/**

Parle-moi de toi

Thèmes

- Les jours, les mois, les saisons, la date
- Mes goûts personnels
- Où sont les objets de ma classe?
- Quel est ton signe? Consultes-tu l'horoscope?
- Les couleurs

Lecture

Quel est ton signe?

Grammaire

VOCABULAiRE UTiLE

ambition (f.)	ambition	**curieux, curieuse**	curious
attentif, attentive	attentive	**effort** (m.)	effort
audacieux, audacieuse	daring, bold	**église** (f.)	church
autoritaire	authoritarian	**égoïste**	selfish
agressif, agressive	aggressive	**endurant(e)**	tough, steadfast
avec	with	**énergique**	energetic
banque (f.)	bank	**enthousiaste**	enthusiastic
besoin (m.)	need	**équilibre** (m.)	equilibrium
bibliothèque (f.)	library	**étudier**	to study
carte (f.)	card	**facile**	easy
chanson (f.)	song	**fatigué(e)**	tired
charmant(e)	charming	**femme** (f.)	woman
concentration (f.)	concentration	**fidèle**	faithful

fierté (f.)	pride	**pratique**	practical
fille (f.)	girl	**qualité** (f.)	quality
garçon (m.)	boy	**quelquefois**	sometimes
gens (m. pl.)	people	**signe** (m.)	sign
homme (m.)	man	**sincère**	sincere
honnête	honest	**souvent**	often
impulsif, impulsive	impulsive	**tenace**	tenacious
indépendant(e)	independent	**tendance** (f.)	tendency
jamais	never	**timide**	shy
jeune	young	**tolérant(e)**	tolerant
manque (m.)	lack	**toujours**	always
oiseau (m.)	bird	**travail** (m.)	work
parc (m.)	park	**très**	very
personne (f.)	person	**vite**	fast, quickly
pour	for; (in order) to		

GRAMMAIRE ET EXERCICES ORAUX

3.1 Verbes réguliers et verbes irréguliers

The majority of French verbs are regular (**réguliers**), which means that they are conjugated according to a fixed pattern. There are three groups of regular verbs. Their infinitives end in **-er** (first group); in **-ir** (second group); and in **-re** (third group). Dropping the infinitive ending (**la terminaison**) leaves the stem (**le radical**). Regular verbs are conjugated in the various tenses by adding a particular set of endings to the stem.

Irregular verbs are those which do not follow an established pattern and must be memorized individually. (**Être** and **avoir** are irregular verbs.)

3.2 Présent de l'indicatif des verbes en -er

The present tense of verbs in the first group is formed by adding to the stem the endings shown in this example:

danser (to dance)

je	danse	nous	dansons
tu	danses	vous	dansez
il / elle / on	danse	ils / elles	dansent

 Note: The endings *-e, -es, -e, -ent* are silent: hence the forms *je danse, tu danses, il/elle/on danse, ils/elles dansent* all have the same pronunciation.

The first group includes all the regular verbs whose infinitives end in **-er**, such as:

aimer	(to like/to love)	Nous aimons la musique.
arriver	(to arrive)	J'arrive de la cafétéria.
chanter	(to sing)	Est-ce que tu chantes dans la classe?
écouter	(to listen to)	Lise écoute un disque.
entrer	(to enter)	Nous entrons dans la classe.
étudier	(to study)	Ils étudient le français.
fumer	(to smoke)	Serge ne fume pas.
habiter	(to dwell)	Nous habitons à Montréal.
marcher	(to walk)	Vous marchez dans le parc.
manger	(to eat)	Est-ce que vous mangez au restaurant?
parler	(to speak)	Elle parle l'anglais.
regarder	(to look at/to watch)	Tu regardes la télévision.
rester	(to stay)	Je reste dans ma chambre.
travailler	(to work)	Nous ne travaillons pas bien.

 Note: 1) The pronoun *je* before a vowel or a silent *h* becomes *j'*: *j'arrive, j'entre, j'habite.*

2) There is only one verb form in French to indicate the present tense, whereas there are three forms in English:

je danse $\left\{\begin{array}{l}\end{array}\right.$
I dance (present)
I do dance (present emphatic)
I am dancing (present progressive)

EXERCICES • ORALEMENT

a. Répétez chaque phrase. Changez la forme du verbe selon le sujet entre parenthèses.

Modèle: Tu (elle, nous, je) imagines.

Tu imagines. Elle imagine. Nous imaginons. J'imagine.

1. Martin (vous, tu, je) écoute un disque de jazz.
2. Nous (on, vous, Suzanne et Marc) regardons la télévision.
3. Je (vous, ils, tu, un professeur) marche dans la classe.
4. Elle (tu, André, nous) aime les animaux.
5. Sylvie (nous, elles, vous) travaille dans une banque.
6. Vous (je, ils, Henri, tu) parlez avec le professeur.
7. Ils (nous, je, Louise) étudient à Toronto.

b. Alternatives. Faites des phrases selon le modèle.

Modèle: Hélène / danser / chanter / bien

Hélène ne danse pas bien mais elle chante bien.

1. nous / chanter / parler / dans la classe
2. Sylvain / écouter la radio / regarder la télévision

3. Francine et Jacques / étudier à l'université / travailler dans une banque
4. je / fumer / manger / dans le restaurant
5. vous / écouter le professeur / parler avec les autres étudiants

C. Posez la question appropriée.

> *Modèles:* Je fume des cigares.
> *Est-ce que tu fumes des cigares?*
>
> Nous regardons un film.
> *Est-ce que vous regardez un film?*

1. Je mange un sandwich.
2. Nous chantons une ballade.
3. J'étudie le français.
4. Je parle avec Hélène.
5. Vous regardez un film.
6. Nous parlons avec Yvon.
7. J'écoute une chanson.
8. Nous travaillons.
9. Nous marchons.
10. Tu aimes la classe.

d. Répondez aux questions selon le modèle.

> *Modèle:* Hélène arrive aujourd'hui? (demain)
> *Non, elle arrive demain.*

1. Tu aimes le jazz? (la musique classique)
2. Vous étudiez l'espagnol? (le français)
3. Pierre écoute une cassette? (la radio)
4. Alain mange à la cafétéria? (au restaurant)
5. Sylvain et Marguerite habitent à Montréal? (à Toronto)
6. Tu fumes des cigares? (des cigarettes)
7. Vous regardez un film? (un opéra)
8. Suzanne et Alain parlent espagnol? (italien)

e. Posez une question à un(e) autre étudiant(e). L'autre étudiant(e) répond selon le modèle.

> *Modèle:* regarder / beaucoup / la télévision
> Question: *Tu regardes beaucoup la télévision?*
> Réponse: *Oui, je regarde beaucoup la télévision.*
> ou: *Non, je ne regarde pas beaucoup la télévision.*

1. étudier / la philosophie
2. aimer / le jazz
3. écouter / des cassettes de musique classique
4. parler / avec le professeur
5. manger / au restaurant
6. habiter / un appartement
7. regarder / le hockey / à la télévision
8. danser / dans les discothèques

3.3 L'article défini

Forms

le   before a masculine singular noun or adjective beginning with a consonant:
le garçon, le stylo, le grand bureau

la   before a feminine singular noun or adjective beginning with a consonant:
la table, la serviette, la jolie chaise

l'   before a masculine or feminine singular noun or adjective beginning with
a vowel sound or a silent **h**:
l'étudiant, l'homme, l'autre classe

les   before all plural nouns or adjectives:
les stylos, les femmes, les nouveaux livres

Uses of the definite article

1. Like "the" in English, it precedes nouns indicating particular persons, places or things:

Le professeur est dans la classe.
Les étudiants sont attentifs.
L'université est grande.

2. Unlike "the" in English, the definite article in French also precedes nouns used
abstractly or in a general sense. Compare:

Le français est facile.   French is easy.
Les arbres sont verts.   Trees are green.
L'honnêteté est une vertu.   Honesty is a virtue.

EXERCICES • ORALEMENT

a. Remplacez l'article indéfini par l'article défini approprié:

un garçon	un mur
une fille	des couvertures
un étudiant	un ordinateur
une étudiante	un miroir
un chien	des lampes
une chaise	un tapis
des livres	une femme
un bureau	des fenêtres
une table	des affiches
des disques	un oiseau

b. Insérez l'article défini qui convient:

télévision	téléphone	photo
lit	table	plante
affiche	étagère	radio
commode	plafond	couverture
cassette	miroir	réveille-matin
livre	fauteuil	plancher

3.4 Prépositions de lieu

à (at/in/to/into)	Il est <u>à</u> Montréal; <u>à</u> l'université.
de (from)	Elle arrive <u>de</u> Toronto; <u>de</u> la bibliothèque.
dans (in/into)	La plante est <u>dans</u> le pot.
devant (in front of)	Le professeur est <u>devant</u> les étudiants.
derrière (behind)	Le tableau est <u>derrière</u> le professeur.
sur (on)	Les livres sont <u>sur</u> la table.
sous (under)	Le chien est <u>sous</u> la chaise.
à côté de (beside/next to)	Le restaurant est <u>à côté de</u> la discothèque.
à droite de (to the right of)	Pierre est <u>à droite de</u> Marie.
à gauche de (to the left of)	Sylvie est <u>à gauche de</u> Marie.
entre (between)	Marie est <u>entre</u> Pierre et Sylvie.
en face de (facing)	Jean est <u>en face du</u> professeur.

3.5 Contractions (de à et de)

When **à** or **de** precedes the definite article **le** or **les**, the following contractions are made:

à + le = au ⟶ **à + les = aux**
de + le = du ⟶ **de + les = des**

Nous sommes **au** restaurant.   Il parle **aux** étudiants.
J'arrive **du** cinéma.   Il parle **des** étudiants.

No contraction is made with **la** or **l'**:

Elle est **à la** maison.   Nous sommes **à l'**église.

Contractions are also made with **le** or **les** when **à** or **de** are part of longer prepositions:

à côté de + les étudiants ⟶ à côté **des** étudiants
jusqu'à (up to) + le parc ⟶ jusqu'**au** parc

3.6 interrogation — l'inversion

Questions in French are asked not only by using upward intonation **(Ils sont grands?)** or **Est-ce que (Est-ce qu'ils sont grands?),** but also by inverting the subject and verb: **Sont-ils grands?**

Inversion can be used when:

1. the subject is a pronoun, although it is not normally used if the subject is the pronoun **je**.

> Tu es fatigué. $\longrightarrow$ Es-tu fatigué?
>
> Vous avez des disques. $\longrightarrow$ Avez-vous des disques?

If the verb ends with a vowel, a **t** must be inserted between the verb and the pronouns **il, elle** and **on**:

> Danse-t-il à la discothèque?
>
> A-t-elle un ordinateur?
>
> Chante-t-on dans la classe?

2. the subject is a noun. The noun remains before the verb, but a subject pronoun of the same gender and number as the noun is added after the verb:

> Les rideaux sont-ils verts?
>
> René est-il intelligent?
>
> Le professeur regarde-t-il les étudiants?

3. the question begins with an interrogative adverb such as **où** (where) or **d'où** (from where):

> Où mange-t-il?
>
> Où Pierre travaille-t-il?
>
> D'où Suzanne arrive-t-elle?

An alternative construction is often used when the subject is a noun and the verb is **être**: **où** + verb **(être)** + noun subject:

> Où est Pierre?
>
> Où est le professeur?
>
> Où sont les livres?

EXERCICES • ORALEMENT

a. Formez une question avec l'inversion.

> *Modèles:* Tu es sportif.
>
> *Es-tu sportif?*
>
> Bernard regarde la télévision.
>
> *Bernard regarde-t-il la télévision?*

1. Elle est sympathique.
2. Vous êtes sportifs.
3. Il a une télévision.
4. Ils marchent dans le parc.
5. Tu manges un biscuit.
6. Elles sont amusantes.
7. Lisette mange un sandwich.
8. André regarde un film.
9. Le professeur écoute les étudiants.
10. Les poètes aiment la nature.
11. Louis a une télévision.
12. Les étudiants sont attentifs.

b. Formez la question. Employez *où* et l'inversion.

> *Modèle:* Carole est à Montréal.
> *Où est Carole?*

1. Le chat est sous la table.
2. Julien est derrière la porte.
3. Les livres sont sur le bureau.
4. Il est à droite de la fenêtre.
5. Le professeur est à côté de la porte.
6. Le fauteuil est entre la commode et la fenêtre.
7. Nous sommes dans la classe.
8. Elizabeth est à côté de Pierre.
9. Je suis devant Lucien.
10. La télévision est sur la commode.
11. Marc est dans la chambre.
12. Le chien est entre Loulou et Marie.

c. Même exercice.

> *Modèle:* Pierre mange au restaurant.
> *Où Pierre mange-t-il?*

1. Les étudiants marchent dans le parc.
2. Marc et Sylvie dansent à la discothèque.
3. Le professeur travaille à la bibliothèque.
4. Antoinette chante dans la bibliothèque.
5. Serge entre dans la classe.
6. J'habite à Vancouver.

d. Répondez par une phrase complète. Utilisez *à, au, à la, à l'* ou *de, de l', de la, du.*

> *Modèle:* D'où arrives-tu? (le cinéma)
> *J'arrive du cinéma.*

1. Où Jean habite-t-il? (Toronto)
2. Où manges-tu? (la cafétéria)
3. Où Pierre mange-t-il? (le restaurant)
4. Où sommes-nous? (la classe)
5. D'où es-tu? (Vancouver)
6. D'où rentre-t-elle? (le cinéma)
7. Où Yvette étudie-t-elle? (la bibliothèque)
8. D'où arrive-t-il? (le parc)
9. Où travaillez-vous? (une banque)
10. Où est-il? (l'hôpital)

e. Regardez "Une chambre confortable," (page 19, chapitre deux), et répondez aux questions.

Où est...
1. la radio?
2. l'ordinateur?
3. le fauteuil?
4. la télévision?
5. le téléphone?
6. l'étagère
7. la commode?
8. le miroir?
9. la chaise?
10. le rideau?

f. Posez une question à un(e) autre étudiant(e) avec les verbes suivants: *manger, étudier, travailler, être, chanter, marcher, habiter.*

> *Modèle:* Où es-tu?
> *Je suis dans la classe.*

3.7 L'impératif

Like the indicative, the imperative is a mood (**un mode**). It is a form of the verb used to give commands or offer suggestions.

The imperative has three forms which correspond to the three subject pronouns **tu**, **nous** and **vous**, but these subject pronouns are omitted. The three forms of the imperative are identical to the corresponding forms of the present indicative, except that the final **s** is dropped from the **tu** form of **-er** verbs.

danser	**chanter**	**parler**
dans**e**	chant**e**	parl**e**
dans**ons**	chant**ons**	parl**ons**
dans**ez**	chant**ez**	parl**ez**

The imperative forms of **être** and **avoir** are irregular.

être	**avoir**
sois	aie
soyons	ayons
soyez	ayez

To form the negative form of the imperative, use **ne** before the verb and **pas** after it:

> Ne parle pas!
> Ne regardez pas la télévision!
> Ne chantons pas!
> Ne sois pas méchant!

EXERCICES • ORALEMENT

a. Mettez les verbes à la forme correcte d'après le modèle.

> *Modèle:* (manger) à la cafétéria
> *Mange à la cafétéria. Ne mange pas à la cafétéria.*

1. (écouter) une cassette
2. (danser) avec Danielle
3. (étudier) fort
4. (être) dans la classe
5. (manger) à la cafétéria
6. (parler) avec les étudiants
7. (regarder) les autres étudiants
8. (travailler) dans la chambre
9. (imaginer) le spectacle
10. (chanter) une chanson
11. (rester) chez toi
12. (avoir) du courage

b. Même exercice.

> *Modèle:* (regarder) le tableau
> *Regardez le tableau. Ne regardez pas le tableau.*

1. (être) attentifs
2. (marcher) dans le parc
3. (écouter) la radio

4. (entrer) dans la classe
5. (fumer) une cigarette
6. (regarder) le spectacle

c. Même exercice.

> *Modèle:* (écouter) le professeur
> *Écoutons le professeur. N'écoutons pas le professeur.*

1. (regarder) le livre
2. (rentrer) à la maison
3. (marcher) vite

4. (étudier) la philosophie
5. (entrer) dans la chambre
6. (parler) avec Henri

d. Soyez contrariants! Donnez l'ordre ou le conseil inverse.

> *Modèle:* Soyez contrariants!
> *Ne soyez pas contrariants!*

1. Reste à la bibliothèque!
2. Ne chantez pas et ne dansez pas!
3. Parlons anglais en classe!
4. Ne mangez pas vite!

5. Ne sois pas autoritaire avec les enfants!
6. Dansez sur les tables!
7. Regardons la télévision!
8. Ne marche pas devant les autres étudiants!

3.8 Verbes suivis de prépositions

Many verbs may be followed directly by a noun which is the direct object:

> Il regarde <u>la télévision</u>.   Tu manges <u>un biscuit</u>.

Other verbs are followed by a preposition before a noun, as are the following:

> **parler de** (to speak of/about)   Elle parle <u>du professeur</u>.
> Nous parlons <u>de la cafétéria</u>.
>
> **jouer à** (to play games/sports)   Pierre joue <u>au tennis</u>.
> Le vieil homme joue <u>aux cartes</u>.
>
> **jouer de** (to play a musical   Suzanne joue <u>de la guitare</u>.
> instrument)   Guy ne joue pas <u>du piano</u>.

Remember that contractions occur with **à** and **de** when followed by the definite articles **le** or **les**:

> le tennis   ⟶   jouer **au** tennis (**à** + le)
> les étudiants   ⟶   parler **des** étudiants (**de** + les)

3.9 Rappel: (avoir à la forme négative suivi d'un article indéfini)

When the verb **avoir** is in the negative, the indefinite article preceding the direct object always becomes **de (d')**:

J'ai <u>un</u> ordinateur.   Je n'ai pas <u>d'</u>ordinateur.

This also applies to other transitive verbs, i.e., verbs which take a direct object:

Je mange <u>un</u> sandwich. ——————▶ Je ne mange pas <u>de</u> sandwich.

Nous écoutons <u>des</u> cassettes. ——————▶ Nous n'écoutons pas <u>de</u> cassettes.

EXERCICES • ORALEMENT

a. Répondez aux questions (affirmativement et négativement):

1. Est-ce que tu joues de la flûte?
2. Est-ce que nous jouons aux cartes dans la classe?
3. Est-ce qu'Albert joue au football?
4. Est-ce que tu regardes un vidéo?
5. Est-ce que vous écoutez un concert?
6. Est-ce que vous écoutez des cassettes de rock?
7. Est-ce que nous parlons de Paul?
8. Est-ce que le professeur joue du violon?
9. Est-ce que je fume des cigares?
10. Est-ce que l'étudiante mange un steak?

b. De quel(s) instrument(s) est-ce que tu joues?

1. Je joue de... le piano, le violon, la flûte, l'harmonica, la batterie, la guitare, l'orgue, la contrebasse, le clavecin, etc.

À quels jeux joues-tu?

2. Je joue à... les échecs, le Monopoly, les cartes, le bridge, le poker, le Scrabble, les dames, les dominos, etc.

c. Posez la question à un(e) autre étudiant(e) selon le modèle.

Modèle: fumer des cigarettes.

Question: *Est-ce que tu fumes des cigarettes?*

Réponse: *Oui, je fume des cigarettes.* (ou *Non, je ne fume pas de cigarettes.*

1. écouter la radio
2. regarder la télévision
3. chanter dans la banque
4. manger souvent des biscuits

5. jouer aux échecs
6. aimer la musique rock
7. jouer de la trompette
8. parler du professeur

d. Répondez à la forme négative.

> *Modèle:* Regardes-tu un film?
> *Non, je ne regarde pas de film.*

1. Jean-Luc mange-t-il des bananes?
2. Est-ce qu'Éric écoute un concert?
3. Est-ce que tu fumes un cigare?
4. Le chien mange-t-il un gâteau?
5. Écoutent-elles une chanson?
6. Est-ce qu'il regarde un livre?
7. Le professeur écoute-t-il des cassettes?
8. Aimes-tu le vidéo?
9. Regardes-tu la télévision?

3.10 Le verbe irrégulier *aller*

Présent de l'indicatif				*Impératif*
je v**ais**		**nous** allons		**va***
tu v**as**		**vous** allez		**allons**
il / elle / on v**a**		**ils / elles** vont		**allez**

Aller is used in expressions such as:

Comment ça va?   Ça va.
Comment allez-vous?   Je ne vais pas très bien.
Comment va Pierre?   Il va bien.

Aller generally means **to go**. It is used with the preposition **à** before the name of a city or a noun indicating a place:

Elle va à la bibliothèque.
Je vais à Montréal.

It is used with the preposition **chez** before a proper noun or a noun designating a person or persons:

Allons chez Catherine.
Ils vont chez des amis.
Elle va chez le dentiste.

EXERCICES • ORALEMENT

a. Répétez chaque phrase. Changez la forme du verbe selon le sujet entre parenthèses.

1. Le professeur (nous / je / les étudiants) va bien.
2. Vous (tu / Albert / je) n'allez pas à Québec.
3. Vas-tu (nous / elle / ils / vous) chez Robert?

*In the **tu** form of the imperative, the **s** is dropped.

b. Répondez aux questions. Employez *à, au, à la, à l'* ou *chez*:

1. Où vas-tu? (le coiffeur)
2. Où allez-vous? (le restaurant)
3. Où est-ce que je vais? (la cafétéria)
4. Où allons-nous? (Charles)
5. Où est-ce qu'elle va? (Montréal)
6. Où vont Pierre et Chantal? (la discothèque)
7. Où va-t-il? (le dentiste)
8. Où va le professeur? (la banque)

c. Préférences. Combinez les éléments donnés selon votre choix avec le verbe *aller*.

> *Modèle:* je / dentiste / cinéma / à / chez
> *Je vais chez le dentiste. (ou) Je vais au cinéma.*

1. les étudiants / bibliothèque / discothèque / à / pour danser
2. le chien / vétérinaire / dentiste / chez
3. je / restaurant / cafétéria / à
4. les touristes japonais / Vancouver / Winnipeg / à
5. nous / la banque / la bibliothèque / à / pour des livres
6. vous / Québec / Tokyo / à / pour parler français
7. nous / la classe / le laboratoire / dans / pour le cours de français
8. les étudiantes / le parc / le restaurant / dans / pour marcher

3.11 Les pronoms toniques

Stress pronouns are used to refer to persons.

Subject pronouns	Stress pronouns
je	**moi**
tu	**toi**
il	**lui**
elle	**elle**
nous	**nous**
vous	**vous**
ils	**eux**
elles	**elles**

They are used:

1) to emphasize the subject:

> Marie, <u>elle</u>, est dynamique, mais <u>moi</u>, je suis fatigué(e).

Stress pronouns come *after* the subject if it is a noun, but *before* a subject pronoun.

2) alone, or in short phrases:

> J'ai un ordinateur, et <u>toi</u>?
> Pierre est sportif, et <u>moi</u> aussi.

3) as part of compound subjects:

Hélène et _moi_ allons à l'université.

4) as objects of prepositions:

Nous allons chez _Andrée._ ——▶ Nous allons chez _elle._   Pierre travaille avec _moi._
Elle parle du _professeur._ ——▶ Elle parle de _lui._   Ils parlent entre _eux._

EXERCICES · ORALEMENT

a. Remplacez le nom souligné par un pronom tonique:

1. Je vais chez _Marie._
2. Hélène est chez _Pierre._
3. Ils vont chez _les Armand._
4. Marc est à côté de _Lucie._

5. Marc est entre _Lucie_ et _Henri._
6. Les étudiants parlent de _M. Paul._
7. Ils parlent des _professeurs._
8. Je marche devant _les autres étudiants._

b. Employez le pronom tonique correspondant au sujet.

Modèle: Je / fatigué(e)
Moi, je suis fatigué(e).

1. Tu / sympathique
2. Elle / énergique
3. Nous / agressifs
4. Ils / paresseux

5. Vous / enthousiastes
6. Je / grand(e)
7. Il / attentif
8. Elles / jeunes

c. Répondez négativement aux questions d'après le modèle.

Modèle: Travailles-tu avec le professeur?
Non, je ne travaille pas avec lui.

1. Joues-tu au tennis avec Björn?
2. Vas-tu au cinéma avec l'avocate?
3. Manges-tu avec les autres étudiants?

4. Vas-tu au parc avec Geneviève?
5. Es-tu à côté de Serge?
6. Parles-tu de moi avec le professeur?

d. Répondez affirmativement selon le modèle.

Modèle: Alain étudie le français. Et Sylvie?
Elle aussi.

1. J'aime le jazz. Et toi?
2. Marie-France mange au restaurant. Et Lucien?
3. Le professeur va à la bibliothèque. Et les étudiants?

4. Nous habitons à Vancouver. Et vous?
5. Julie est timide. Et les autres étudiants?
6. Tu écoutes la radio. Et le professeur?

e. Répondez négativement selon le modèle.

> *Modèle:* Je n'ai pas de chien. Et toi?
> *Moi non plus.*

1. Tom ne fume pas. Et Jocelyne?
2. Isabelle ne va pas au concert. Et vous?
3. Albert n'est pas agressif. Et toi?
4. Serge n'habite pas à Montréal. Et Simon?
5. Pierre n'écoute pas. Et les autres étudiants?

3.12 Jours — mois — saisons — date

Une semaine = 7 jours
> **lundi, mardi, mercredi, jeudi, vendredi, samedi, dimanche**

Le premier jour de la semaine est lundi.
Le dernier jour de la semaine est dimanche.

hier	*aujourd'hui*	*demain*
lundi ⟵	mardi ⟶	mercredi
vendredi ⟵	samedi ⟶	dimanche

Note: 1) When referring to a particular day in the preceding or in the following week, use the name of the day only:

Il est arrivé dimanche. (He arrived on Sunday.)

Elle va à Montréal mardi. (She's going to Montreal on Tuesday.)

2) The masculine definite article *le* is used before the name of a day to indicate that some event or action regularly occurs on that particular day:

Le samedi, il va à la discothèque. (On Saturdays, he goes to the discotheque.)

Le mardi, il joue aux échecs. (On Tuesdays, he plays chess.)

Une année = 12 mois
> **janvier, février, mars, avril, mai, juin, juillet, août, septembre, octobre, novembre, décembre**

Nous sommes <u>en</u> septembre.
Il arrive <u>en</u> octobre.

4 saisons
le printemps, l'été, l'automne, l'hiver

Note: Nous sommes <u>en</u> été / <u>en</u> automne / <u>en</u> hiver.
but Nous sommes <u>au</u> printemps.

La date

Quelle est la date aujourd'hui? C'est <u>le 3 juin</u>.

Quelle est la date de l'examen? C'est <u>le 20 octobre</u>.

Note: 1) le <u>deux</u> février, le <u>cinq</u> avril, le <u>dix-huit</u> octobre
but le <u>premier</u> août

2) <u>le</u> huit mars, <u>le</u> onze avril (*le* does not become *l'* before *huit* and *onze*)

3.13 Les adjectifs interrogatifs

The forms of the interrogative adjective are:

	Singular	*Plural*
Masculine	quel	quels
Feminine	quelle	quelles

The interrogative adjective agrees in gender and number with the noun it modifies.

1) It is used before a noun:

Quel film regardes-tu?   Quelles saisons aimes-tu?
Quelle chanson chante-t-elle?   C'est quel jour, aujourd'hui?

2) It may be used after a preposition:

Dans quelle chambre es-tu?   En quelle saison sommes-nous?
À quelle date est Noël?   De quelle ville es-tu?

3) It may be separated from the noun by the verb **être**:

Quelle est la date aujourd'hui?   Quels sont les jours de la semaine?
Quels sont les mois d'hiver?

EXERCICES • ORALEMENT

a. Répondez aux questions:

1. En quel mois sommes-nous?
2. C'est quel jour, aujourd'hui?
3. Quelle est la date?
4. En quelle saison sommes-nous?
5. Quels sont les mois de printemps?
   d'été? d'automne? d'hiver?
6. À quelle date est Noël? Pâques?
   la fête du Travail?
7. Quels sont les jours du week-end?
8. Après mercredi, c'est quel jour? et
   après jeudi?, etc.
9. Après juin, c'est quel mois? et après
   septembre?, etc.
10. En quelle saison est décembre? et
    août? et mars? et octobre?, etc.
11. Quelle est la date de l'examen?

b. Posez une question avec un adjectif interrogatif d'après le modèle.

> *Modèle:* Pâques est le 3 avril.
>
> *À quelle date est Pâques?*

1. Nous sommes en automne.
2. Noël est en hiver.
3. Nous sommes en octobre.
4. L'examen est le 15 octobre.
5. Le premier jour de la semaine est lundi.
6. Nous sommes dans la classe de français.
7. L'examen est le 1er novembre.
8. Le match de football est le 24 octobre.

c. Posez une question selon le modèle.

> *Modèle:* Je vais au restaurant.
>
> *À quel restaurant vas-tu?*

1. Raoul joue d'un instrument.
2. Francine travaille dans un cinéma.
3. Nous habitons dans un village.
4. Elle parle avec un ami.
5. Le livre est sur un bureau.
6. Ils habitent en face d'un parc.

EXERCICES ÉCRITS

a. Écrivez la forme correcte du verbe entre parenthèses:

1. Nous (danser) _____ dans les discothèques.
2. Je (rentrer) _____ du cinéma.
3. Vous (regarder) _____ le vidéo.
4. Lucie (écouter) _____ la radio.
5. Les étudiants (manger) _____ à la cafétéria.
6. Elle (jouer) _____ de la guitare.
7. Nous (parler) _____ de toi.
8. Elles (arriver) _____ à l'université lundi.
9. Pierre (aller) _____ à Chicoutimi.
10. Ils (aller) _____ à la bibliothèque.
11. Je (aimer) _____ la nature.
12. Luciano (chanter) _____ l'opéra.
13. Nous (entrer) _____ dans la classe.
14. Tu (rester) _____ chez toi dimanche.
15. Vous (travailler) _____ à la cafétéria.
16. Je (habiter) _____ sur le campus.
17. Josette (arriver) _____ du parc.
18. Je (marcher) _____ jusque chez toi.
19. Elles (étudier) _____ à la bibliothèque.
20. Tu (fumer) _____ des cigarettes.

b. Insérez la préposition et l'article défini qui conviennent:

1. Le tableau est _____ professeur.
2. Le professeur est _____ étudiants.
3. La fenêtre est _____ mur.
4. La télévision est _____ commode.
5. François est _____ dentiste.
6. Bernadette entre _____ classe.

c. Écrivez la question avec la forme appropriée de l'adjectif interrogatif (*quel, quelle, quels, quelles*).

>   *Modèle:* Noël est le 25 décembre.
>   *À quelle date est Noël?*

1. C'est le 6 mai.
2. La fête de Maurice est le 3 avril.
3. Les jours du week-end sont samedi et dimanche.
4. Nous sommes en automne.
5. Nous sommes en décembre.
6. C'est lundi.

d. Insérez l'article défini qui convient. (Attention à la contraction: *au, aux, du, des*.)

1. Les étudiants arrivent (de) _____ bibliothèque.
2. Mme Brulot va (à) _____ restaurant.
3. Tu arrives (de) _____ États-Unis.
4. Marc va (à) _____ église.
5. Elles rentrent (de) _____ cinéma.

e. Posez la question avec l'inversion.

>   *Modèle:* Il mange à la cafétéria.
>   *Où mange-t-il?*

1. Les étudiants arrivent de Toronto.
2. M. Gagnon va à Chicago.
3. Elle va à Miami.
4. Les cassettes sont sous la chaise.
5. Luc rentre de Montréal.
6. Il regarde la télévision dans la chambre.

f. Faites une suggestion à un(e) ami(e).

>   *Modèle:* (aller) à Montréal.
>   *Va à Montréal.*

1. (chanter) _____ une chanson.
2. (aller) _____ au cinéma Cartier.
3. (regarder) _____ le film à la télévision.
4. (rester) _____ chez toi ce soir.
5. (ne pas manger) _____ au restaurant.
6. (étudier) _____ dans ta chambre.
7. (ne pas travailler) _____ à la bibliothèque.
8. (parler) _____ de toi.
9. (écouter) _____ une nouvelle cassette.
10. (être) _____ gentil(le).

g. Mettez à la forme négative:

1. Elle mange des croissants.
2. Regardons un film.
3. Écoute le professeur.
4. Vous jouez aux échecs.
5. Il va à New York.
6. Elles parlent d'une autre étudiante.

h. Écrivez la date en toutes lettres:

>   *Modèle:* 4/8
>   *le quatre août*

>   3/6   20/1   8/5   21/2   30/7   13/9   11/11

i. Répondez aux questions selon le modèle (employez un pronom tonique).

> *Modèle:* Le professeur est-il devant les étudiants?
>
> *Oui, il est devant eux.*

1. André est-il derrière Lucie?
2. Vas-tu chez Alain?
3. Les étudiants parlent-ils du professeur?

4. Le professeur est-il devant toi?
5. Marie regarde-t-elle la télévision avec les autres étudiantes?

j. Donnez un ordre négatif à vos camarades.

> *Modèle:* manger / dans / classe
>
> *Ne mangez pas dans la classe!*

1. marcher / derrière / autres étudiants
2. fumer / dans / bibliothèque
3. aller / dans / parc

4. entrer / dans / chambre
5. rester / devant / discothèque
6. fumer / chez / dentiste

Lecture Lecture Lecture

Quel est ton signe?

Le Bélier: du 21 mars au 20 avril
Les gens nés sous le signe du Bélier ont un besoin permanent d'activité. Énergiques, enthousiastes et audacieux, ils ont le goût de la domination et sont parfois autoritaires, agressifs et égoïstes.

Le Taureau: du 21 avril au 20 mai
Tenace, endurant, acharné au travail, sincère et fidèle, le Taureau a un sens pratique très développé. Il n'est pas exempt d'avidité, de jalousie et de manque de souplesse.

Les Gémeaux: du 21 mai au 21 juin
Caractérisés par l'intelligence et l'intuition, l'imagination et la fantaisie, ils montrent des tendances à la dispersion, à l'opportunisme, au manque de profondeur.

Le Cancer: du 22 juin au 22 juillet
De tempérament sensible, le Cancer est très attaché à la famille et aux traditions. Sédentaire et porté à la rêverie, il n'a pas toujours assez d'esprit d'initiative.

Le Lion: du 23 juillet au 22 août
Fierté mais aussi vanité, ambition mais aussi despotisme: la vitalité des Lions est exemplaire, mais parfois excessive, en particulier dans le domaine sensuel.

La Vierge: du 23 août au 22 septembre
Tenaces et méthodiques, les personnes nées sous ce signe aiment la précision. Elles sont dévouées aux autres, mais semblent souvent timides et trop critiques.

La Balance: du 23 septembre au 22 octobre
Elle cherche l'équilibre, l'harmonie et la justice. Charmante, aimable et pacifique, c'est une

bonne organisatrice. Comme elle déteste les conflits, elle est parfois trop accommodante.

Le Scorpion:
du 23 octobre au 21 novembre
Indépendant, tenace, le Scorpion est capable d'une grande concentration et d'un effort soutenu. Principal défaut: l'entêtement, parfois agressif et destructeur.

Le Sagittaire:
du 22 novembre au 20 décembre
Le Sagittaire est curieux d'apprendre et d'étudier. Sociable, optimiste, idéaliste, il est parfois impulsif et impatient.

Le Capricorne:
du 21 décembre au 19 janvier
Ce sont des gens persévérants et disciplinés dans la poursuite de leurs ambitions. Ils sont peu tolérants envers les autres.

Le Verseau:
du 20 janvier au 18 février
L'amitié est très importante pour les gens du Verseau. Originaux, philanthropes, ils cherchent à améliorer le sort de l'humanité, et sont portés vers l'utopie.

Les Poissons:
du 19 février au 20 mars
Dévoués, honnêtes, portés au mysticisme, ils tombent parfois dans la crédulité et la nonchalance.

acharné	relentless	**né(e)**	born
aimable	kind, amiable	**organisateur, trice**	organizer
apprendre	to learn	**pacifique**	peaceable
autre	other	**persévérant(e)**	persevering
améliorer	to improve	**philanthrope** (m./f.)	philanthropist
amitié (f.)	friendship	**Poissons** (m. pl.)	Pisces (fishes)
avidité (f.)	greed	**porté(e)**	inclined
Balance (f.)	Libra (scales)	**poursuite** (f.)	pursuit
Bélier (m.)	Aries (ram)	**principal(e)**	main
Capricorne (m.)	Capricorn (goat)	**profondeur** (f.)	depth
Cancer (m.)	Cancer (crab)	**rêverie** (f.)	daydreaming
conflit (m.)	conflict	**Sagittaire** (m.)	Sagittarius (archer)
défaut (m.)	fault, failing	**Scorpion** (m.)	Scorpio (scorpion)
despotisme (m.)	despotism, bullying	**sédentaire**	sedentary, stay-at-home
dévoué(e)	devoted		
discipliné(e)	disciplined	**sembler**	to seem
dispersion (f.)	lack of concentration	**sens** (m.)	sense
		sensible	sensitive
domaine (m.)	area	**sort** (m.)	fate, lot
entêtement (m.)	stubbornness	**souplesse** (f.)	flexibility
envers	toward	**soutenu(e)**	sustained
esprit d'initiative (m.)	initiative	**souvent**	often
fantaisie (f.)	imagination	**Taureau** (m.)	Taurus (bull)
Gémeaux (m. pl.)	Gemini (twins)	**utopie** (f.)	utopia
goût (m.)	taste	**vers**	toward
Lion (m.)	Leo (lion)	**Verseau** (m.)	Aquarius (water bearer)
méthodique	methodical	**Vierge** (f.)	Virgo (virgin)
montrer	to show		

QUESTIONS

1. Quel est ton signe?
2. Est-ce que la description donnée dans le texte est une bonne description de toi?
3. Quels signes sont caractérisés par la ténacité, l'endurance ou la persévérance?
4. Quels signes sont caractérisés par le goût de l'autorité?
5. Quels signes montrent une attitude altruiste, une ouverture envers les autres personnes?
6. Quel est le signe des gens utopistes? Des gens attachés aux traditions?
7. Quelles qualités préfères-tu?
8. Quels défauts détestes-tu?
9. Consultes-tu l'horoscope dans le journal (toujours, jamais, quelquefois, souvent)?

SITUATIONS / CONVERSATIONS

1. Parle-moi de toi.

a) Quelles sortes de films regardes-tu?

Je regarde les films comiques, intellectuels, dramatiques, les films d'épouvante (Dracula), les films d'espionnage (James Bond), les westerns, les films policiers. Et toi?

b) Quel genre de musique aimes-tu?

J'aime le jazz, le rock, le classique, l'opéra, les chansons poétiques, les chansons folkloriques, le blues, la musique country, etc. Et toi?

c) Où travailles-tu en été?

Je travaille à l'université, dans un bureau, dans un restaurant, dans un magasin, dans un parc, dans un camp de vacances, dans une ferme, dans la construction, etc. Et toi?

d) Où vas-tu en vacances en été?

Je vais à la campagne, à la mer, à la montagne, près d'un lac, près d'une rivière, dans une grande ville, sur une île, etc. Et toi?

e) Quels sports
pratiques-tu en
été / au printemps /
en automne /
en hiver?

Je pratique le ski de fond, le ski alpin, le ski nautique, la natation, la plongée sous-marine, la voile, l'équitation, le cyclisme, la course à pied, la boxe, le karaté, le judo, la planche à voile, le hockey, le football, le volley-ball.

2. Quelles qualités cherchez-vous chez le/la partenaire idéal(e)? Quels défauts n'acceptez-vous pas? Est-ce que ce sont les mêmes qualités et défauts que vous avez?

3. Désignez des objets et des personnes dans la classe et demandez à un(e) autre étudiant(e) de dire où ils/elles sont situé(e)s.

> *Exemple:* Où est John?
>
> *Il est en face de Paul, à côté de la fenêtre.*

4. Décrivez la position d'un objet dans votre chambre.

> *Exemple:* L'ordinateur est sur le bureau, à côté du mur, sous la fenêtre.
>
> *Où est le téléphone? le réveille-matin? la télévision? la radio? le tapis?, etc.*

5. Décrivez un objet de la classe avec des mots et des gestes. Les autres étudiants devinent (guess):

> *Exemple:* Il est petit et long. Il est sur le bureau du professeur. Il est noir.
> (un stylo)

6. Demandez à un(e) autre étudiant(e):

De quelle couleur est... (le mur, le stylo, le tableau, le ciel, la chaise, le livre, etc.)?
Il/Elle est... (jaune, rouge, bleu, etc.).

Les couleurs: jaune + rouge = orange   jaune + bleu = vert
                 rouge + bleu = violet   blanc + noir = gris

COMPOSiTiONS

1. Parlez-moi de votre meilleur(e) ami(e). Comment est il/elle? Qu'est-ce qu'il/elle aime ou n'aime pas?

2. Donnez les positions des objets de votre chambre.

PRONONCiATiON

(This exercise is at the end of Chapitre 3 on the tape.)

i. L'élision

The **e muet** in **que, je, le, ce, ne, de** is dropped before a word beginning with a vowel sound or an **h muet**. When writing, the **e** is replaced by an apostrophe.

> Est-ce qu'il est intelligent?
> Qu'est-ce qu'elle regarde?

J'ai un livre.
Je n'ai pas de livre.
L'homme est assis.
Il n'a pas d'ordinateur.

ii. La lettre h

H is never pronounced in French. However, **le h muet** and **le h aspiré** are distinguishable. The difference between the two becomes apparent through the phenomena of **élision** and **liaison**.

Compare:

	h muet		**h aspiré**
élision:	l'homme, j'habite	*pas d'élision:*	le héros, je hèle
liaison:	les‿hommes	*pas de liaison:*	les hangars
	des‿habits		des homards

iii. Un / Une

1) Before a vowel or a silent **h**:

The consonant **n** is pronounced and linked with the initial vowel of the following word (**liaison**). However, **un** is pronounced with a nasal sound and **une** without a nasal sound.

Compare: un arbre / une idée
/œ̃ - na/ /y - ni/

Répétez:

un ami / une amie	un habit / une habitude
un arbre / une armoire	un ombilic / une ombre
un Italien / une Italienne	un ordre / une ordonnance
un ogre / une ogresse	un homme / une omelette
un avocat / une avocate	un étudiant / une étudiante

Replace the definite article by an indefinite article.

Exemple: l'arbre (m.)
          un arbre

l'ordinateur (m.)	l'hiver (m.)
l'Espagnole (f.)	l'homme (m.)
l'oreille (f.)	l'épouse (f.)
l'enfant (m.)	l'ombre (f.)

2) Before a consonant:

Un: the **n** is not pronounced and the vowel is nasalized.

Une: the **n** is pronounced and the vowel is not nasalized.

Compare: un bruit / une branche
/œ̃ - b/ /yn - b/

Répétez:

un Canadien / une Canadienne	un sportif / une sportive
un chien / une chienne	un camarade / une camarade
un conducteur / une conductrice	un marchand / une marchande
un disciple / une disciple	un chat / une chatte

Replace the definite article by an indefinite article:

le bibelot	la table	la branche	le tapis	le tableau
la chaise	le stylo	la chambre	la fenêtre	le tronc

iV. Le / La / Les

1) Contrast **le** / **la**

Répétez:

le bout / la boule	le rosé / la rosée
le prix / la prise	le pli / la plie
le but / la bulle	le lit / la lie
le riz / la rime	le cours / la cour

2) Contrast **le** / **les**

Répétez:

le livre / les livres	le jour / les jours
le dimanche / les dimanches	le bruit / les bruits
le piano / les pianos	le disque / les disques
le soir / les soirs	le cahier / les cahiers

Weblinks

Signs **http://www.iras.qc.ca/definition.html**

Astrological software **http://www.egs.fr/astroquick/Analyses.htm**

Online analysis **http://www.astroworld.net/fra/OH_fra.htm**

Esoteric site **http://esoterisme.annuweb.com/**

La ville de Québec

Thèmes
- **Description de ma ville**
- **Mon horaire quotidien (l'heure)**
- **La ville de Québec**
- **Indiquer la possession**
- **Poser des questions**
- **Les nombres de 50 à un milliard**

Lecture
Une promenade dans Québec

Grammaire

VOCABULAIRE UTILE

aéroport (m.)	airport	**industrie** (f.)	industry
aspect (m.)	appearance; facet	**jardin** (m.)	garden
avocat(e) (m./f.)	lawyer	**laboratoire** (m.)	laboratory
cafétéria (f.)	cafeteria	**maison** (f.)	house
centre		**monument** (m.)	monument
commercial (m.)	shopping centre	**municipal(e)**	municipal, local
centre-ville (m.)	downtown	**musée** (m.)	museum
devoir (m.)	assignment	**parc** (m.)	park
école (f.)	school	**pays** (m.)	country
édifice (m.)	(public) building	**piscine** (f.)	swimming pool
examen (m.)	test, exam	**place** (f.)	square
gouvernement (m.)	government	**priorité** (f.)	priority
immeuble (m.)	building	**problème** (m.)	problem

projet (m.)	project, plan	site (m.)	site
programme (m.)	program	système (m.)	system
promenade (f.)	walk, stroll	touriste (m./f.)	tourist
quartier (m.)	district, neighbourhood	touristique	tourist (*adjective*)
règlement (m.)	regulation, rules	travail (m.)	work
responsable	responsible	vacances (f. pl.)	vacation, holidays
route (f.)	road	ville (f.)	town, city
rue (f.)	street	voiture (f.)	car
situation (f.)	situation	vue (f.)	view

GRAMMAIRE ET EXERCICES ORAUX

4.1 Les verbes réguliers en -ir

The second group of regular verbs has infinitives ending in **-ir**. These verbs are conjugated by dropping the **-ir** from the infinitive and adding the endings shown below.

finir (to finish/to end/to complete)

Présent de l'indicatif   *Impératif*

je	fin**is**	nous	fin**issons**		fin**is**
tu	fin**is**	vous	fin**issez**		fin**issons**
il / elle / on	fin**it**	ils / elles	fin**issent**		fin**issez**

Other verbs conjugated like **finir** include:

avertir (to inform/to warn)	Le professeur avertit les étudiants.
bâtir (to build)	Ils bâtissent une maison.
choisir (to choose)	Choisis un cours intéressant.
démolir (to demolish)	On démolit la vieille école.
établir (to establish/to set)	La municipalité établit des priorités.
fleurir (to bloom)	Les lilas fleurissent.
obéir à (to obey)	Obéissons à l'autorité.
punir (to punish)	Il punit le chien.
réfléchir à (to think about/to consider)	Je réfléchis à la proposition de Jean.
réussir à (to succeed/to pass [a test])	Il réussit à l'examen.

A number of **-ir** verbs are formed from adjectives:

grand ⟶ **grandir** (to grow / to get bigger)

gros ⟶ **grossir** (to gain weight)

jeune ⟶ **rajeunir** (to get younger)

large ⟶ **élargir** (to widen/to broaden)
pâle ⟶ **pâlir** (to grow pale)
vieux ⟶ **vieillir** (to grow old)

Verbs formed from colour adjectives usually have the meaning of "to become white/red, etc." (**Rougir** also means "to blush.")

blanc ⟶ **blanchir**   jaune ⟶ **jaunir**
bleu ⟶ **bleuir**   noir ⟶ **noircir**
blond ⟶ **blondir**   rouge ⟶ **rougir**
brun ⟶ **brunir**   vert ⟶ **verdir**

EXERCICES · ORALEMENT

a. Complétez les phrases avec le verbe qui convient à la forme appropriée.

1. Je _____ (bâtir / démolir) un garage pour ma nouvelle voiture.
2. Nous _____ (brunir / pâlir) en hiver.
3. Les enfants _____ (punir / obéir à) les parents.
4. Les gens timides _____ (pâlir / rougir) souvent.
5. Au printemps, les plantes _____ (verdir / rougir).
6. Avec une bonne alimentation, les enfants _____ (grandir / grossir), mais ils ne _____ (grandir / grossir) pas.

b. Posez la question. Un(e) autre étudiant(e) répond.

Modèle: tu / grossir / en hiver

Est-ce que tu grossis en hiver?

Oui / Non, je (ne) grossis (pas) en hiver.

1. on / élargir / les rues de la ville
2. tu / rougir / facilement
3. les gens âgés / rajeunir / au printemps
4. les plantes / jaunir / en automne
5. tu / brunir / en été
6. les roses / fleurir / en hiver
7. tu / choisir / toujours / des cours difficiles
8. tu / établir / des priorités
9. la justice / punir / les criminels
10. tu / réussir / toujours / aux examens
11. tu / bâtir / une maison
12. nous / obéir / aux règlements de l'université

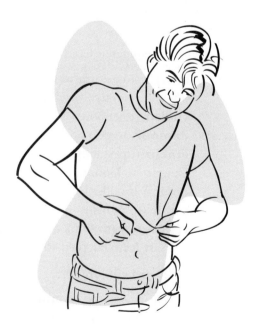

C. Employez l'impératif selon les modèles.

   Modèle: obéir

   Obéis!

   1. réfléchir au problème
   2. choisir une route
   3. réussir à l'examen

   4. finir la promenade
   5. avertir la police
   6. finir le travail

   Modèle: finir

   Finissons!

   7. bâtir une nouvelle société
   8. démolir le vieil édifice
   9. choisir le bon moment

   10. élargir les rues
   11. obéir aux règlements municipaux
   12. réfléchir à nos projets

   Modèle: ne pas choisir

   Ne choisissez pas!

   13. ne pas rougir
   14. ne pas vieillir
   15. ne pas démolir le quartier

   16. ne pas grossir
   17. ne pas punir les enfants
   18. ne pas obéir aux dictateurs

4.2 L'heure

1) **Quelle heure est-il?** (What time is it?)

Il est six heures.

Il est midi moins cinq.

Il est sept heures moins le quart.

Il est trois heures et quart.

Il est huit heures et demie*.

Il est deux heures moins vingt.

Il est deux heures vingt.

Il est minuit moins dix.

*There is always an **e** at the end of **demi**, except for **midi et demi** and **minuit et demi**.
A half hour = **une demi-heure**.

2) Questions:

À quelle heure déjeunes-tu?
— Je déjeune à sept heures.
De quelle heure à quelle heure travailles-tu?
— Je travaille de neuf heures à trois heures.

3) To avoid ambiguity regarding a.m./p.m., the following expressions are used:

du matin (from midnight till noon) Il est huit heures du matin.
de l'après-midi (from noon till 5:59 p.m.) Je rentre à cinq heures de l'après-midi.
du soir (from 6 p.m. till midnight) Le spectacle est à huit heures du soir.

4) A 24-hour system is used (on radio, television, in airports, etc.):

seize heures = (4:00 p.m.) quatre heures de l'après-midi
tréize heures quinze = (1:15 p.m.) une heure et quart de l'après-midi
quatorze heures trente = (2:30 p.m.) deux heures et demie de l'après-midi
vingt heures quarante-cinq = (8:45 p.m.) neuf heures moins le quart du soir

5) Some useful expressions:

être à l'heure (to be on time)
être en avance (to be early)
être en retard (to be late)

EXERCICES · ORALEMENT

a. Quelle heure est-il?

1. Il est... <u>du matin</u>.

7 h 30	10 h 15	8 h 20	10 h 45	7 h 50	3 h 30

2. Il est... <u>de l'après-midi</u>.

2 h 10	1 h 50	3 h 40	5 h 15	4 h 45	3 h 35

3. Il est... <u>du soir</u>.

9 h 00	9 h 50	11 h 15	10 h 40	7 h 35	8 h 30

4. Il est <u>midi</u> (12 h 00); il est <u>minuit</u> (00 h 00).

12 h 10	00 h 15	11 h 50	11 h 45	12 h 30	00 h 20

b. Posez la question à un(e) autre étudiant(e):

1. À quelle heure es-tu dans la classe de français?
2. À quelle heure es-tu au lit?
3. À quelle heure es-tu devant la télévision?
4. À quelle heure es-tu à la cafétéria?
5. À quelle heure finit la classe de français?
6. À quelle heure arrives-tu à l'université?

c. Répondez en faisant une phrase complète:

1. De quelle heure à quelle heure dînes-tu?
2. De quelle heure à quelle heure travailles-tu à la bibliothèque?
3. De quelle heure à quelle heure es-tu dans la classe de français?
4. De quelle heure à quelle heure es-tu au lit?
5. De quelle heure à quelle heure es-tu à l'université?
6. De quelle heure à quelle heure regardes-tu la télévision?

d. Répondez par des phrases complètes:

Où es-tu généralement...

1. à huit heures du matin?
2. à midi?
3. à une heure de l'après-midi?
4. à six heures du soir?
5. à onze heures du soir?
6. à trois heures du matin?

e. Posez la question à un(e) autre étudiant(e):

Arrives-tu généralement à l'heure/en avance/en retard...

1. au cinéma?
2. au travail?
3. dans la classe de français?
4. à l'aéroport?
5. chez le dentiste?
6. chez le coiffeur?
7. à un rendez-vous?
8. au match de football?

4.3 Le verbe irrégulier *venir*

Venir (to come) is an irregular verb.

	Présent de l'indicatif			*Impératif*
je viens	**nous** venons		**viens**
tu viens	**vous** venez		**venons**
il / elle / on vient	**ils / elles** viennent		**venez**

Other verbs conjugated like **venir** are **devenir** (to become) and **revenir** (to come back).

Je viens de Halifax.   Je reviens de la bibliothèque.   Il devient paresseux.

4.4 Rappel

De (from) + nom de ville:

Je viens <u>de</u> Vancouver.   Elle revient <u>de</u> Trois-Rivières

Contractions: de + le = **du**   Victor revient <u>du</u> laboratoire.
de + les = **des**   Il vient <u>des</u> États-Unis.

EXERCICES · ORALEMENT

a. Substituez au pronom sujet les mots entre parenthèses et faites les changements appropriés:

1. Je viens de Calgary. (nous, Claudine, les enfants, vous)
2. Elle devient intelligente. (Pierre, tu, nous, je)
3. Ils reviennent du cinéma. (vous, je, tu, elle, nous)

b. Répondez aux questions.

1. De quelle ville viens-tu?
2. De quel pays vient le tango?
3. À quelle heure viens-tu en classe?
4. À quelle heure reviens-tu de l'université le soir?
5. En quelle saison les oiseaux reviennent-ils des pays chauds?
6. Quand deviens-tu fatigué(e)?

c. Faites une phrase en choisissant parmi les éléments suggérés.

1. En hiver, je / devenir / énergique / morose / fatigué(e) / optimiste / sédentaire / actif(ive)
2. Au printemps, nous / redevenir / malheureux / joyeux / dynamiques / aimables / mélancoliques
3. Le samedi, les centres commerciaux / devenir / calmes / actifs
4. En été / l'université / la piscine / le travail / les sports / les promenades / les cours de français / les vacances / devenir / ma priorité
5. Dans les grandes villes, les problèmes de pollution / devenir / faciles / importants / difficiles / dangereux
6. Quand on a des problèmes, on / devenir / charmant / fatigué / tenace / stressé

d. Posez la question à un(e) autre étudiant(e) selon le modèle.

Modèle: tu / venir / avec moi à la bibliothèque
Viens-tu avec moi à la bibliothèque?

1. tu / revenir / au laboratoire demain
2. le professeur / venir / avec nous au cinéma
3. tu / venir / au cinéma avec nous
4. nous / revenir / en classe demain
5. nous / devenir / intelligents dans la classe de français

e. Dites à un(e) autre étudiant(e)...

Modèle: de venir à la réception.
Viens à la réception.

1. de venir à la bibliothèque.
2. de ne pas venir au restaurant.
3. de ne pas venir demain.
4. de revenir à l'heure.
5. de revenir dans le jardin.
6. de venir chez vous.

f. Dites à d'autres étudiants...

> *Modèle:* de ne pas venir en classe.
> *Ne venez pas en classe.*

1. de ne pas venir dimanche soir.
2. de ne pas devenir agressifs.
3. de ne pas venir avec vous.
4. de ne pas revenir en retard.

4.5 La possession: préposition *de* — adjectifs possessifs

1) The preposition **de** is used to indicate possession:

le livre de Julien	Julian's book
l'auto d'Hélène	Helen's car
la maison de Paul	Paul's house
la serviette du professeur	the professor's briefcase

2) Possessive adjectives:

Masculine singular	*Feminine singular*	*Plural*	
mon	**ma / mon**	**mes**	my
ton	**ta / ton**	**tes**	your
son	**sa / son**	**ses**	his/her/its
notre	**notre**	**nos**	our
votre	**votre**	**vos**	your
leur	**leur**	**leurs**	their

Possessive adjectives agree in gender and number with the noun modified rather than with the owner:

André mange <u>sa soupe</u>.	Andrew is eating his soup.
Marie prépare <u>son repas</u>.	Mary is preparing her meal.
Le chien cherche <u>sa balle</u>.	The dog is looking for its ball.

The feminine adjectives **ma**, **ta**, **sa** become **mon**, **ton**, **son** before a feminine singular noun beginning with a vowel or a silent **h**:

> Je mange <u>ma</u> pêche. / Je mange <u>mon</u> orange.
> <u>Ta</u> voiture est puissante. / <u>Ton</u> auto est puissante.
> Il parle avec <u>sa</u> mère. / Il parle avec <u>son</u> amie.

EXERCICES • ORALEMENT

a. Répondez affirmativement:

Est-ce que c'est...

1. ma classe?	7. leur ordinateur?
2. notre voiture?	8. mon taxi?
3. son stylo?	9. son professeur?
4. ton auto?	10. sa chaise?
5. notre jardin?	11. ma voiture?
6. ta maison?	12. leur ville?

Est-ce que ce sont...

13. tes tables?	19. nos photos?
14. ses chiens?	20. leurs cassettes?
15. ses amis?	21. vos amis?
16. nos livres?	22. leurs enfants?
17. mes cigarettes?	23. tes parents?
18. ses cahiers?	24. ses projets?

b. Transformez selon les modèles.

> *Modèles:* l'auto de Paul
>
> *son auto*
>
> l'auto de mes parents
>
> *leur auto*

1. l'école de Francine	6. le garage de Pierre
2. le chien du professeur	7. les cigarettes de la secrétaire
3. les amis de Michel	8. les parents des étudiants
4. le professeur de Jean et de Suzanne	9. les projets du directeur
5. les cassettes de ton père	10. la chambre de mon amie

c. Répondez aux questions:

1. As-tu ton stylo?	6. Tes parents sont-ils jeunes?
2. Regardes-tu ton livre?	7. Est-ce que tes parents aiment leur ville?
3. Sommes-nous dans notre classe?	8. Habites-tu dans la maison de tes parents?
4. Aimez-vous votre université?	9. Écoutez-vous votre professeur?
5. Viens-tu en classe avec ton chien?	10. Réfléchis-tu à tes devoirs?

d. Répondez aux questions selon le modèle.

> *Modèle:* Où est le livre d'Hélène? (sur le bureau)
> *Son livre est sur le bureau.*

1. Où est ma serviette?
   (derrière la porte)
2. Où habitent les parents d'Henri?
   (à Québec)
3. Où est l'auto de Brigitte?
   (dans le garage)
4. Où sont les cassettes de Pierre?
   (sous la chaise)
5. Où est ma guitare?
   (à côté de l'ordinateur)
6. Où va l'ami de Lucie?
   (à Québec)
7. Où vos amis dansent-ils?
   (à la discothèque)
8. Où est le chien de tes amis?
   (dans le jardin)

4.6 Les adverbes interrogatifs

Où / D'où (where/from where)

> Où vas-tu? — Je vais au jardin zoologique.
> D'où viens-tu? — Je viens du terrain de golf.

Quand (when)

> Quand revient-il? — Il revient lundi.

Comment (how)

> Comment vas-tu? — Je vais bien, merci.
> Comment est ton amie? — Elle est jolie et sympathique.

Pourquoi (why)

> Pourquoi es-tu triste? — Parce que j'ai des problèmes.

1) After these interrogative adverbs, either **est-ce que** or inversion may be used:

> Comment vas-tu à Toronto?   Où est-ce que Pierre travaille?
> Comment est-ce que tu vas à Toronto?   Où Pierre travaille-t-il?

2) To answer a question beginning with **pourquoi**, **parce que** (because) or **à cause de** (because of) may often be used. **Parce que** is a conjunction followed by a clause. **À cause de** is a preposition followed by a noun or a pronoun:

> Pourquoi es-tu heureux? — <u>Parce que</u> j'ai une nouvelle amie.
> Pourquoi aimes-tu l'animateur? — <u>À cause de</u> sa belle voix.

EXERCICES • ORALEMENT

a. Posez des questions avec l'adverbe interrogatif approprié.

> *Modèles:* Je vais bien.
> *Comment vas-tu?*
>
> Il revient lundi.
> *Quand revient-il?*

1. Nous allons au musée.
2. Elle revient demain.
3. Il arrive en taxi.
4. Il est intéressant.
5. Je reviens de la piscine.
6. Il va à Québec.
7. Il est absent parce qu'il est en vacances.
8. Les cours finissent vendredi.
9. Les étudiants mangent à la cafétéria.
10. Mon père travaille au centre-ville.
11. Ma mère est au centre commercial.
12. Arthur va dans le jardin.

b. Remplacez *est-ce que* par l'inversion.

1. Où est-ce que Paul va?
2. Comment est-ce que Claudine travaille?
3. Pourquoi est-ce que les enfants chantent?
4. Quand est-ce que tes parents reviennent?
5. D'où est-ce qu'Hélène vient?
6. Quand est-ce que les enfants regardent la télévision?
7. Où est-ce que M. Vincent bâtit une maison?
8. Comment est-ce que tes parents reviennent de l'aéroport?

c. Répondez aux questions. (Use **parce que** or **à cause de** according to the answer suggested.)

1. Pourquoi aimes-tu ce film? (il est intéressant)
2. Pourquoi es-tu en retard? (ma voiture)
3. Pourquoi obéis-tu aux règlements? (ils sont raisonnables)
4. Pourquoi es-tu fatigué(e)? (mon travail)
5. Pourquoi les arbres jaunissent-ils? (nous sommes en automne)

4.7 *Aller* + infinitif (le futur proche)

Aller in the present tense followed by an infinitive may be used to indicate that an event will (or will not) take place in the near future.

Je vais revenir demain.	I am going to come back tomorrow.
Nous n'allons pas regarder la télé.	We are not going to watch television.

EXERCICES • ORALEMENT

a. Mettez les verbes au futur proche.

> *Modèle:* (aujourd'hui) Il choisit un cours.
> *(demain) Il va choisir un cours.*

1. Nous regardons un bon film.
2. Vous venez au rendez-vous.
3. Il parle au policier.
4. Ils obéissent au règlement.
5. Vous revenez avec nous.
6. Elle prépare le dîner.
7. Tu réussis à l'examen.
8. Je visite le musée.
9. Il finit son travail.
10. Elles choisissent un restaurant.

b. Faites des phrases au *futur proche* avec des éléments extraits des quatre colonnes.

demain	je	visiter	le centre-ville
ce soir	nous	aller à	le musée
samedi	mon chien	rester à / dans	la piscine
cet été	les touristes	manger à	le parc
	les enfants	marcher dans	le zoo
	mes parents	jouer dans	la maison
	mes amis	travailler à	le centre commercial
			la bibliothèque
			le jardin

c. Répondez aux questions:

1. Où vas-tu aller demain?
2. Le professeur va-t-il / elle être en retard demain?
3. Quand vas-tu aller à la bibliothèque?
4. Vas-tu réussir à l'examen?
5. Les enfants vont-ils grandir?
6. Allons-nous finir la leçon?
7. Vas-tu réfléchir à ta composition?
8. Allez-vous venir au parc avec moi?
9. Comment vas-tu rentrer chez toi?

d. Posez la question à un(e) autre étudiant(e), qui répond à la question.

> *Modèle:* Où / manger? (à la cafétéria)
> Question: *Où vas-tu manger?*
> Réponse: *Je vais manger à la cafétéria.*

1. Quand / manger? (à 5 h de l'après-midi)
2. Quand / danser? (samedi)
3. Où / danser? (à la discothèque)
4. Où / travailler? (à la bibliothèque)
5. Comment / revenir? (en taxi)
6. Comment / aller à la Nouvelle-Orléans? (en train)

e. Répondez aux questions:

Où allez-vous aller cet après-midi? ce soir? demain? demain soir? la semaine prochaine? l'année prochaine? pendant vos vacances d'été? pendant vos vacances d'hiver?

4.8 Les nombres

50	cinquante	100	cent
51	cinquante et un	101	cent un
52	cinquante-deux	102	cent deux
60	soixante	200	deux cents
61	soixante et un	201	deux cent un
62	soixante-deux	412	quatre cent douze
70	soixante-dix	1000	mille
71	soixante et onze	1001	mille un
72	soixante-douze	1231	mille deux cent trente et un
80	quatre-vingts	1986	mille neuf cent quatre-vingt-six /
81	quatre-vingt-un		dix-neuf cent quatre-vingt-six
82	quatre-vingt-deux	2000	deux mille
90	quatre-vingt-dix	1 000 000	un million
91	quatre-vingt-onze	1 000 000 000	un milliard
92	quatre-vingt-douze		

Note: 1) The letter *s* is added to *vingt* in *quatre-vingts* and to *cent* in multiples of one hundred (*deux cents*, etc.), but it is dropped when these are followed by another number (*quatre-vingt-un*, *trois cent quarante*).

2) A hyphen is used in compound numbers from 0 to 100.

3) *Et* is used in 21, 31, 41, 51, 61, 71 but not in 81, 91, 101.

4) In a date, *mil* or *mille* is used: 1988 = mil neuf cent quatre-vingt-huit 1812 = mille huit cent douze.

EXERCICES • ORALEMENT

a. Répétez:

53	98	73	103	748
80	84	95	218	992
67	59	82	573	546
91	70	76	690	888
72	67	99	100	666
1840	1900	2680	10 000	111 000
1980	1600	8949	80 300	230 000
1971	1990	7850	30 640	845 000
1984	1975	6374	40 950	738 940

b. Donnez la réponse correcte.

Modèle: 20 + 20 = 40

Vingt plus vingt font quarante.

plus	20 + 50 =	100 + 30 =	1100 + 250 =
	40 + 25 =	300 + 50 =	800 + 500 =
	60 + 15 =	600 + 66 =	600 + 400 =
✓	80 + 3 =	820 + 24 =	3200 + 700 =
	70 + 20 =	460 + 13 =	5850 + 23 =

fois	10 x 10 =	20 x 3 =	25 x 5 =
	100 x 10 =	45 x 2 =	80 x 3 =
	100 x 100 =	20 x 4 =	90 x 4 =
	1000 x 1000 =	9 x 9 =	50 x 7 =

EXERCICES ÉCRITS

a. Complétez les phrases avec la forme correcte du verbe approprié.

réussir	finir	brunir	verdir
avertir	réfléchir	établir	rougir
démolir	vieillir	punir	obéir

1. Nous _____ à l'examen.
2. Ils _____ la vieille église.
3. Les enfants _____ à leurs parents.
4. Louise _____ à l'agent de police.
5. Vous _____ devant une jeune fille.
6. Je _____ souvent à mes problèmes.

7. Les arbres _____ en automne au Québec.
8. Les feuilles _____ au printemps.
9. Paul _____ son chien.
10. Elle _____ toujours en été.
11. Nous _____ un nouveau système.
12. Mes parents _____ bien.

b. Répondez par des phrases complètes:

Où es-tu généralement...

1. à 8 h 00 du matin? (la maison)
2. à 10 h 00 du matin? (la classe)
3. à 12 h 00? (la cafétéria)
4. à 3 h 00 de l'après-midi? (la bibliothèque)
5. à 6 h 00 du soir? (le restaurant)
6. à 8 h 00 du soir? (le parc)
7. à 11 h 00 du soir? (mon lit)

c. Complétez les phrases avec les verbes *venir, revenir* et *devenir*:

1. Je _____ avec vous.
2. Tu ne _____ pas dimanche?
3. Lise _____ en classe demain?
4. Elles _____ lundi soir.
5. Nous _____ à l'université en septembre.
6. Vous _____ en classe jeudi.

7. Tu _____ au musée demain.
8. Charles _____ du laboratoire.
9. Ils _____ de Montréal.
10. Le livre _____ intéressant à la fin.
11. Il _____ raisonnable.
12. Nous _____ responsables.

d. Employez *de / du / de la / de l' / d'*:

1. Le livre vient _____ bibliothèque.
2. Robert revient _____ Winnipeg.
3. Louise vient _____ cafétéria.
4. Nous revenons _____ cinéma.
5. Ils reviennent _____ discothèque.
6. Vous revenez _____ université.
7. Il revient _____ centre commercial.
8. Elles reviennent _____ cours de français.
9. Elle vient _____ Angleterre.

e. Remplacez *le, la, les* par les adjectifs possessifs.

mon / ma / mes	ton / ta / tes	son / sa / ses
l'ami	les stylos	le programme
le livre	le bureau	l'amie
la table	la ville	l'université
les cigarettes	la télévision	le problème
la tasse	la rue	l'idée
la maison	les exercices	l'examen
le taxi	le chien	la réponse

notre / nos	votre / vos	leur / leurs
le quartier	l'appartement	les ennemis
les vacances	les parents	l'enfant
le jardin	la chambre	la réponse
la maison	l'ordinateur	le téléphone
le pays	la province	le laboratoire
la profession	l'automobile	l'édifice
l'adresse	l'équipe	les chaises

f. Mettez au futur proche:

1. Madeleine finit son travail.
2. Tu bâtis une maison.
3. Vous réfléchissez un moment.
4. Jules et Pierre téléphonent au professeur.
5. Je marche avec toi.
6. Nous allons au centre-ville.
7. J'écoute le concert.
8. Tu choisis un cours de géologie.
9. Ils parlent à leur avocate.
10. On ne démolit pas l'école.
11. Je ne grossis pas.
12. Tu reviens demain matin.
13. Elle ne prépare pas son examen.
14. Ils ne visitent pas Québec.
15. Nous ne regardons pas le monument.

g. Formez la question avec l'adverbe interrogatif approprié.

Modèle: Je réfléchis parce que j'ai des problèmes.
Pourquoi réfléchis-tu?

1. Ils vont en autobus au cinéma. (2 questions)
2. Gaston va dîner au restaurant demain. (2 questions)
3. Ils arrivent samedi. (1 question)
4. Simone est intelligente. (1 question)
5. Il a deux automobiles parce qu'il est riche. (1 question)
6. J'aime Paul à cause de son charme. (1 question)

7. Elle revient <u>de Montréal</u>. (1 question)   8. Nous rentrons <u>en taxi</u>. (1 question)

h. Transformez les phrases suivantes selon le modèle.

>   *Modèle:* Mes cheveux deviennent blonds en été.
>   *Mes cheveux blondissent en été.*

1. Sa peau devient brune au soleil.
2. Les feuilles deviennent rouges en automne.
3. Leur enfant devient grand.
4. Les arbres deviennent verts au printemps.
5. Tu deviens pâle quand tu es fatiguée.
6. Les pages de mon livre deviennent jaunes.
7. Nous devenons gros quand nous mangeons trop.
8. On redevient jeune quand on est heureux.

Lecture Lecture Lecture

Une promenade dans Québec

Perchée au sommet des falaises escarpées du Cap Diamant, la ville de Québec domine le Saint-Laurent. Seule ville fortifiée au nord de Mexico, Québec est une des villes les plus romantiques. Les remparts offrent une vue superbe sur la Basse-Ville. Les célèbres rues pavées du Vieux-Québec, bordées d'immeubles historiques magni-fiquement conservés, font partie du patrimoine mondial de l'Unesco*. Non loin de là, les plaines d'Abraham, jadis le théâtre d'une bataille histo-rique, constituent aujourd'hui un grand parc, connu sous le nom de parc des Champs de Bataille.

La Basse-Ville de Québec, où Samuel de Champlain fonda la première colonie en 1608, offre un voyage dans le temps, de la place Royale au quartier du Petit-Champlain, où s'alignent boutiques, restaurants et bistrots au charme pittoresque. Le Musée de la civilisation fait la part belle aux animations interactives et multi-médias, sans oublier des expositions plus tradi-tionnelles sur des thèmes aussi variés que la vie des premiers colons, l'évolution de la musique canadienne-française et l'influence des télécom-munications dans notre vie quotidienne.

Situé dans la Haute-Ville, le superbe Châ-teau Frontenac, avec ses tourelles et pignons de

*Unesco : organisation des Nations Unies pour l'éducation, la science et la culture

style médiéval, est l'un des édifices les plus photographiés du pays. De la terrasse Dufferin, touristes et photographes confondus jouissent d'une vue imprenable sur le fleuve. De là, une promenade s'impose à travers les plaines d'Abraham jusqu'au Musée du Québec, où l'on peut admirer des expositions remarquables sur l'histoire du Québec, de la fondation de la Nouvelle-France à nos jours.

L'animation nocturne est à son comble aux terrasses de la Grande-Allée Est. Si Québec est renommée pour sa gastronomie française, les restaurants de la ville n'en servent pas moins des spécialités de tous les pays.

(Extrait de: Redécouvrez le Canada. Ottawa: Commission canadienne du tourisme, 1997)

(s')aligner	to line up	**moins**	less
allée (f.)	avenue	**mondial(e)**	world (adjective)
animation (f.)	activity; life, liveliness	**nocturne**	night (adjective)
		nom (m.)	name
bas, basse	low; lower	**nord** (m.)	north
bataille (f.)	battle	**notre**	our
bistrot (m.)	café	**offrir**	to offer
bordé(e)	lined	**oublier**	to forget
célèbre	famous	**part: faire la —**	to give pride of
château (m.)	castle	**belle**	place
colon (m.)	settler	**partie: faire — de**	to be part of
comble: à son —	at its height	**patrimoine** (m.)	heritage
confondu(e)	mixed	**pavé(e)**	cobbled
connu(e)	known	**perché(e)**	perched
conservé(e)	preserved	**peut (pouvoir)**	can
exposition (f.)	exhibition	**pignon** (m.)	gable
escarpé(e)	steep	**plaine** (f.)	plain
falaise (f.)	cliff	**plus: le(s) —**	the most
fleuve (m.)	river	**quotidien, enne**	daily
fonder	to establish	**rempart** (m.)	ramparts, city walls
haut(e)	high; upper	**renommé(e)**	famous
(s')imposer	to be necessary	**sans**	without
imprenable	uninterrupted	**situé(e)**	located
jadis	formerly, long ago	**temps** (m.)	time
jusqu'à	up to, all the way to	**terrasse** (f.)	outside (café, restaurant)
jouir	to enjoy		
jours: de nos —	the present time, nowadays	**tourelle** (f.)	turret
		travers: à —	across
là	there	**vie** (f.)	life
loin	far	**voyage** (m.)	travel, trip

QUESTIONS

1. Où est située la ville de Québec?
2. Qu'est-ce que c'est, le Saint-Laurent?
3. Quelle est la particularité de Québec en Amérique du Nord?
4. Pourquoi les rues du Vieux-Québec sont-elles remarquables?
5. Pourquoi les plaines d'Abraham ont-elles le nom de parc des Champs de Bataille?
6. Pourquoi la Basse-Ville offre-t-elle un voyage dans le temps?
7. Qu'est-ce qu'on trouve dans le quartier du Petit-Champlain? Et au Musée de la civilisation?
8 Quelle est la particularité du Château Frontenac?
9. Où peut-on regarder des expositions sur l'histoire du Québec?
10. Où est-il intéressant d'aller le soir?

SITUATIONS / CONVERSATIONS

1. Décrivez votre ville natale (where you were born):

Nom de la ville, situation géographique, aspect physique, industries principales, sites touristiques, monuments célèbres, particularités.

2. Quelle ville souhaitez-vous visiter et pourquoi?

Exemple: Je souhaite visiter Québec / Montréal / Toronto / Winnipeg / New York / Paris / Los Angeles parce qu'il y a des monuments historiques; parce que mes parents habitent là; parce qu'il y a des restaurants exotiques; parce que l'architecture est exceptionnelle; parce que le site est merveilleux; parce que j'aime l'ambiance / l'atmosphère de la ville / les théâtres / les clubs de nuit / les cinémas / l'opéra / les spectacles / le stade, etc.

3. Quel est votre horaire quotidien? Votre emploi du temps pendant une journée? une semaine? une année?

Exemple: Le lundi, je vais à l'université; le mardi, je reste à la maison; le mercredi, je vais au marché; etc.

4. Préparez votre alibi pour une journée précise. L'Inspecteur Poirot va vous interroger.

Exemple: Dans la journée du 8 août: de 8 h 00 à 11 h 00 du matin, je suis au lit. De 11 h 00 à 2 h 00, je mange à la cafétéria. De 2 h 00 à 4 h 00, je suis dans ma classe de maths et de géographie, etc.

COMPOSITIONS

1. Racontez une visite dans une ville et décrivez les monuments et les sites historiques.

2. Décrivez l'organisation de votre fin de semaine. Employez le futur proche.

PRONONCIATION

(This exercise is at the end of Chapitre 4 on the tape.)

i. Consonnes finales — consonnes finales + e muet

1) Generally, final consonants are not pronounced:

   trois, bond, droit, petit, chinois, long

2) The final consonants **c**, **f**, **l**, **r** are usually pronounced:

   avec, sportif, sel, par

3) The final **e** is silent (**-es** and **-ent** as plural forms and/or verb endings are also silent):

   disque, commode, active, dynamique, livres, parlent

4) The consonant which precedes the final **e** is pronounced:

   droite, petite, chinoise, grande, barbe

   Répétez:
   il est grand / elle est grande
   il est content / elle est contente
   il est heureux / elle est heureuse
   il est épatant / elle est épatante
   il est blond / elle est blonde
   il est présent / elle est présente
   il est absent / elle est absente
   il est impatient / elle est impatiente

   Note: When the following word begins with a consonant, the final consonant in *cinq*, *six*, *huit* and *dix* is not pronounced:
   cinq arbres / cinq/ livres
   six enfants / six/ disques
   huit oiseaux / huit/ pots
   dix hommes / dix/ cahiers

ii. O ouvert — o fermé (/ɔ/ - /o/)

1) **O ouvert** (/ɔ/) is generally found in a closed syllable (a syllable ending with a pronounced consonant).

2) **O fermé** (/o/) is found in an open syllable (not ending with a pronounced consonant), in a syllable closed by a /z/ sound, or when it is spelled **au**, **eau** or **ô**.

   Répétez: /ɔ/
   d'accord, sport, téléphone, porte, mol, robe

Répétez: /o/

rose, ôte, beau, stylo, nos, vos, gauche

Répétez d'après le modèle:

beau / bol	faux / folle
mot / molle	nos / nord
peau / porc	tôt / tord
sot / sort	saule / sol
badaud / dormir	paume / pomme
vôtre / votre	rauque / roc

Weblinks

Québec **http://www.tourisme.gouv.qc.ca/francais/tourisme/villes/quebecv.html**

Index des activités **http://www.surscene.qc.ca/quebec/index.htm**

Vieux-Québec **http://www.vieux-quebec.com/**

Musée de la civilisation **http://www.mcq.org/**

Musée du Québec **http://www.mdq.org/**

Chapitre 5

À votre santé!

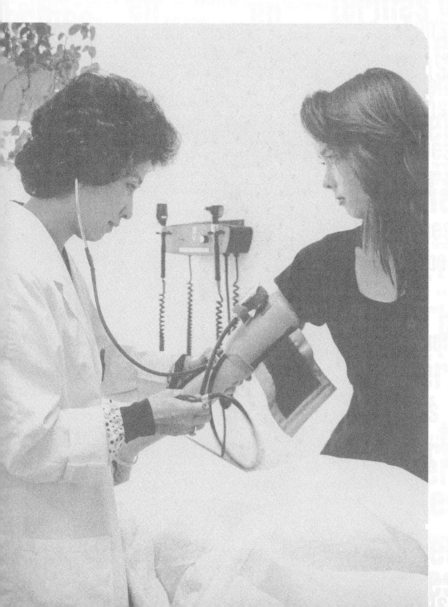

Thèmes

- La santé et la maladie
- Mes désirs et mes aptitudes
- Le corps humain
- Exprimer mon état de santé, mes besoins, mon âge
- Visite chez le médecin

Lecture

La santé... en huit points

Grammaire

5.1 Les verbes réguliers en *-re*

5.2 Les adjectifs démonstratifs

5.3 *Venir de* + infinitif (le passé immédiat)

5.4 Les verbes irréguliers *vouloir* et *pouvoir*

5.5 Les expressions idiomatiques avec *avoir*

VOCABULAiRE UTiLE

À votre santé!	Cheers! Good health!	**dentiste** (m./f.)	dentist
		distractions (f. pl.)	entertainment
argent (m.)	money	**docteur** (m.)	doctor
avaler	to swallow	**faire**	to do, to make
bière (f.)	beer	**forme: rester en —**	to stay in shape
bruit (m.)	noise	**guérir**	to cure; to get well
chanteur, chanteuse	singer	**hôpital** (m.)	hospital
chirurgien, chirurgienne	surgeon	**infirmier, infirmiière**	nurse
clinique (f.)	clinic	**jus** (m.)	juice
comprimé (m.)	tablet	**lettre** (f.)	letter
consulter	to consult	**lunettes** (f. pl.)	glasses
copain, copine	buddy, friend	**malade**	sick
		maladie (f.)	sickness, disease

médecin (m.)	physician	**poids** (m.)	weight
médicament (m.)	medicine, drug	**prendre**	to take
ordonnance (f.)	prescription	**radiographie** (f.)	X-ray
paix (f.)	peace	**remède** (m.)	remedy
patient, e	patient	**rhume** (m.)	cold
pharmacie (f.)	pharmacy,	**santé** (f.)	health
	drugstore	**sirop** (m.)	syrup
pharmacien,		**temps** (m.)	time
pharmacienne	pharmacist	**urgence** (f.)	emergency
pilule (f.)	pill	**verre** (m.)	glass
plage (f.)	beach	**vin** (m.)	wine

GRAMMAIRE ET EXERCICES ORAUX

5.1 Les verbes réguliers en *-re*

The third group is made up of regular **-re** verbs. The **-re** ending is dropped from the infinitive and the following endings are added:

attendre (to wait/to wait for)

Présent de l'indicatif				*Impératif*
j'	**attend**s	nous	**attend**ons	**attend**s
tu	**attend**s	vous	**attend**ez	**attend**ons
il / elle / on	**attend***	ils / elles	**attend**ent	**attend**ez

Other verbs conjugated like **attendre** include:

entendre	(to hear)	J'entends un bruit étrange.
perdre	(to lose)	Vous perdez la tête!
rendre	(to hand back/to return)	Nous rendons le livre.
répondre à	(to answer)	Ils ne répondent pas aux lettres.
vendre	(to sell)	Vends-tu ta voiture?

EXERCICES • ORALEMENT

a. Répétez les phrases en remplaçant le sujet par les mots entre parenthèses.

1. Tu (les enfants, nous, l'infirmière) attends le médecin.
2. Vous (le professeur, les étudiants, je) rendez des livres à la bibliothèque.
3. La chirurgienne (les infirmiers, nous, tu) répond aux questions des patients.
4. Nous (une copine, mes amis, vous) perdons la tête régulièrement.

---

* Note that in the inversion **attend-il/elle/on**, the letter **d** is pronounced /t/.

b. Répondez aux questions:

1. Est-ce que tu entends le téléphone?
2. Entendez-vous le professeur?
3. Répondez-vous aux questions du médecin?
4. Est-ce que le docteur répond aux questions des patients?
5. Rends-tu des livres à la bibliothèque?
6. Le professeur rend-il / elle les compositions aux étudiants?
7. Est-ce que tu vends ta voiture?
8. Vends-tu ton ordinateur?
9. Est-ce qu'on vend des pilules à la pharmacie?
10. Est-ce que tu perds du poids?
11. Est-ce que vous perdez votre temps à l'université?
12. Perds-tu ton argent à la loterie?
13. Perds-tu ton argent au poker?
14. Attends-tu tes amis après la classe?
15. Attendez-vous le dentiste quand il / elle est en retard?

c. Posez la question avec l'inversion.

> *Modèle:* Pierre rend le livre à la bibliothèque.
> *Pierre rend-il le livre à la bibliothèque?*

1. Vous entendez la musique.
2. Solange vend ses disques.
3. Il perd la tête.
4. L'infirmière attend les enfants.
5. Elle rend les lunettes à Hubert.
6. Il répond au téléphone.

d. Employez l'impératif d'après les modèles.

> *Modèle:* rendre le livre à la bibliothèque
> *Rends le livre à la bibliothèque.*

1. attendre cinq minutes
2. ne pas vendre la maison
3. ne pas perdre l'argent
4. répondre au téléphone

> *Modèle:* répondre aux questions
> *Répondons aux questions.*

5. attendre l'infirmière
6. vendre la voiture
7. rendre l'argent à Suzanne
8. ne pas perdre notre temps

> *Modèle:* ne pas vendre vos livres
> *Ne vendez pas vos livres.*

9. attendre l'ambulance
10. ne pas perdre l'adresse de la clinique
11. rendre l'argent à Guy
12. ne pas répondre aux insultes

5.2 Les adjectifs démonstratifs

	Singular	*Plural*
Masculine before a consonant	**ce**	**ces**
Masculine before a vowel sound	**cet**	**ces**
Feminine	**cette**	**ces**

The demonstrative adjective agrees in gender and number with the noun modified:

ce garçon ⟶ ces garçons

cet homme ⟶ ces hommes

cette table ⟶ ces tables

These forms correspond to the English "this" or "that" ("these" or "those"). In French, however, the distinction between "this" and "that" is not usually made except for emphasis or to distinguish between two items or groups of items, in which case **-ci** and **-là** are added to the noun modified:

J'aime cette <u>maison-ci</u> mais Hélène aime cette <u>maison-là</u>.

I like this house but Helen likes that house.

EXERCICES · ORALEMENT

a. Remplacez *le / la / les* par *ce / cet / cette / ces*:

le concert	l'homme	l'épaule	les genoux
les filles	la femme	la profession	le front
l'enfant	le bras	le dos	l'oreille
l'animal	la jambe	les dents	le doigt
la voiture	les cheveux	la bouche	les organes
le problème	la poitrine	le coude	les pieds
le matin	l'après-midi	l'œil	la dent
le soir	les yeux	le nez	les ongles

b. Répondez selon le modèle.

Modèle: Attends-tu cet homme? (une femme)

Non, mais j'attends cette femme.

1. Attends-tu ce taxi? (un autobus)
2. Est-ce que tu vends cette cassette? (un livre)
3. Vas-tu avaler ce comprimé? (une pilule)
4. Allons-nous finir ce chapitre aujourd'hui? (un exercice)
5. Écoutes-tu ce chanteur? (une chanteuse)

C. Répondez selon le modèle.

> *Modèle:* Rends-tu ce livre-ci?
> *Non, mais je rends ce livre-là.*

1. Attends-tu cet autobus-ci?
2. Est-ce qu'on démolit cet hôpital-ci?
3. Vas-tu vendre cette voiture-ci?
4. Vas-tu choisir ce dentiste-là?
5. Allons-nous dans ce restaurant-ci?
6. Réponds-tu à ces questions-ci?

d. Répondez aux questions selon le modèle.

> *Modèle:* Quelle leçon étudies-tu?
> *J'étudie cette leçon-ci.*

1. Quels médicaments achètes-tu?
2. Quelle leçon étudiez-vous?
3. Quel cours vas-tu choisir?
4. Quelle cassette allons-nous écouter?
5. À quelles questions les étudiants répondent-ils?
6. Quel livre vas-tu acheter?
7. Quels patients sont en avance pour leur rendez-vous?
8. Quel enfant est malade?
9. Quelles plantes aimes-tu?

5.3 *Venir de* + infinitif (le passé immédiat)

Venir in the present tense followed by **de + infinitif** indicates that the action or event referred to by the infinitive has just taken place:

Je viens de finir ce travail.   I have just finished this work.
Il vient de téléphoner au médecin.   He has just phoned the doctor.

EXERCICES · ORALEMENT

a. Composez des phrases au passé immédiat en combinant des éléments des deux colonnes.

les patients	téléphoner à l'hôpital
le médecin	avaler des pilules
l'infirmière	répondre au téléphone
la pharmacienne	rentrer de la clinique
je	vendre des pilules
nous	rassurer les malades
	passer une radiographie
	parler au médecin

b. Posez une question à un(e) autre étudiant(e) qui répond selon le modèle.

> *Modèle:* tu / consulter un médecin / parler à une infirmière
>
> *Vas-tu consulter un médecin?*
>
> *Non, je viens de parler à une infirmière.*

1. elle / aller à l'urgence / parler à un médecin au téléphone
2. vous / prendre des médicaments / prendre des vitamines
3. tu / étudier dans ta chambre / finir mes devoirs
4. ce patient / sortir de l'hôpital / avoir une opération
5. les enfants / jouer au hockey / rentrer de la piscine
6. nous / étudier le chapitre trois / finir le chapitre quatre

5.4 Les verbes irréguliers *vouloir* et *pouvoir*

vouloir (to want/to wish)		*pouvoir* (to be able to)	
je veux	nous voulons	je peux	nous pouvons
tu veux	vous voulez	tu peux	vous pouvez
il / elle / on veut	ils / elles veulent	il / elle / on peut	ils / elles peuvent

1) **Vouloir** may be followed by a noun or an infinitive:

> Je veux des vitamines.
>
> Elle veut aller à l'urgence.

2) **Pouvoir** is usually followed by an infinitive. It may indicate ability to do something or permission to do something:

> **Pouvez-vous réparer ma voiture?**   Can you (are you able to) repair my car?
>
> **Les enfants ne peuvent pas entrer**   Children are not permitted (to go) in this
> **dans ce cinéma.**   cinema.

EXERCICES · ORALEMENT

a. Construisez des phrases selon le modèle.

> *Modèle:* Je veux travailler. Et toi?
>
> *Moi aussi, je veux travailler.*

1. Je veux aller à Banff. Et lui? Et toi? Et eux? Et Hélène?
2. Nous voulons manger. Et vous? Et elles? Et toi? Et Stéphane?
3. Je peux attendre cinq minutes. Et eux? Et lui? Et vous? Et elles?
4. Nous pouvons aller au cinéma. Et toi? Et Pascale? Et les enfants? Et vous?

b. Faites des phrases selon le modèle.

> *Modèle:* Robert / manger du dessert / perdre du poids
> *Robert ne peut pas manger de dessert; il veut perdre du poids.*

1. mes amis / aller au cinéma / finir leurs devoirs
2. je / attendre mes amies / arriver au concert à l'heure
3. nous / regarder la télé avec vous / jouer aux échecs
4. tu / perdre ton temps / devenir riche
5. mes parents / venir avec nous au restaurant / attendre leurs amis à l'aéroport
6. elle / fumer des cigarettes / rester en forme

c. Faites des phrases affirmatives ou négatives avec les éléments des trois colonnes.

les infirmières	pouvoir	guérir
les patients	vouloir	répondre aux questions
les enfants		réussir aux examens
je		passer une radiographie
la pharmacienne		aller chez le dentiste
nous		parler avec un médecin
le docteur		perdre du temps
les étudiants		attendre patiemment
		manger à la cafétéria de l'hôpital
		rester au lit

d. Si tu veux, tu peux. Formez des phrases selon le modèle avec des éléments des trois colonnes.

> *Modèle:* Si ton amie <u>veut</u> de l'argent, elle <u>peut</u> travailler.

ton amie	de l'argent	aller à la plage
tu	la santé physique	consulter un médecin
nous	des distractions	aller au cinéma
le professeur	la santé mentale	rester au lit
les enfants	du plaisir	aller à la piscine
le chien	des amis	avaler des pilules
on	la paix	vendre des voitures
	le succès	jouer au poker
	la popularité	marcher dans le parc
		cultiver un jardin
		étudier

5.5 Les expressions idiomatiques avec *avoir*

avoir... ans (to be... years old)		J'ai dix-huit ans.
avoir l'air (to seem/to look like)	**+ adjectif** **+ de + nom** **+ de + infinitif**	Elle a l'air intelligent(e).* Il a l'air d'un bandit. Ils ont l'air de travailler fort.
avoir besoin de (to need)	**+ nom** **+ infinitif**	Les étudiants ont besoin de vacances. J'ai besoin de consulter un médecin.
avoir chaud / froid (to be warm/cold)		J'ai chaud en été. Nous avons froid en hiver.
avoir envie de (to feel like)	**+ nom** **+ infinitif**	As-tu envie d'un dessert? J'ai envie de regarder ce film.
avoir faim / soif (to be hungry/thirsty)		J'ai faim; je veux un sandwich. Il a soif; il veut un verre de jus.
avoir hâte de (to be eager/impatient)	**+ infinitif**	J'ai hâte de rentrer chez moi. Elle a hâte d'avoir dix-huit ans.
avoir l'intention de (to intend)	**+ infinitif**	Nous avons l'intention de visiter Montréal.
avoir peur de (to be afraid of)	**+ nom** **+ infinitif**	Il a peur des maladies. Ils ont peur de grossir.
avoir mal à (to have a... ache)	**+ nom**	J'ai mal à la tête / aux yeux / au ventre / au dos / aux dents.
avoir raison / tort de (to be right/wrong)	**+ infinitif**	J'ai raison. Toi, tu as tort. Elle a raison de vouloir réussir.

EXERCICES • ORALEMENT

a. Répondez aux questions:

1. Quel âge as-tu?
2. Quel âge a ton copain?
3. Quel âge a ta copine?
4. As-tu chaud en hiver?
5. As-tu froid en été?
6. Quand avons-nous chaud généralement?
7. Est-ce qu'on a froid dans un sauna?
8. As-tu faim à midi? à minuit?
9. Vas-tu avoir faim ce soir?
10. Est-ce qu'on a soif dans le désert?
11. Est-ce qu'on a soif après un match de tennis?

* The adjective can be made to agree either with **l'air** (masculine singular) or with the subject.

b. Répondez aux questions selon le modèle.

   Modèle: As-tu envie d'un verre de bière? (d'un verre de vin)
   Non, je n'ai pas envie d'un verre de bière mais j'ai envie d'un verre de vin.

   1. As-tu envie d'une nouvelle voiture? (d'une nouvelle télévision)
   2. As-tu envie d'un livre? (d'une cassette)
   3. As-tu envie de regarder un film? (d'aller à la discothèque)
   4. As-tu envie de manger un sandwich? (de manger un croissant)
   5. As-tu besoin d'une aspirine? (d'un bon café)
   6. As-tu besoin d'une moto? (d'une voiture)
   7. As-tu besoin d'aller chez le médecin? (d'aller chez le dentiste)
   8. As-tu peur du professeur? (de l'examen)
   9. As-tu peur des chiens? (des serpents)
   10. As-tu peur d'aller chez le dentiste? (d'avoir mal aux dents)

c. Répondez aux questions selon le modèle.

   Modèle: Antoine a l'air malade. (fatigué)
   Non, il a plutôt l'air fatigué.

   1. Pierrette a l'air dynamique. (nerveux)
   2. Guy a l'air distrait. (préoccupé)
   3. Il a l'air d'un acteur de cinéma. (d'un boxeur)
   4. Elle a l'air d'une avocate. (d'une pharmacienne)
   5. Le chien a l'air d'avoir faim. (d'avoir soif)
   6. Cet enfant a l'air d'avoir peur. (d'être fatigué)

d. Répondez aux questions:

   1. As-tu l'intention de devenir riche?
   2. As-tu hâte de travailler?
   3. Avez-vous hâte d'avoir des vacances?
   4. Avez-vous l'intention de protéger l'environnement?
   5. Les gens ont-ils raison de bien manger?
   6. Les femmes ont-elles tort de vouloir l'égalité?

e. Vous êtes médecin. Posez la question à un(e) autre étudiant(e).

   Modèle: Avez-vous mal / la tête? (les oreilles)
   Question: *Avez-vous mal à la tête?*
   Réponse: *Non, mais j'ai mal aux oreilles.*

   1. Avez-vous mal / les yeux? (les sinus)
   2. Avez-vous mal / le dos? (le ventre)
   3. Avez-vous mal / les pieds? (les jambes)
   4. Avez-vous mal / la tête? (les yeux)
   5. Avez-vous mal / les genoux? (les chevilles)
   6. Avez-vous mal / les bras? (les coudes)
   7. Avez-vous mal / le cou? (la tête)
   8. Avez-vous mal / le ventre? (la poitrine)
   9. Avez-vous mal / l'estomac? (la tête)
   10. Avez-vous mal / le cœur? (la poitrine)

f. Faites des phrases à partir des éléments donnés.

> *Modèle:* Il / avoir peur / vieillir
> *Il a peur de vieillir.*

1. Isabelle / avoir hâte / rentrer chez elle
2. Vous / avoir raison / consulter un médecin
3. Les étudiants / avoir l'air / aimer ce cours
4. Tu / avoir tort / perdre ton temps
5. Je / avoir l'intention / perdre du poids
6. Nous / avoir envie / réussir

EXERCICES ÉCRITS

a. Mettez le verbe à la forme correcte:

1. Ils _____ l'autobus numéro 38. (attendre)
2. Elle _____ un bruit bizarre. (entendre)
3. Je _____ ma vieille auto. (vendre)
4. Hubert _____ souvent la tête. (perdre)
5. Nous _____ à sa lettre. (répondre)
6. Tu _____ le livre à Jean. (rendre)
7. Il _____ un taxi. (attendre)
8. Lise et Jeanne _____ la musique. (entendre)

LE CORPS HUMAIN

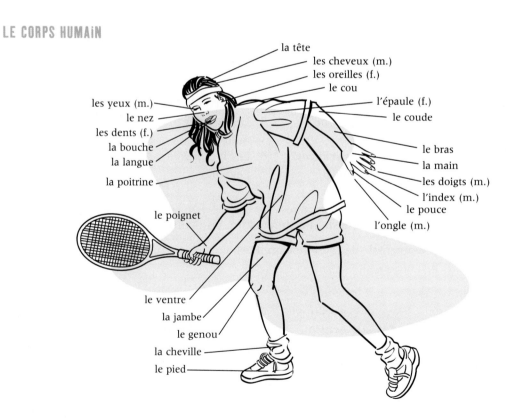

la tête
les cheveux (m.)
les oreilles (f.)
le cou
l'épaule (f.)
le coude
le bras
la main
les doigts (m.)
l'index (m.)
le pouce
l'ongle (m.)
les yeux (m.)
le nez
les dents (f.)
la bouche
la langue
la poitrine
le poignet
le ventre
la jambe
le genou
la cheville
le pied

b. Posez la question avec l'adverbe interrogatif approprié (*où / quand / comment / pourquoi*) et en employant l'inversion.

>   *Modèle:* Il attend l'autobus <u>devant l'hôpital</u>.
>   *Où attend-il l'autobus?*

1. Il perd son temps <u>dans les discothèques</u>.
2. On vend des médicaments <u>à la pharmacie</u>.
3. Elle répond <u>correctement</u> aux questions du médecin.
4. Il vend ses livres <u>parce qu'il a besoin d'argent</u>.
5. Les cours finissent à <u>dix-sept heures</u>.

c. Employez l'impératif et dites à un(e) ami(e) de:

1. Rendre le disque à son amie.
2. Ne pas perdre l'ordonnance du médecin.
3. Répondre à la question de l'infirmière.
4. Ne pas vendre sa belle voiture.
5. Attendre l'arrivée du médecin.

d. Remplacez *le / la / les* par *ce / cet / cette / ces*:

la pilule	les jambes	la pharmacienne	le malade
le pied	la gorge	l'infirmière	la malade
la tête	le médecin	l'enfant	l'étudiant
le dos	la spécialiste	les adultes	les maladies

e. Mettez les verbes *pouvoir* et *vouloir* à la forme correcte:

pouvoir

1. Tu _____ partir avant midi.
2. Nous _____ attendre madame Gagnon.
3. Vous _____ répondre à la question.
4. Elle _____ entendre la conversation.
5. Je _____ finir l'exercice.
6. Ils _____ inviter leurs amis.

vouloir

1. Je _____ aller à l'hôpital.
2. Nous _____ regarder un film à la télé.
3. Ils _____ finir les devoirs après la classe.
4. Elles _____ un comprimé.
5. Tu _____ une bière.
6. Il _____ une nouvelle ordonnance.

f. Répondez aux questions par des phrases complètes:

1. Est-ce que tu veux travailler ce soir?
2. Est-ce que vous voulez venir à l'urgence?
3. Pouvons-nous finir ce chapitre aujourd'hui?
4. Peux-tu entrer dans les discothèques?
5. Veux-tu aller à la clinique ce soir?
6. Voulez-vous venir au restaurant avec moi?
7. Est-ce que les enfants veulent jouer au hockey?
8. Est-ce que les étudiants veulent réussir aux examens?
9. Veux-tu perdre du poids?
10. Veux-tu perdre ton argent dans les casinos?
11. Peux-tu jouer de la guitare? du piano? du violon?
12. Peux-tu aller sur Mars?
13. Tes parents veulent-ils venir dans notre classe?

14. Voulez-vous réussir à l'examen de français?
15. Pourquoi veux-tu étudier la médecine?
16. Où veux-tu aller ce soir?
17. Quelle sorte de voiture veux-tu?
18. Quand vas-tu pouvoir aller à Montréal?
19. À quelle heure peux-tu rentrer chez toi?
20. Où peut-on regarder un film?

g. Répondez aux questions selon le modèle.

> *Modèle:* Est-ce que tu vas à la bibliothèque?
>
> *Non, je viens d'aller à la bibliothèque.*

1. Est-ce que tu regardes un film?
2. Est-ce que Monique finit son travail?
3. Est-ce que vous réfléchissez à cette question?
4. Est-ce que les enfants écoutent des cassettes?
5. Est-ce qu'il vend sa voiture?

h. Complétez les phrases avec imagination.

> *Modèle:* Quand je suis fatigué(e), je... (avoir mal à)
>
> *Quand je suis fatigué(e), j'ai mal aux yeux.*

1. Quand je suis à la discothèque, je... (avoir envie de)
2. J'admire Renée parce qu'elle... (avoir l'air de)
3. Je veux rentrer chez moi parce que je... (avoir hâte de)
4. Quand on est fatigué, on... (avoir besoin de)
5. Demain, je... (avoir l'intention de)
6. Solange ne veut pas être malade parce qu'elle... (avoir peur de)
7. On va chez le dentiste quand on... (avoir mal à)

i. Répondez aux questions par des phrases complètes:

1. Quel âge as-tu?
2. Quel âge a le professeur?
3. Quand est-ce que tu as chaud / soif / faim / froid?
4. Quand as-tu peur?
5. Quand as-tu mal à la tête?
6. Quelle voiture as-tu envie d'avoir?
7. Quelle ville as-tu l'intention de visiter?
8. De quoi as-tu hâte?
9. Quand as-tu l'air intelligent / important / malade/ stupide?
10. De quoi as-tu besoin présentement?

Lecture Lecture Lecture

La santé... en huit points

Si vous suivez les conseils des experts de la santé, vous avez sûrement à la maison du jus de canneberges, des vitamines, des minéraux, du son d'avoine, de l'ail, et d'autres produits semblables. Vous disposez aussi d'une liste de choses à manger le mardi et non le jeudi, d'aliments à combiner et d'autres à éviter. Entre les rendez-vous d'affaires, les visites chez le médecin, les deux soirées de yoga par semaine, la leçon de Tai-Chi ou de workout du samedi et la séance de thérapie du vendredi, vous avez l'intention d'entreprendre un régime. Certains jours, vous arrive-t-il d'avoir envie d'arrêter tout ça?

Sans rejeter toutes les suggestions, il est possible de mettre de côté certaines extravagances et d'adopter un mode de vie sain et équilibré. Rappelez-vous qu'un mode de vie sain est un retour à l'essentiel; comblez les véritables besoins de votre corps et de votre esprit. Voici les huit points essentiels à surveiller:

1) *Prenez un petit déjeuner.*
Votre organisme a besoin de nourriture le matin. Un bon déjeuner comprend un fruit, un produit laitier, des protéines (viande, œufs, fromage ou beurre d'arachides), des glucides et des fibres sous la forme de céréales, de pain ou de muffin de blé entier.

2) *Consommez des fruits et des légumes frais.*
Les aliments à l'état naturel renferment davantage de vitamines et de minéraux. Certaines fibres des fruits et des légumes contribuent à la réduction du cholestérol. De plus le bêta-carotène présent dans ces aliments prévient le cancer.

3) *Des vitamines et des minéraux.*
Un régime équilibré procure tous les minéraux et vitamines dont vous avez besoin. Si vous ne mangez pas de viande rouge, choisissez des grains et des légumineuses.

4) *Des aliments riches en fibres.*
Le pain, les céréales de grains entiers, les fruits et les légumes sont tous d'excellentes sources de fibres.

5) *Buvez beaucoup d'eau.*
De nombreuses personnes sont déshydratées sans le savoir. Une règle simple consiste à boire un verre de liquide non-caféiné à chaque repas. Avant l'exercice, un verre d'eau glacée et après l'exercice, un verre d'eau tiède.

6) *Faites de l'exercice régulièrement.*
L'exercice renforce le cœur, les poumons et les muscles. Donc marcher, faire du jogging, ramer ou nager pendant au moins vingt minutes à un taux de 60 à 85% de votre capacité maximale d'effort, de trois à cinq fois par semaine.

7) *Riez et profitez de la vie.*
Pour être en santé, le bonheur est un élément de base. Alors riez avec vos parents, vos amis, les personnes qui vous aiment, voilà l'important.

8) *Cherchez à vous épanouir.*
S'occuper des autres, consacrer du temps aux jeunes, à de vieux parents, à une campagne de charité; tout ça est une garantie de bonne santé mentale et physique.

(Extrait du magazine *Châtelaine*).

affaires (f.)	business	**mode** (m.)	way
ail (m.)	garlic	**nager**	to swim
aliment (m.)	food	**nourriture** (f.)	food
apporter	to bring	**pain** (m.)	bread
arrêter	stop	**pendant**	during
avoine (f.)	oats	**prendre**	to take
blé (m.)	wheat	**prévenir**	to prevent
boire	to drink	**procurer**	to supply
bonheur (m.)	happiness	**ramer**	to paddle
canneberges (f.)	cranberries	**régime** (m.)	diet
chaque	each	**règle** (f.)	rule
combler	to fill in	**rejeter**	to reject
comprendre	to include	**renfermer**	to contain
consacrer	to devote	**renforcer**	to reinforce
conseil (m.)	advice	**retour** (m.)	return
chose (f.)	thing	**rire**	to laugh
davantage	even more	**sans**	without
devoir	to have to	**savoir**	to know
eau (f.)	water	**séance** (f.)	session
entier, ière	whole	**semblable**	similar
entreprendre	to begin	**sentiment** (m.)	feeling
entouré(e)	surrounded	**(se) sentir**	to feel
épanouir	to open out	**signifier**	to mean
équilibré(e)	well-balanced	**simplement**	simply
esprit (m.)	mind	**son** (m.)	bran
état (m.)	state	**suivre**	to follow
éviter	to avoid	**surveiller**	to watch
frais, fraîche	fresh	**taux** (m.)	rate
glacé(e)	iced	**tiède**	lukewarm
goût (m.)	taste	**véritable**	real
laitier, ière	dairy (product)	**viande** (f.)	meat
légumineuse (f.)	leguminous plant	**vie** (f.)	life
mettre	to put	**vivre**	to live

QUESTIONS

1. Qu'est-ce que vous avez à la maison si vous suivez les conseils des experts?
2. Qu'est-ce qu'il y a sur votre liste?
3. Quelles autres activités avez-vous aussi?
4. Est-il nécessaire d'écouter les experts? Que vous propose-t-on en échange?
5. De quoi avez-vous besoin le matin?
6. Pourquoi les fruits et les légumes?
7. Où trouve-t-on des minéraux? Et des fibres?
8. Quelle quantité d'eau doit-on boire à chaque repas?
9. Pourquoi faire de l'exercice?
10. Quels autres conseils donne-t-on pour avoir une bonne santé?

SITUATIONS / CONVERSATIONS

1. *Une visite chez le médecin.* Un(e) étudiant(e) joue le rôle du médecin et deux autres jouent les rôles de la secrétaire et de la patiente / du patient. Inspirez-vous du modèle ci-dessous.

a) *(Avec la secrétaire du médecin)*

SECRÉTAIRE: Bonjour, Monsieur.

PATIENT: Bonjour, je suis Louis Dupras et j'ai rendez-vous à 7 h 00 avec le docteur Lafontaine.

SECRÉTAIRE: Est-ce que c'est votre première visite? Est-ce que vous avez un dossier ici?

PATIENT: Oui, c'est ma première visite et je n'ai pas de dossier.

SECRÉTAIRE: Votre carte d'assurance-maladie, s'il vous plaît.

PATIENT: Voici ma carte.

SECRÉTAIRE: Passez à la salle d'attente. Le docteur vous appelle dans quelques minutes.

PATIENT: Très bien, merci.

b) *(Avec le médecin)*

LE MÉDECIN: Bonjour, Monsieur. Quel est l'objet de votre visite?

PATIENT: Bonjour, docteur. Eh bien, j'ai mal à la tête et à la gorge. Je tousse, j'ai le nez bouché et j'ai aussi mal aux oreilles.

LE MÉDECIN: Eh bien, ce n'est pas grave. Vous avez une grippe. Voici une ordonnance et vous allez revenir dans quinze jours.

PATIENT: Très bien, merci docteur. Au revoir.

Autres symptômes: Je tousse, je respire mal, j'étouffe. J'ai mal au cœur.
J'ai une douleur dans la poitrine.
J'ai des étourdissements, je perds connaissance.

Autres maladies: le rhume, la grippe, une pneumonie, la fièvre, une bronchite.

Des médicaments: des aspirines, du sirop, des antibiotiques, des onguents.

2. Qu'est-ce qu'on peut faire avec... (What can you do with...)

les yeux? le nez? la bouche? l'estomac? les pieds? les jambes? les poumons? les mains? les oreilles? les doigts? les bras?

Exemple: Avec la tête, je pense.

(Verbes: respirer, digérer, marcher, entendre, embrasser, écouter, regarder, goûter, travailler, jouer d'un instrument, etc.)

3. Décrivez votre animal favori:

J'aime les chats / les chiens / les souris / les vaches / les écureuils / les lions / les tigres / les girafes / les éléphants / les kangourous, etc.

Le pelage (fur) est blanc / brun / noir; avec des raies / des taches / des couleurs différentes, etc.
Le cou est très long / court / étroit / large, etc.
La queue (tail) est longue / courte / courbée, etc.
Les pattes (legs) sont longues / courtes, etc.
Le museau, **la gueule** (mouth) est rond(e) / pointu(e), etc.

4. Pour rester en bonne santé, on a besoin...
de manger des fruits, de respirer de l'air pur, de consulter un médecin, de manger modérément, d'éviter l'alcool, de marcher plusieurs heures par jour, de jouer d'un instrument de musique, de surveiller son alimentation, de pratiquer des sports, de ne pas fumer de cigarettes, etc.

COMPOSITIONS

1. Vous êtes malade. Écrivez une courte lettre à votre professeur pour expliquer la situation.
2. Quelles sont les mauvaises habitudes qui sont nuisibles à votre santé?
3. Décrivez un régime de vie recommandé pour rester en bonne santé.
4. Dessinez et coloriez un clown et indiquez les parties du corps.

PRONONCIATION
(This exercise is at the end of Chapitre 5 on the tape.)

Contraste i, u, ou – /i/ – /y/ – /u/

1) **La voyelle i (/i/)**

Répétez d'après le modèle:

ris	petit	image	amiral
si	radis	idée	habiter
mi	mardi	idem	politique
dit	lundi	arriver	

2) **La voyelle u (/y/)**

(Bring your tongue to the front as for /i/, but round the lips.)

Répétez d'après le modèle:

dit / du	mi / mu	lit / lu	débit / début
ni / nu	pis / pu	pli / plu	habit / abus
si / su	riz / rue	bris / bru	pari / paru
fi / fut	vit / vu	cri / cru	écrit / écru

Répétez d'après le modèle. (Try not to say **biu**, **miu**, **piu**.)

bu	buvez	rébus	amusant
pu	pudique	repu	rebuter
mû	musique	ému	débuter

3) **La voyelle ou (/u/)**

(Rounded lips as for /y/, but bring your tongue towards the back; for /y/, the tongue is pushed towards the front.)

Répétez d'après le modèle:

tu / tout	mu / mou	bru / broue
bu / bout	pu/ pou	truc / trouve
rue / roue	vu / vous	bulle / boule
du / doux	nu / nous	furet / fourré

4) **Contraste /i/ — /y/ — /u/**

Répétez d'après le modèle:

vit / vu / vous	pis / pu / pou	mi / mue / mou
rit / rue / roux	fit / fût / fou	ni / nu / nous
si / su / sous	dit / du / doux	lit / lu / loue

Weblinks

Tai Chi **http://perso.club-internet.fr/taichi/taichi.html**

Diet and health **http://www.regime.com/index1.htm**

Heath food store **http://www.ebb.com/rachellebery/**

Wholesome Health Site **http://www.cam.org/~pb1948/index.html**

Jogging **http://www.alpes-net.fr/~ec041289/index.html**

Chapitre 6

Le magasinage et la mode

Thèmes

- **Mes vêtements**
- **Dans un magasin de vêtements**
- **La mode**
- **Exprimer les quantités**
- **Exprimer l'obligation, la probabilité, l'intention**
- **Poser des questions avec** *qui*, *que*

Lecture

La mode et les jeunes

Grammaire

6.1 **Modifications orthographiques de quelques verbes réguliers en** *-er*

6.2 **Amener — apporter — emmener — emporter**

6.3 **L'article partitif**

6.4 **Le verbe irrégulier** *devoir*

6.5 **Les pronoms interrogatifs** *qui* **et** *que*

6.6 **Construction — verbe + infinitif**

6.7 **Les pronoms relatifs** *qui* **et** *que*

VOCABULAIRE UTILE

achat (m.)	purchase	**conférencier,**	
anniversaire (m.)	birthday	**conférencière**	lecturer, speaker
après	after	**courses: faire des —**	to go shopping
argent (m.)	money	**couture** (f.)	sewing
blesser	to hurt, to injure	**couturier** (m.)	fashion designer
bouteille (f.)	bottle	**déprimé(e)**	depressed
châle (m.)	shawl	**eau** (f.)	water
chaleur (f.)	heat	**emprunter**	to borrow
chance (f.)	luck	**féliciter**	to congratulate
commentaire (m.)	comment	**foulard** (m.)	scarf
complet (m.)	suit	**fromage** (m.)	cheese
compliqué(e)	complicated	**magasin** (m.)	store
comptant: payer —	to pay cash	**magasinage** (m.)	shopping

mode (f.)	fashion	**repos** (m.)	rest
mode: à la —	fashionable	**robe** (f.)	dress
moutarde (f.)	mustard	**sale**	dirty
ombre (f.)	shadow; shade	**sucre** (m.)	sugar
pain (m.)	bread	**supermarché** (m.)	supermarket
poulet (m.)	chicken	**vendeur, vendeuse**	salesclerk
récompense (f.)	reward	**vêtement** (m.)	piece of clothing
rencontrer	to meet	**vitrine** (f.)	display window
repas (m.)	meal	**voyage** (m.)	travel, trip

GRAMMAiRE ET EXERCiCES ORAUX

6.1 Modifications orthographiques de quelques verbes réguliers en -er

Spelling changes before silent endings (-e, -es, -ent)

1) In verbs like **acheter** (to buy), **amener** (to bring), **emmener** (to take), the letter **e** which precedes the final consonant in the stem takes an **accent grave (è)** before a silent ending:

> j'achète, tu achètes, il achète, ils achètent
> *but* nous achetons, vous achetez

2) In verbs like **préférer** (to prefer), **espérer** (to hope), **répéter** (to repeat), **précéder** (to precede), the **accent aigu** over the **e** which precedes the final consonant in the stem changes to an **accent grave** before a silent ending:

> je préfère, tu préfères, il préfère, ils préfèrent
> *but* nous préférons, vous préférez

3) In verbs like **appeler** (to call; to telephone) and **jeter** (to throw), the final consonant in the stem is doubled before a silent ending:

> j'appelle, tu appelles, il appelle, ils appellent
> *but* nous appelons, vous appelez
> je jette, tu jettes, il jette, ils jettent
> *but* nous jetons, vous jetez

4) In verbs ending in **-yer**, the **y** changes to **i** before a silent ending. (In verbs ending in **-ayer**, like **payer**, the **y** may be retained as an optional spelling.)

> **ennuyer** (to bore/to bother):
> j'ennuie, tu ennuies, il ennuie, ils ennuient
> *but* nous ennuyons, vous ennuyez

payer (to pay for):

je paie, tu paies, il paie, ils paient

but nous payons, vous payez

Verbs ending in *-ger* and *-cer*

1) With verbs whose stems end in **g** like **manger** (to eat) or **obliger** (to force/to compel), whenever the ending does not begin with **e** or **i**, the letter **e** must be inserted between the stem and the ending, as in the **nous** form of the present tense:

> nous mangeons, nous obligeons

2) With verbs whose stems end in **c**, like **commencer** (to begin) or **agacer** (to bother/to irritate), a **cédille** must be placed under the letter **c** (**ç**) whenever the ending does not begin with **e** or **i**, as in the **nous** form of the present tense:

> nous commençons, nous agaçons

EXERCICES • ORALEMENT

a. Substituez au sujet les mots entre parenthèses:

1. Lucien appelle le vendeur chez lui.
   (tu, elles, vous, je, nous)
2. André jette de vieux souliers.
   (je, ils, l'étudiant, nous)
3. Tu espères une récompense.
   (vous, elles, Suzanne, je)
4. Elles achètent des vêtements.
   (vous, je, nous, Lucien)
5. Ils paient comptant. (nous, tu, Juliette, je)

b. Posez une question à un(e) autre étudiant(e) à partir des éléments donnés. L'autre étudiant répond.

> *Modèle:* Quand / tu / acheter / des bottes
>
> *Quand achètes-tu des bottes?*
>
> *J'achète des bottes en hiver / quand j'ai froid, etc.*

1. Pourquoi / tu / jeter tes vieux vêtements
2. Pourquoi / on / acheter à crédit
3. Quand / on / amener son chien chez le vétérinaire
4. Où / tu / amener ton ami(e) pour son anniversaire
5. Quand / vous / jeter vos notes de cours
6. Quand / vous / répéter après le professeur
7. À quelle heure / le cours de français / commencer
8. Quand / nous / ennuyer nos amis
9. À quelle heure / tu / espérer rentrer chez toi ce soir
10. Comment / tu / payer tes achats dans les magasins
11. Quand / les enfants / agacer leurs parents
12. À quelle heure / tu / manger ton dîner
13. Quand / les examens / commencer

14. Quand / tu / appeler / tes parents
15. Quand / appeler / la police
16. Où / tu / préférer magasiner
17. Quand / tu / amener un(e) ami(e) au restaurant
18. Quand / nous / emmener le professeur au restaurant
19. Quand / le verbe / précéder le sujet en français
20. Quand / nous / commencer le chapitre sept

C. Répondez aux questions selon le modèle.

> *Modèle:* J'achète des vêtements. Et vous? (des cassettes)
> *Nous, nous achetons des cassettes.*

1. Je mange un sandwich. Et vous? (un biscuit)
2. Je commence une nouvelle leçon. Et vous? (un nouveau cours)
3. Je jette mes vieux tapis. Et vous? (nos vieux vêtements)
4. Je préfère la bière. Et vous? (le vin)
5. J'espère aller à Montréal demain. Et vous? (pouvoir jouer au tennis)
6. J'appelle mes parents. Et vous? (nos amis)

6.2. Amener — apporter — emmener — emporter

amener (une personne/un animal)
apporter (une chose) } to bring (along)

emmener (une personne/un animal)
emporter (une chose) } to take (along)

David amène sa petite amie chez lui.
Sylvie emmène son chien chez le vétérinaire.
J'apporte une bouteille de vin pour le repas.
Quand il va en voyage, il emporte un imperméable.

EXERCICES · ORALEMENT

a. Répondez aux questions par des phrases complètes:

1. Est-ce que vous amenez vos amis chez vous?
2. Est-ce que tu emportes des livres de la bibliothèque?
3. Qu'est-ce que vous apportez au cours de français?
4. Où amène-t-on une personne blessée?
5. Où amène-t-on un animal blessé?
6. Quelle(s) personne(s) emmenez-vous à la discothèque?
7. Quels vêtements est-ce que tu emportes quand tu vas en voyage?
8. Quand emmène-t-on une personne chez le médecin?
9. Qu'est-ce que tu apportes à un ami malade?
10. Quels vêtements apportez-vous à la plage?

b. Complétez la phrase par le verbe (*amener / apporter / emmener / emporter*) qui convient.

1. Au revoir, Pierre. Je rentre chez moi. Est-ce que je peux _____ cette cassette?

2. Revenez chez nous demain. Vous pouvez _____ vos amis.

3. Reste au lit: je vais _____ tes médicaments.

4. Gilbert va aller en Italie. Il a l'intention d'_____ sa famille avec lui.

6.3 L'article partitif

Forms of the partitive article

du   before a masculine singular noun beginning with a consonant
de la before a feminine singular noun beginning with a consonant
de l' before a masculine or feminine noun beginning with a vowel sound
des   before a plural noun

1) The partitive article is used before singular mass nouns (referring to items which are not countable): **de l'argent**, **de la musique**, **du mérite**. The plural form of the partitive article is used before countable nouns (**des fleurs**) and nouns which are always plural, like **des gens** (people). The partitive article is used when referring to an undetermined amount of the item mentioned, and thus corresponds to "some" or "any." While "some" and "any" are frequently omitted in English, in French, the partitive article must be stated:

Je veux de la salade.	I want (some) salad.
Elle mange du pain.	She is eating (some) bread.
Ils regardent des photos.	They are looking at (some) pictures.

2) When they precede a noun which is the direct object of a verb, all forms of the partitive article are reduced to **de** after a negative expression such as **ne... pas**:

J'ai <u>de l'</u>argent. ⟶ Je n'ai pas <u>d'</u>argent.
Elle écoute <u>de la</u> musique. ⟶ Elle n'écoute pas <u>de</u> musique.

This change does not occur after a verb like **être**, which is not a transitive verb (that is, it does not take a direct object):

Ce sont <u>des</u> gens intelligents.
Ce ne sont pas <u>des</u> gens intelligents.

3) The use of the partitive article must be clearly distinguished from that of the definite article. The definite article is used when speaking about a particular item or with nouns used abstractly or in a general sense. The partitive article is used when speaking about an undetermined amount of the item to which the noun refers. Do not be confused by the fact that, in English, articles are not usually placed before abstract nouns, or that "some" is frequently omitted before nouns.

Compare:

She likes plants.	Elle aime <u>les</u> plantes.
She buys plants.	Elle achète <u>des</u> plantes.
Talent is a gift.	<u>Le</u> talent est un don.
He has talent.	Il a <u>du</u> talent.

EXERCICES • ORALEMENT

a. Répondez aux questions affirmativement et négativement:

Est-ce que tu as...

1. de l'argent?
2. de la chance?
3. de l'ambition?
4. du courage?
5. du talent?

6. de la patience?
7. de l'enthousiasme?
8. de la ténacité?
9. de l'imagination?

Est-ce que tu manges...

10. de la salade?
11. du fromage?
12. du pain?

13. du porc?
14. du bœuf?
15. de la moutarde?

Est-ce que tu veux...

16. du vin?
17. de la bière?
18. du café?
19. du thé?

20. du whisky?
21. de la vodka?
22. de l'eau?
23. du coca?

b. Employez les mots indiqués d'après le modèle.

Modèle: Je n'ai pas... mais j'ai...
Je n'ai pas d'argent, mais j'ai de l'ambition.

du courage, de l'enthousiasme, de l'énergie, du talent, de l'ambition, de la chance, de la patience, du tact, de la ténacité, de l'imagination, de l'intuition

c. Changez l'article défini en article partitif:

le respect	la lumière	l'ombre
l'amabilité	le sel	l'obscurité
l'eau	le sucre	le poulet
la neige	l'air	la moutarde

d. Mettez à la forme négative:

1. Elle mange de la salade.
2. Il a de l'argent.

3. C'est de la moutarde.
4. Ils invitent des gens intéressants.

5. J'entends du bruit.

6. Elle écoute du jazz.

7. Nous avons de la patience.

8. J'apporte de la vodka.

9. Tu as de la patience.

10. Il veut du café.

11. Elle achète du porc.

12. Elle prépare de la soupe.

e. Article défini ou article partitif? Complétez les phrases suivantes en employant l'article approprié.

1. J'aime _____ salade. Je mange _____ salade tous les jours.

2. As-tu _____ patience? _____ patience est une vertu.

3. Voulez-vous acheter _____ café? _____ café de Colombie est excellent.

4. Pas de fromage pour moi, merci. Je vais manger _____ dessert. Je ne digère pas _____ fromage.

5. _____ chance de Suzanne est extraordinaire. As-tu _____ chance, toi aussi?

6.4 Le verbe irrégulier *devoir*

Présent de l'indicatif

je	dois	nous	devons
tu	dois	vous	devez
il / elle / on	doit	ils / elles	doivent

1) **Devoir** followed by a noun may mean "to owe":

   Je dois dix dollars à mon ami.
   I owe my friend ten dollars.

2) In the present tense, and followed by an infinitive, **devoir** may express:

   a) necessity or obligation (must/to have to):

   Nous devons rendre les livres à la bibliothèque.
   We must return the books to the library.
   On doit payer ses dettes.
   One must pay one's debts.

   b) probability (must):

   Il doit avoir chaud après ce match.
   He must be hot after that match.

   c) intention or expectation (to be supposed to):

   Je dois rencontrer Marie au centre commercial ce soir.
   I am supposed to meet Mary at the shopping centre tonight.
   Il doit arriver cet après-midi.
   He is supposed to arrive this afternoon.

EXERCICES · ORALEMENT

a. Changez la forme du verbe selon le sujet entre parenthèses:

1. Je dois emprunter de l'argent. (tu / elle / nous / vous)
2. Il doit être fatigué après le magasinage. (ils / vous / les touristes / elle)
3. Elle doit arriver demain soir. (tu / il / nous / les enfants)

b. Répondez à la question:

1. Est-ce que tu dois de l'argent à la banque?
2. À quelle heure le magasin doit-il fermer?
3. Quand devons-nous avoir l'examen?
4. Est-ce que vous devez rendre des livres à la bibliothèque?
5. Dois-tu retrouver tes amis après le cours?
6. Les vendeurs doivent-ils être enthousiastes?
7. Le professeur doit-il être intéressant?
8. Est-ce que je dois essayer la chemise?
9. Est-ce que tu dois de l'argent à tes parents?
10. Devons-nous répéter cet exercice?

c. Répondez aux questions d'après le modèle.

Modèle: À quelle heure Armand arrive-t-il? (à cinq heures)
Armand doit arriver à cinq heures.

1. À quelle heure rentres-tu chez toi?
2. À quelle heure vas-tu à la bibliothèque?
3. À quelle heure la classe finit-elle?
4. Quand vas-tu à Shawinigan?
5. Quand vas-tu chez le médecin?
6. Quand rencontres-tu tes amis?
7. Pourquoi vas-tu à la pharmacie?
8. Qu'est-ce que tu étudies ce soir?
9. Retournes-tu au magasin bientôt?
10. Quand joues-tu au badminton?

d. Transformez les phrases selon le modèle.

Modèle: Le professeur est fatigué après la classe.
Oh! oui, il doit être fatigué.

1. Hélène a chaud après ce match de tennis.
2. Les enfants ont peur après ce film.
3. Le chien a soif après cette promenade.
4. Elle est déprimée après cet examen difficile.
5. Il parle français après ce cours.
6. Il a envie d'un bon café après ce gros repas.
7. Tu es fatiguée après ce long magasinage.
8. Édouard est nerveux après cet accident.
9. Les étudiants sont en forme après les exercices.
10. Tu as besoin de repos après ces études.

e. *Pouvoir* et *devoir*. Répondez aux questions selon le modèle.

Modèle: Peux-tu jouer avec nous? (étudier)
Non, je dois étudier.

1. Peux-tu aller au magasin? (finir un devoir)
2. Est-ce que je peux emprunter ton parapluie? (emporter avec moi)
3. Pouvez-vous attendre l'autobus avec nous? (rentrer à la maison tout de suite)
4. Les enfants peuvent regarder la télévision? (aller au lit)
5. Est-ce que Paul peut emmener le chien chez le vétérinaire? (aller à son cours)
6. Est-ce que nous pouvons jouer au badminton ce soir? (aller au centre commercial)

6.5 Les pronoms interrogatifs *qui* et *que*

Qui:

To ask a question about a person, the interrogative pronoun **qui** is used.

1) To ask the identity of a person, use **Qui est-ce**:

> Qui est-ce?   C'est Bernard.
> C'est le professeur.
> C'est le père de Léonard.
> Ce sont mes voisins.

2) **Qui** may be used as the subject of an interrogative sentence:

> Qui joue du piano? — Moi, je joue du piano.
> Qui veut aller au centre-ville? — Suzanne et Pierre veulent aller au centre-ville.

3) **Qui** may also be used as the direct object of a verb:

> Qui regardes-tu? — Je regarde ce mannequin.

Que:

The interrogative pronoun **que** is used to ask a question about a thing.

1) To ask someone to identify or name something, use **Qu'est-ce que c'est**:

> Qu'est-ce que c'est? — C'est un veston.
> Ce sont des chaussures.

2) **Qu'est-ce qui (que + est-ce qui)** is used as the subject of an interrogative sentence:

> Qu'est-ce qui est sur la table? — C'est mon châle.
> Qu'est-ce qui fatigue René? — C'est la chaleur.

3) **Que (+ inversion)** or **Qu'est-ce que (que + est-ce que)** are used as direct object of the verb:

> Que regardes-tu? — Je regarde la robe de cette femme.
> Qu'est-ce que tu écoutes? — J'écoute un opéra.

EXERCICES · ORALEMENT

a. Utilisez *Qui est-ce?* ou *Qu'est-ce que c'est?* d'après les modèles.

> *Modèles:* C'est mon ami.
> *Qui est-ce?*
>
> Ce sont des insectes.
> *Qu'est-ce que c'est?*

1. C'est le professeur de Lucien.
2. C'est une jupe.
3. Ce sont des bottes.
4. C'est un couturier.
5. C'est Mme Barrault.
6. Ce sont des étudiants en médecine.
7. Ce sont des chandails.
8. C'est mon père.
9. C'est Mila.
10. C'est un foulard.

b. Posez la question appropriée d'après les modèles.

> *Modèles:* J'écoute du jazz.
> *Qu'est-ce que tu écoutes?*
>
> Elle écoute Claude.
> *Qui écoute-t-elle?*

1. Marie mange de la crème glacée.
2. Elle veut des vêtements.
3. Nous écoutons le couturier.
4. Je vais rencontrer une amie de Jean.
5. Ils emportent leurs croquis.
6. J'emmène ma mère au défilé de mode.

c. Posez la question appropriée d'après les modèles.

> *Modèles:* Ma cravate est sous la chaise.
> *Qu'est-ce qui est sous la chaise?*
>
> Luc joue aux échecs.
> *Qui joue aux échecs?*

1. Ces vendeuses travaillent dans une boutique.
2. Ces vêtements coûtent cher.
3. Hélène vient d'arriver.
4. Ce complet est élégant.
5. Charles va acheter une chemise.
6. Les examens fatiguent les étudiants.

d. Complétez la phrase interrogative avec *qu'est-ce qui* ou *qu'est-ce que*.

1. _____ agace le professeur?
2. _____ tu vas acheter au magasin?
3. _____ tes amis vont apporter au pique-nique?
4. _____ nous devons porter pour aller à cette réception?
5. _____ ennuie les enfants?
6. _____ est sous la table?
7. _____ vous voulez acheter?
8. _____ précède le verbe dans la phrase?

6.6 Construction — verbe + infinitif

Certain verbs expressing a sentiment, wish, movement, or perception are frequently followed by an infinitive.

1) Verbs expressing like, dislike or preference:

aimer	**Elle aime dessiner.** She likes to draw.
adorer	**J'adore regarder les vitrines.** I love to look in the windows.
aimer mieux	**J'aime mieux jouer que travailler.** I would rather play than work.
préférer	**J'aime les vêtements à la mode mais je préfère porter des vêtements confortables.** I like fashionable clothes but I prefer to wear comfortable clothes.
détester	**Il déteste aller dans les magasins.** He hates going into stores.

2) Verbs expressing a wish:

désirer	**Elle désire avoir des enfants.** She wants to have children.
espérer	**J'espère aller au Mexique.** I hope to go to Mexico.
souhaiter	**Il souhaite devenir couturier.** He would like to become a fashion designer.

3) **pouvoir, vouloir,** and **devoir**:

pouvoir	**Pouvez-vous réparer ma jupe?** Can you fix my skirt?
vouloir	**Il veut danser avec Béatrice.** He wants to dance with Beatrice.
devoir	**On doit regarder ce film.** We must watch this film.

4) **aller** and **venir**:

aller	**Va chercher le chien.** Go <u>and</u> fetch the dog.
venir	**Viens écouter cette cassette.** Come <u>and</u> listen to this cassette.

5) Other verbs like:

penser*	**Je pense aller en vacances aux États-Unis.**
	I intend to spend my vacation in the United States.
compter	**Il compte arriver ce soir.**
	He expects to arrive tonight.

Note: 1) Verbs of perception like *écouter*, *entendre* and *regarder* may be followed by an infinitive clause. The subject of the infinitive is different from the subject of the verb of perception.

Elle écoute son ami jouer.
Elle écoute son ami jouer de la guitare.

Nous entendons les étudiants répéter.
Nous entendons les étudiants répéter la phrase.

2) If the infinitive is not followed by an object, its subject may come after rather than before it:

Elle écoute jouer son ami.
Nous entendons répéter les étudiants.

EXERCICES • ORALEMENT

a. Répondez aux questions:

1. Est-ce que vous désirez apprendre la couture?
2. Est-ce que tu aimes mieux aller dans les boutiques ou au centre commercial?
3. Détestes-tu travailler?
4. Espérez-vous réussir dans vos études?
5. Est-ce que tu adores aller au concert?
6. Comptes-tu acheter un chapeau?
7. Souhaites-tu rencontrer le premier ministre?

b. Dites à un(e) autre étudiant(e) de...

1. venir regarder la télévision.
2. aller rendre ses livres à la bibliothèque.
3. venir manger chez vous.
4. aller acheter une ceinture.
5. venir écouter vos cassettes.
6. aller chercher ses lunettes.

c. Transformez les phrases d'après le modèle.

Modèle: Elle écoute son ami. Son ami chante.

Elle écoute son ami chanter.

1. Luc regarde Sylvie. Sylvie danse.
2. Les étudiants écoutent le professeur. Le professeur parle.
3. J'entends mon voisin. Il joue du piano.
4. Entends-tu Lise? Elle répond à la directrice.

---

* Penser usually means "to think." Followed by an infinitive, it is equivalent to "to intend to" or "to expect to."

5. Je veux regarder Marc. Marc joue au football.

6. Tu dois écouter le conférencier. Il parle.

7. Elle aime entendre Jean-Pierre Rampal. Il joue de la flûte.

d. Répondez aux questions selon le modèle.

> *Modèle:* J'aime aller au théâtre. Et toi? (préférer / au cinéma)
> *Moi, je préfère aller au cinéma.*

1. J'adore jouer au base-ball. Et toi? (aimer mieux / au hockey)

2. Nous espérons visiter l'Angleterre. Et vous? (compter / l'Italie)

3. Pierre veut devenir couturier. Et Lucie? (souhaiter / psychologue)

4. Sylvain désire avoir des enfants. Et Hélène? (préférer / réussir dans sa carrière)

5. Je compte aller à Chicoutimi demain. Et toi? (devoir / à Québec)

6.7 Les pronoms relatifs *qui* et *que*

A relative pronoun serves two purposes:

1) It connects two clauses, a main clause and a subordinate (relative) clause of which it is part and in which it has a grammatical function (subject, direct object, etc.);

2) It stands for a noun or pronoun (its *antecedent*) previously mentioned in the main clause.

He is talking to <u>a man who</u> looks intelligent.

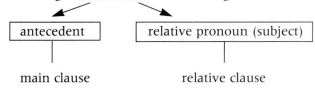

Qui

Qui is the *subject form* of the relative pronoun, whether its antecedent is a person (who/that) or a thing (which/that):

> **Je n'aime pas les gens <u>qui</u> ont toujours raison.**
> I do not like people who are always right.

> **Elle préfère les vêtements <u>qui</u> ne coûtent pas cher.**
> She prefers clothes which are inexpensive.

Que

1) **Que** is the *direct object form* of the relative pronoun. Its antecedent may be a person (whom/that) or a thing (which/that):

> **Elle admire un chanteur <u>que</u> je déteste.**
> She admires a singer whom I hate.

Où est la cravate <u>que</u> je viens d'acheter?
Where is the tie which I have just bought?

2) In English, a relative pronoun which is the direct object in the relative clause is frequently omitted, but in French it must always be expressed:

I like the dress you are going to buy.
J'aime la robe <u>que</u> tu vas acheter.

EXERCICES • ORALEMENT

a. Transformez les phrases selon le modèle.

Modèle: Regarde cette jeune fille. <u>Elle</u> entre dans le magasin.

Regarde cette jeune fille qui entre dans le magasin.

1. Elle porte une blouse. <u>Cette blouse</u> est très élégante.
2. Il aime une jeune fille. <u>Cette jeune fille</u> préfère son ami.
3. Pierre vient d'acheter un oiseau. <u>Cet oiseau</u> ne chante pas.
4. Ne porte pas cette chemise. <u>Elle</u> est sale.
5. Nous allons féliciter un ami. <u>Il</u> vient de réussir à son examen.

b. Transformez les phrases selon le modèle.

Modèle: Je dois rendre ce livre. Je viens de finir <u>ce livre</u>.

Je dois rendre ce livre que je viens de finir.

1. N'emporte pas ces vêtements. Je veux regarder <u>ces vêtements</u>.
2. Elle souhaite rencontrer ce couturier. Elle admire <u>ce couturier</u>.
3. Allons acheter cette robe. Tu désires <u>cette robe</u>.
4. Mes parents viennent d'inviter ce couple. Je n'aime pas <u>ce couple</u>.
5. Je vais chercher un magazine. Tu vas aimer <u>ce magazine</u>.

c. Transformez les phrases en employant *qui* ou *que*:

1. Pierre vient d'acheter ce veston. <u>Il</u> n'a pas de boutons.
2. Nous venons de regarder un film. Nous recommandons <u>ce film</u>.
3. C'est une jupe. <u>Cette jupe</u> est à la mode.
4. Elle attend un ami. <u>Cet ami</u> vient de Chicago.
5. Veux-tu cette cravate? Je porte <u>cette cravate</u> dans les grandes occasions.
6. Parlons à cet étudiant. <u>Il</u> travaille dans une boutique.

d. Remplacez les tirets par *qui* ou *que*:

1. J'aime beaucoup la jupe _____ tu portes.

2. Il entre dans les magasins _____ ont l'air bon marché.

3. Tu dois rappeler cette femme _____ vient de téléphoner.

4. Elle préfère acheter des vêtements _____ sont confortables.

5. Quand vas-tu commencer le travail _____ le professeur vient de donner?

6. J'attends mes amis _____ sont en retard.

7. Je vais au concert entendre ce musicien _____ tu détestes.

8. Va consulter le médecin _____ travaille à l'hôpital Ste-Marie.

9. Voici les souliers _____ je viens d'acheter.

e. Complétez les phrases:

1. J'aime les hommes qui...

2. J'adore les femmes qui...

3. Je vais acheter la veste que...

4. Il vient de regarder un film que...

5. N'achète pas le veston qui...

6. Elle parle d'une avocate qui...

7. Je déteste les couleurs que...

8. Je préfère les bottes qui...

EXERCICES ÉCRITS

a. Écrivez la forme correcte du verbe entre parenthèses:

1. Tu (préférer) _____ la blouse au chandail.

2. Vous (emmener) _____ vos parents au concert.

3. Elle (envoyer) _____ une lettre à son ami.

4. Je (espérer) _____ aller à Vancouver.

5. Elles (jeter) _____ leurs vieilles robes.

6. Le sujet (précéder) _____ normalement le verbe.

7. Il (acheter) _____ une chemise.

8. Vous (payer) _____ comptant.

9. Il (appeler) _____ sa petite amie.

10. Nous (commencer) _____ le repas.

b. Selon le contexte, utilisez un des verbes *amener, emmener, apporter, emporter* à la forme appropriée:

1. Quand il vient chez nous, il _____ sa guitare et nous chantons ensemble.

2. Les infirmiers _____ le malade à l'hôpital.

3. Quand on va en voyage, on _____ son passeport.

4. Paul _____ son chien quand nous allons marcher.

c. Remplacez les tirets par la forme correcte de l'article partitif:

1. Justine a _____ ambition, mais elle n'a pas _____ patience.

2. Ce musicien a _____ talent.

3. Voulez-vous _____ bière ou _____ vin?

4. Tu as _____ chance: tu vas bientôt avoir _____ vacances.

5. Veux-tu _____ sucre dans ton café?

6. Lucien n'a pas _____ argent.

d. Complétez les phrases avec imagination et avec un infinitif.

Modèle: Les étudiants espèrent...
Les étudiants espèrent avoir une bonne note.

1. Les touristes aiment...
2. Un gourmet adore...
3. Je ne peux pas...
4. Pensez-vous...
5. Ce musicien désire...
6. Les journalistes souhaitent...
7. Les étudiants doivent...
8. Le professeur déteste...
9. Venez...
10. Voulez-vous...
11. Ce vieil homme désire...
12. Va...
13. Ma mère préfère...

e. Répondez aux questions avec *devoir*.

Modèle: Qu'est-ce que tu achètes? (un veston)
Je dois acheter un veston.

1. Qu'est-ce qu'on rend à la bibliothèque? (des livres)
2. Quand le train arrive-t-il? (à cinq heures)
3. Qu'est-ce que nous mangeons? (de la viande)
4. Qui attendez-vous? (Lucie et Jacques)
5. Est-ce que Daniel est dans sa chambre? (Oui)
6. Qui rencontre-t-elle? (un journaliste)

f. Voici la réponse. Posez la question appropriée aux mots soulignés.

Modèle: Elle termine <u>sa composition</u>.
Qu'est-ce qu'elle termine?

1. Elle écoute <u>la radio</u>.
2. C'est <u>mon professeur</u>.
3. Les spectateurs regardent <u>le film</u>.
4. Nous allons acheter <u>des chandails</u>.
5. C'est <u>une sculpture moderne</u>.
6. Je viens de rencontrer <u>une infirmière</u>.
7. Ce sont <u>mes voisins</u>.
8. Il compte acheter <u>une robe</u> pour Martine.

g. Transformez les phrases selon le modèle. Employez *qui* ou *que*.

Modèle: Regarde la jeune fille. Elle porte une jupe bleue.
Regarde la jeune fille qui porte une jupe bleue.

1. Nous venons de voir un film. Ce film terrifie les enfants.
2. Apporte cette cassette Tu viens d'acheter cette cassette.
3. Peux-tu payer cette jupe? Tu veux acheter cette jupe.
4. Je dois rencontrer un ami. Il est en retard.
5. Nous commençons un travail. Il est long et compliqué.

6. Peux-tu apporter le parapluie? Il est derrière la porte.

7. J'espère rencontrer cet homme. Tu admires cet homme.

h. Remplacez les tirets par *qui* ou par *que*:

1. Sa femme déteste les vêtements _____ il aime porter.

2. Voilà le complet _____ je veux acheter.

3. Va chercher la cravate _____ est dans ta chambre.

4. Je n'aime pas parler aux gens _____ ont l'air arrogant.

Lecture Lecture Lecture

La mode et les jeunes

Il est vrai que les adolescents et les adolescentes aiment porter des jeans mais ils s'intéressent beaucoup à la mode. Quand ils ont de l'argent, ils préfèrent acheter des vêtements à la mode plutôt que d'acheter autre chose.

La mode est essentielle pour les jeunes autant à l'école qu'ailleurs. Ils s'habillent selon leur tempérament et leurs goûts mais toujours en suivant de très près la mode. Très souvent, lorsqu'une jeune personne ne suit pas la mode

elle se tient à l'écart des autres et est moins recherchée de ses camarades. Suivre la mode, cela ne veut pas dire qu'il faut être habillé richement mais plutôt avec goût et selon les dernières créations.

Parfois, la mode peut devenir encombrante parce qu'elle l'emporte sur les valeurs d'une personne. Il y a plusieurs groupes de jeunes qui créent une certaine mode seulement pour s'exprimer ou se valoriser. Une jeune fille, Nathalie, avoue: "Moi, quand je suis à la mode, je suis bien dans ma peau et cela me donne confiance en moi." Elle ajoute: "Je suis attirée par un garçon qui est bien habillé car il a meilleure apparence et c'est ça que les jeunes regardent en premier."

De leur côté, les garçons préfèrent l'allure sportive pendant la semaine mais, en fin de semaine, ils sont souvent vêtus de costumes élégants car la mode masculine est aussi belle que la mode féminine.

(Article tiré de L'Éducation, vol. 1 no. 3 (1987), d'I. Saint-Amand)

ailleurs	elsewhere	**lorsque**	when
ajouter	to add	**meilleur(e)**	best
à la mode	fashionable	**parfois**	sometimes
allure (f.)	look	**plutôt (que)**	rather (than)
argent (m.)	money	**porter**	to wear
attiré(e)	attracted	**recherché(e)**	in great demand
autant	as much		
autre chose	something else	**richement**	richly
camarade (m./f.)	buddy, pal	**selon**	according to
car	because	**souvent**	often
confiance (f.)	confidence	**sportif, ive**	athletic
créer	to create	**suivre**	to follow
l'emporter sur	to prevail over	**tempérament** (m.)	nature
en premier	first	**(se) tenir à l'écart**	to keep to oneself
encombrant, ante	inhibiting	**valeur** (f.)	value
être bien dans sa peau	to feel great	**(se) valoriser**	to self-actualize
		vêtement (m.)	clothes, article of clothing
(s')exprimer	to express		
goût (m.)	taste	**vêtu(e)**	dressed
(s')habiller	to dress	**vouloir dire**	to mean
(s')intéresser à	to be interested in	**vrai(e)**	true
jeune (m./f.)	young person		

QUESTiONS

1. Quel est le vêtement que les adolescents et les adolescentes aiment porter?
2. Qu'est-ce que les jeunes achètent quand ils ont de l'argent?
3. Comment s'habillent les jeunes?
4. Qu'arrive-t-il à une personne qui ne suit pas la mode?
5. Que veut dire "suivre la mode"?
6. Quand la mode devient-elle encombrante?
7. Pourquoi certains groupes de jeunes créent-ils leur mode?
8. Que représente la mode pour Nathalie?
9. Pourquoi est-elle attirée par les garçons bien habillés?
10. Que préfèrent les garçons?

LES VÊTEMENTS

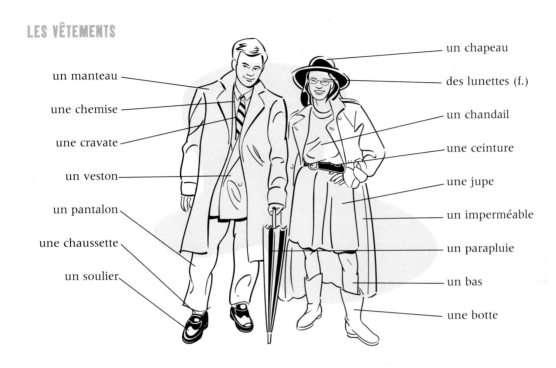

un manteau
une chemise
une cravate
un veston
un pantalon
une chaussette
un soulier

un chapeau
des lunettes (f.)
un chandail
une ceinture
une jupe
un imperméable
un parapluie
un bas
une botte

EXPRESSIONS UTILES

acheter à crédit	to buy on credit	**essayer (un vêtement)**	to try on (an article of clothing)
aubaine (f.)	bargain		
bon marché*	inexpensive	**être bien / mal habillé(e)**	to be well/badly dressed
chic*	chic/smart		
confortable	comfortable	**excentrique**	eccentric
coûter (cher / pas cher)	to be expensive/ inexpensive	**garde-robe** (f.)	wardrobe
		lèche-vitrine: faire —	to go window shopping
dépenser de l'argent	to spend money		
démodé(e)	out of style	**neuf, neuve***	brand-new
élégant, ante	elegant	**usé(e)**	worn out
en coton, en laine, en nylon	(made of) cotton, wool, nylon	**payer comptant**	to pay cash
		porter	to wear

* **Bon marché** and **chic** do not change when modifying a feminine or plural noun. **Neuf**, in contrast to **nouveau**, always comes after the noun modified.

SITUATIONS / CONVERSATIONS

1. *Dans un magasin de vêtements.* Un(e) étudiant(e) joue le rôle d'un vendeur / une vendeuse; un(e) autre étudiant(e) joue le rôle d'un(e) client(e). Variez les achats: sous-vêtements, chaussures, vêtements de sport, d'été, d'hiver, etc. Le vendeur / la vendeuse prend les mesures du client / de la cliente et donne des conseils. Le client / la cliente peut être facile / difficile, payer comptant, acheter à crédit, donner un chèque, etc.

   Inspirez vous du modèle ci-dessous.

   (Au rayon "Hommes")

   LE VENDEUR: Bonjour, Monsieur. Je peux vous aider?

   DANIEL: Oui, je veux acheter un pantalon.

   LE VENDEUR: Essayez ce pantalon-ci. Cette couleur est très à la mode en ce moment.

   DANIEL: Je n'aime pas porter du gris. Je préfère le bleu marine.

   LE VENDEUR: Voilà un pantalon bleu qui est élégant et confortable.

   DANIEL: En effet, je vais l'essayer.
                   (Il revient de la cabine d'essayage.)

   DANIEL: J'achète ce pantalon. Combien coûte-t-il?

   LE VENDEUR: Il est assez bon marché; il coûte seulement cinquante dollars.
                   Vous avez une carte de crédit?

   DANIEL: Non, je paie comptant.

   (Au rayon "Femmes")

   BRIGITTE: Mademoiselle, s'il vous plaît!

   LA VENDEUSE: Oui, mademoiselle. Vous désirez essayer cette robe? La cabine est par ici...
                   (Brigitte revient de la cabine d'essayage.)

   BRIGITTE: Est-ce qu'elle est en coton?

   LA VENDEUSE: Moitié coton, moitié fibres synthétiques. Ce modèle vous va bien.

   BRIGITTE: Est-ce qu'elle coûte très cher?

   LA VENDEUSE: Vous avez de la chance, c'est une vraie aubaine! Elle coûte seulement trente dollars.

   BRIGITTE: Dans ce cas, j'achète!

2. Qu'est-ce que tu portes quand tu vas à la discothèque? tu es en classe? tu vas camper? tu es sur une plage? tu participes à une réunion de famille? tu as un rendez-vous d'amoureux?

3. Quelle importance accordez-vous aux vêtements pour vous-mêmes? pour d'autres personnes? quand aimez-vous être élégant(e)? Quels vêtements préférez-vous sur une personne de l'autre sexe?

4. Complétez avec imagination à tour de rôle:

> J'aime les hommes qui...
> Je préfère les femmes qui...
> Je déteste les films qui...
> Je n'aime pas les professeurs qui...
> J'adore manger les choses qui...
> J'aime mieux les vêtements qui...
> Je souhaite rencontrer le politicien qui...

5. Qu'est-ce que vous devez faire cet après-midi? demain matin? demain soir? lundi prochain? cette année? l'année prochaine?

6. De quoi est composée la garde-robe typique d'un étudiant ou d'une étudiante?

COMPOSITIONS

1. Vous allez dans un magasin acheter de nouveaux vêtements. Racontez.

2. Quelle est l'importance de la mode pour vous?

PRONONCIATION

(This exercise is at the end of Chapitre 6 on the tape.)

i. E fermé / e ouvert (/e/ - /ɛ/)

E fermé (closed **e**) - /e/

The sound /e/ never occurs in closed syllables (syllables ending in a consonant sound). In an open syllable, the sound /e/ is associated with various spellings:

1) **er** at the end of a noun, adjective or infinitive:

> invit<u>er</u>, march<u>er</u>, premi<u>er</u>, étrang<u>er</u>

2) **é**, **ée**, **és**, **ées**:

> <u>é</u>t<u>é</u>, fatigu<u>é</u>, arm<u>ée</u>, esp<u>é</u>rer, d<u>é</u>sol<u>és</u>

3) **es** in one-syllable words:

> m<u>es</u>, t<u>es</u>, s<u>es</u>, c<u>es</u>, l<u>es</u>, d<u>es</u>

4) **ez**:

> ch<u>ez</u>, vous parl<u>ez</u>, vous finiss<u>ez</u>, n<u>ez</u>

5) the verb ending **ai**:

j'<u>ai</u>, je chante<u>rai</u> (future tense)

Répétez:

J'ai l'été pour travailler.   Vous venez de chez René.
Allez chercher mes clés.   Vous devez espérer.
Ces ouvriers sont fatigués.   Vous répétez comme un bébé.

E ouvert (open **e**) - /ɛ/

In a closed syllable, the sound /ɛ/ is associated with the following spellings:

1) **e, è, ê:**

<u>e</u>rrer, emm<u>è</u>ne, esp<u>è</u>re, t<u>ê</u>te, b<u>ê</u>te

2) **aî, ai, ei:**

loc<u>a</u>taire, pl<u>ai</u>re, m<u>aî</u>tre, tr<u>ei</u>ze, n<u>ei</u>ge

In an open syllable, it is associated with the spellings:

1) **è, ê, et:** gr<u>è</u>s, for<u>ê</u>t, bill<u>et</u>, ball<u>et</u>

2) **ai, aid, aie, ais, ait, aix:** m<u>ai</u>s, p<u>ai</u>x, l<u>ai</u>d, d<u>ai</u>s

However, the tendency is to use /e/ instead of /ɛ/ in an open syllable.

Répétez:
Il amène son père au ballet.
Le locataire plaît à ma mère.
Treize cigarettes restent dans le paquet.
La neige est épaisse dans la forêt.

Contraste /e/ - /ɛ/

Répétez:
répétez / répète   préférez / préfère
précédez / précède digérez / digère
espérez / espère   référez / réfère
ouvrier / ouvrière postier / postière
épicier / épicière   boulanger / boulangère

premier / première / premièrement
dernier / dernière / dernièrement
particulier / particulière / particulièrement

ii. La lettre c

1) The letter **c** is pronounced /s/ when followed by **e**, **i** or **y**:

   citer, cerf, racine, macérer, cyanure

2) It is pronounced /k/ when followed by other vowels:

   cadeau, coder, cure, cancan, conseil, écouter

3) The **cédille** placed under **c** indicates that the sound /s/ is retained before vowels other than **e**, **i** or **y**:

   maçon, tronçonner, commençons, agaçons

iii. La lettre g

1) the letter **g** is pronounced /ʒ/ when followed by **e**, **i** or **y**:

   gêner, geindre, gymnastique, rage, agir, genre

2) It is pronounced /g/ when followed by other vowels:

   gâteau, gond, gant, gober, ambigu, goûter

3) When the letter **e** is inserted between **g** and a vowel other than **e**, **i** or **y**, it indicates that **g** must be pronounced /ʒ/:

   nous mangeons, nous obligeons

4) When the letter **u** is inserted between **g** and **e**, **i** or **y**, it is not pronounced but it indicates that **g** must be pronounced /g/:

   guerre, digue, fatigué, langue, guitare, Guy

Weblinks

Boutique Gilles Villeneuve **http://boutique.villeneuve.com/catalog_fr.html**

Virtual model **http://www.bsf.ca/mv/index.asp**

Lingerie **http://www.mw-enrg.com/**

Sports **http://www.louisgarneau.com/francais/index.html**

Radio-Canada — Costume collection
http://www.radio-canada.com/costume/HTML/index.HTM

Chapitre 7

Les études et la carrière

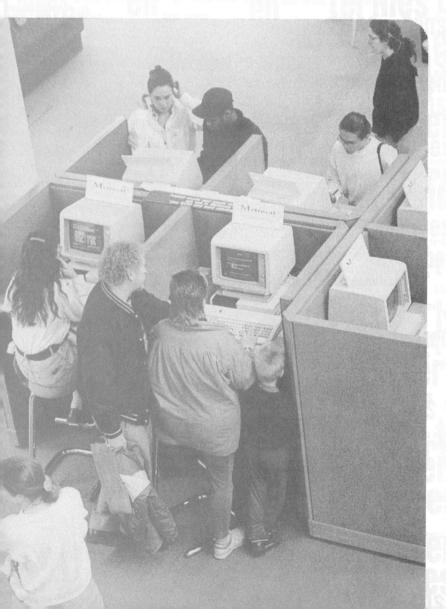

Thèmes

- Qu'est-ce que je fais ou ne fais pas?
- Quel temps fait-il?
- Les femmes et les sciences
- Quels cours dois-je suivre?
- Les professions
- Exprimer la nécessité
- Exprimer les quantités

Lecture
La science a-t-elle un sexe?

Grammaire

VOCABULAiRE UTiLE

acteur, actrice	actor	**compter sur**	to count on
aider	to help	**dépenser**	to spend
avocat, e (m./f.)	lawyer	**désordre: en —**	messy, untidy
baccalauréat (m.)	B.A.	**directeur, directrice**	director, manager
bien	well	**doctorat** (m.)	Ph.D.
bientôt	soon	**économe**	thrifty
cahier (m.)	notebook	**employeur,**	
calculatrice (f.)	calculator	**employeuse**	employer
carrière (f.)	career	**employé, e** (m./f.)	employee
chance (f.)	luck	**ensemble**	together
chocolat (m.)	chocolate	**éponge** (f.)	sponge
commerçant, e		**fermier, fermière**	farmer
(m./f.)	storekeeper	**frais, fraîche**	fresh; cool

garder	to keep	nuage (m.)	cloud
informaticien,	computer scientist;	odeur (f.)	smell
informaticienne	data processor	pendant	during, for
ingénieur, e (m./f.)	engineer	pleuvoir	to rain
instituteur,		plombier, plombière	plumber
institutrice	school teacher	policier, policière	police officer
invité, e (m./f.)	guest	pour (+ inf.)	to, in order to
inviter	to invite	raisin (m.)	grape
journal (m.)	newspaper	regretter	to regret
libre	free	rencontrer	to meet
loisirs (m. pl.)	spare time	savon (m.)	soap
	(activities)	sec, sèche	dry
magnétoscope (m.)	video recorder	soldat(e) (m. / f.)	soldier
maîtrise (f.)	Master's degree	soleil (m.)	sun
mal	badly	sucre (m.)	sugar
manteau (m.)	overcoat	tempête (f.)	storm
moins	less	trouver	to find
neiger	to snow	traducteur,	
note (f.)	grade; note	traductrice	translator
nourriture (f.)	food	vie (f.)	life
nouvelles (f. pl.)	news		

GRAMMAiRE ET EXERCiCES ORAUX

7.1 Le verbe irrégulier *partir*

Présent de l'indicatif

je	pars	nous	partons
tu	pars	vous	partez
il / elle / on	part	ils / elles	partent

The imperative of **partir** is regular: its three forms are identical to those of the **tu**, **nous** and **vous** forms in the present tense.

Partir means "to leave/to go away" and is often used with **pour** (for) and **de** (from), or accompanied by an adverbial expression. It must be distinguished from two other verbs:

1) **aller. Partir** may be used by itself, but **aller** must be followed by a preposition:

Je pars.	I am going/I am leaving.
Je vais chez Paul.	I am going to Paul's.

2) **quitter** (to leave a place/a person/an activity) and **laisser** (to leave something or someone behind), which are transitive verbs:

> Le train <u>part</u> de Détroit à six heures.
> Les étudiants <u>quittent</u> l'université à six heures.
> M. Adam vient de <u>quitter</u> sa femme.
> Elle <u>laisse</u> ses livres dans la classe.
> Ils <u>partent</u> en vacances et <u>laissent</u> leurs enfants chez les grands-parents.

Other verbs conjugated on the same pattern as **partir** are:

dormir	(to sleep):	dors, dors, dort, dormons, dormez, dorment
mentir	(to lie):	mens, mens, ment, mentons, mentez, mentent
sentir	(to smell/to feel):	sens, sens, sent, sentons, sentez, sentent
servir	(to serve):	sers, sers, sert, servons, servez, servent
sortir	(to go out):	sors, sors, sort, sortons, sortez, sortent

EXERCICES • ORALEMENT

a. Répondez aux questions.

1. À quelle heure pars-tu de chez toi le matin?
2. Tes parents partent-ils souvent en voyage?
3. Partons-nous en voyage ensemble?
4. Laissez-vous vos livres dans la classe?
5. Où laisses-tu ton chien (ton chat, ton ordinateur...)?
6. À quelle heure sortez-vous de la classe?
7. Quel soir sors-tu avec tes amis?
8. Où vont les étudiants quand ils sortent?
9. Qu'est-ce qui sent bon?
10. Où sent-on de bonnes odeurs?
11. Est-ce que les fleurs sentent bon ou mauvais?
12. Combien d'heures dors-tu?
13. Combien d'heures dorment les jeunes enfants?
14. Dormez-vous pendant le cours de français?
15. Où est-ce qu'on dort mal généralement?
16. Qui sont les gens qui mentent souvent, selon vous?
17. Est-ce que vous mentez au professeur?
18. Est-ce que le professeur vous ment?
19. Où est-ce qu'on sert du vin (du café, des sandwichs)?
20. Quand les gens servent-ils du champagne à leurs invités?

b. Demandez à un(e) autre étudiant(e) s'il / si elle...

1. dort pendant la classe de français.
2. sort avec ses amis le samedi soir.
3. part pour Montréal demain.
4. quitte la maison à neuf heures.

5. ment à ses parents.

6. ment à ses amis.

7. sert du vin à ses amis.

8. sert du caviar à ses invités.

9. dort pendant la journée.

10. sent la bonne odeur de la cafétéria.

c. Complétez les phrases suivantes en utilisant la forme appropriée de l'un des verbes suivants: *aller, laisser, partir, quitter.*

1. Hélène veut _____ son emploi à Toronto. Elle souhaite _____ pour Vancouver.

2. Quand je _____ au magasin, je _____ mon chien à la maison.

3. Il est minuit. Je dois _____ et rentrer chez moi. Est-ce que je peux _____ mes livres chez vous?

4. Elle pense au divorce. Elle veut _____ son mari.

d. Répondez selon le modèle.

> *Modèle:* Nous sortons ce soir. Et toi? (demain soir)
> *Moi, je sors demain soir.*

1. Moi, je dors mal avant un examen. Et vous? (bien)

2. Les enfants dorment douze heures par jour. Et vous? (huit heures)

3. Tu sers de la bière à tes invités. Et tes parents? (du thé)

4. Nous partons pour Winnipeg demain. Et toi? (Calgary)

5. Cet homme ment souvent. Et ses amis? (rarement)

6. Ces fruits sentent bon. Et ce fromage? (mauvais)

7.2 Le verbe irrégulier *faire*

Présent de l'indicatif

je	fais	nous	faisons
tu	fais	vous	faites
il / elle / on	fait	ils / elles	font

The imperative of **faire** is regular.

Faire (to do/to make) is used in a variety of expressions:

1) *Studies:*

faire des études	to study/to take classes
faire des études de français / d'anglais/ de médecine / de danse, etc.	to study French/English/medicine/ dance, etc.
faire du français, etc.	to study French, etc.
faire des exercices	to do exercises
faire un travail	to do an assignment
faire un baccalauréat / une maîtrise	to do a Bachelor's degree/a Master's

2) *At home:*

faire la cuisine	to do the cooking
faire le ménage	to do the housework
faire la vaisselle	to do the dishes

3) *Sports:*

faire du sport	to take part in sports
faire du tennis / du ski	to play tennis/to ski

4) *Miscellaneous:*

faire 10 kilomètres à pied	to walk 10 kilometers
faire 100 kilomètres en voiture	to drive 100 kilometers
faire l'amour	to make love
faire la guerre	to make war
faire des affaires	to do business
faire des progrès	to make progress
faire son lit	to make one's bed
faire des courses	to go shopping

EXERCICES • ORALEMENT

a. Répondez aux questions:

1. Est-ce que tu fais du français? de l'anglais? de la physique?
2. Est-ce que vous faites des exercices dans la classe de français?
3. Faites-vous des études universitaires?
4. Fais-tu des études de médecine?
5. Est-ce que tu fais un baccalauréat? une maîtrise? un doctorat?
6. Vas-tu faire une maîtrise après ton baccalauréat?
7. Les banquiers font-ils des affaires?
8. Qui fait la vaisselle chez vous?
9. Est-ce que vous faites le ménage dans la classe?
10. Est-ce que le professeur fait la vaisselle dans la classe?
11. Fais-tu du sport? Quel sport?
12. Est-ce que vous faites des progrès en français?

b. Demandez à un(e) autre étudiant(e) s'il / si elle...

1. fait des mathématiques; de la psychologie; de la chimie; de l'anglais; du russe.
2. fait un baccalauréat; une maîtrise; un doctorat.
3. fait la cuisine; la vaisselle; son lit.
4. fait une composition pour le professeur de français.
5. veut faire du sport.

c. Répondez aux questions:

1. Que faisons-nous en ce moment?
2. Combien de kilomètres fais-tu pour venir à l'université?
3. Pourquoi fais-tu des études?
4. Quand fais-tu la cuisine?

5. En quelle saison fait-on du ski? du tennis?
6. Quelles nations font la guerre en ce moment?

d. Votre ami(e) a un problème. Donnez la solution en employant une expression avec *faire*.

> *Modèle:* J'ai mal à la tête.
> *Fais une promenade!*

1. Je veux perdre du poids.
2. Ma chambre est en désordre.
3. J'ai faim. Je veux manger un bon repas.
4. Je n'ai pas envie de rester ici cet été.

5. Je veux devenir riche.
6. Je n'ai plus de nourriture à la maison.
7. J'ai l'intention de devenir médecin.
8. J'ai un baccalauréat, mais je veux continuer mes études.

7.3 Quel temps fait-il?

Il fait beau. / Il fait mauvais. / Il fait tempête.

Il fait chaud. / Il fait froid. / Il fait du brouillard. / Il fait du vent.

Il fait (du) soleil. / Il fait frais.

Il fait sec. / Il fait humide.

Le ciel est bleu et pur. / Le ciel est couvert de nuages.

Les précipitations: Il pleut (pleuvoir). Il neige (neiger). Il grêle (grêler).

La température: Combien fait-il? Il fait 25 degrés.
Il fait combien? Il fait 10 sous zéro. (Il fait moins 10.)

EXERCICES • ORALEMENT

a. Répondez aux questions:

1. Quel temps fait-il aujourd'hui?
2. Quel temps fait-il au printemps? en été? en automne? en hiver?
3. En hiver, il neige. Et en été?
4. Quel temps fait-il à Miami en été?
5. Quel temps fait-il à Edmonton en hiver?
6. Il fait combien aujourd'hui?
7. En général, combien fait-il en hiver? en été?
8. Est-ce qu'il pleut aujourd'hui?
9. Est-ce qu'il neige?
10. Qu'est-ce que tu fais quand il pleut? quand il fait tempête?

11. Comment est le ciel aujourd'hui?
12. Quel temps va-t-il faire demain?
13. Est-ce qu'il va pleuvoir demain? Est-ce qu'il va neiger?
    Est-ce qu'il va grêler?
14. Est-ce qu'il va neiger à Noël?
15. Est-ce qu'il va faire beau pendant la fin de semaine?
16. Est-ce qu'on a facilement le rhume quand il fait froid et humide?
17. Est-ce qu'il fait du brouillard en automne?

7.4 Les pronoms interrogatifs *qui* et *quoi* après une préposition

Qui and **quoi** are the interrogative pronouns used as objects of prepositions.

1) **Qui** refers to persons:

> À qui parles-tu? — Je parle à Francine.
>
> Avec qui sors-tu? — Je sors avec Marcelle.
>
> À côté de qui es-tu assis(e)? — Je suis assis(e) à côté de Guy.
>
> À qui penses-tu? — Je pense à mon amie Louise.

2) **Quoi** refers to things:

> À quoi est-ce que tu joues? — Je joue au poker.
>
> De quoi joues-tu? — Je joue du violon.
>
> À quoi réfléchis-tu? — Je réfléchis à l'exercice.
>
> Avec quoi fais-tu la vaisselle? — Avec du savon et une éponge.

EXERCICES • ORALEMENT

a. Posez la question qui correspond à la réponse donnée.

> *Modèle:* Elle joue aux cartes.
> *À quoi joue-t-elle?*

1. Je pense <u>à ma composition</u>.
2. Nous jouons <u>du piano</u>.
3. Ils jouent <u>au baseball</u>.
4. Nous parlons <u>de nos études</u>.
5. Elles parlent <u>de leur instituteur</u>.
6. Je vais téléphoner <u>à Sylvie</u>.
7. Les parents pensent <u>à leurs enfants</u>.
8. J'ai besoin <u>d'argent</u>.
9. Elle a envie <u>d'une nouvelle robe</u>.
10. Ils ont besoin <u>de toi</u>.
11. Je pense <u>à toi</u>.
12. Elles ont peur <u>du professeur</u>.
13. On fait du vin <u>avec du raisin</u>.
14. Henri sort <u>avec Jacinthe</u>.
15. Il fait la vaisselle <u>avec une éponge</u>.
16. Elle est assise <u>derrière Lucien</u>.
17. Ils comptent <u>sur leurs amis</u>.

7.5 *il y a*

1) **Il y a** (there is/there are) is used to indicate the presence of persons or things. It may be followed by singular or plural nouns:

> Il y a un conférencier dans la salle.
> Il y a des étudiants dans le corridor.

2) To form a question, one may use either **est-ce qu'il y a** or **y a-t-il**:

> Est-ce qu'il y a un magnétoscope dans la classe?
> Y a-t-il un ordinateur dans ta chambre?

3) After **il n'y a pas**, the indefinite and partitive articles all become **de**:

> Il y a un arbre dans le jardin. Il n'y a pas <u>d</u>'arbre.
> Il y a du sucre dans mon café. Il n'y a pas <u>de</u> sucre.

EXERCICES · ORALEMENT

a. Répondez aux questions:

1. Est-ce qu'il y a un tableau dans la classe? une girafe? une télévision? un professeur? une automobile?
2. Qu'est-ce qu'il y a sur le bureau du professeur? derrière le professeur? sur le mur? au plafond?

b. Demandez à un(e) autre étudiant(e) s'il y a...

1. un ordinateur dans sa chambre.
2. des illustrations dans ce livre.
3. un sandwich dans sa serviette.
4. des vampires en Transylvanie.
5. des rhinocéros en Alaska.
6. un bon film à la télé ce soir.
7. des livres intéressants à la bibliothèque.
8. des nuages dans le ciel.
9. un examen demain.
10. des gens sympathiques à l'université.

c. Répondez aux questions:

1. Est-ce qu'il va y avoir un cours de français demain?
2. Est-ce qu'il va y avoir un examen la semaine prochaine?
3. Est-ce qu'il va y avoir beaucoup de gens sur la terre en l'an 2050?
4. Où est-ce qu'il y a des arbres?
5. Où y a-t-il des animaux exotiques?
6. Combien y a-t-il d'étudiants dans la classe?
7. Combien est-ce qu'il y a d'étudiants à l'université?
8. Pourquoi est-ce qu'il y a de la pollution dans les villes?

7.6 *il faut*

1) The irregular verb **falloir** (to be necessary) is only used with the pronoun **il**. **Il faut** may be followed by a noun or an infinitive:

> **Il faut du talent pour être artiste.**　One needs talent to be an artist.
> **Il faut travailler pour réussir.**　It is necessary to work in order to succeed.

2) The negative form **il ne faut pas** does not mean "it is not necessary" but rather "one must not":

> Il ne faut pas fumer dans la classe.
> Il ne faut pas avoir peur des difficultés.

3) The expression corresponding to "it is not necessary" is **il n'est pas nécessaire de** which is followed by an infinitive:

> Il n'est pas nécessaire d'avoir une calculatrice pour faire une addition.

EXERCiCES • ORALEMENT

a. Répondez aux questions avec un nom.

> *Modèle:* Qu'est-ce qu'il faut pour réussir?
> *Il faut de l'ambition.*

1. Qu'est-ce qu'il faut pour être un bon étudiant?
2. Qu'est-ce qu'il faut pour être un bon professeur?
3. Qu'est-ce qu'il faut pour être un bon acteur?
4. Qu'est-ce qu'il faut pour être amusant?
5. Qu'est-ce qu'il faut pour être heureux?
6. Combien de personnes faut-il pour avoir un jury?
7. Combien de cartes faut-il pour jouer au poker?
8. Qu'est-ce qu'il faut pour réussir ses études?

b. Répondez aux questions avec un infinitif.

> *Modèle:* Que faut-il faire pour bien dormir? (faire de l'exercice)
> *Il faut faire de l'exercice.*

1. Que faut-il faire pour avoir de bonnes notes? (travailler)
2. Que faut-il faire pour avoir un baccalauréat? (faire des études)
3. Que faut-il faire pour être en forme? (faire du sport)
4. Que faut-il faire pour être heureux? (garder son sens de l'humour)
5. Que faut-il faire pour avoir des amis? (montrer de la générosité)

C. Répondez aux questions d'après le modèle.

> *Modèle:* Qu'est-ce qu'il ne faut pas faire quand on a le rhume? (sortir dans le froid)
> *Il ne faut pas sortir dans le froid.*

Qu'est-ce qu'il ne faut pas faire...

1. quand on a du travail? (regarder la télé)
2. quand on est sportif? (fumer)
3. quand on est à l'hôpital? (faire du bruit)
4. quand on veut être économe? (dépenser beaucoup d'argent)
5. quand on est en classe? (dormir)

7.7 Les pronoms personnels objets directs

Personal pronouns change according to their grammatical function in the sentence. Here are the forms of the *direct object pronouns*:

Subject pronouns	Direct object pronouns
je	**me***
tu	**te***
il	**le***
elle	**la***
nous	**nous**
vous	**vous**
ils	**les**
elles	**les**

Le, **la**, **les** may stand for:

1) a proper noun:

> Est-ce que tu admires <u>Gaston</u>? — Oui, je l'admire.

2) a noun preceded by a definite article (**le, la, les**):

> Attends-tu <u>l'autobus</u>? — Je l'attends.

3) a noun preceded by a demonstrative adjective:

> Veux-tu <u>ce livre</u>? — Je le veux.

4) a noun preceded by a possessive adjective:

> Est-ce qu'il écoute <u>mes disques</u>? — Oui, il les écoute.

A direct object pronoun precedes the verb, even if the verb is in the infinitive and follows another conjugated verb:

---

* Before a vowel sound, **me** becomes **m'**, **te** becomes **t'**, **le** and **la** both become **l'**: il m'écoute, je t'entends, nous l'emportons.

Affirmative	Negative	Interrogative (inversion)
Il <u>la</u> regarde.	Il ne <u>la</u> regarde pas.	<u>La</u> regarde-t-il?
Tu <u>m</u>'écoutes.	Tu ne <u>m</u>'écoutes pas.	<u>M</u>'écoutes-tu?
Nous allons <u>l</u>'acheter.	Nous n'allons pas <u>l</u>'acheter.	Allons-nous <u>l</u>'acheter?
Elle veut <u>le</u> jeter.	Elle ne veut pas <u>le</u> jeter.	Veut-elle <u>le</u> jeter?

EXERCICES • ORALEMENT

a. Remplacez les mots soulignés par des pronoms.

1. Je prépare <u>le repas</u>.
2. Nous aimons <u>les étudiants</u>.
3. Ils adorent <u>ce professeur</u>.
4. Il trouve <u>la leçon</u> intéressante.
5. Vous n'avez pas <u>votre cahier</u>.
6. Elle préfère <u>la musique classique</u>.
7. Écoutez-vous <u>la radio</u>?
8. On étudie <u>l'anatomie</u> dans ce cours.
9. Finissez-vous <u>le travail</u> bientôt?
10. J'écoute <u>la conférencière</u>.

b. Répondez aux questions avec des pronoms, affirmativement et négativement.

Modèle: Aimes-tu le livre?
Oui, je l'aime.
Non, je ne l'aime pas.

1. Achètes-tu le journal?
2. Regardes-tu le film?
3. Explique-t-il le problème?
4. Est-ce que tu tolères le racisme?
5. Finit-elle sa composition?
6. Attend-on l'autobus?
7. Est-ce que vous écoutez vos parents?
8. Aidons-nous les enfants?
9. Est-ce que tu aimes ces exercices?
10. Regrettez-vous cette décision?

c. Formulez la question, selon le modèle.

Modèle: Je regarde la télévision.
La regardes-tu?

1. J'ai le journal d'aujourd'hui.
2. Il quitte sa femme.
3. Vous achetez ce manteau.
4. Ils étudient les sciences sociales.
5. Nous écoutons la nouvelle chanson.
6. Elle sert le dîner.
7. Je fais les exercices.
8. On invite les étudiants de première année.

d. Répondez aux questions.

Est-ce que...

1. tu me regardes?
2. je vous regarde?
3. elle te regarde?
4. nous te regardons?
5. vous me regardez?
6. il me regarde?
7. vous m'écoutez?
8. tu m'écoutes?
9. je t'écoute?
10. vous nous écoutez?

11. nous vous écoutons?

12. ils vous écoutent?

13. vous pouvez m'entendre?

14. tu peux m'entendre?

15. je peux te rencontrer?

16. tu peux me rencontrer?

17. vous pouvez nous rencontrer?

18. nous pouvons vous rencontrer?

19. tu vas m'inviter?

20. je vais vous inviter?

e. Demandez à un(e) autre étudiant(e) s'il / si elle...

> *Modèle:* vous regarde.
>
> *Est-ce que tu me regardes?*

1. vous écoute.

2. vous trouve intelligent(e).

3. vous trouve intéressant(e).

4. veut vous inviter à sortir.

5. peut vous attendre.

6. va vous accompagner à la bibliothèque.

7. vous déteste.

8. vous aime.

9. va vous aider.

10. vient d'arriver en classe.

f. Répondez à la question avec un pronom, affirmativement ou négativement.

> *Modèle:* Viens-tu d'acheter <u>ce livre</u>?
>
> *Oui, je viens de l'acheter.*
>
> *Non, je ne viens pas de l'acheter.*

1. Vas-tu regarder <u>la télévision</u> ce soir?

2. Faisons-nous <u>cet exercice</u>?

3. Manges-tu <u>ton sandwich</u> dans la classe?

4. Est-ce je vais inviter <u>les étudiants</u> au restaurant?

5. Aimes-tu écouter <u>les politiciens</u>?

6. Devons-nous faire <u>les exercices</u>?

7. Est-ce que tu fais <u>la vaisselle</u>?

8. Rendez-vous <u>vos livres</u> à la bibliothèque?

9. Écoutes-tu <u>la radio</u>?

10. Est-ce que tu adores <u>la musique rock</u>?

7.8 Les expressions de quantité

Expressions of quantity are followed by **de** before a noun rather than by the full partitive article. Most may be used with both countable and uncountable nouns:

+ *Uncountable noun (Singular)*	+ *Countable noun (Plural)*
assez de temps (enough)	**assez** d'exercices (enough)
beaucoup de travail (a lot of)	**beaucoup** de livres (many)
combien de sucre? (how much)	**combien** de stylos? (how many)
peu de chance (little)	**peu** de films (few)
tant de courage (so much)	**tant** de femmes (so many)
trop de sucre (too much)	**trop** de cigarettes (too many)

There are a few special cases:

1) **un peu de** (a little) is used exclusively with uncountable nouns whereas **quelques** (a few) is used only with countable nouns:

> <u>un peu</u> de talent / <u>quelques</u> amis

2) **quelques** (a few) and **plusieurs** (several) are used only with plural countable nouns; they are not followed by **de** and they have the same form with both masculine and feminine nouns:

>   plusieurs hommes / plusieurs femmes
>   quelques garçons / quelques filles

3) **la plupart** (most) is followed by the full partitive article and may be used with either countable or uncountable nouns; the partitive article agrees with whatever follows the expression.

>   la plupart du temps (most of the time)
>   la plupart des gens (most people)

EXERCICES • ORALEMENT

a. Répondez aux questions:

1. Y a-t-il beaucoup d'étudiants dans la classe?
2. Avez-vous trop de travail?
3. Est-ce qu'il y a assez de travail dans ce cours?
4. As-tu trop d'argent, assez d'argent ou seulement un peu d'argent?
5. Manges-tu assez de fruits?
6. As-tu beaucoup de disques ou seulement quelques disques?
7. Fumes-tu trop de cigarettes?
8. As-tu assez de talent pour être acteur / actrice?
9. Est-ce que les étudiants ont trop de loisirs?
10. Est-ce que tu as peu d'imagination?

b. Demandez à un(e) autre étudiant(e) s'il / si elle...

1. a beaucoup de vêtements.
2. a peu d'ambition.
3. mange trop de chocolat.
4. fait assez d'exercices.
5. a besoin d'un peu de chance.
6. veut écouter quelques cassettes.
7. aime avoir quelques amis.
8. aime un peu de sucre dans son café.
9. a trop de travaux.
10. fait trop de compositions.
11. n'a pas assez de temps libre.
12. regarde beaucoup de films.

c. Remplacez les tirets par une expression de quantité appropriée:

1. Il faut _____ argent pour faire des études.
2. Il fume _____ cigarettes: ce n'est pas bon pour sa santé.
3. Je n'ai pas _____ ambition pour devenir avocat(e).
4. Aux échecs, il faut _____ patience.
5. C'est un homme admirable: Il a _____ courage!

d. Quelle est votre idée de la vie parfaite?

>   Il faut avoir   beaucoup de...   un peu de...
>   assez de...   quelques...
>   pas trop de...   peu de...

7.9 Noms de profession avec *être*

1) The indefinite article (**un, une, des**) is not used before an unmodified noun indicating a profession after the verbs **être** and **devenir**:

> Je suis ingénieur.　　　　　　　Tu vas devenir médecin.
> Il est mécanicien.　　　　　　　Elle va être dentiste.
> Ils sont étudiants.　　　　　　　Elle veut devenir avocate.

2) If the noun indicating a profession is modified by an adjective, the indefinite article must be used:

> Je suis un étudiant brillant.
> Elle va devenir une excellente architecte.

3) After **c'est** and **ce sont**, the indefinite article must also be used:

> C'est un ingénieur.
> C'est une commerçante.
> Ce sont des étudiants.

4) When should one use, for instance, **il est architecte** rather than **c'est un architecte** and vice versa? (Both forms may be translated as "He is an architect.")

> **C'est un architecte** is used when one wants to *identify* that person: it answers a question (which may be implied) such as **Qui est-ce?**
> **Il est architecte** is used to *characterize* a person whose identity is known or has been previously stated: it could answer such a question as **Que fait-il dans la vie?**

EXERCICES • ORALEMENT

a. Employez *c'est (ce sont)* ou *il / elle est (ils / elles sont)*:

> *Modèles:* ingénieur
> *Il est ingénieur.*
> des fermiers
> *Ce sont des fermiers.*

1. musicienne
2. un policier
3. une avocate
4. un fermier
5. fermière
6. informaticien
7. des mécaniciens
8. une pharmacienne
9. une commerçante
10. un vendeur
11. des professeurs
12. institutrice
13. un instituteur
14. infirmières
15. électriciens
16. une informaticienne

b. Changez la phrase selon les modèles.

Modèles: Il est plombier. (mauvais)

C'est un mauvais plombier.

Elles sont architectes. (bonnes)

Ce sont de bonnes architectes.

1. Elle est infirmière. (jeune)
2. Ils sont médecins. (excellents)
3. Elle est directrice de banque. (compétente)
4. Il est psychiatre. (prudent)
5. Il est musicien. (extraordinaire)
6. Elles sont avocates. (dynamiques)
7. Elle est traductrice. (intelligente)
8. Ils sont dentistes. (nouveaux)

C. Répondez à la question "Qui est-ce?" selon le modèle.

Modèle: Madame Dufresne / musicienne / excellente

C'est Madame Dufresne. Elle est musicienne. C'est une excellente musicienne.

1. Paul Charest / plombier / qualifié
2. Hélène / infirmière / remarquable
3. l'amie de mon frère / étudiante / brillante
4. mon voisin / informaticien / brillant
5. Monsieur Desrochers / instituteur / dévoué
6. Madame Larue / psychiatre / bonne

7.10 *C'est, Ce sont; Il / Elle est, Ils / Elles sont*

1) **C'est, Ce sont**

+ article + nom (avec ou sans adjectif)

C'est le livre de Jean.
C'est une table.
C'est une jeune femme.
Ce sont des cahiers.
C'est un étudiant intelligent.

+ nom propre

C'est Hélène.
C'est Mme Bertrand.
Ce sont les Morel.

2) **Il / Elle est, Ils / Elles sont**

+ nom de profession (sans article)

Il est pilote.
Elles sont vendeuses.

+ adjectif (sans nom)

Elle est pratique.
Ils sont jeunes.
Il est intelligent.

+ préposition + nom

Elle est sur la table.
Il est à Toronto.
Ils sont dans l'appartement.

EXERCICES · ORALEMENT

a. Employez *C'est (Ce sont)* ou *Il / Elle est (Ils / Elles sont)*:

1. _____ une calculatrice; _____ très utile.
2. _____ Marc Bellac; _____ un jeune architecte; _____ à Montréal.
3. _____ une institutrice; _____ amusante.
4. _____ des outils; _____ dans le studio.
5. _____ les Duval; _____ sympathiques; _____ à côté des Marchand.
6. _____ des psychologues compétents; _____ à l'université.

EXERCiCES ÉCRiTS

a. Remplacez les tirets par la forme correcte du verbe entre parenthèses:

1. (Sentir) _____ -vous cette bonne odeur?
2. Marcel et Hélène (sortir) _____ ce soir?
3. Je ne (mentir) _____ pas à mes amis.
4. Nous (partir) _____ pour New York demain.
5. Elle (dormir) _____ dix heures par nuit.

b. Répondez aux questions:

1. À quelle heure sors-tu de chez toi le matin?
2. À quelle heure sortons-nous de la classe?
3. À quelle heure pars-tu de chez toi le matin?
4. Est-ce que tu mens parfois à tes employeurs?
5. Est-ce que les criminels mentent à la police?
6. Qu'est-ce qui sent bon? mauvais?
7. Qu'est-ce qu'on sent quand on entre dans la cuisine de ta mère?
8. Est-ce que tu sers du vin à tes invités?

c. Complétez les phrases en employant une expression appropriée avec *faire: faire des affaires, faire la cuisine, faire la guerre, faire l'amour, faire des mathématiques.*

1. Les soldats _____ .
2. Cet étudiant _____ .
3. Les banquiers _____ .
4. Les amoureux _____ .
5. C'est un gourmet et il _____ .

d. Répondez aux questions.

1. Faites-vous du sport? Quels sports?
2. Aimes-tu faire la cuisine?
3. Que fais-tu à l'université?
4. Qu'est-ce que tu aimes faire le dimanche?
5. Combien de kilomètres fais-tu en auto par semaine?

e. Répondez aux questions avec *deux* expressions sur le temps pour chaque réponse:

1. Quel temps fait-il en été?
2. Quel temps fait-il aujourd'hui?
3. Quel temps fait-il en hiver?
4. Quel temps va-t-il faire demain?

f. Posez la question qui correspond à la réponse donnée:

1. Nous avons besoin d'amour.
2. Je sors avec Hugo.
3. Elle a envie de vacances.
4. Yvette pense à sa mère.
5. Ils jouent aux échecs.
6. Elles parlent de politique.

g. Répondez aux questions par des phrases complètes. Employez *Il y a* ou *Il n'y a pas*:

1. Y a-t-il des acteurs dans un film?
2. Est-ce qu'il y a du bruit dans une discothèque?
3. Est-ce qu'il y a de la bière dans un cocktail?
4. Y a-t-il des gens sur la planète Mars?
5. Y a-t-il des arbres dans la classe?

h. Choisissez une des expressions de la liste suivante pour compléter les phrases: *travailler, manger des fruits, écouter avec attention, mentir, dormir.*

1. Dans la classe, il faut _____ .
2. Quand on est fatigué, il faut _____ .
3. Quand on est très riche, il n'est pas nécessaire de _____ .
4. Quand on veut être honnête, il ne faut pas _____ .
5. Pour avoir assez de vitamines, il faut _____ .

i. Répondez aux questions:

1. Pourquoi faut-il faire du sport?
2. Quand faut-il porter un manteau?
3. Quelles qualités faut-il avoir pour être heureux?
4. À quelle heure faut-il venir en classe?
5. Où faut-il aller quand on veut rencontrer des gens?
6. Que faut-il porter quand on va à la plage?
7. Où faut-il aller quand on est très malade?
8. Où faut-il aller quand on a mal aux dents?

j. Remplacez les mots soulignés par des pronoms:

1. L'étudiant fait son devoir.
2. Elle espère gagner le championnat.
3. Nous comptons avoir nos vacances en juillet.
4. Je n'ai pas envie de manger cette salade.
5. Ils n'ont pas besoin de faire ces exercices.
6. Elle admire Marie Curie.
7. Nous allons attendre Marcelle à la gare.
8. Trouvez-vous ce livre intéressant?
9. Regardes-tu ce film?
10. Il fait sa composition.

11. Ils mangent <u>la salade</u>.
12. Elle achète <u>notre voiture</u>.
13. Je finis <u>ce travail</u>.
14. Elle attend <u>Pierre</u>.
15. Je n'entends pas <u>ce bruit</u>.
16. Je n'aime pas <u>ce professeur</u>.
17. Il aime <u>Sonja</u>.

k. Répondez d'après le modèle.

> *Modèle:* Est-ce que tu m'écoutes?
> *Oui, je t'écoute.*

1. Est-ce que je te regarde?
2. Écoutons-nous la radio?
3. Est-ce que vous voulez m'inviter?
4. Irma veut-elle cette robe?
5. Est-ce que je dois t'écouter?
6. Espères-tu vendre ta vieille machine à écrire?
7. Comptez-vous nous rencontrer demain?
8. Allons-nous finir nos études?
9. Est-ce qu'il faut faire cet exercice?
10. Peux-tu me donner ce livre?

l. Remplacez les tirets par une expression de quantité appropriée: *beaucoup de, trop de, tant de, un peu de, quelques, peu de.*

1. Tu vas être malade: tu manges _____ chocolat.
2. C'est merveilleux: tu as _____ chance!
3. Les gens pauvres ont _____ argent.
4. Les gens riches ont _____ argent.
5. Il faut avoir au moins _____ patience.
6. Je ne désire pas des choses extraordinaires: je veux seulement avoir_____ amis.

m. Employez *C'est (Ce sont)* ou *Il / Elle est (Ils / Elles sont)*:

1. _____ un vieux médecin; _____ à l'hôpital Saint-Vincent; _____ fatigué.
2. _____ Olivier; _____ un nouvel étudiant; _____ dans ma classe.
3. _____ la mère de Jean; _____ infirmière.
4. _____ mon copain; _____ gentil.
5. _____ une excellente institutrice; _____ dynamique.
6. _____ électriciens; _____ dans la maison.

Lecture Lecture Lecture

La science a-t-elle un sexe?

En plein été, afin de promouvoir l'enseignement des sciences, l'Université Laval de Québec promène à travers la province une vingtaine de kiosques thématiques pour l'exposition *Sciences et Compte*.

Louise Pearson, étudiante en génie électrique, s'affaire à animer le pavillon "Les Femmes et les Sciences" sauf que, quelque chose cloche ... De jeunes garçons, des hommes mûrs s'arrêtent un moment et posent des questions; le public masculin est multiple et intéressé mais des femmes, point ... nenni ... Pas l'ombre d'une. Isolée au milieu de ses dépliants et de ses panneaux, Louise se retrouve la seule représentante de l'espèce.

Elle finit par demander aux fuyardes: "Mais enfin, pourquoi est-ce que vous ne vous arrêtez pas une minute? On n'aime pas les sciences et on n'est pas intéressées à les connaître." Louise revient de la tournée complètement sonnée. "L'année prochaine, on va modifier l'exposition pour tenir compte des intérêts des femmes. Par exemple, on peut expliquer la composition chimique d'un rouge à lèvres." Elle s'arrête: "Vous

trouvez que c'est sexiste? Eh bien tant pis!"

On remarque qu'après vingt ans de cégep et quinze ans de féminisme, les femmes sont encore sous-représentées dans les disciplines scientifiques. Elles se cantonnent encore dans certains fiefs; les technologies biologiques au collégial, la médecine, les sciences de la santé et l'administration à l'université.

Une chose est certaine, inutile de chercher un motif biologique à ce désintérêt. De fait, au secondaire les filles surpassent les garçons; c'est sur les bancs du cégep que les choses se gâtent! Pourquoi? Selon les spécialistes il existe encore certains mythes accolés aux sciences et aux mathématiques en particulier qui maintiennent les femmes loin du monde des chiffres, des mesures et des volumes. Par exemple: les filles n'ont pas la bosse des maths. Les disciplines scientifiques "dures", "pointues" sont traditionnellement masculines. Les filles sont incapables de déchiffrer des notions abstraites, etc.

L'ex-présidente du Conseil du statut de la femme Claire Bonnenfant déclare: "Nous devons montrer à nos jeunes filles ce qui existe en dehors des ghettos d'emplois féminins parce qu'ils sont moins rémunérés que leurs équivalents masculins." Madeleine Berthiaume, coordonnatrice des programmes de formation à Travail non traditionnel, n'entrevoit qu'une solution; envahir les bastions masculins. Cet organisme peut trouver des emplois qui offrent des salaires alléchants pour une scolarité minimale mais peu de filles se présentent. Pourtant, une étude gouvernementale révèle que neuf travailleuses non traditionnelles sur dix se disent très satisfaites de leur choix de carrière.

Est-ce une simple question de temps et d'évolution naturelle le réveil scientifique et technologique des filles? L'avenir seul peut le dire.

(Article d'Odile Tremblay, publié dans le magazine *Châtelaine*, avril 1989)

accoler	to add	**inutile**	useless
(s')affairer	to occupy oneself	**kiosque** (m.)	booth
alléchant, ante	tempting	**montrer**	to show
animer	to lead	**mûr(e)**	middle-aged
(s')arrêter	to stop	**nenni**	nay
avenir (m.)	future	**ombre** (f.)	shadow
(se) cantonner	to confine oneself	**panneau** (m.)	notice board
cégep	Collège d'enseignement général et professionnel	**peu**	few
		plein, pleine	full
chercher	to look for	**pointu(e)**	specialized
clocher	to be wrong (of something)	**promener**	to carry
		promouvoir	to promote
compter	to count	**quelque chose**	something
déchiffrer	to decipher	**rémunérer**	to pay
dire	to say	**réveil** (m.)	awakening
encore	still	**rouge à lèvres** (m.)	lipstick
enfin	at last	**satisfait, aite**	satisfied
enseignement (m.)	teaching	**sauf**	except
entrevoir	to foresee	**seul(e)**	only
envahir	to invade	**sonné(e)**	groggy
espèce (f.)	species	**tant pis**	too bad
fief (m.)	stronghold	**tenir compte**	to take into account
fuyard, arde	runaway		
(se) gâter	to go wrong	**travailleur, euse**	worker
génie (m.)	engineering	**à travers**	across

QUESTIONS

1. Que fait l'Université Laval pour promouvoir les sciences?
2. Quel pavillon Louise Pearson anime-t-elle? Qu'est-ce qui cloche à son pavillon?
3. Que demande-t-elle aux femmes et qu'est-ce qu'elles répondent?
4. Quelle solution trouve-t-elle pour attirer les femmes?

5. Dans quels fiefs les femmes se cantonnent-elles?

6. Quels sont les causes du désintérêt des femmes pour la science?

7. Que conseille Claire Bonnenfant? Louise Berthiaume?

8. Que révèle une étude gouvernementale?

9. Est-ce qu'il va y avoir un réveil chez les femmes pour les sciences? Quelle est votre opinion?

SiTUATiONS / CONVERSATiONS

1. Vous voulez passer une année dans une université québécoise. Vous parlez de vos projets à un(e) ami(e) qui étudie à cette université. Posez des questions, demandez des renseignements à votre ami(e).

   — Comment sont les professeurs? les cours? les étudiants?

   — Pouvez-vous trouver des cours dans votre domaine de spécialisation? Y a-t-il beaucoup d'examens?

   — Les classes sont-elles petites ou grandes? Les contacts entre les étudiants et les professeurs sont-ils faciles?

   — Pourquoi votre ami(e) est-il / elle à cette université?

2. Qu'est-ce que vous étudiez? Pourquoi? Quelle est votre matière préférée? Que pensez-vous du système universitaire en général? Comment trouvez-vous les méthodes d'enseignement? Partagez-vous la mentalité des autres étudiants?

3. Exposez vos projets d'avenir. Quelle profession allez-vous choisir? Quelles études devez-vous faire? Quels cours devez-vous suivre?

   Je veux devenir vendeur / vendeuse, directeur / directrice de banque, instituteur / institutrice, médecin, dentiste, psychiatre, psychologue, travailleur / travailleuse social(e), professeur, architecte, notaire, avocat / avocate, infirmier / infirmière, ingénieur, pilote d'avion.

   Je dois faire un baccalauréat, une maîtrise, un doctorat, un diplôme spécialisé, un stage (avocat, expert-comptable), un internat (médecin, psychiatre).

   Je dois suivre des cours de français, anglais, allemand, espagnol, littérature, philosophie, psychologie, sociologie, économie, sciences politiques, histoire, géographie, chimie, physique, biologie, mathématiques, informatique, administration, comptabilité, finance, droit.

COMPOSiTiONS

1. Vous faites des études: parlez de vos joies et de vos frustrations, des avantages et des inconvénients, de vos rapports avec les professeurs et avec les autres étudiants.

2. Comment organisez-vous votre programme d'études? Quelles sont les matières que vous étudiez? Quels sont vos cours? Comment travaillez-vous et où? Qu'est-ce que vous préférez étudier et pourquoi?

3. Quand on est étudiant, qu'est-ce qu'il faut faire? Qu'est-ce qu'il ne faut pas faire? Qu'est-ce qu'il n'est pas nécessaire de faire?

4. Qu'est-ce que vous voulez devenir? Qu'est-ce que vous devez étudier pour entrer dans cette profession?

PRONONCIATION

(This exercise is at the end of Chapitre 7 on the tape.)

i. Comment reconnaître les voyelles nasales?

A vowel *is nasal* when followed by **n** or **m** in three instances:

1) vowel **+ n** or **m** at the end of a word:

maison, main, paysan, brun

2) vowel **+ n** or **m** + final consonant (unpronounced):

chantons, devant, saint

3) vowel **+ n** or **m** + pronounced consonant:

manche, lundi, ombre, imparfait

A vowel *is not nasal* when followed by **n (nn)** or **m (mm)** + vowel (pronounced or silent):

femme, pardonner, aimer, plume, inutile, imaginer
Exception: At the beginning of a word, **en** and **em** are always nasal:
emporter, emmener, entendre, enfant

Répétez:

1. fin / fine	son / sonne
bon / bonne	nain / naine
don / donne	pan / panne

2. inutile / indien	anis / année
amener / amputer	inné / indiscret
image / impropre	amour / ampoule

3. marchand / marchande	maint / mainte
blond / blonde	long / longue
adolescent / adolescente	parent / parente
atteint / atteinte	étudiant / étudiante

ii. Le son /r/ — r + voyelle — consonne + r

(Back of the tongue raised towards the soft palate; tip of the tongue against the lower front teeth.)

Répétez d'après le modèle:

1. le gant / le rang / le grand   le goût / le roux / grouiller
   le gond / le rond / gronder   le gave / la rave / grave
   le gain / le rein / grincer

2.
rincer	rage	rive	robe	réfléchir	retirer	ronce	rang
rein	radis	riz	rot	rébus	redire	ronge	ranci
éreinté	rave	rideau	rôder	récif	repu	rond	ramper

3. gras / gris / gros / grue / gré / grand / gronder / grincer
   cri / cru / croûte / crasse / craie / cran / crin
   pré / pris / proue / prends / produit / pratique
   bras / briser / brouter / bru / brandir / brin
   drap / drôle / dru
   très / trou / tronc / train

Weblinks

NFB - films on non-traditional jobs for women
http://www.onf.ca/FMT/F/cat./0026.html

Natural science and engineering research council of Canada
http://www.nserc.ca/pubs/statrpfr.htm

Conseil du statut de la femme
http://www.csf.gouv.qc.ca/

National research council
http://rh.cnrc.ca:8080/HRB/jobprog.nsf/ProgF/WES

Marie Curie site
http://www.france.d iplomatie.fr/label_france/FRANCE/SCIENCES/CURIE/marie.html

Les sports

Thèmes
- Les sports et l'équipement
- La place des sports dans ma vie
- Mes sports favoris
- Les sports d'hiver
- Mes activités au passé
- Exprimer le temps passé

Lecture
Le ski alpin

Grammaire
8.1 Les verbes irréguliers *prendre* et *mettre*

8.2 Les pronoms objets indirects

8.3 Les verbes irréguliers *savoir* et *connaître*

8.4 Le passé composé avec *avoir*

8.5 *Il y a* + une expression de temps

8.6 Le pronom relatif *où*

8.7 L'adjectif *tout*

VOCABULAiRE UTiLE

arbitre (m.)	referee	**dernier, dernière**	last
ballon (m.)	ball	**descendre**	to come down, to go down
bicyclette (f.)	bicycle		
blessé(e)	injured	**descente** (f.)	way down; descent; downhill
cadeau (m.)	present		
candidature (f.)	application	**donner**	to give
casque (m.)	helmet	**entraînement** (m.)	training, practice
casquette (f.)	cap	**(s')entraîner**	to train
champion, championne	champion	**entraîneur** (m.)	coach
		équipe (f.)	team
coéquipier, coéquipière	team mate	**équipement** (m.)	equipment
		fois (f.)	time
course (f.)	race; running	**gant** (m.)	glove

gagnant, e	winning; winner	**piste** (f.)	trail; run
gagner	to win	**progrès** (m.)	progress
glace (f.)	ice	**question: poser**	
gymnastique (f.)	gymnastics	**une —**	to ask a question
joueur, joueuse	player	**raquette** (f.)	racket; snowshoe
maillot de bain	swimming trunks;	**règle** (f.)	rule
(m.)	swimsuit	**règlement** (m.)	regulation
moniteur, monitrice	instructor	**renseignement**	
montagne (f.)	mountain	(m.)	piece of information
motoneige (f.)	skidoo	**sage**	good, well-behaved
neige (f.)	snow	**saut** (m.)	jump
partenaire (m./f.)	partner	**ski** (m.)	ski; skiing
partie (f.)	game, match	**ski de fond** (m.)	cross-country skiing
patin (m.)	skate	**ski alpin** (m.)	downhill skiing
patiner	to skate	**vélo** (m.)	bicycle
pente (f.)	slope	**visite: rendre — à**	to visit (someone)

GRAMMAIRE ET EXERCICES ORAUX

8.1 Les verbes irréguliers *prendre* et *mettre*

Présent de l'indicatif

prendre (to take)		**mettre** (to put / to put on / to set)	
je	prends	je	mets
tu	prends	tu	mets
il / elle / on	prend	il / elle / on	met
nous	prenons	nous	mettons
vous	prenez	vous	mettez
ils / elles	prennent	ils / elles	mettent

The imperative forms of **prendre** and **mettre** are regular.

Apprendre (to learn) and **comprendre** (to understand) are conjugated like **prendre**.

Permettre (to allow/to permit), **promettre** (to promise) and **soumettre** (to submit) are conjugated like **mettre**.

Exemples:	*Je prends des leçons de ski.*	I am taking ski lessons.
	Prenez votre temps.	Take your time.
	Nous apprenons le judo.	We are learning judo.
	Je ne comprends pas pourquoi.	I do not understand why.

Elle met un maillot de bain.   She puts on a swimsuit.
Mets les balles sur la table.   Put the balls on the table.
Je vais mettre la table.   I am going to set the table.

Note the following constructions with **permettre, promettre** and **soumettre:**

1) **Ils permettent <u>à</u> leurs enfants <u>de</u> faire de l'alpinisme.**
   They allow their children to go mountain-climbing.

   Elle promet <u>à</u> son père <u>de</u> remporter la médaille d'or.
   She promises her father that she is going to win the gold medal.

2) **Je viens <u>de</u> soumettre un travail <u>au</u> professeur.**
   I have just submitted an assignment to the professor.

   Ils promettent une récompense <u>à</u> Paul.
   They are promising Paul a reward.

EXERCICES • ORALEMENT

a. Mettez les verbes au présent:

prendre

1. Je _____ l'autobus.
2. Tu _____ tes skis.
3. Il _____ sa raquette.
4. Elle _____ ses patins.

5. Nous _____ nos gants.
6. Vous _____ vos balles.
7. Ils _____ leur équipement.
8. Elles _____ leur temps.

mettre

9. Je _____ mon chapeau.
10. Tu _____ ton chandail.
11. Il _____ sa casquette.
12. Elle _____ son maillot de bain.

13. Nous _____ nos souliers.
14. Vous _____ vos gants.
15. Ils _____ leurs lunettes.
16. Elles _____ leurs patins.

b. Composez des phrases avec les éléments des trois colonnes.

je	apprendre	une récompense
l'équipe	comprendre	à jouer au hockey
les joueurs	mettre	les règles du jeu
la monitrice	promettre	une pause
les enfants	prendre	de gagner la partie
nous		de faire beaucoup d'efforts
		à faire du vélo
		la décision de l'arbitre

c. Dites à un(e) autre étudiant(e)...

Modèle: de prendre ses skis.

Prends tes skis.

1. de ne pas mettre de tuque.
2. d'apprendre les règles du jeu.
3. de promettre une récompense aux gagnants.
4. de prendre du repos.
5. de ne pas mettre la table.
6. de ne pas mettre son imperméable.

d. Posez la question à un(e) autre étudiant(e):

1. Quels vêtements mets-tu en hiver? en été?
2. Prends-tu un gant pour jouer au baseball?
3. Combien de langues apprends-tu?
4. Comprends-tu l'espagnol? l'allemand? le russe? le japonais?
5. Vas-tu prendre des vacances cet été?
6. Quand devons-nous soumettre une composition au professeur?
7. Est-ce que tu promets à tes coéquipiers de faire des efforts?

e. Répondez selon le modèle.

> *Modèle:* J'apprends l'arabe. Et vous?
> *Nous apprenons l'arabe aussi.*

1. Les joueurs prennent une pause. Et l'arbitre?
2. Henri met ses patins. Et ses amis?
3. Nous comprenons ce poème. Et toi?
4. L'entraîneur a promis d'être patient. Et les joueurs?
5. Je soumets ma candidature. Et vous?
6. Ils apprennent à faire du ski. Et Sylvain?

8.2 Les pronoms objets indirects

Subject pronouns	Indirect object pronouns
je	me
tu	te
il	lui
elle	lui
nous	nous
vous	vous
ils	leur
elles	leur

1) The indirect object pronouns **lui** and **leur** stand for a noun indicating a person preceded by the preposition **à**:

> Vas-tu parler <u>au professeur</u>? — Oui, je vais <u>lui</u> parler.
> Est-ce qu'il répond <u>aux étudiants</u>? — Il <u>leur</u> répond.
> Téléphones-tu <u>à Sylvie</u>? — Je <u>lui</u> téléphone.

2) Like direct object pronouns, indirect object pronouns precede the verb, even when the verb is in the infinitive and follows another conjugated verb:

Affirmative	*Negative*	*Interrogative (inversion)*
Il <u>nous</u> parle.	Il ne <u>nous</u> parle pas.	<u>Nous</u> parle-t-il?
Tu <u>lui</u> téléphones.	Tu ne <u>lui</u> téléphones pas.	<u>Lui</u> téléphones-tu?
Elle doit <u>leur</u> obéir.	Elle ne doit pas <u>leur</u> obéir.	Doit-elle <u>leur</u> obéir?

EXERCICES • ORALEMENT

a. Remplacez les mots soulignés par un pronom object indirect:

1. Je téléphone <u>à Jacques</u>.
2. Ils parlent <u>aux joueurs</u>.
3. Nous obéissons <u>à l'arbitre</u>.
4. J'explique la leçon <u>à mon camarade</u>.
5. Tu adresses la lettre <u>à la monitrice</u>.
6. Il parle <u>à ces athlètes</u>.
7. Tu vas donner ton numéro <u>à l'instructrice</u>.
8. Vous répondez <u>au professeur</u>.
9. Pierre demande un renseignement <u>à Jeanne</u>.
10. Il va répéter les règles <u>aux joueurs</u>.
11. Paul achète des fleurs <u>à la gagnante</u>.
12. Je donne un examen <u>à mes élèves</u>.
13. Il achète des fruits <u>aux enfants</u>.
14. Daniel va donner le livre <u>à Louise</u>.
15. Il va téléphoner <u>à l'arbitre</u>.
16. Philippe aime donner des conseils <u>à ses amis</u>.
17. Je veux acheter une raquette <u>à mon partenaire</u>.
18. Il espère passer le ballon <u>à son co-équipier</u>.

b. Répondez aux questions.

Est-ce que...
1. tu me parles?
2. je te parle?
3. tu lui parles?
4. il te parle?
5. tu me téléphones?
6. je te téléphone?
7. elle te téléphone?
8. tu lui téléphones?
9. je te réponds?
10. tu me réponds?
11. vous nous répondez?
12. nous vous répondons?
13. vous nous téléphonez?
14. nous vous téléphonons?
15. vous nous promettez d'être sages?
16. ils vous promettent de revenir?
17. je vous permets d'entrer?
18. vous lui permettez de partir?
19. tu veux me parler?
20. elle veut te parler?
21. vous voulez me parler?
22. nous voulons lui parler?
23. vous devez m'obéir?
24. nous devons lui obéir?
25. ils doivent t'obéir?
26. je peux te téléphoner?
27. tu peux me téléphoner?
28. nous pouvons vous téléphoner?
29. vous pouvez nous téléphoner?

c. Posez la question selon le modèle.

Modèle: Je leur téléphone.

Est-ce que tu leur téléphones? / Leur téléphones-tu?

1. Il me téléphone.
2. Ils m'obéissent.
3. Elle nous parle.
4. Je lui obéis.
5. Elle me donne un chèque.

6. Il nous permet de sortir.
7. Je vais lui téléphoner ce soir.
8. Nous préférons leur téléphoner.
9. Elle veut m'acheter une cravate.
10. Il doit nous répondre demain.

d. Qu'est-ce que tu fais quand...? Répondez à la question selon le modèle.

> *Modèle:* Qu'est-ce que tu fais quand le professeur te pose une question? (répondre)
> *Je lui réponds.*

Qu'est-ce que tu fais quand...

1. un ami a mal à la tête? (donner une aspirine)
2. tu ne comprends pas le professeur (poser une question)
3. le chef d'équipe donne un ordre? (obéir)

4. tu rends visite à tes grands-parents? (apporter un cadeau)
5. tes copains te rendent visite? (servir du café)
6. une amie te demande de l'argent? (faire un chèque)

8.3 Les verbes irréguliers *savoir* et *connaître*

Présent de l'indicatif

	savoir (to know)	**connaître** (to know)
je	sais	connais
tu	sais	connais
il / elle / on	sait	connaît
nous	savons	connaissons
vous	savez	connaissez
ils / elles	savent	connaissent

The imperative of **connaître** is regular; the imperative forms of **savoir** are: **sache, sachons, sachez**. Both **savoir** and **connaître** mean "to know"; however, they are used differently and are not interchangeable:

1) **Connaître** means to know (to be acquainted with or to be familiar with) a person or a place:

> Je connais Claire Dubé.
> Il connaît bien Winnipeg.
> Connais-tu ce restaurant?

2) **Savoir** means to know facts, to be informed about something:

> Je sais la conjugaison du verbe être.
> Elle ne sait pas mon nom.

3) **Savoir** may be followed by an infinitive or a subordinate clause introduced by **que** (that), but not **connaître**:

> Je sais patiner.
>
> Nous savons qu'il est malade.

✸ Note: "Can" in English is sometimes used as an equivalent for "to know how to," in which case it corresponds to *savoir* in French. Compare:

Elle <u>sait</u> nager.	She can swim. (She knows how to swim.)
Elle <u>peut</u> nager longtemps.	She can swim a long time. (She is able to...)

EXERCICES · ORALEMENT

a. Répondez aux questions:

1. Savez-vous la date du match de boxe?
2. Savez-vous l'adresse du professeur?
3. Sais-tu le numéro de téléphone du centre sportif?
4. Sais-tu jouer au hockey?
5. Sais-tu jouer du piano?
6. Savez-vous parler français?
7. Sais-tu faire la cuisine?

b. Répondez aux questions:

1. Connais-tu la Nouvelle-Écosse?
2. Connais-tu la Floride?
3. Connaissez-vous les montagnes Rocheuses?
4. Est-ce que tes parents me connaissent?
5. Connaissez-vous la musique de Mozart?
6. Connais-tu bien Détroit?
7. Connais-tu tous les joueurs de l'équipe?

c. Demandez à un(e) autre étudiant(e) s'il / si elle...

1. sait nager.
2. sait faire du ski.
3. sait jouer aux échecs.
4. sait faire la cuisine.
5. connaît Québec.
6. connaît New York.
7. connaît les livres de Mordecai Richler.
8. connaît un bon médecin.

d. Employez *savoir* ou *pouvoir*, selon le contexte.

1. Une mécanicienne _____ réparer une voiture.
2. Nous _____ faire du sport en hiver.
3. Un bon athlète _____ nager pendant trois heures.
4. Ce bébé a dix mois et il _____ déjà marcher.
5. Ce joueur blessé ne _____ pas marcher très vite.

e. Répondez aux questions selon le modèle.

> *Modèle:* Connais-tu Hélène Richard? (pas très bien / être étudiante)
> *Je ne la connais pas très bien, mais je sais qu'elle est étudiante.*

1. Connais-tu le professeur Marceau? (pas personnellement / être un bon professeur)
2. Connais-tu le père de Jean? (pas bien / être architecte)

3. Est-ce que tes parents connaissent Christiane? (pas / être étudiante)

4. Connaissez-vous l'île de Vancouver? (pas / être un très bel endroit)

5. Connais-tu les romans de Margaret Atwood? (pas du tout / avoir du succès)

8.4 Le passé composé avec *avoir*

1) The **passé composé** is used to indicate that an action or situation occurred in the past. It corresponds to both the simple past (I ate) and the present perfect (I have eaten) in English.

2) The **passé composé** is formed by using the present tense of an auxiliary verb (**avoir** or **être**) followed by the past participle of the verb. For most verbs, the auxiliary verb which is used is **avoir**.

3) The past participle of regular verbs consists of the stem plus an ending. The endings for the three regular verb groups are as follows:

Group	Infinitive	Stem	Ending
1. -er	manger	mang-	-é
2. -ir	finir	fin-	-i
3. -re	attendre	attend-	-u

Passé composé

j' ai **mangé**	ai **fini**	ai **attendu**
tu as **mangé**	as **fini**	as **attendu**
il / elle / on a **mangé**	a **fini**	a **attendu**
nous avons **mangé**	avons **fini**	avons **attendu**
vous avez **mangé**	avez **fini**	avez **attendu**
ils / elles ont **mangé**	ont **fini**	ont **attendu**

4) In the negative, **ne** precedes **avoir** and **pas** follows it:

Il n'a pas répondu à ma question.

5) In a question with inversion, the pronoun follows the form of **avoir**:

As-tu parlé à l'arbitre?
Ton coéquipier a-t-il téléphoné?

6) The direct and indirect object pronouns precede **avoir**:

Il m'a regardé.
Elle ne lui a pas téléphoné.
Leur ont-ils répondu?

7) Here are the past participles of the irregular verbs which were presented in previous chapters and which take **avoir** as an auxiliary verb:

avoir	j'ai <u>eu</u>	pouvoir	j'ai <u>pu</u>
connaître	j'ai <u>connu</u>	prendre†	j'ai <u>pris</u>
devoir	j'ai <u>dû</u>	savoir	j'ai <u>su</u>
être	j'ai <u>été</u>	vouloir	j'ai <u>voulu</u>
faire	j'ai <u>fait</u>	falloir (il faut)	il a <u>fallu</u>
mettre*	j'ai <u>mis</u>	pleuvoir (il pleut)	il a <u>plu</u>

For verbs conjugated like **dormir (mentir, sentir, servir)**, add the ending **-i** to the stem: **j'ai dormi, j'ai menti, j'ai senti, j'ai servi**.

EXERCICES • ORALEMENT

a. Mettez au passé composé:

-er	**-ir**	**-re**
1. Je demande.	11. Elle réfléchit.	21. Il attend.
2. Il écoute.	12. Vous obéissez.	22. Tu perds.
3. Nous regardons.	13. Ils démolissent.	23. Nous entendons.
4. Vous donnez.	14. Elles fleurissent.	24. Vous vendez.
5. Ils mangent.	15. Nous réussissons.	25. Ils rendent.
6. Tu parles.	16. Il grossit.	26. Nous répondons.
7. Il trouve.	17. Ils vieillissent.	27. Ils vendent.
8. Elles acceptent.	18. Je finis.	28. Elle rend.
9. Vous refusez.	19. Tu choisis.	29. Nous attendons.
10. Nous marchons.	20. Vous établissez.	30. Ils perdent.

b. Mettez à la forme négative.

> *Modèle:* J'ai joué au soccer.
> *Je n'ai pas joué au soccer.*

1. Il a invité des camarades.
2. Ils ont regardé le match à la télé.
3. J'ai puni les joueurs.
4. Nous avons obéi à la monitrice.
5. Elle a fini son entraînement.
6. Tu as rougi.
7. Vous avez attendu le signal.
8. Il a vendu sa motoneige.
9. J'ai répondu à la question.
10. Nous avons vendu nos skis.

* promettre: <u>promis</u>; permettre: <u>permis</u>; soumettre: <u>soumis</u>
† apprendre: <u>appris</u>; comprendre: <u>compris</u>

C. Mettez à la forme interrogative. Employez l'inversion.

> *Modèle:* Vous avez mangé.
>
> *Avez-vous mangé?*

1. Il a fini son entraînement.
2. Vous avez attendu l'autobus.
3. Cet étudiant a réussi à son examen.
4. Ils ont perdu la partie.
5. Marie a parlé à son moniteur.
6. Ils ont choisi un autre co-équipier.
7. Tu as répondu à la lettre de ton entraîneur.
8. Le médecin a examiné les blessés.

d. Mettez les verbes au passé composé:

1. Je ne comprends pas cette leçon.
2. Il apprend le patinage.
3. Nous prenons le train.
4. Elle dort huit heures.
5. Tu sers du jus aux athlètes.
6. Il ment à ses partenaires.
7. Il pleut.
8. Il faut réparer la motoneige.
9. Elles font de la course.
10. Il fait du sport.
11. Vous faites de la gymnastique.
12. Il a des difficultés.
13. Nous avons un ballon.
14. Ils sont malades.
15. Elle est cycliste.
16. Je connais des patineurs.
17. Nous mettons la table.
18. Il promet une moto à son fils.
19. Elle permet à ses enfants de regarder le match de hockey.

e. Complétez les phrases avec le *participe passé* de l'un des verbes de la liste suivante:

> *perdre, avoir, vendre, faire, acheter, gagner, pouvoir, mettre*

1. J'ai _____ mes vieux patins et, avec l'argent, j'ai _____ une nouvelle paire de skis.
2. Les joueurs de hockey ont _____ leur casque et leurs gants pour aller sur la glace.
3. Nous avons _____ beaucoup de ski l'hiver dernier.
4. Il a _____ très mal à la tête; c'est pourquoi il n'a pas _____ participer à notre match de football.
5. Nous sommes contents: notre équipe a _____ la partie! L'équipe adverse a _____ parce que deux de leurs joueurs ont _____ un accident.

f. Posez la question à un(e) autre étudiant(e) au *passé composé*. L'autre étudiant(e) répond affirmativement ou négativement.

> *Modèle:* Faire du patinage l'hiver dernier.
>
> *Est-ce que tu as fait du patinage l'hiver dernier?*
> *Oui, j'ai fait du patinage l'hiver dernier.*

1. Connaître des joueurs de baseball.
2. Acheter un vélo de montagne.
3. Pouvoir faire du tennis l'été dernier.
4. Apprendre à nager très jeune.
5. Être membre d'une équipe sportive.
6. Vouloir devenir champion / championne
7. Gagner la partie avec son équipe la dernière fois qu'ils ont joué.
8. Vendre son équipement de hockey (football, base-ball, ski, etc.).

8.5 *il y a* + une expression de temps

Il y a followed by an expression of time has the meaning "ago." It may be used with a verb in the **passé composé**.

> **Il a quitté le Canada il y a un mois.**
> He left Canada a month ago.

> **La partie de tennis a commencé il y a cinq minutes.**
> The tennis game started five minutes ago.

> **Quand as-tu fait du ski? — Il y a deux jours.**
> When did you go skiing? — Two days ago.

EXERCiCES · ORALEMENT

a. La dernière fois. Posez la question à un(e) autre étudiant(e) qui répond selon le modèle.

> *Modèle:* Nager à la piscine.
> *Quand as-tu nagé à la piscine pour la dernière fois?*
> *J'ai nagé à la piscine il y a trois jours (deux mois, etc.).*

1. Faire du ski (du vélo, du tennis, etc.).
2. Regarder un match de boxe (de hockey, etc.) à la télé.
3. Acheter un nouvel équipement sportif.
4. Jouer une partie de badminton (de ping-pong, etc.).
5. Manger au restaurant.
6. Visiter un musée.
7. Faire la vaisselle.
8. Rendre visite à ses parents.
9. Préparer un repas gastronomique.
10. Prendre une décision importante.

b. Faites des phrases à partir des éléments donnés en employant **il y a** et en mettant le verbe au passé composé.

> *Modèle:* Je / téléphoner / à Sylvain / une heure
> *J'ai téléphoné à Sylvain il y a une heure.*

1. Le match / commencer / dix minutes
2. Nous / faire du ski / deux jours
3. Il / quitter l'équipe / un mois
4. Ma sœur / vendre sa voiture / trois semaines
5. Je / jouer au hockey / longtemps

8.6 Le pronom relatif *où*

1) **Où** is a relative pronoun which means "where" when its antecedent is a noun indicating a place:

> **C'est le restaurant <u>où</u> j'ai dîné hier.**
> This is the restaurant where I had dinner yesterday.
> **Québec est une ville <u>où</u> j'aime marcher.**

2) **Où** as a relative pronoun may also mean "when" if its antecedent is a noun indicating a time period:

> **1980 est l'année <u>où</u> j'ai quitté Montréal.**
> 1980 is the year when I left Montreal.
> **Mes parents m'ont donné une moto le jour <u>où</u> j'ai eu dix-huit ans.**
> My parents gave me a motorcycle the day I turned eighteen.

EXERCICES · ORALEMENT

a. Transformez les phrases selon le modèle.

> *Modèle:* Je connais la rue. Tu habites <u>dans cette rue</u>.
> *Je connais la rue où tu habites.*

1. Je connais un restaurant. On sert des repas japonais <u>dans ce restaurant</u>.
2. Il aime les centres de ski. Il y a beaucoup de gens <u>dans ces centres de ski</u>.
3. Le Yukon est une région. Il fait très froid <u>dans cette région</u>.
4. Je vais t'amener dans un musée. On peut voir des poteries anciennes <u>dans ce musée</u>.
5. Il fait du ski de fond dans un bois. Il y a de belles pistes <u>dans ce bois</u>.

b. Transformez les phrases selon le modèle.

> *Modèle:* J'ai été malade <u>cette semaine-là</u>.
> *C'est la semaine où j'ai été malade.*

1. Nous avons joué au tennis <u>ce matin-là</u>.
2. J'ai fini mes études secondaires <u>cette année-là</u>.
3. Il a beaucoup neigé <u>ce mois-là</u>.
4. Il a eu un accident de ski <u>ce jour-là</u>.
5. Nous avons gagné le match <u>ce soir-là</u>.

c. Complétez les phrases avec *que* ou *où*.

1. Montréal est une ville _____ j'aime.
2. C'est une ville _____ il y a beaucoup d'activités.
3. Je connais un bois _____ il y a beaucoup de pistes de ski de fond.
4. Je vais essayer les patins _____ je viens d'acheter.
5. L'été est la saison _____ je préfère.
6. L'hiver est la saison _____ je fais des voyages.
7. Je vais t'amener à un lac _____ on peut patiner.
8. Les Laurentides sont une région _____ il faut visiter.
9. Il veut aller vivre dans un pays _____ il fait toujours soleil.

8.7 L'adjectif *tout*

The adjective **tout (toute / tous / toutes)** agrees with the noun it modifies and precedes the determiner (article or possessive adjective or demonstrative adjective). It corresponds to "all" or "whole" in English:

J'ai écouté <u>tout</u> l'opéra.	I listened to the whole opera.
Il a fait du ski <u>toute</u> la journée.	He skied the whole day.
<u>Tous</u> ces joueurs sont excellents.	All those players are excellent.
Elle a acheté <u>toutes</u> mes vieilles robes.	She bought all my old dresses.

Note the expressions **tout le monde** (everybody) and **tous les jours** (every day):

Il connaît <u>tout</u> le monde.	He knows everybody
Il joue au football <u>tous</u> les jours.	He plays football every day.

EXERCICES · ORALEMENT

a. Refaites les phrases selon le modèle.

> *Modèle:* <u>Ces joueurs</u> sont compétents.
> *Tous ces joueurs sont compétents.*

1. <u>La partie</u> a été intéressante.
2. Il a compris <u>la leçon</u>.
3. J'ai donné <u>mes disques</u> à Guy.
4. <u>Les étudiants</u> sont fatigués après les examens.
5. <u>Mes vêtements</u> sont sales.
6. Il a mangé <u>le gâteau</u>.
7. Elle a fait <u>la vaisselle</u>.
8. Tu as menti à <u>tes amis</u>.
9. J'ai besoin de <u>ces livres</u>.

b. Répondez aux questions selon le modèle.

> *Modèle:* Veux-tu écouter <u>mes disques</u>?
> *Oui, je veux écouter tous tes disques.*

1. As-tu peur de <u>ces animaux</u>?
2. Peux-tu faire <u>ces exercices</u>?
3. Dois-tu faire <u>le ménage</u>?
4. Est-ce que tu connais <u>mes amies</u>?
5. Est-ce que tu comptes réussir à <u>tes examens</u>?

EXERCICES ÉCRITS

a. Mettez les phrases au passé composé.

> *Modèle:* Je regarde les Jeux olympiques.
> *J'ai regardé les Jeux olympiques.*

1. Il met ses skis.
2. Nous prenons la bicyclette.
3. Ils apprennent le golf.
4. Je ne comprends pas cette leçon.
5. Il connaît l'entraîneur de l'équipe.
6. Je téléphone à mon instructeur.
7. Elle brunit au soleil.
8. Nous rendons l'argent à Jean.
9. Ils choisissent une nouvelle piscine.
10. Je réponds à sa lettre.

11. Vous attendez un taxi.
12. Il veut venir avec moi.
13. Ils doivent partir.
14. Nous avons quelques problèmes.
15. Elles ne savent pas réparer le filet.
16. Ils sont perdants.
17. Je fais du ski de fond.
18. Vous choisissez un nouveau club.
19. Il avertit l'arbitre.
20. Valérie fait de la gymnastique.

b. Employez *savoir* ou *connaître* au présent selon le contexte:

1. Babette _____ jouer aux échecs.
2. Nous _____ l'entraîneur de Jean.
3. Ils _____ Mme Raymond.
4. Je _____ faire la cuisine.
5. Tu _____ Thunder Bay?
6. Vous _____ mon nom.
7. Il _____ mon père.
8. Elles _____ que je fais du ski.

c. Complétez les phrases avec un des verbes suivants au présent: *apprendre, mettre, permettre, comprendre, promettre, prendre, soumettre.*

1. Luc _____ l'autobus pour Montréal.
2. Ils _____ une récompense aux gagnants.
3. Nous _____ les règles du tennis.
4. Mme Dufy _____ à ses enfants d'aller aux Jeux olympiques.
5. Vous _____ la raison de mon absence.
6. Tu _____ un chandail.
7. Je _____ un projet à l'instructrice.

d. Répondez affirmativement selon le modèle. Employez les pronoms objets indirects.

> *Modèle:* Téléphones-tu à ta mère?
> *Oui, je lui téléphone.*
>
> Vas-tu me téléphoner?
> *Oui, je vais te téléphoner.*

1. Est-ce que vous me parlez?
2. Est-ce que tu me téléphones?
3. Est-ce que je vous réponds?
4. Est-ce que je vous promets de bonnes notes?
5. Est-ce que tu veux me parler?
6. Est-ce que je peux te téléphoner?
7. Peux-tu me donner tes vieux skis?
8. Est-ce que ton père va t'acheter une voiture?
9. Obéis-tu à tes moniteurs?
10. Est-ce que tu me promets d'être à l'heure?
11. A-t-il promis une médaille aux gagnants?
12. As-tu parlé au médecin?
13. Est-ce qu'on doit obéir aux arbitres?
14. Est-ce que tu nous permets de fumer?

e. Complétez les phrases suivantes avec imagination:

1. 1980 est l'année où...
2. New York est une ville où...
3. Je connais une discothèque où...
4. Septembre est le mois où...
5. Ste-Anne est la station de ski où...

f. Refaites les phrases selon le modèle en employant la forme correcte de *tout*.

> *Modèle:* Je comprends <u>la leçon</u>.
> *Je comprends toute la leçon.*

1. Sylvie admire <u>les joueurs de football</u>.
2. Je connais <u>les livres de Marie-Claire Blais</u>.
3. Elle a aimé <u>le film</u>.
4. J'ai jeté <u>mes vieux vêtements</u>.
5. <u>Cette leçon</u> est difficile.
6. Il a répondu <u>aux questions</u>.

g. Répondez aux questions selon le modèle en employant *il y a* plus l'expression entre parenthèses.

> *Modèle:* Vas-tu manger un sandwich? (une heure)
> *Non, j'ai mangé un sandwich il y a une heure.*

1. Vas-tu faire du ski de fond? (deux jours)
2. Vas-tu prendre un café? (dix minutes)
3. Vas-tu vendre tes patins? (un mois)
4. Vas-tu mettre la table? (une demi-heure)
5. Va-t-il pleuvoir? (une heure)

Lecture Lecture Lecture

Le ski alpin

Si tu as déjà chaussé une paire de planches et dévalé une piste enneigée, tu es peut-être déjà un "mordu" du ski alpin. Ce sport d'hiver se pratique depuis environ 100 ans, mais on a retracé des vestiges de ce mode de transport aussi loin qu'en l'an 2500... avant Jésus-Christ! Transport? Eh oui! Les Suédois et les Norvégiens de cette époque utilisaient les skis pour traverser les contrées nordiques plus rapidement. Les Scandinaves pratiquent alors ce qu'on appelle aujourd'hui le ski de randonnée, ski de fond, ou encore ski nordique, qui a précédé de quelques années le ski alpin aux Jeux olympiques d'hiver.

Le ski alpin en tant que sport nous vient du centre de l'Europe, plus précisément d'Autriche et de Suisse, où s'élèvent les Alpes, cette majestueuse chaîne de montagnes qui bordent de nombreux pays. Dès 1890, Arthur Conan Doyle, auteur des aventures de Sherlock Holmes, dévale les pentes alpines, contribuant ainsi à faire mousser un nouveau sport: le ski alpin. Six ans plus tard, les Français fondent le premier "ski-club" et, en 1924, on organise des compétitions de niveau olympique aux premiers Jeux d'hiver de Chamonix. Parmi les épreuves, on compte la descente et les slaloms spécial, géant et super-géant, en plus du saut, la plus spectaculaire, qui s'effectue à partir d'un tremplin.

Les premiers skis sont constitués de deux planches de bois de pin, solides mais flexibles, équipées de fixations de fortune. Au fil des ans, avec les possibilités d'assembler de nouveaux matériaux, l'équipement se raffine si bien qu'aujourd'hui, les skis sont plus légers et les fixations plus sécuritaires, et des vêtements isothermiques permettent aux skieurs de mieux résister au "facteur vent," qui transforme leurs doigts et orteils en petits glaçons en un rien de temps...

Au Canada, on pratique surtout le ski alpin dans les régions montagneuses comme les Rocheuses, dans l'ouest, et les Appalaches et les Laurentides au Québec. Au début du siècle, les villages québécois de Saint-Sauveur et de Sainte-Adèle sont déjà bien connus des skieurs montréalais qui s'amènent les vendredis soirs par le P'tit train du Nord—le train dont parle si bien Félix Leclerc dans sa chanson. Pour quelques dollars par fin de semaine, on logeait chez l'habitant—comme ce barbier qui mettait des chambres à la disposition des skieurs—on mangeait au casse-croûte du coin et surtout, on dévalait les pentes de ces vieilles montagnes arrondies que sont les Laurentides. Puis, fourbus mais contents, les sportifs reprenaient le chemin de "la grand'ville" à bord du célèbre train, en se rappelant les meilleurs moments de la journée et en se jurant bien de revenir le plus tôt possible! Aujourd'hui, le "P'tit train" n'est plus, mais les skieurs sont toujours fidèles au rendez-vous!

(Article d'Alain Fortier, paru dans *Vidéo-Presse*)

alors	then		**depuis**	since
s'amener	to come		**dévaler**	to hurtle down
an (m.), **année** (f.)	year		**disposition:**	
arrondi(e)	rounded		**mettre à la —**	to put at the disposal
aussi ... que	as ... as		**effectuer**	to make, to perform
Autriche (f.)	Austria		**(s')élever**	to rise
bois (m.)	wood		**en tant que**	as
bord: à —	on board		**environ**	about
border	to line		**époque** (f.)	time, age, era
casse-croûte (m.)	snack bar		**épreuve** (f.)	event, test
célèbre	famous		**fidèle: être — au**	to keep an
chaîne de	mountain range		**rendez-vous**	appointment
montagnes (f.)			**fil: au — des ans**	as the years go by
chausser	to put on (footwear)		**fonder (un club)**	to start
chemin:			**fortune: de —**	makeshift
reprendre			**fourbu(e)**	exhausted
le — de	to go back to		**glaçon** (m.)	icicle; ice cube
compter parmi	to rank among		**habitant** (m.)	local person
connu(e)	known		**jour** (m.),	day
constituer	to make up		**journée** (f.)	
contrée (f.)	land, region		**(se) jurer**	to promise (oneself)
début (m.)	beginning		**léger, légère**	light
déjà	already			

loger	to stay the night	**(se) raffiner**	to become more
loin	far		sophisticated
majestueux,	majestic,	**(se) rappeler**	to remember
majestueuse	magnificent	**retracer**	to trace back
meilleur(e)	better	**rien: en un —**	in no time at all
mordu(e)	enthusiast, buff	**de temps**	
mousser: faire —	to boost	**Scandinave**	Scandinavian
niveau (m.)	level	**sécuritaire**	safe
Norvégien,	Norwegian	**si bien que**	so that
Norvégienne		**siècle** (m.)	century
parmi	among	**Suédois, Suédoise**	Swede
partir: à — de	from	**Suisse** (f.)	Switzerland
pays (m.)	country	**tard**	late
permettre (à	to enable	**tôt: le plus —**	
qq'un de faire)	(s.o. to do)	**possible**	as soon as possible
peut-être	perhaps	**traverser**	to cross
pin (m.)	pine	**tremplin** (m.)	ski-jump
planche (f.)	plank	**vestige** (m.)	trace

QUESTIONS

1. Comment devient-on un "mordu" du ski alpin?
2. À quelle époque commence-t-on à utiliser des "skis"? À quoi servent les skis à cette époque?
3. Où a commencé le ski de randonnée? Et le ski alpin? Expliquez cette différence d'origine entre les deux.
4. Qui est Conan Doyle? Quelle a été sa contribution au ski alpin?
5. Quand a-t-on fondé le premier club de ski alpin?
6. Quand et à quelle époque le ski alpin devient-il un sport olympique?
7. À quoi sert un tremplin?
8. Quels sont les principaux progrès dans l'équipement de ski?
9. Quelles sont les régions où on fait du ski au Canada?
10. Qui prend le "P'tit train du Nord" au début du siècle? Pour aller où?
11. Quels sont à cette époque les charmes de ces fins de semaine?
12. À quoi pensent les skieurs quand ils reprennent le train?

SITUATIONS / CONVERSATIONS

1. À quels sports t'adonnes-tu? Où, et quand?

   Je fais — du football, du base-ball, du golf, du tennis, du soccer, du hockey, du hockey sur gazon, du ballon-balai, du basket-ball, du judo, du karaté, du ski alpin, du ski de randonnée (de fond), du canotage, du patinage, du cyclisme, du squash, du jogging, etc.

— de la natation, de la boxe, de la lutte, de la plongée sous-marine, de la voile, de la planche à voile, de la gymnastique, de la course à pied, de l'équitation, de l'alpinisme, etc.

2. Faites-vous partie d'une équipe sportive? De quel sport s'agit-il? Combien y a-t-il de membres dans l'équipe? Qui est votre entraîneur? Comment est-il / elle? Quelle position jouez-vous dans l'équipe? (à la défense / à l'offensive / à l'aile gauche ou droite / à l'avant ou à l'arrière / gardien de but, etc.) Pratiquez-vous souvent ce sport? Quand? À quel endroit? Quelle sorte de joueur / joueuse êtes-vous? (agressif / ive, détendu(e), brutal(e), indépendant / ante, etc.) Quelles sont vos plus graves erreurs au jeu? vos meilleurs moments?

3. Pour pratiquer votre sport favori, de quoi avez-vous besoin?

	SPORT	ENDROIT	ÉQUIPEMENT
a)	D'ÉQUIPE		
	extérieur		
	le football, le base-ball,	terrain ou stade	un ballon, des gants, des souliers cloutés, un bâton, etc.
	intérieur		
	le basket-ball, le curling le ballon-balai, etc.	un gymnase, un terrain	des balles, des balais, des rondelles, etc.
b)	INDIVIDUELS		
	extérieur		
	le ski, la course à pied, l'équitation, la natation, le cyclisme, le jogging, le canotage, le patinage, etc.	une piste, des pentes, une piscine, une patinoire, une rivière / un lac, etc.	des skis, un cheval, un maillot, une bicyclette, des patins, un canot et des rames, etc.
	intérieur		
	la natation, le patinage, la plongée, la gymnastique	une piscine, une patinoire, un gymnase, etc.	un costume, une bombe d'oxygène, des palmes, des appareils, des barres, etc.
c)	AVEC PARTENAIRE		
	extérieur		
	le golf, le tennis, le canotage, etc.	un terrain, un court, une rivière / un lac, etc.	des bâtons, des balles, des raquettes, un canot, etc.
	intérieur		
	le squash, le raquetball, etc.	un court	des balles et des raquettes

d) DE COMBAT

| la boxe, la lutte, | un matelas, une arène, | un costume, des gants, |
| le judo, le karaté, etc. | etc. | un maillot, etc. |

4. Pourquoi aimez-vous les sports? Quelle place ont-ils dans votre vie? (Réponses possibles: pour la détente, pour les loisirs, pour rencontrer des amis, par habitude, pour développer mes muscles, pour évaluer mes aptitudes, par goût de la compétition, pour rester en bonne santé, par obligation envers l'équipe, pour plaire à mes parents / à mes amis, etc.)

5. Préparez pour les amateurs de sports un bulletin de nouvelles sportives.

6. Racontez le match le plus excitant que vous avez vu.

   Exemple: *Une partie de hockey — Les Canadiens ont gagné 5 à 4 contre les Oilers — Wayne Gretzky a compté 3 buts et a obtenu 2 punitions, etc.*

7. Donnez des indices sur votre athlète favori(te): nous allons deviner de qui il s'agit.

   Exemple: *Indice: C'est le plus grand joueur de hockey de nos jours.*
   Réponse: Wayne Gretzky

   Indice: Il a été champion poids lourd à deux reprises.
   Réponse: Muhammad Ali

8. Connaissez-vous les sports? Comment joue-t-on au tennis? au hockey? au base-ball? (Décrivez l'équipement nécessaire, le nombre de joueurs, les règles du jeu.)

9. Comment devient-on champion?

COMPOSITIONS

1. Est-ce que vous pensez que l'importance accordée aux sports à la télévision est justifiée? Expliquez.

2. Est-il bon d'obliger les enfants à pratiquer des sports dès leur plus jeune âge?

3. Préparez une interview d'une personnalité sportive. Quelles questions allez-vous poser? Un(e) autre étudiant(e) joue le rôle de l'athlète que vous avez choisi.

4. Est-ce que généralement vous préférez la compagnie d'un sportif ou d'un intellectuel? Expliquez pourquoi.

5. Quel est le sport idéal à votre avis et pour quelles raisons?

PRONONCiATiON

(This exercise is at the end of Chapitre 8 on the tape.)

Les voyelles nasales /ɑ̃/ et /õ/

i. Le son /ɑ̃/

The nasal vowel /ɑ̃/ is associated with the spellings **an**, **am**, **en** and **em** (when **n** or **m** is not pronounced).

Répétez:

1. bas / ban   chat / chant   ça / sang
   pas / pan   tas / tant   là / lent
   ras / rang   va / vent

2. chant / chante   lent / lente   rend / rendu
   rang / range   pend / pendu   tend / tendu

3. ampoule   endormir   jument
   entier   parent   hareng
   embrasser   marchand   devant

ii. Le son /õ/

The nasal vowel /õ/ is associated with the spellings **on** and **om** (when **n** or **m** is not pronounced).

Répétez

1. tôt / ton   pot / pont   dos / don
   rot / rond   sot / son   vos / vont
   mot / mon   faux / font   lot / long

2. son / songe   bon / bonté   plomb / plombier
   rond / ronde   mon / montez   front / frontière
   pont / ponte   long / longueur blond / blondir

3. ombre   plafond   répondre
   ongle   canon   dénombrer
   bison   prison   démontrer

iii. Contraste /ɑ̃/ – /õ/

For /õ/, round the lips. For /ɑ̃/, bring the tongue forward.

Répétez

on / an   tremper / tromper
bon / banc   ranger / ronger
don / dans   bandit / bondit
rond / rang   angle / ongle
mont / ment   ambre / ombre

Weblinks

Jean-Luc Brassard's site
http://jean-luc.brassard.infinit.net/bienvenue.html

Ski mag
http://www.webnet.qc.ca/zudnik/default.htm

Quebec Federation of Alpine Skiing
http://www.quebectel.com/fqsa/

Skiing in Quebec
http://www.ojori.com/ski/

Sainte-Adèle
http://www.ietc.ca/territ/adele/t-adele.htm

Les voyages

Thèmes
- Les voyages que j'ai faits
- Les pays et les continents
- Les moyens de transport
- Parler du passé

Lecture
Le Yukon et l'Alaska,
deux trajets époustouflants

Grammaire
9.1 Passé composé avec *être*

9.2 L'accord du participe passé des verbes conjugués avec *avoir*

9.3 Les pronoms *en* et *y*

9.4 Les verbes irréguliers *dire*, *écrire*, *lire*, *rire* et *sourire*

9.5 Les prépositions avec les noms géographiques

9.6 Les noms de nationalité

9.7 Les moyens de transport

VOCABULAIRE UTILE

agence (f.)	agency	**déjà**	already
avant-hier	the day before yesterday	**demande** (f.)	application; request
		dépliant (m.)	
ascenseur (m.)	elevator	**publicitaire**	advertising leaflet
auteur, e	author	**étage** (m.)	floor
bébé (m.)	baby	**erreur** (f.)	error, mistake
bientôt	soon	**horaire** (m.)	schedule, timetable
billet (m.)	ticket	**itinéraire** (m.)	itinerary
carte postale (f.)	postcard	**journal** (m.)	newspaper
croisière (f.)	cruise	**langue** (f.)	language; tongue
célibataire	single	**liberté** (f.)	freedom, liberty
cuisine (f.)	cooking; kitchen	**mensonge** (m.)	lie
dame (f.)	lady	**ouvrier, ouvrière**	(manual) worker

projet (m.)	project	**roman** (m.)	novel
pétrole (m.)	petroleum, oil	**siège** (m.)	seat
pomme de terre (f.)	potato	**toit** (m.)	roof
prochain, e	next	**valise** (f.)	suitcase
raconter	to tell, to relate	**vérité** (f.)	truth
regarder	to look at		

GRAMMAIRE ET EXERCICES ORAUX

9.1 Le passé composé avec *être*

1) A few verbs, which usually indicate motion or transition, use **être** instead of **avoir** as an auxiliary verb in the **passé composé** and other compound tenses. Some of these verbs are regular **-er** verbs and their past participle ends in **é**:

arriver	(to arrive)	arrivé
entrer	(to enter)	entré
monter	(to go up)	monté
passer	(to pass by)	passé
rentrer	(to go home/to come back in)	rentré
retourner	(to go back/to return)	retourné
rester	(to stay/to remain)	resté
tomber	(to fall)	tombé

One verb is a regular **-re** verb; its past participle ends in **-u**:

descendre (to go down)   descendu

Other verbs conjugated with **être** are irregular:

aller	(to go)	allé
venir	(to come)	venu
devenir	(to become)	devenu
revenir	(to come back)	revenu
partir	(to leave)	parti
sortir	(to go out)	sorti
mourir	(to die)	mort
naître	(to be born)	né

2) When **être** is used as the auxiliary verb, the past participle agrees in gender and number with the subject.

	Masculine subject	*Feminine subject*
Singular	Je suis entr<u>é</u>.	Je suis entr<u>ée</u>.
	Tu es sort<u>i</u>.	Tu es sort<u>ie</u>.
	Il est descend<u>u</u>.	Elle est descend<u>ue</u>.
Plural	Nous sommes part<u>is</u>.	Nous sommes part<u>ies</u>.
	Vous êtes arriv<u>és</u>.	Vous êtes arriv<u>ées</u>.
	Ils sont tomb<u>és</u>.	Elles sont tomb<u>ées</u>.

✪ Note: If the formal *vous* is used to address one person, the past participle is singular (masculine or feminine). When *nous*, *vous* or *ils* refer to a mixed group, the past participle is masculine plural.

EXERCICES • ORALEMENT

a. Mettez les verbes au passé composé:

1. Il monte dans l'autobus.
2. Le chien monte sur le siège.
3. Nous montons au premier étage.
4. Je descends du train.
5. Le chat descend de l'auto.
6. Vous descendez en ascenseur.
7. Il passe par Drummondville pour aller à Montréal.
8. Je passe devant le complexe sportif.
9. Nous passons par la rue Queen.
10. L'ouvrier tombe du toit.
11. La vieille dame tombe dans sa cuisine.
12. Je tombe sur la glace.
13. Nous restons à la maison.
14. Elle reste chez elle samedi.
15. Il reste sportif.
16. Elles restent célibataires.
17. Jean retourne à Toronto.
18. Vous revenez de voyage.
19. Il part en Afrique.
20. Nous allons en vacances.

b. Répondez aux questions:

1. À quelle heure êtes-vous arrivé(e)s en classe?
2. À quelle heure sommes-nous entré(e)s dans la classe?
3. Es-tu sorti(e) hier soir?
4. Es-tu rentré(e) tard hier soir?
5. À quelle heure es-tu rentré(e) hier soir?
6. Es-tu resté(e) dans ta chambre hier soir?
7. Êtes-vous venu(e)s en classe hier soir?
8. Es-tu déjà monté(e) sur un toit?

9. Sommes-nous allé(e)s en voyage
ensemble?

10. Es-tu passé(e) par le parc ce matin?

11. Es-tu allé(e) au centre sportif
aujourd'hui?

12. En quelle année es-tu né(e)?

13. En quelle année est mort le
président Kennedy?

14. Es-tu tombé(e) sur la glace cet hiver?

15. Es-tu monté(e) dans un autobus
ce matin?

C. Dites ce que Simone a fait hier (attention au choix de l'auxiliaire *avoir* ou *être*).

1. arriver à l'université à neuf heures
2. prendre un café à la cafétéria
3. parler avec ses amis
4. aller à ses cours
5. manger un sandwich à midi
6. entrer à la bibliothèque

7. retourner en classe
8. sortir de l'université à trois heures
9. rentrer chez elle
10. téléphoner à des amis
11. rester dans sa chambre
12. faire ses devoirs

d. Répondez aux questions selon le modèle en employant *il y a*.

> *Modèle:* Est-ce que Pierre va aller à Montréal demain? (deux jours)
> *Il est allé à Montréal il y a deux jours.*

1. Tes amis rentrent-ils de voyage
bientôt? (une semaine)

2. Vas-tu retourner à Vancouver l'été
prochain? (un mois)

3. Est-ce que Claire part pour Chicago
cet après-midi? (dix heures)

4. L'avion arrive bientôt? (une demi-heure)

5. Est-ce que notre train entre en gare
bientôt? (cinq minutes)

6. Quand est-ce que ta sœur revient de
vacances? (trois jours)

e. Demandez à votre voisin(e) où il / elle est allé(e) hier soir? avant-hier? il y a trois jours?
la semaine dernière? le mois dernier? l'été / l'hiver dernier?

9.2 L'accord du participe passé des verbes conjugués avec *avoir*

When **avoir** is used as an auxiliary verb in compound tenses, the past participle is invariable. However, if the direct object *precedes* the verb, then the past participle must agree in gender and number with the direct object. Here are the main cases when the direct object may precede the verb:

1) When the direct object is a pronoun:

> J'ai acheté cette valise.   ⟶   Je l'ai ache<u>tée</u>.
> Ils ont attendu les enfants.   ⟶   Ils <u>les</u> ont attend<u>us</u>.

2) When the direct object is the relative pronoun **que** (the past participle agrees with its antecedent):

> La leçon <u>qu</u>'il a appris<u>e</u>
> Les fruits <u>que</u> j'ai achet<u>és</u>

3) In an interrogative sentence with the adjective **quel**:

> Quelle valise as-tu achetée?
>
> Quels disques as-tu choisis?

Though the agreement of the past participle is of concern mainly in written French, it affects pronunciation whenever the feminine ending **-e** (or **-es**) is added to a past participle ending in a consonant, since the consonant must then be pronounced. Compare:

Le chandail qu'il a mis	/	La robe qu'elle a mise
Les exercices que j'ai faits	/	Les erreurs que j'ai faites
Le cadeau qu'il m'a promis	/	La récompense qu'il m'a promise

EXERCiCES · ORALEMENT

a. Répondez affirmativement aux questions selon le modèle.

> *Modèle:* As-tu fait la vaisselle?
>
> *Oui, je l'ai faite.*

1. As-tu compris la leçon?
2. As-tu compris ce livre?
3. Avez-vous compris les exercices?
4. Avez-vous compris les questions?
5. As-tu appris la leçon?
6. As-tu appris les règles du jeu?
7. As-tu fait le ménage?
8. As-tu fait la vaisselle?
9. Avez-vous fait la composition?
10. As-tu mis le livre sur la table?
11. As-tu mis ta serviette sur la table?
12. As-tu soumis ta demande au directeur?

b. Transformez les phrases selon le modèle.

> *Modèle:* Elle a mis une jolie robe.
>
> *La robe qu'elle a mise est jolie.*

1. Il a appris une leçon difficile.
2. J'ai fait une longue composition.
3. Elle a soumis une demande intéressante.
4. Il a promis une récompense généreuse.
5. Ils ont pris une voiture neuve.

c. Posez la question selon le modèle.

> *Modèle:* Il a soumis une demande.
>
> *Quelle demande a-t-il soumise?*

1. Il a mis une chemise.
2. Elle a mis une jupe.
3. Il lui a promis une récompense.
4. Il a appris des règles.
5. Elle a compris une question.
6. Ils ont pris des fleurs.

9.3 Les pronoms *en* et *y*

En

En replaces:

1) **de** as a preposition of place (from) plus its object:

   Est-il revenu de <u>Trois-Rivières</u>? — Oui, il <u>en</u> est revenu hier.

2) the partitive article (**du, de la, de l', des, de**) plus a noun:

   Il a <u>de l'argent</u>.   ⟶ Il <u>en</u> a.
   Elle n'a pas <u>d'argent</u>.   ⟶ Elle n'<u>en</u> a pas.
   Je mange <u>des fruits</u>.   ⟶ J'<u>en</u> mange.

3) a noun preceded by a number or an expression of quantity. The number or expression is retained and placed after the verb:

   As-tu <u>une voiture</u>?   ⟶ Oui, j'<u>en</u> ai une.
   Combien <u>de cours</u> as-tu?   ⟶ J'<u>en</u> ai cinq.
   J'ai trop <u>de travail</u>.   ⟶ J'<u>en</u> ai trop.
   Il a beaucoup <u>d'amis</u>.   ⟶ Il <u>en</u> a beaucoup.

4) **de** as a preposition required by a verb plus the noun following it if the noun represents a thing:

   Joues-tu <u>du piano</u>?   ⟶ Oui, j'<u>en</u> joue.
   Elle a besoin <u>de solitude</u>? ⟶ Elle <u>en</u> a besoin.
   Il est content <u>de ses notes</u>. ⟶ Il <u>en</u> est content.

   If the noun refers to a person, the stress pronoun is used:

   Ils sont fiers <u>de leur fils</u>?   ⟶ Ils sont fiers de <u>lui</u>.

Y

Y replaces:

1) a preposition of place (**à, dans, devant, sur**, etc.) plus its object:

   Il va <u>à Montréal</u>.   ⟶ Il <u>y</u> va.
   Elle reste <u>dans sa chambre</u>. ⟶ Elle <u>y</u> reste.

2) **à** as a preposition required by a verb plus the noun following it if the noun represents a thing:

   Je réfléchis <u>à mes problèmes</u>. ⟶ J'<u>y</u> réfléchis.
   Il répond <u>aux questions</u>.   ⟶ Il <u>y</u> répond.

If the noun refers to a person, the indirect object pronoun is used:

Il répond <u>au professeur</u>.   ⟶   Il <u>lui</u> répond.

✦ Note: 1) Both *en* and *y* precede the verb. They precede the auxiliary verb in compound tenses. They precede the infinitive when it is preceded by another conjugated verb:

Vas-tu à la banque?   ⟶   <u>Y</u> vas-tu?

Je suis allé(e) à la banque.   ⟶   J'<u>y</u> suis allé(e).

Je n'ai pas de stylo.   ⟶   Je n'<u>en</u> ai pas.

Elle veut acheter une robe.   ⟶   Elle veut <u>en</u> acheter une.

2) *En* may be used with the expression *il y a*:

Y a-t-il des absents? — Oui, il y <u>en</u> a. / Non, il n'y <u>en</u> a pas.

Y a-t-il un film à la télé? — Oui, il y <u>en</u> a un. / Non, il n'y <u>en</u> a pas.

3) With *en*, there is no agreement of the past participle of verbs using *avoir* in compound tenses:

As-tu acheté des chemises? — Oui, j'en ai ache<u>té</u>.

Compare with:

As-tu jeté tes chemises? — Oui, je les ai jet<u>ées</u>.

EXERCICES • ORALEMENT

a. Répondez aux questions affirmativement en employant *en*:

1. Roch Voisine vient-il du Nouveau-Brunswick?
2. Manges-tu de la viande?
3. Aimes-tu manger de la viande tous les jours?
4. Vas-tu prendre des précautions en voyage?
5. As-tu acheté des billets d'avion?
6. Tes parents parlent-ils de leurs voyages?
7. As-tu besoin de vacances?
8. Es-tu satisfait(e) de ta nouvelle voiture?

b. Répondez aux questions selon le modèle.

Modèle: As-tu trop d'argent? (assez)
Non, je n'en ai pas trop. J'en ai assez.

1. As-tu plusieurs voitures? (une)
2. As-tu assez voyagé? (trop peu)
3. As-tu acheté deux billets d'avion? (un seul)
4. Vas-tu emporter beaucoup de valises? (deux)
5. Y a-t-il trop de passagers dans l'avion? (pas assez)
6. Avons-nous trop de temps libre? (trop peu)

c. Répondez aux questions en employant soit *en,* soit un pronom objet direct.

1. Est-ce que tu emportes <u>ton passeport</u> en voyage?
2. As-tu <u>un visa</u>?
3. As-tu déjà visité <u>l'aéroport de Mirabel</u>?
4. Est-ce que tu aimes bien prendre <u>l'autobus</u>?
5. As-tu pris <u>des vacances</u> cette année?
6. Est-ce qu'il faut <u>de l'argent</u> pour voyager?
7. Est-ce que tu donnes <u>un pourboire</u> au chauffeur de taxi?
8. Est-ce que tes amis te racontent <u>leurs voyages</u>?
9. Est-ce que tu parles de <u>tes voyages</u> à tes amis?

d. Remplacez les mots soulignés par *y:*

1. Luc est entré <u>dans le jardin</u>.
2. Nous sommes allés <u>à la gare</u>.
3. Il est resté longtemps <u>en Colombie-Britannique</u>.
4. Il n'a pas répondu <u>à la question</u>.
5. Ils n'ont pas réfléchi <u>aux conséquences</u>.
6. Elle veut aller <u>au cinéma</u>.
7. Je dois rester <u>dans la classe</u>.
8. Il doit descendre <u>au terminus</u>.
9. Je vais chercher Jean <u>à l'aéroport</u>.
10. Nous pensons <u>à une croisière</u>.

e. Répondez affirmativement en employant *y, lui* ou *leur* selon le cas:

1. As-tu réfléchi <u>à ce problème</u>?
2. Est-ce que tu réponds <u>aux questions</u>?
3. As-tu répondu <u>au professeur</u>?
4. As-tu répondu <u>à la lettre de l'agence de voyages</u>?
5. As-tu parlé <u>aux autres passagers</u>?

f. Répondez à la question.

> *Modèle:* Combien y a-t-il de cours avant l'examen?
>
> *Il y en a cinq (dix, beaucoup, pas assez, etc.)*

Combien y a-t-il...

1. de sièges dans une voiture ordinaire?
2. de sièges dans un 747?
3. de provinces au Canada?
4. d'états aux États-Unis?
5. de pays dans l'Union Européenne?
6. de pages dans ce livre?

9.4 Les verbes irréguliers *dire, écrire, lire, rire* et *sourire*

Présent de l'indicatif

	dire (to say)	**écrire** (to write)	**lire** (to read)
je, j'	dis	écris	lis
tu	dis	écris	lis
il / elle / on	dit	écrit	lit
nous	disons	écrivons	lisons
vous	dites	écrivez	lisez
ils / elles	disent	écrivent	lisent

 Note: These verbs follow a similar pattern of conjugation except for the form *vous dites* (compare with *vous faites*).

Présent de l'indicatif

rire (to laugh)

je	ri**s**	nous	ri**ons**
tu	ri**s**	vous	ri**ez**
il / elle / on	ri**t**	ils / elles	ri**ent**

Sourire (to smile) is conjugated like **rire**.

Participes passés:

dire	dit
écrire	écrit
lire	lu
rire	ri
sourire	souri

EXERCICES · ORALEMENT

a. Répondez selon le modèle.

> *Modèle:* Qui écrit des articles dans les journaux? (journalistes)
> *Les journalistes écrivent des articles dans les journaux.*

1. Qui vous dit bonjour en classe? (vous)
2. Qui me dit bonjour? (nous)
3. Qui dit qu'il va faire beau demain? (les météorologues)
4. Qui écrit des cartes postales? (les touristes)
5. Qui écrit des compositions en français? (nous)
6. Qui lit vos compositions? (vous)
7. Qui lit ce livre? (nous)
8. Qui lit vos lettres? (mes amis)
9. Qui vous sourit dans un magasin? (les vendeurs / les vendeuses)
10. Qui sourit à un bébé? (ses parents)
11. Qui rit devant des clowns? (les enfants)

b. Mettez les phrases suivantes au passé composé:

1. Tu lui dis de téléphoner.
2. Il écrit une carte postale.
3. Nous lisons le journal.
4. Elles disent la vérité.
5. Vous lisez beaucoup.
6. Pourquoi rit-il?
7. Pourquoi souriez-vous?
8. Nous n'écrivons pas de lettres.

C. Répondez aux questions:

1. À qui dis-tu bonjour le matin?
2. Dis-tu toujours la vérité?
3. À qui écris-tu régulièrement?
4. As-tu écrit une composition cette semaine?
5. Qui a écrit *Hamlet*?
6. Est-ce que tu lis beaucoup?
7. Est-ce que tu lis les journaux? Quels journaux?
8. Qu'est-ce que vous lisez en vacances?
9. Qu'est-ce que tu aimes lire?
10. À qui souris-tu généralement?
11. Est-ce qu'on rit quand on va chez le dentiste?

9.5 Les prépositions avec les noms géographiques

Here is a list of types of geographical names with the prepositions which must be used 1) when someone is going there or someone or something is located there; (2) when someone or something is coming from there.

Names of cities

1) going to/being there: use **à**.

> Je vais <u>à</u> Victoria.   Le parlement est <u>à</u> Ottawa.

2) coming from/place of origin: use **de / d'**.

> Elle vient <u>de</u> Kingston.   Je reviens <u>d'</u>Halifax.

Names of countries and continents

1) going to/being there:

a) before feminine names (ending: silent e): use **en**.
en Afrique, en Amérique, en Asie, en Australie, en Europe, en Angleterre, en Chine, en France, en Russie
(one exception: **le** Mexique — **au** Mexique)

b) before masculine names: use **au / aux**.
au Brésil, au Canada, au Japon, aux États-Unis

2) coming from/place of origin:

a) before feminine names: use **de / d'**.
d'Allemagne, d'Australie, d'Espagne, d'Italie, de France

b) before masculine names: use **du / des**.
du Guatemala, du Japon, des États-Unis

Names of Canadian provinces

1) l'Alberta, la Colombie-Britannique, l'Ontario, la Nouvelle-Écosse, la Saskatchewan

   a) going to/being there: use **en**.
      en Ontario, en Saskatchewan

   b) place of origin: use **de la** or **de l'** (before a vowel).
      de l'Alberta, de la Colombie-Britannique

2) le Manitoba, le Nouveau-Brunswick, le Québec

   a) going to/being there: use **au**.
      au Manitoba, au Québec

   b) place of origin: use **du**.
      du Nouveau-Brunswick

3) Terre-Neuve, l'Île-du-Prince-Édouard

   a) going to/being there: use **à**.
      à Terre-Neuve, à l'Île-du-Prince-Édouard

   b) place of origin: use **de**.
      de Terre-Neuve, de l'Île-du-Prince-Édouard

Names of states (U.S.)

1) names which have a French version:

   a) going to/being there: use **en**.
      en Californie, en Caroline du Nord, en Floride, en Louisiane

   b) place of origin: use **de** or **de la** (with compound names).
      de Californie, de Pennsylvanie, de la Caroline du Sud, de la Virginie de l'Ouest

2) other names:

   a) going to/being there: use **dans le** (except **au** Texas).
      dans le Maine, dans le Missouri

   b) place of origin: use **du** or **de l'** (before a vowel).
      du Minnesota, de l'Ohio

EXERCICES · ORALEMENT

a. Répondez selon le modèle.

> *Modèle:* Où est l'Université de Montréal?
>
> *À Montréal, au Québec, au Canada, en Amérique du Nord.*

1. le Château Frontenac?
   (Québec)
2. le Mont Royal? (Montréal)
3. la Tour du CN? (Toronto)
4. Terre des Hommes?
   (Montréal)
5. Marineland? (Niagara Falls)
6. la Statue de la liberté?
   (New York)

7. la Maison Blanche?
   (Washington)
8. le Kremlin? (Moscou)
9. le Parlement canadien?
   (Ottawa)
10. le Palais de Buckingham?
    (Londres)
11. la Tour Eiffel? (Paris)
12. le Stampede? (Calgary)

b. Répondez selon le modèle.

Modèle: D'où vient le cognac? (France)
Le cognac vient de France.

D'où vient / viennent...

1. le Dixieland? (Louisiane)
2. le pétrole? (Alberta)
3. l'électricité? (Québec)
4. les cigares? (Cuba)
5. les ordinateurs? (États-Unis)
6. le gruyère? (Suisse)
7. le café? (Brésil)
8. le caviar? (Russie)
9. le base-ball? (États-Unis)
10. le golf? (Écosse)
11. le tango? (Argentine)

12. le champagne? (France)
13. les pêches? (Ontario)
14. les pommes de terre?
    (l'Île-du-Prince-Édouard)
15. le tequila? (Mexique)
16. le flamenco? (Espagne)
17. la Toyota? (Japon)
18. la Volkswagen? (Allemagne)
19. la Rolls-Royce? (Angleterre)
20. l'Alfa-Roméo? (Italie)

c. Substituez au nom souligné les noms entre parenthèses en employant la préposition appropriée:

1. Je vais aller en Angleterre l'an prochain. (Australie, Japon, Mexique, Espagne, Pérou)
2. Nous sommes allés aux États-Unis l'été dernier. (Portugal, Chine, Suisse, Chili, Afrique)
3. Je veux aller en Alberta pour les vacances. (Québec, Terre-Neuve, Colombie-Britannique)

4. Est-ce que ton cousin est au Texas? (Vermont, Virginie, Louisiane, Missouri, Floride)
5. Elle vient de Chine. (Japon, Suède, Brésil, États-Unis)
6. Je reviens de Terre-Neuve. (Québec, Saskatchewan, Manitoba, Colombie-Britannique, Nouveau-Brunswick)

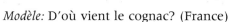
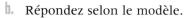

9.6 Les noms de nationalité

Countries	Names of nationalities	
	Masculine	*Feminine*
l'Angleterre	un Anglais	une Anglaise
l'Allemagne	un Allemand	une Allemande
le Canada	un Canadien	une Canadienne
la Chine	un Chinois	une Chinoise
l'Espagne	un Espagnol	une Espagnole
les États-Unis	un Américain	une Américaine
la France	un Français	une Française
la Grèce	un Grec	une Grecque
l'Irlande	un Irlandais	une Irlandaise
l'Italie	un Italien	une Italienne
le Mexique	un Mexicain	une Mexicaine
le Portugal	un Portugais	une Portugaise
la Russie	un Russe	une Russe
la Suède	un Suédois	une Suédoise
la Suisse	un Suisse	une Suisse

Names of nationalities are capitalized when they are used as nouns to refer to people. Otherwise they are not capitalized:

C'est un Japonais.	He is a Japanese (citizen).
Il est japonais.	He is Japanese.
J'ai une voiture japonaise.	I have a Japanese car.
Il apprend le japonais.	He is learning Japanese.

EXERCICES · ORALEMENT

a. Répondez aux questions selon le modèle.

Modèle: Est-ce que Pierre est né en France?
Oui, c'est un Français.

1. Est-ce que Debby est née aux États-Unis?
2. Est-ce qu'Élizabeth est née au Canada?
3. Est-ce que Dimitri est né en Russie?
4. Est-ce que Spiros est né en Grèce?
5. Est-ce que Maria est née au Mexique?
6. Est-ce que Heidi est née en Suisse?
7. Est-ce qu'Erin est née en Irlande?
8. Est-ce que Klaus est né en Allemagne?

b. Répondez aux questions:

1. Es-tu canadien(ne)?
2. Est-ce que la Rolls-Royce est une voiture allemande?
3. Est-ce que la Volkswagen est une voiture suisse?
4. Est-ce que l'Ohio est une province canadienne?

5. Est-ce que Dickens est un auteur américain?

6. Est-ce que Madrid est une ville grecque?

7. Quelles sont les langues officielles au Canada? en Italie? en Suisse?

8. Quelle est la langue officielle du Brésil? du Pérou? de la Suède?

9.7 Les moyens de transport

L'avion (**un avion** = a plane)

un aéroport	airport	**un pilote**	pilot
la douane	customs	**un(e) agent(e) de bord**	flight attendant
un passeport	passport	**décoller**	to take off
un visa	visa	**atterrir**	to land

Le train

une gare	train station	**un wagon**	car
un billet	ticket	**un wagon-restaurant**	diner
un aller simple	one-way (ticket)		
un aller-retour	round trip (ticket)		

Le bateau

un port	harbour	**une cabine**	cabin
une réservation	reservation	**une couchette**	bunk bed
une croisière	cruise	**un pont**	deck

Le métro

une station	station	**un jeton**	token
descendre à une station	to get off at a station		

L'autobus

un terminus	bus station	**un conducteur / une conductrice**	driver
un arrêt	bus stop	**un express**	express bus
un autobus	bus, coach		

Le taxi

un chauffeur	driver	**un pourboire**	tip
un client / une cliente	customer	**payer la course**	to pay the fare

L'automobile

un / une automobiliste	car driver	**descendre de voiture**	to get out of a car
un conducteur / une conductrice	driver	**un chauffeur**	driver
monter en voiture	to get in a car	**un passager / une passagère**	passenger

À pied (on foot)

aller (à l'université) à pied	to go (to the university) on foot
marcher	to walk
faire une promenade	to take a walk
traverser la rue	to cross the street
le trottoir	the sidewalk

Note the following contrasts:

1) — **aller à... en** avion, **en** train, etc.
   — **prendre** l'avion (le train, etc.) **jusqu'à...**

   Je vais à Montréal en train.
   Je prends le train jusqu'à Montréal.

2) — **dans** l'avion, **dans** le train, **dans** l'autobus (on a plane, a train or a bus);
   — **sur le bateau** (on a boat).

3) — **les passagers** is used for plane or boat passengers;
   — **les voyageurs** is used for train or bus passengers.

EXERCICES • ORALEMENT

a. Répondez par une phrase complète selon le modèle.

> *Modèle:* Comment es-tu allé(e) à New York?
>
> *J'y suis allé(e) en avion / en train / en voiture.*
>
> Comment es-tu allé(e) à Londres? à Paris? à la bibliothèque?
>
> *à Cuba? au magasin? à l'Île-du-Prince-Édouard?*
> *à Montréal? à Vancouver? en Chine? aux États-Unis?*
> *à Toronto? à Terre-Neuve? à la station Henri-Bourassa?*
> *au cinéma? au zoo?*

b. Répondez aux questions:

1. À quel aéroport prenez-vous généralement l'avion?
2. As-tu peur quand l'avion décolle? quand il atterrit?
3. Que fait un(e) agent(e) de bord?
4. Où est-ce qu'on prend le train?
5. Faut-il faire une réservation pour prendre le bateau?
6. As-tu déjà fait une croisière en bateau?
7. Où peut-on acheter des jetons de métro?
8. Est-ce qu'un autobus express fait beaucoup d'arrêts?
9. Est-ce que tu donnes des pourboires aux chauffeurs de taxi?

C. Rendez-vous d'un endroit à un autre et utilisez le plus grand nombre de moyens de transport.

Exemple: J'ai pris l'avion jusqu'à Paris, ensuite j'ai pris le train jusqu'à Marseilles, ensuite...

EXERCICES ÉCRITS

a. Mettez les verbes au passé composé. Faites attention à l'accord du participe passé:

1. Hier soir, Ariane (sortir) _____ avec Frédéric. Ils (aller) _____ à une agence de voyages.
2. Lise (venir) _____ m'apporter un itinéraire de vacances.
3. Les enfants (arriver) _____ de l'école à quatre heures et ils (monter) _____ à leur chambre pour changer de vêtements.
4. Après les cours, Rose (rester) _____ à la bibliothèque pour faire sa composition.
5. Mes parents (partir) _____ en vacances.
6. La grand-mère de Simon (mourir) _____ il y a deux jours.
7. Marguerite (naître) _____ au Canada mais elle (aller) _____ habiter les États-Unis.
8. Il (tomber) _____ quand il (descendre) _____ du toit.
9. Nos amis (retourner) _____ au Manitoba.
10. Après leurs études, elles (devenir) _____ médecins.

b. Répondez aux questions affirmativement. Employez *y* ou *en*.

Modèles: Vas-tu <u>à Montréal</u>?
J'y vais.

As-tu <u>un ticket d'autobus</u>?
J'en ai un.

1. Sont-ils allés <u>au cinéma</u> hier soir?
2. Est-il retourné <u>au Québec</u>?
3. Est-elle partie <u>de Vancouver</u>?
4. Est-ce qu'elles font <u>du ski</u>?
5. Est-il revenu <u>de voyage</u>?
6. Est-ce que René est <u>dans le jardin</u>?
7. A-t-elle répondu <u>aux questions</u>?
8. Est-ce qu'ils veulent réfléchir <u>à notre proposition</u>?
9. Est-ce qu'il a acheté <u>un vélo</u>?
10. As-tu beaucoup <u>de travail</u>?
11. Ont-elles apporté <u>des brochures</u>?
12. Est-ce qu'il pense acheter <u>deux bicyclettes</u>?
13. Est-ce qu'elle prend <u>des vitamines</u>?
14. Descends-tu <u>du train</u>?
15. Achètes-tu <u>des billets</u>?
16. Vont-ils <u>aux États-Unis</u>?
17. Êtes-vous resté(e)s longtemps <u>au Manitoba</u>?
18. Réfléchis-tu <u>à ce projet</u>?
19. Avez-vous <u>des réservations</u>?
20. Pensez-vous prendre <u>une couchette</u>?

c. Répondez aux questions par des phrases complètes:

1. Combien de compositions françaises as-tu écrites?
2. Quel livre lis-tu en ce moment?
3. À qui écris-tu des lettres?
4. Quel journal as-tu lu récemment?
5. Avec qui est-ce que tu ris?
6. À qui souris-tu généralement?

d. Répondez aux questions affirmativement selon le modèle. Employez un pronom personnel objet direct ou le pronom *en*. Faites attention à l'accord du participe passé.

Modèle: As-tu acheté cette voiture?
Oui, je l'ai achetée.

1. A-t-elle compris cette leçon?
2. As-tu écouté ce disque?
3. A-t-il fini sa croisière?
4. As-tu réservé la chambre?
5. A-t-il acheté des jetons de métro?
6. As-tu regardé des photos?
7. Ont-ils rapporté des souvenirs?
8. As-tu consulté l'horaire des trains?
9. As-tu appris la leçon?
10. As-tu lu ces dépliants publicitaires?
11. A-t-elle fait des voyages?
12. As-tu pris ma valise?
13. As-tu lu mes cartes postales?

e. Employez la préposition correcte:

1. Terre des Hommes est _____ Montréal mais la Tour du CN est _____ Toronto.
2. L'Assemblée Nationale est _____ Québec mais _____ Ontario, _____ Ottawa, il y a la colline parlementaire.
3. La Maison Blanche est _____ Washington, États-Unis, mais _____ Moscou, Russie, il y a le Kremlin.
4. Le stade olympique est _____ Montréal mais le Stampede est _____ Calgary, _____ Alberta.

f. Transformez les phrases en mettant les verbes soulignés au passé composé. (Attention à l'accord du participe passé.)

Modèle: Quelle revue <u>lis</u>-tu?
Quelle revue as-tu lue?

1. Quel cours <u>choisit</u>-il?
2. La voiture qu'il <u>achète</u> coûte cher.
3. Quels films <u>regardes</u>-tu?
4. Quel livre <u>écrit</u>-il?
5. C'est la chemise que j'<u>achète</u>.

g. Répondez affirmativement selon le modèle.

Modèle: Est-ce qu'elle est née en Angleterre?
Oui, elle est anglaise.

1. Est-ce qu'il est né au Canada?
2. Est-ce qu'il est né au Japon?
3. Est-ce qu'elle est née en Irlande?
4. Est-ce qu'il est né aux États-Unis?
5. Est-ce qu'elle est née en Italie?
6. Est-ce qu'elle est née en Espagne?
7. Est-ce qu'il est né au Mexique?
8. Est-ce qu'il est né en Allemagne?
9. Est-ce qu'elle est née en Russie?
10. Est-ce qu'il est né au Québec?

h. Indiquez les moyens de transport appropriés.

> *Modèle:* Comment peut-on aller à New York?
> *On peut aller à New York en avion, en train, en autobus et en automobile.*

Comment peut-on aller...

1. à Vancouver?
2. à l'université?
3. en Alaska?
4. en Angleterre?

5. à Montréal
6. à Terre-Neuve?
7. au centre-ville?
8. en Louisiane?

Lecture Lecture Lecture

Le Yukon et l'Alaska, deux trajets époustouflants.

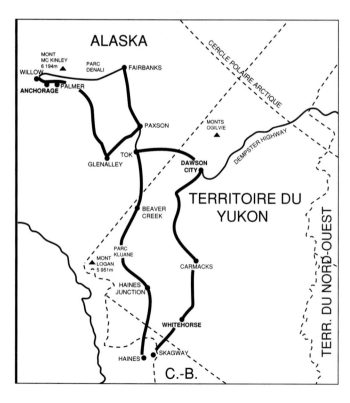

Vous avez l'intention de venir en vélo, en autobus, en voiture, en avion ou alors en bateau? Le Yukon et l'Alaska vont vite vous enchanter et ça naturellement, tout comme quand quelqu'un vous est instantanément sympathique.

Je vous propose deux itinéraires, un au Yukon et l'autre en Alaska et j'espère que vous allez prendre la peine d'examiner vos options avant de suivre mes suggestions. J'ai pédalé sur presque toutes les routes de la région, je peux vous assurer qu'elles ont toutes un cachet bien spécial. Rappelez-vous simplement que les routes principales sont pour la plupart goudronnées en Alaska et partiellement goudronnées au Yukon, et comptez sur les chaînes de montagnes à traverser pour vous donner une idée des côtes à monter (et à descendre!). Règle générale, les côtes sont longues et douces, certaines sont courtes et à pic. Ailleurs le terrain est normalement vallonné ou plat.

Situé à 384 km au nord d'Anchorage et à 192 km de Fairbanks, le Parc national Denali s'étand sur une superficie de plus de 24 millions de km². La seule route existante fait 136 km avec seulement les 20 premiers accessibles aux véhicules motorisés privés. Le reste ne peut être visité qu'en autobus ou … en vélo! Tout comme le Dempster Highway au Yukon, cette route vous offre des panoramas sans précédent. En plus du mont McKinley (6194 m — le plus haut sommet en Amérique du Nord), vous pouvez y voir plusieurs des 157 espèces d'oiseaux, des 37 espèces de mammifères et des 500 sortes de fleurs sauvages. De quoi perdre le souffle!

Les étés dans le parc sont généralement frais, pluvieux et venteux car le Mont McKinley crée ses propres conditions atmosphériques. Il y fait en moyenne de 2° à 20°C et il peut neiger à tous les mois de l'année. Donc apportez des vêtements chauds, en plus d'un insecticide, votre caméra et enfin vos jumelles, si vous avez de la place.

Il y a en tout 225 sites de camping dans le parc et il faut obtenir un permis de 14 jours. La demande est forte pour les permis et il est suggéré de faire la queue le matin pour avoir une chance. Finalement le monde inouï du parc Denali devient vôtre, surtout si vous avez choisi de vous y aventurer en vélo. La route est de terre battue avec montées et descentes spectaculaires à tous points de vue. Gardez les yeux ouverts, spécialement pour les caribous et les ours gris. Ces derniers n'aiment pas les photographes surtout quand ils sont trop près et ils détestent les cyclistes qui ont tendance à les surprendre.

Tout cela fait partie de l'aventure incroyable que vous réservent l'Alaska et le Yukon.

(Article de Louis Julien, publié dans le magazine *Vélo Mag*)

(s')aventurer	to venture	obtenir	to obtain
ailleurs	elsewhere	ours (m.)	bear
battu(e)	beaten	ouvert, ouverte	open
cachet (m.)	character	pédaler	to pedal
côte (f.)	slope	peine (f.)	trouble
court, courte	short	(à) pic	straight down
disponible	available	plat, plate	flat
donc	so	(la) plupart des gens	most people
doux, douce	soft	plusieurs	many
encore moins	even less	pluvieux, pluvieuse	rainy
époustouflant, ante	staggering	près	near
espérer	to hope	presque	almost
(s')étendre	to stretch out	propre	own
fort, forte	heavy	quelqu'un	someone
garder	to keep	sauvage	wild
goudronné(e)	paved	simplement	simply
gris, grise	gray	sommet (m.)	summit
incroyable	unbelievable	souffle (m.)	breath
inouï(e)	incredible	suivre	to follow
jumelles (f.)	binoculars	surtout	above all
lecteur, lectrice	reader	terre (f.)	land
mammifère (m.)	mammal	traverser	to cross
mettre	to put	vallonné(e)	undulating
montée (f.)	climb	venteux, venteuse	windy
moyenne (f.)	average	vôtre	yours

QUESTIONS

1. Nommez les deux itinéraires que propose l'auteur.
2. Où a-t-il pédalé?
3. Comment sont les routes principales? Et ailleurs?
4. Parlez du parc Denali. Où est-il situé? Sa superficie? Quels véhicules peuvent y accéder? Qu'est-ce qu'on y trouve? Comment est la température?
5. Que suggère-t-il d'apporter?
6. Combien de sites de camping y a-t-il?
7. Que faut-il obtenir d'abord? Pour combien de temps?
8. Comment sont les routes du parc?
9. Pourquoi faut-il garder les yeux ouverts?

SITUATIONS / CONVERSATIONS

1. Racontez un voyage que vous avez fait.

   Pourquoi êtes-vous allé(e) à cet endroit? Avec qui? Y êtes-vous allé(e) en avion, en train, en auto? Qu'est-ce que vous avez emporté? Qu'est-ce que vous avez visité? Quand êtes-vous parti(e) et revenu(e)? Qui avez-vous rencontré? etc.

2. Qu'avez-vous fait pendant vos vacances l'été dernier? L'hiver dernier?

   Réponses possibles: visiter un endroit, voir mes parents, faire des sports, aller à la mer, prendre du repos, faire du ski, faire un voyage, etc.

3. Quels pays ou quelles villes désirez-vous visiter et pour quelles raisons?

   Raisons: la montagne, la mer, la plage, le climat, la nature, les sites, les monuments, les restaurants, les sports, les vestiges des différentes civilisations, l'héritage national, la langue, les coutumes, le paysage, etc.

4. Racontez un incident désagréable qui vous est arrivé en voyage.

   Quand est-ce arrivé? À quel endroit? À quel moment? Qu'est-ce que vous avez fait ou dit?, etc.

5. Avez-vous déjà voyagé en avion, en bateau, en train? Racontez votre premier voyage.

6. De tous les moyens de transport, lequel préférez-vous et pour quelles raisons?

7. Qu'est-ce qu'une automobile représente pour vous?

   Est-elle une nécessité? À quoi sert-elle? Est-elle à l'image de votre personnalité?

8. Présentez-vous au comptoir d'Air Canada, du Canadien, de l'Autobus Voyageur, ou de la Compagnie transatlantique et achetez des billets pour un voyage. Un(e) étudiant(e) joue le rôle du / de la client(e); un(e) autre étudiant(e) le rôle de l'employé(e).

COMPOSiTiONS

1. Racontez un voyage exceptionnel que vous avez fait. Comment avez-vous voyagé? Avec qui? Qu'est-ce que vous avez visité?

2. Existe-t-il un pays où vous souhaitez vivre? Pour quelles raisons?

3. Imaginez une conversation entre deux passagers d'un vol aérien.

4. Racontez un accident que vous avez eu dans le passé.

PRONONCiATiON

(This exercise is at the end of Chapitre 9 on the tape.)

i. La voyelle nasale /ɛ̃/

The nasal vowel /ɛ̃/ is associated with the spellings **aim, ain, ein, eim, in, im, yn** and **ym**.

Répétez:

pain	vin	saint	syndicat
rein	mince	ceinture	indécis
daim	impur	symbole	plainte

It is also associated with the spelling **-en** after **é**, **i** or **y** and with the spelling **in** after **o**:

Répétez:

Européen	moyen	soin	tien
bien	loin	foin	sien
rien	coin	mien	citoyen

ii. Contraste /ɛ̃/ — /ɛ/

Répétez:

plein / pleine	mien / mienne	musicien / musicienne
vain / vaine	canadien / canadienne	européen / européenne
chien / chienne	américain / américaine	

Weblinks

Diaporama yukon **www.franco.ca/afy/diaporam.htm**

Groupe Québecois cyclotourisme **www.dunord.com/increvables/index.html**

Voyage Paris-Montréal à vélo **www.Novanor.QC.ca/benoithavard/**

Les routarnautes **www.club-internet.fr/routard/**

Expédition McKinley **pages.infinit.net/mckinley/index.htm**

Chapitre 10

Arts et spectacles

Thèmes

- Les arts et les spectacles
- Je décris une sortie en ville
- Mes activités quotidiennes
- Depuis quand et combien de temps je fais quelque chose

Lecture

Arts et spectacles

Grammaire

10.1 Les verbes pronominaux

10.2 Verbes pronominaux à sens idiomatique

10.3 Place et forme du pronom réfléchi

10.4 Place des pronoms objets avant le verbe

10.5 *Depuis* + présent de l'indicatif

10.6 Les adverbes

10.7 Les articles et la négation — rappel

VOCABULAiRE UTiLE

acteur, actrice	actor, actress	**concert** (m.)	concert
aquarelle (f.)	watercolour	**danse** (f.)	dance
art (m.)	art	**éloge** (m.)	praise
artiste (m./f.)	artist	**emprunter**	to borrow
ballet (m.)	ballet	**exposition** (f.)	exhibition, show
chanteur,		**faux, fausse**	false, wrong
chanteuse	singer	**feu** (m.)	traffic light
chef d'orchestre		**galerie** (f.)	gallery
(m.)	conductor	**goût** (m.)	taste
chevalet (m.)	easel	**jumeau, jumelle**	twin
chœur (m.)	choir	**musée** (m.)	museum
cinéma (m.)	cinema; movie theatre	**musicien,**	
		musicienne	musician

œuvre d'art (f.)	work of art	**rôle** (m.)	role, part
opéra (m.)	opera	**salle** (f.)	hall; theatre, cinema
orchestre (m.)	orchestra; band	**sous-titre** (m.)	subtitle
peindre	to paint	**spectacle** (m.)	show
peintre (m.)	painter	**succès** (m.)	success
peinture (f.)	painting	**sujet: au — de**	about
pièce (f.)	play	**tableau** (m.)	painting; board
pinceau (m.)	brush	**talent** (m.)	talent
prêter	to lend	**théâtre** (m.)	theatre
projeter (un film)	to project, to show	**tournée** (f.)	tour
public (m.)	audience, public	**variétés**	
rendre	to give back	**(spectacle de)**	variety show
répéter	to rehearse	**voisin, e** (m./f.)	neighbour
représentation (f.)	performance	**vrai(e)**	true

GRAMMAIRE ET EXERCICES ORAUX

10.1 Les verbes pronominaux

Pronominal verbs

Pronominal verbs are used with a reflexive pronoun which represents the same person or thing as the subject. The reflexive pronoun is placed before the verb and must agree with the subject: **me**, **te**, **se**, **nous**, **vous** are reflexive pronouns.

Here are the present indicative forms of **se laver** (to wash). Note the correspondences between subject pronouns and reflexive pronouns:

je me lave	I wash (myself)
tu te laves	you wash (yourself)
il se lave	he washes (himself)
elle se lave	she washes (herself)
on se lave	one washes (oneself)
nous nous lavons	we wash (ourselves)
vous vous lavez	you wash (yourself/yourselves)
ils se lavent	they wash (themselves)
elles se lavent	they wash (themselves)

The reflexive pronouns **me**, **te** and **se** become **m'**, **t'** and **s'** before a vowel sound: **je m'habille** (I get dressed). The reflexive pronoun is placed immediately before the verb in the negative and interrogative constructions as well:

Elle ne s'habille pas.

Se lave-t-elle?

The reflexive pronoun may be either the direct object or the indirect object of the verb. Compare:

	Nonreflexive construction	*Reflexive construction*
Direct object	Elle regarde la fleur.	Elle se regarde.
Indirect object	Il parle à Jean.	Il se parle.

Meaning of pronominal verbs

Pronominal verbs indicate that the action of the verb is reflected back upon the subject. With a singular or plural subject, the verb usually indicates *a reflexive* action:

Je me regarde.   I look at myself.

Il se parle.   He is talking to himself.

With a plural or compound subject, the verb may indicate *a reciprocal* action:

Alain et Suzanne se regardent.   Alain and Suzanne are looking at each other.

Nous nous parlons.   We talk to each other (one another).

Some regular -*er* pronominal verbs

s'arrêter	(to stop)	Il s'arrête au feu rouge.
se brosser	(to brush)	Elle se brosse les dents.
se coucher	(to go to bed)	Ils se couchent tôt.
s'habiller	(to dress)	Pierre s'habille bien.
s'inquiéter	(to worry)	Je m'inquiète parce qu'il est en retard.
se lever	(to get up)	Les enfants se lèvent tard le samedi.
se maquiller	(to put on make up)	Ma sœur se maquille beaucoup.
se peigner	(to comb)	Je me peigne les cheveux.
se préparer	(to get ready)	Je me prépare pour le concert.
se promener	(to take a walk)	Nous nous promenons dans la Place des Arts.
se rencontrer	(to meet)	Vous vous rencontrez en face du cinéma.
se reposer	(to rest)	Il se repose après son spectacle.
se ressembler	(to look alike)	Les jumeaux se ressemblent.
se téléphoner	(to phone)	Ils se téléphonent souvent.

 Note: All of these verbs are used in nonreflexive constructions as well. Similarly, many other verbs which have been presented so far may also be used pronominally.

EXERCICES · ORALEMENT

a. Remplacez les tirets par la forme correcte du verbe.

1. se lever tôt

Je _____ .

Elle _____ .

Vous _____ .

Ils _____ .

2. se coucher tard

Nous _____ .

Elles _____ .

Vous _____ .

Tu _____ .

3. s'habiller vite

Je _____ .

Tu _____ .

Ils _____ .

Nous _____ .

4. se peigner les cheveux

Vous _____ .

Tu _____ .

Il _____ .

Elle _____ .

5. se brosser les dents

Il _____ .

Tu _____ .

Nous _____ .

Vous _____ .

6. se préparer à partir

Je _____ .

Ils _____ .

Tu _____ .

Vous _____ .

b. Répondez aux questions.

1. Est-ce que tu te laves le matin?
2. Est-ce que nous nous reposons en vacances?
3. Vous préparez-vous pour l'examen?
4. Est-ce que les chats et les chiens s'aiment bien?
5. Est-ce que je me promène dans la classe?
6. Les étudiants se rencontrent-ils au cinéma?
7. Est-ce que nous nous téléphonons?
8. Est-ce que vous vous inquiétez à cause de l'examen?
9. Est-ce que Roméo et Juliette s'aiment?
10. Est-ce que tu te regardes souvent dans le miroir?
11. T'habilles-tu avec élégance?

c. Demandez à un(e) autre étudiant(e) s'il / si elle...

1. se lave.
2. se promène dans le parc.
3. s'habille chaudement.
4. se repose à midi.
5. s'arrête au feu rouge.
6. se prépare pour l'examen.
7. se promène avec vous.
8. se lève tôt.
9. s'inquiète au sujet de ses cours.
10. se maquille.

d. Répondez aux questions:

1. Où les étudiants se rencontrent-ils?
2. Pourquoi s'habille-t-on élégamment pour le concert?
3. Pourquoi se lave-t-on?
4. Quand est-ce que tu te laves?
5. Pourquoi t'inquiètes-tu?
6. Où te promènes-tu?
7. Quand est-ce que vous vous téléphonez, tes parents et toi?
8. Est-ce que tes parents s'inquiètent à cause de toi?
9. Est-ce que vous vous ressemblez, ton père et toi? ta mère et toi?
10. Est-ce que tu t'habilles à la mode?
11. Quand est-ce que tu te reposes?

10.2 Verbes pronominaux à sens idiomatique

A number of pronominal verbs do not indicate a reflexive or reciprocal action but have an idiomatic meaning. Some of these verbs only exist in the pronominal form, like **se méfier de** (to mistrust/to distrust) or **se souvenir de** (to remember). They may also be verbs whose pronominal form has a meaning which is different from their nonpronominal form:

aller	to go	**s'en aller**	to go away/to leave
appeler	to call	**s'appeler***	to be named
attendre	to wait	**s'attendre à**	to expect
entendre	to hear	**s'entendre avec**	to get along with
rendre	to give back	**se rendre à**	to go to
servir	to serve	**se servir de**	to use
trouver	to find	**se trouver**	to be located

EXERCICES • ORALEMENT

a. Répondez aux questions.

1. Est-ce que tu t'en vas après la classe?
2. Est-ce que tu t'appelles Marc?
3. Est-ce que tu t'appelles Sylvie?
4. Est-ce que je m'appelle Gaston?
5. Est-ce que tu t'entends avec tes parents?
6. Le chef d'orchestre s'entend-il bien avec les musiciens?
7. Les artistes s'entendent-ils bien ensemble?
8. Est-ce que vous vous rendez au théâtre après la classe?
9. Est-ce que tu te rends souvent à Montréal en train?
10. Est-ce que le public s'attend toujours à des miracles?
11. Est-ce que vous vous attendez à un spectacle intéressant?
12. Est-ce que tu te sers d'un pinceau?
13. Est-ce que je me sers du tableau?
14. Est-ce qu'on se sert de peinture pour une aquarelle?
15. Est-ce que l'acteur se sert de sa mémoire?
16. Est-ce que tu te souviens du chapitre un?
17. Est-ce que les vieux acteurs se souviennent de leur rôle?
18. Vous souvenez-vous de la première heure de cours?
19. Est-ce que tu te méfies de tout le monde?
20. Est-ce que les artistes se méfient des critiques?
21. Est-ce que le théâtre se trouve au centre-ville?

b. Demandez à un(e) autre étudiant(e) s'il / si elle...

1. s'entend bien avec les artistes.
2. se sert d'un ordinateur.
3. se souvient de sa première pièce de théâtre.
4. se rend chez lui / elle après la classe.
5. s'attend à un succès.
6. s'attend à avoir de bonnes notes.
7. s'appelle Honoré.
8. s'en va après la classe.
9. se rend au cinéma à pied.
10. se sert de son stylo.
11. se méfie des critiques.
12. s'attend à des éloges.
13. se souvient de la date de l'exposition.

* **S'appeler** may also have a reciprocal meaning, i.e., "Ils s'appellent au téléphone."(They call each other on the phone.)

C. Répondez aux questions:

1. De quoi te sers-tu pour peindre?
2. Où se trouve la bibliothèque?
3. Dans quelle ville se trouve la Place des Arts?
4. À quel genre de film est-ce que tu t'attends?
5. Avec qui t'entends-tu bien?
6. Avec qui est-ce que tu ne t'entends pas bien?
7. Est-ce que je me souviens de tous vos noms?
8. Comment s'appelle ton actrice favorite?
9. Comment est-ce que je m'appelle?
10. Comment t'appelles-tu?
11. De quoi nous servons-nous pour faire une aquarelle?
12. Où est-ce que tu te rends après la classe?

10.3 Place et forme du pronom réfléchi (suite)

When the pronominal verb is used in the affirmative imperative, the reflexive pronoun is placed after the verb. The reflexive pronoun **te** becomes **toi**. Compare:

Declarative	*Imperative*
Tu t'habilles.	Habille-toi.
Nous nous habillons.	Habillons-nous.
Vous vous habillez.	Habillez-vous.

When the verb is in the negative imperative, the reflexive pronoun remains before the verb:

Ne t'habille pas.   Ne nous habillons pas.   Ne vous habillez pas.

When the pronominal verb is used in the infinitive form after another conjugated verb, the reflexive pronoun must agree with the subject of that verb:

Je dois m'habiller.	Nous voulons nous promener.
Tu dois te laver.	Vous pouvez vous reposer.
Il aime se regarder.	Ils veulent se téléphoner.
Elle ne veut pas s'en aller.	Elles ne peuvent pas s'arrêter.
On doit se préparer.	

EXERCICES • ORALEMENT

a. Dites à un(e) autre étudiant(e) de...

Modèles: s'en aller.

Va-t'en.

ne pas s'inquiéter.

Ne t'inquiète pas.

1. s'attendre à des difficultés.
2. se servir d'un microphone.
3. ne pas s'arrêter.
4. ne pas s'en aller.
5. se rendre au concert.
6. ne pas s'attendre à des miracles.
7. se mettre au travail.
8. se trouver au théâtre à six heures.
9. se préparer à une surprise.
10. ne pas se servir de vos pinceaux.
11. se promener avec son chien.
12. se reposer.
13. ne pas se laver maintenant.

b. Demandez à un(e) autre étudiant(e) s'il / si elle...

   Modèle: veut s'en aller.
   Veux-tu t'en aller?

1. doit se rendre au musée.
2. aime se servir d'un ordinateur.
3. déteste se costumer.
4. espère pouvoir se reposer.
5. doit se préparer pour un concert.
6. sait se servir d'un pinceau.
7. peut se souvenir de la date du ballet.
8. compte se rendre à Montréal bientôt.
9. aime s'habiller à la mode.

10.4 Place des pronoms objets avant le verbe

Direct and indirect object pronouns along with **y** and **en** may be used in various combinations before a verb. The sequence in which they are placed is the following:

me	+	le	+	lui	+	y	+	en
te		la		leur				
se		les						
nous								
vous								

Exemples: Il *me* rend *mon livre*. ⟶ Il *me le* rend.
Il *lui* rend *son livre*. ⟶ Il *le lui* rend.
Il y a *des livres* ici. ⟶ Il y en a ici.
Je *leur* donne *des livres*. ⟶ Je *leur en* donne.

In the negative, **ne** precedes the pronouns which precede the verb:

   Il **ne** nous le donne pas.

In a question using inversion, the pronouns also precede the verb:

   Vous les donne-t-il?

When an infinitive follows another conjugated verb, the pronouns precede the infinitive:

   Elle veut **me les** donner.

When the verb is in the **passé composé**, the pronouns precede the auxiliary verb:

   Il ne **m'en** a pas donné.
   Nous **le lui** avons prêté.

EXERCICES · ORALEMENT

a. Répondez aux questions d'après le modèle.

Modèle: Est-ce que tu me rends <u>mon livre</u>?
Oui, je te le rends.

1. Est-ce que tu lui donnes <u>ton livre</u>?
2. Est-ce que tu lui donnes <u>le tableau</u>?
3. Est-ce que tu lui donnes les <u>billets de théâtre</u>?
4. Est-ce que tu leur prêtes <u>ton violon</u>?
5. Est-ce que tu leur prêtes <u>ton ordinateur</u>?
6. Est-ce que tu leur prêtes <u>tes costumes</u>?
7. Est-ce que tu me rends <u>ma cravate</u>?
8. Est-ce que tu me rends <u>mon pinceau</u>?
9. Est-ce que tu me rends <u>mes disques</u>?
10. Est-ce que tu nous rends <u>nos magazines</u>?
11. Est-ce que tu nous rends <u>notre voiture</u>?
12. Est-ce que tu nous rends <u>nos photographies</u>?
13. Est-ce que tu le prêtes <u>à Serge</u>?
14. Est-ce que tu le donnes <u>à Monique</u>?
15. Est-ce que tu le vends <u>aux Archambault</u>?
16. Est-ce que tu la rends <u>aux danseurs</u>?
17. Est-ce que tu les donnes <u>aux musiciens</u>?

b. Même exercice.

Modèle: Est-ce que tu lui as prêté <u>la voiture</u>?
Oui, je la lui ai prêtée.

1. Est-ce que tu leur as prêté <u>le cahier</u>?
2. Est-ce que tu leur as prêté <u>le pinceau</u>?
3. Est-ce que tu leur as prêté <u>tes tambours</u>?
4. Est-ce que tu lui as donné <u>les billets</u>?
5. Est-ce que tu lui as donné <u>le film</u>?
6. Est-ce que tu lui as donné <u>ta flûte</u>?
7. Est-ce que tu m'as prêté <u>ta caméra</u>?
8. Est-ce que tu m'as prêté <u>tes disques</u>?
9. Est-ce que je t'ai emprunté <u>ton livre</u>?
10. Est-ce que je t'ai emprunté <u>tes pinceaux</u>?
11. Est-ce que tu les as prêtés <u>à Jean</u>?
12. Est-ce que tu les as donnés <u>aux chanteurs</u>?
13. Est-ce que tu les as empruntés <u>aux Brault</u>?
14. Est-ce que tu les as vendus <u>à Réjeanne</u>?

c. Même exercice.

Modèle: Est-ce que tu leur donnes <u>beaucoup d'argent</u>?
Oui, je leur en donne beaucoup.

1. Est-ce que tu lui empruntes <u>de l'argent</u>?
2. Est-ce que tu lui empruntes <u>beaucoup d'argent</u>?
3. Est-ce que tu lui donnes <u>assez d'argent</u>?
4. Est-ce que tu lui donnes <u>de l'argent</u>?
5. Est-ce que tu lui sers <u>du vin</u>?
6. Est-ce que tu lui sers <u>de la bière</u>?
7. Est-ce que tu lui donnes <u>des cassettes</u>?
8. Est-ce que tu leur prêtes <u>des photographies</u>?
9. Est-ce que tu lui empruntes <u>un livre</u>?
10. Est-ce que tu lui vends <u>une sculpture</u>?
11. Est-ce que tu lui prépares <u>deux sandwiches</u>?
12. Est-ce que tu leur donnes <u>trois chèques</u>?
13. Est-ce que tu lui parles <u>de tes problèmes</u>?
14. Est-ce que tu leur parles <u>de tes projets</u>?

15. Est-ce que tu lui as donné <u>des conseils</u>?
16. Est-ce que tu leur as servi <u>du champagne</u>?
17. Est-ce que tu lui as emprunté <u>de la peinture</u>?
18. Est-ce que tu lui as prêté <u>un peu d'argent</u>?
19. Est-ce que tu leur as acheté <u>un piano</u>?
20. Est-ce que tu leur as acheté <u>une guitare</u>?
21. Est-ce que tu leur as vendu <u>des tableaux</u>?
22. Est-ce qu'il y a <u>de l'eau</u>?
23. Est-ce qu'il y a <u>du vin</u>?
24. Est-ce qu'il y a <u>des comédiens</u>?
25. Est-ce qu'il y a beaucoup <u>de comédiennes</u>?
26. Est-ce qu'il y a <u>trois représentations</u>?

d. Même exercice.

> *Modèle:* Veux-tu m'emprunter <u>de l'argent</u>?
>
> *Oui, je veux t'en emprunter.*

1. Vas-tu me vendre <u>des cassettes</u>?
2. Vas-tu me servir <u>du café</u>?
3. Veux-tu me prêter <u>de l'argent</u>?
4. Veux-tu lui donner <u>un tableau</u>?
5. Dois-tu leur donner <u>des livres</u>?
6. Dois-tu leur donner <u>de l'argent</u>?
7. Peux-tu me prêter <u>un pinceau</u>?
8. Peux-tu nous acheter <u>des journaux</u>?

e. Même exercice.

> *Modèle:* Veux-tu me donner <u>ta bicyclette</u>?
>
> *Oui, je veux te la donner.*

1. Peux-tu me passer <u>ton stylo</u>?
2. Veux-tu me prêter <u>tes souliers</u>?
3. Vas-tu lui acheter <u>cette radio</u>?
4. Est-ce que je vais vous rendre <u>vos devoirs</u>?
5. Est-ce que tu peux me prêter <u>tes instruments</u>?
6. Est-ce que vous devez me donner <u>vos compositions</u>?
7. Est-ce que tu dois leur rendre <u>ces costumes</u>?
8. Est-ce que tu veux me vendre <u>la sculpture</u>?
9. Est-ce que tu vas nous vendre <u>tes cassettes</u>?
10. Est-ce que tu vas leur vendre <u>cette statue</u>?

10.5 *Depuis* + présent de l'indicatif

The present tense is used in conjunction with the preposition **depuis** to indicate that an action or condition began in the past and is still going on in the present. This corresponds to the use of the present perfect with "since" and "for" in English.

1) **Depuis quand?** (Since when/How long)

The preposition **depuis** may be followed by an expression which indicates the point in time when the action or condition began: it then has the meaning of "since." **Depuis quand** is used in a question which would elicit such an answer:

Depuis quand est-il malade? — Depuis mardi.

Since when has he been sick? — Since Tuesday.

Nous étudions le français depuis le mois de septembre.

We have been studying French since September.

2) **Depuis combien de temps?** (How long/For how long)

Depuis may also be followed by an expression indicating the length of time during which the action or condition has been going on. In this instance, its meaning corresponds to "for." **Depuis combien de temps** is used in the corresponding question:

Depuis combien de temps travaille-t-il?
— Depuis deux ans.

How long has he been working?
— For two years.

Il est malade depuis une semaine.

He has been sick for a week.

EXERCICES • ORALEMENT

a. Répondez aux questions d'après le modèle.

Modèle: Depuis quand es-tu ici? (hier)
Je suis ici depuis hier.

1. Depuis quand sommes-nous dans la salle de théâtre? (10 h 30)
2. Depuis quand étudies-tu la musique? (septembre)
3. Depuis quand fais-tu du piano? (1990)
4. Depuis quand est-ce que tu joues ce rôle? (l'an dernier)
5. Depuis quand est-il malade? (dimanche)
6. Depuis quand sortent-ils ensemble? (le commencement des cours)

b. Répondez aux questions d'après le modèle.

Modèle: Depuis combien de temps sommes-nous dans la classe? (une demi-heure)
Nous sommes dans la classe depuis une demi-heure.

1. Depuis combien de temps fait-il froid? (deux semaines)
2. Depuis combien de temps pleut-il? (trois jours)
3. Depuis combien de temps as-tu mal à la tête? (10 minutes)
4. Depuis combien de temps est-ce que je parle? (une heure)
5. Depuis combien de temps vas-tu à l'académie de danse? (six mois)
6. Depuis combien de temps est-ce qu'elle s'habille? (une demi-heure)
7. Depuis combien de temps est-il dans la salle de bain? (20 minutes)
8. Depuis combien de temps est-ce qu'il est pianiste? (3 mois)
9. Depuis combien de temps sont-ils là? (5 jours)

C. Voilà la réponse. Posez la question appropriée, soit avec *depuis quand*, soit avec *depuis combien de temps*:

1. Il a le rôle depuis trois jours.
2. Nous nous promenons depuis ce matin.
3. Elle se repose depuis dix minutes.
4. Ils s'aiment depuis dix ans.
5. Je fais de la fièvre depuis samedi.
6. Elle regarde la télé depuis cet après-midi.
7. Il fait de la danse depuis un mois.
8. Elle se prépare depuis deux heures.
9. Il est en tournée depuis l'an dernier.
10. Nous travaillons dans cette troupe depuis 1975.
11. Ils se promènent depuis dix heures du matin.
12. Il dort depuis hier soir.
13. Elle répète depuis une demi-heure.
14. Je joue aux échecs depuis six mois.
15. Nous étudions la comédie depuis septembre.

10.6 Les adverbes

Formation

1) Many adverbs are formed by adding **-ment** to adjectives according to the following rules:
Add **-ment** to the *feminine* form of the adjective if its masculine form ends in a consonant:

fier	fière	fièrement
général	générale	généralement
habituel	habituelle	habituellement
heureux	heureuse	heureusement
long	longue	longuement
réel	réelle	réellement

Add **-ment** to the *masculine* form of the adjective if it ends in a vowel:

facile	facilement	pratique	pratiquement
ordinaire	ordinairement	vrai	vraiment

If the masculine form of the adjective ends in **-ant** or **-ent**, replace those endings with **-amment** and **-emment**:

constant	constamment	récent	récemment

2) A number of frequently used adverbs are not formed from adjectives:

assez	là (*there*)	tard (*late*)
beaucoup	mal (*badly*)	tôt (*early*)
bien (*well*)	même (*even*)	toujours (*always*)
déjà (*already*)	peu	très (*very*)
encore (*still/yet*)	presque (*almost*)	trop
enfin (*finally*)	quelquefois (*sometimes*)	vite (*quickly*)
ici (*here*)	souvent (*often*)	

Position in the sentence

1) When adverbs modify a verb in a simple tense, such as the present, the adverb immediately follows the verb (or **pas** in the negative):

> Il ne va pas souvent au cinéma.
> Il va quelquefois au théâtre.
> Elle parle constamment en classe.

When the verb is in a compound tense, such as the **passé composé**, short adverbs are placed between the auxiliary verb and the past participle, but adverbs in **-ment** are often placed after the past participle:

> Il a presque terminé.
> Nous sommes déjà allés chez eux.
> Elle a répondu poliment.

2) Adverbs modifying an adjective or another adverb are placed immediately before the word they modify:

> Il est très fatigué.

3) Adverbs modifying a whole sentence are placed at the beginning or at the end of the sentence:

> Heureusement, il ne nous a pas vus.

EXERCICES · ORALEMENT

a. Voici le masculin de l'adjectif. Formez l'adverbe correspondant.

> actif; nouveau; malheureux; doux; rationnel; pénible; certain; énergique; grand; ancien; généreux; joli; sérieux; exceptionnel; attentif; constant; ardent

b. Formez les adverbes et insérez-les dans les phrases.

1. Jean-Louis joue au Grand Théâtre. (habituel)
2. Vous jouez du piano. (merveilleux)
3. Ils ont oublié leur texte. (complet)
4. Il a choisi de nouveaux acteurs. (final)
5. L'orchestre a acheté de nouveaux instruments. (heureux)
6. Charlotte aime le jazz. (réel)
7. Elle parle de son spectacle. (abondant)
8. Elle joue le même rôle. (constant)
9. Nous comprenons votre position. (absolu)
10. Nous apprécions votre critique. (véritable)

c. Insérez l'adverbe entre parenthèses dans la phrase, à la place appropriée:

1. Elle se lave le matin. (toujours)
2. Ils s'entendent avec leurs camarades. (bien)

3. Nous avons fini nos exercices. (presque)   7. Il compose une nouvelle pièce. (encore)
4. Je suis allé(e) à la montagne. (souvent)   8. Je vais au théâtre (souvent)
5. Est-ce que tu joues aux échecs? (encore)   9. Il vient à l'opéra. (quelquefois)
6. J'ai dormi la nuit dernière. (trop)   10. Il joue ce rôle. (mal)

10.7 Les articles et la négation — rappel

When a verb is in the negative, remember to apply the following rules concerning the articles which precede the direct object:

1) The definite articles **le**, **la**, **les** do not change:

Prends <u>la</u> serviette.   Ne prends pas <u>la</u> serviette.
Il écoute <u>les</u> musiciens.   Il n'écoute pas <u>les</u> musiciens.

2) The indefinite articles **un**, **une**, **des** and the partitive articles **du**, **de la**, **de l'**, **des** all become **de**:

Il mange <u>un</u> sandwich.   Il ne mange pas <u>de</u> sandwich.
Elles vendent <u>des</u> livres.   Elles ne vendent pas <u>de</u> livres.
Il a apporté <u>du</u> vin.   Il n'a pas apporté <u>de</u> vin.
Il y a <u>de</u> l'eau ici.   Il n'y a pas <u>d'</u>eau ici.

This change does not occur after **être**:

C'est <u>un</u> acteur remarquable.   Ce n'est pas <u>un</u> acteur remarquable.
C'est <u>de la</u> folie.   Ce n'est pas <u>de la</u> folie.

EXERCiCE • ORALEMENT

Mettez à la forme négative:

1. Elle m'a emprunté de l'argent.   8. Allons écouter un concert.
2. Je pense acheter des billets pour   9. Elle admire l'ami de Pierre.
   cette pièce.   10. Marc m'a prêté un disque de jazz.
3. Tu vas nous apporter un tableau.   11. Il faut manger de la viande.
4. Mon père veut me payer un piano.   12. Ce sont des artistes bizarres.
5. Elle fait du théâtre depuis un an.   13. Elle porte un costume du 17e siècle.
6. Je connais une pièce moderne.   14. J'aime faire des cadeaux à mes amis.
7. C'est un comédien célèbre.

EXERCICES ÉCRITS

a. Insérez le pronom réfléchi qui convient:

1. Nous _____ reposons pendant la fin de semaine.
2. Servez- _____ d'un ordinateur.
3. Nous _____ rencontrons à cinq heures.
4. Ne _____ inquiète pas!
5. Souviens- _____ de notre rendez-vous.
6. Elle _____ promène avec son chien.
7. Alain et Suzanne _____ entendent bien ensemble.

b. Répondez aux questions par des phrases complètes:

1. Est-ce qu'on s'arrête à un feu rouge?
2. Est-ce que tu t'inquiètes pour ton avenir?
3. Où est-ce que tu te promènes?
4. Comment t'appelles-tu?
5. Est-ce que tu te rends souvent à Calgary?
6. Où se trouve le cinéma?
7. Te sers-tu d'une calculatrice pour faire une addition?
8. Est-ce que tu t'attends à réussir à tes examens?
9. Est-ce que la trompette et le tuba se ressemblent?
10. Est-ce que tu te laves le matin?

c. Remplacez les tirets par le verbe pronominal approprié. Laissez le verbe à l'infinitif mais mettez le pronom à la forme qui convient.

Verbes: se servir, se promener, se reposer, s'attendre, s'en aller, s'aimer, se rencontrer, s'habiller, s'entendre

1. Quand on est fatigué, on doit _____ .
2. Pour peindre, j'aime _____ d'un pinceau.
3. Nous allons _____ demain pour en parler ensemble.
4. Elle veut _____ à la dernière mode.
5. As-tu envie de _____ dans le bois?
6. Si tu ne pratiques pas, tu dois _____ à de fausses notes.
7. Je préfère _____ avec tout le monde, même avec des gens difficiles.
8. Comme tous les amoureux, vous espérez _____ toute votre vie.
9. Il est tard: je dois _____ .

d. Remplacez les mots soulignés par des pronoms.

Modèle: Il n'a pas prêté <u>sa voiture à Pierre</u>.
Il ne la lui a pas prêtée.

1. Mon ami m'a rendu <u>deux livres</u>.
2. Il offre <u>un cadeau à ses parents</u>.
3. Elle achète <u>ses costumes à Montréal</u>.
4. Je vous ai prêté <u>ma caméra</u>.
5. Lui as-tu emprunté <u>de l'argent</u>?
6. Il n'a pas répondu <u>à son maître</u>.
7. Elles doivent me rendre <u>ma voiture</u>.
8. Tu dois la rendre <u>à Jean</u> demain.
9. Mon père va m'acheter <u>une flûte</u>.
10. Ses amies lui donnent <u>le billet</u>.

e. Répondez aux questions par des phrases complètes:

1. Depuis quand étudiez-vous la trompette?
2. Depuis combien de temps allez-vous au Conservatoire?
3. Depuis quand habitez-vous dans cette ville?
4. Depuis combien de temps le jazz existe-t-il?

f. Complétez les phrases:

1. Depuis un an, je…
2. Je fais du ballet depuis…
3. Nous n'avons pas vu de bon film depuis…
4. Depuis une heure, la chanteuse…
5. Depuis six mois, je…

g. Formez un adverbe et mettez-le dans la phrase.

Modèle: Nous avons fini notre travail. (entier)
Nous avons entièrement fini notre travail.

1. Elle a oublié l'heure. (complet)
2. Nous nous sommes mis à la tâche. (rapide)
3. Il nous a parlé de son rôle. (fréquent)
4. Les émissions de télévision sont intéressantes. (exceptionnel)
5. Elle répète une pièce. (pénible)
6. Ce film nous a impressionnés. (réel)
7. Ils n'ont pas répété la pièce. (suffisant)
8. Elles lui en ont parlé. (long)
9. Ils se téléphonent. (continuel)
10. Sa carrière d'acteur a été difficile. (malheureux)

h. Mettez à la forme négative:

1. Il a pris la clarinette.
2. Le chat joue du piano.
3. Ce sont des émissions intéressantes.
4. Il y a des flûtistes dans l'orchestre symphonique.
5. Ma voisine a acheté une aquarelle.
6. Cet enfant a du talent.
7. Il fait du soleil depuis trois jours.
8. C'est un tableau fascinant.

Lecture Lecture Lecture

Arts et spectacles

Théâtre

Filiatrault éclairée

On peut s'étonner de voir Denise Filiatrault, la fée des comédies virevoltantes, aborder Musset, le chevalier du romantisme français. À 60 ans, elle continue de se provoquer elle-même, quelle santé! Dans *Le Chandelier*, comédie de mœurs tendre, on s'aime, on se hait, on se déchire, on se désire, on vit quoi! Le Théâtre populaire du Québec entreprend avec cette pièce sa plus importante tournée panquébécoise, du 31 janvier au 23 mars.

Concerts

Deux fois Ton Koopman

Organiste, claveciniste, musicologue et chef de forte stature, fondateur de l'Orchestre baroque d'Amsterdam, Ton Koopman dirige solistes, chœur et orchestre du Studio de Musique ancienne de Montréal dans des motets de Charpentier et Rameau, le 29 janvier, en l'église Notre Dame-du-Très-Saint-Sacrement, à Montréal; le 2 février, à l'Erskine & American

United Church, aussi à Montréal, il montre ce qu'il sait faire au clavecin: des merveilles.

Jeune public

Ici Ados

L'autonomie, l'affirmation de soi et la tolérance sont la chair de *Jusqu'aux os!* du Théâtre Le Clou. Vidéo, peinture en direct, chansons et poésie y copinent. Spectacle d'une heure pour les 15 ans et plus. Maison-Théâtre, à Montréal, du 8 au 18 février.

Danse

Union Jack

On ne soulignera jamais assez l'audace et la pertinence de chacune des saisons de danse du Centre national des Arts, établies depuis quelques années par Jack Udashkin. Ainsi, en février seulement, trois coups de cœur: Momix, une troupe acrobatix, surréaliste et drôle; STOMP, un groupe de percussionnistes "démolisseurs" pour qui le rythme passe par des poubelles, des barils d'huile et des éviers; Margie Gillis, la belle soliste préoccupée par les angoisses humaines… À Ottawa, respectivement les 1er, 18 et 25 février.

Expositions

Gauguin avec groupe

Gauguin a dit: "J'ai voulu établir le droit de tout oser." En 1883, il abandonne son emploi, sa femme et ses enfants pour se consacrer à son art. À Pont-Aven, en Bretagne, il fait la rencontre d'Émile Bernard et d'autres artistes passés à la postérité sous la bannière de l'école de Pont-Aven. Le Musée des beaux-arts de Montréal présente une centaine d'œuvres du groupe sous influence. Du 9 février au 9 avril.

Cinéma

Béguin pour Bujold

L'une des rares actrices québécoises à avoir réussi sur la scène internationale, Geneviève Bujold s'est payé le luxe de refuser un rôle-clé dans Star Trek. En regardant sa filmographie, on se rend compte qu'elle est toujours restée fidèle aux siens, par exemple à Michel Brault et à Paul Almond. Elle fonctionne au béguin, pas au plan de carrière. C'est déjà une bonne raison de l'aimer. Sa façon de jouer, avec ses écorchures et ses doutes, en est une autre. Geneviève Bujold et ses personnages, plus de 30 films projetés à la Cinémathèque québécoise, à Montréal, entre les 11 et 28 février.

Variétés

Desjardins fertile

De retour avec son groupe de la première heure, Abbittibbi, Richard Desjardins pète la forme: drôle, griffu, intelligent. Voix rocailleuse, tête chercheuse, chansons gifles et quelques caresses. "Chaude était la nuit", Spectrum de Montréal, le 22 février; Grand Théâtre de Québec, le 4 mars.

Opéra

Le hit de Puccini

Pour de nombreux amateurs, *La Bohême* représente la cime de Puccini, car la gaieté y trône avec les larmes. Dans la production de l'Opéra de Montréal, Lyne Fortin chante la Mimi aux mains glacées et au cœur bouillant, et Robert Brubaker le poète Rodolfo, beau parleur, piètre faiseur… En italien avec surtitres français et anglais. Salle Wilfrid-Pelletier, à Montréal, les 18, 20, 23, 25 février, 1er et 4 mars.

Jazz

La recette de Ranee Lee

Ranee Lee a été danseuse, joueuse de batterie et saxophoniste avant que cette voix-là et cette joyeuse fougue-là tombent d'accord pour faire *du chant jazz*. Elle donne un récital dont la recette servira au fonctionnement de Saison Jazz Montréal, organisme sans but lucratif qui veut mettre en valeur les talents du Québec. Encouragement. Gesù. Montréal, le 15 février.

(Extraits de la chronique "L'agenda d'André Ducharme", dans *L'actualité* de février 1995)

aborder	to tackle	**compte:**	
ados (m. pl.) (adolescents)	teenagers	**se rendre —**	to realize
		(se) consacrer	to devote oneself
angoisse (f.)	anguish, anxiety	**copiner**	to be like friends, to rub shoulders
audace (f.)	daring		
baril (m.)	barrel	**coup de cœur** (m.)	infatuation; instant liking
batterie (f.)	drums, percussion		
béguin: avoir le — pour	to have a crush on	**(se) déchirer**	to tear each other apart
bouillant, ante	fiery	**diriger**	to direct
centaine (f.)	a hundred or so	**droit** (m.)	right
chair (f.)	flesh	**drôle**	funny
chandelier (m.)	candlestick; candelabra	**écorchure** (f.)	scratch; torment
		église (f.)	church
chevalier (m.)	knight	**entreprendre**	to start, to set out on
cime (f.)	peak, height		
clavecin (m.)	harpsichord	**établie**	established
clé (f.)	key	**(s')étonner**	to be surprised, to wonder
cœur (m.)	heart		

évier (m.)	sink	**os** (m.)	bone
façon (f.)	way	**oser**	to dare
fée (f.)	fairy	**piètre**	mediocre
fidèle	faithful	**poubelle** (f.)	garbage can
fois: deux —	twice	**recette** (f.)	recipe; takings;
fondateur, trice	founder		success
forme: péter la —	to be in great shape	**rencontre: faire**	
fougue (f.)	ardour, spirit	**la — de**	to meet
gifle (f.)	slap	**réussir**	to succeed
glacé(e)	icy	**rocailleux, euse**	harsh, grating
griffu(e)	with claws	**siens** (m.pl.)	one's own people
groupe (m.)	band	**soi**	self
haïr	to hate	**souligner**	to stress
huile (f.)	oil	**tête chercheuse** (f.)	homing device
ici	here		(seeking, inquiring
jusqu'à	(all the way) to		mind)
larme (f.)	tear	**tomber d'accord**	to agree, to come to
luxe: se payer	to allow oneself the		an agreement
le — de	luxury of	**tournée** (f.)	tour
merveille (f.)	marvel, wonder	**trôner**	to be on the throne
montrer	to show what one	**valeur: mettre**	
(ce qu'on	can do	**en —**	to promote
sait faire)		**virevoltant(e)**	pirouetting
mœurs: comédie		**vivre**	to live
de —	comedy of manners		
organisme sans	non-profit		
but lucratif (m.)	organization		

QUESTIONS

1. Que fait Denise Filiatrault? Pourquoi est-ce surprenant? Où peut-on voir la pièce *Le Chandelier*?

2. En quoi vont consister les deux concerts de Ton Koopman?

3. Est-ce que *Jusqu'aux os!* est une pièce de théâtre?

4. Qu'est-ce qui caractérise chacun des trois spectacles de danse?

5. Qu'est-ce que l'école de Pont-Aven?

6. Qu'est-ce qui motive Geneviève Bujold dans le choix de ses films? Donnez-en un exemple.

7. Qui est Richard Desjardins et quel est son style?

8. Pourquoi l'opéra *La Bohême* est-il considéré le chef-d'œuvre de Puccini? Quelles contradictions montrent les personnages?

9. Que combine Ranee Lee dans son récital? Quel est l'objectif de Saison Jazz Montréal?

10. Parmi toutes les possibilités présentées dans le texte, quelle sortie choisissez-vous et pourquoi?

SiTUATiONS / CONVERSATiONS

1. Vous voulez sortir en groupe. L'un(e) de vous veut aller au cinéma, un(e) autre veut aller à un concert de musique classique, un(e) autre encore veut aller au théâtre ou dans un club de jazz ou dans une discothèque, etc. Présentez des arguments pour justifier votre choix (les qualités uniques du spectacle que vous choisissez, la médiocrité des autres, etc.).

2. Parlez d'un film récent que vous avez aimé: la mise en scène; le jeu des acteurs; la photographie; l'histoire; les qualités comiques, dramatiques, sentimentales; l'imagination; la valeur psychologique, sociologique ou simplement humaine.

3. Décrivez votre tableau préféré. Qui est le peintre? Parlez de la composition, des couleurs, du sujet.

4. *Dans un bar, un café, une discothèque.* Vous faites la connaissance d'une jeune femme ou d'un jeune homme qui vous intéresse. Faites la conversation.

5. Vous êtes à Montréal en visite. Vous ne connaissez pas la ville, mais vous y avez un(e) ami(e). Demandez-lui des conseils: où aller pour visiter des expositions, écouter de la musique, danser?

> *Exemple:* TON AMI(E): *Qu'est-ce que tu veux faire?*
> TOI: *Je veux écouter de la musique.*
> TON AMI(E): *Quel genre de musique?*
> TOI: *Du jazz. Tu connais un bon club où il y en a?*
> TON AMI(E): *Oui, j'en connais certains.*
> TOI: *Je cherche un endroit où il n'y a pas trop de monde et où ce n'est pas trop cher.*
> TON AMI(E): *Alors, va dans ce petit bar qui se trouve rue Saint-Denis.*
> TOI: *Est-ce que c'est loin?*
> TON AMI(E): *Non, tu peux y aller à pied.*

COMPOSiTiONS

1. Vous avez visité un musée d'art. Racontez votre visite et parlez des œuvres que vous avez admirées et qui vous ont impressionné(e).

2. Êtes-vous amateur de théâtre? de ballet? de cinéma? de musique? Exposez vos goûts, vos préférences. Allez-vous souvent au spectacle?

3. Décrivez un bar, un café ou une discothèque que vous aimez: le décor, la clientèle, l'ambiance.

PRONONCiATiON

(This exercise is at the end of Chapitre 10 on the tape.)

i. Le son a (/a/)

Répétez d'après le modèle:

amour	arme	patte	voyage	banal
ami	appeler	rate	visage	final
adolescent	amener	date	arabe	terminal
agacer	année	chatte	salade	rural
abri	assis	latte	macabre	festival

ii. Le r final

Répétez d'après le modèle:

1.	bar	fard	marc	retard
	car	part	gare	départ
	dard	lard	rare	hasard
2.	partir	finir	choisir	ouvrir
	sortir	réfléchir	offrir	jaunir
3.	mort	dors	port	encore
	bord	sors	tort	adore
4.	mur	dur	bure	parure
	pur	sur	cure	hachure
5.	pour	jour	amour	détour
	tour	sourd	toujours	rebours
6.	peur	sœur	laideur	rameur
	cœur	beurre	horreur	chanteur

Weblinks

Centre d'art comtemporain Montréal **www.odyssee.net/~ciac/magazine.html**

Cirque du Soleil **www.cirquedusoleil.com/fr/index_main.html**

Voir Magazine **www.voir-quebec.qc.ca/**

Place des Arts **www.pda.qc.ca/**

Chapitre 11

Les jeunes et la vie

Thèmes

- Les jeunes et l'avenir
- J'exprime mon opinion sur la vie
- L'éducation, l'amour, le mariage et les enfants

Lecture

Les jeunes et la vie

Grammaire

11.1 Le comparatif de l'adjectif

11.2 Le superlatif de l'adjectif

11.3 Le verbe irrégulier *voir*

11.4 Le verbe irrégulier *croire*

11.5 Le passé composé des verbes pronominaux

11.6 Quelques autres verbes pronominaux

VOCABULAiRE UTiLE

amoureux (m. pl.)	lovers	**être humain** (m.)	human being
bâtiment (m.)	building	**fatigant, ante**	tiring
bonheur (m.)	happiness	**femme d'affaires** (f.)	businesswoman
cassé(e)	broken	**guerre** (f.)	war
ciel (m.)	sky	**haut(e)**	high
campagne (f.)	countryside	**homme d'affaires** (m.)	businessman
conquête (f.)	conquest	**impressionnant,**	
coup de foudre		**ante**	impressive
(m.)	love at first sight	**lune** (f.)	moon
coûter	to cost	**lac** (m.)	lake
dauphin (m.)	dolphin	**malchanceux,**	
dieu (m.)	god	**malchanceuse**	unlucky
douche (f.)	shower	**mari** (m.)	husband
enfance (f.)	childhood	**mondial(e)**	world-wide

musclé(e)	muscular	**pollué(e)**	polluted
myope	short-sighted	**préparatif** (m.)	preparations
natation (f.)	swimming	**remède** (m.)	medication,
nombreux, nombreuse	numerous		remedy
nourrissant, e	nutritious	**rose**	pink
nourriture (f.)	food	**sage**	wise
parfois	sometimes	**singe** (m.)	monkey
pays (m.)	country	**sorcière** (f.)	witch
pêche (f.)	fishing; peach	**soucoupe** (f.)	saucer
perdrix (m.)	partridge	**Tiers-Monde** (m.)	Third World
pièce (f.)	room	**vie** (f.)	life

GRAMMAIRE ET EXERCICES ORAUX

11.1 Le comparatif de l'adjectif

Comparative of superiority

The comparative of superiority in English is formed by using "more" before the adjective or by adding the suffix **-er** to the adjective (warmer). In French, only one structure is used: the adverb **plus** is placed before the adjective and **que** follows it:

> Paul est un garçon <u>plus</u> gentil <u>que</u> René.
> Un chimpanzé est <u>plus</u> intelligent <u>qu'</u>un chien.

Bon (good) has an irregular comparative form which is the equivalent of "better": **meilleur, meilleure, meilleurs, meilleures**.

> Le champagne est <u>meilleur que</u> la bière.
> Suzanne a une <u>meilleure</u> voiture <u>que</u> Lucie.

Bon marché (inexpensive) also has an irregular comparative form which is invariable: **meilleur marché**.

> Cette robe est <u>meilleur marché que</u> ton pantalon.

Comparative of equality: *aussi... que* (as ... as)

> Il est devenu <u>aussi</u> grand <u>que</u> son père.
> La politique est-elle <u>aussi</u> importante <u>que</u> l'économie?

Comparative of inferiority: *moins... que* (less ... than)

Les enfants sont <u>moins</u> inhibés <u>que</u> les adultes.
Le français est <u>moins</u> difficile <u>que</u> le chinois.

✪   **Note: The comparative occupies the same position as the adjective normally would, either before or after the noun modified:**

Jean est un <u>bel</u> homme.   C'est un garçon <u>sympathique</u>.
Jean est un <u>plus bel</u> homme que René.   C'est un garçon <u>plus sympathique</u> que son frère.

Stress pronouns may be used in comparisons after *que*:

Hélène est meilleure que <u>moi</u> au tennis. Elle est plus intelligente que <u>lui</u>.

EXERCICES • ORALEMENT

a. Faites des comparaisons (supériorité et infériorité) d'après le modèle.

Modèle: Je suis aimable. Henri est plus aimable.
Henri est plus aimable que moi.
Je suis moins aimable qu'Henri.

1. Il est sportif. Elle est plus sportive.
2. Le train est rapide. L'avion est plus rapide.
3. Arthur est sympathique. Lucie est plus sympathique.
4. Tu es timide. Elle est plus timide.
5. Nous sommes dynamiques. Nos parents sont plus dynamiques.
6. Le lilas est joli. Les roses sont plus jolies.
7. Je suis jeune. Tu es plus jeune.
8. Vous êtes actives. Elles sont plus actives.
9. Juillet est chaud. Août est plus chaud.

b. Faites des comparaisons. Employez *meilleur* et *moins bon* d'après le modèle.

Modèle: Une bonne voiture: la Lada — la Mercédès.
La Mercédès est une meilleure voiture que la Lada.
La Lada est une moins bonne voiture que la Mercédès.

1. Une bonne viande: le bœuf — le veau.
2. Un bon sport: la natation — le golf.
3. Un bon investissement: une maison — une voiture de sport.
4. Une bonne solution: un compromis — une dispute.
5. Un vêtement bon marché: un pantalon — une robe de soirée.

c. Faites la comparaison appropriée (supériorité, infériorité ou égalité) avec un des adjectifs suivants: *jeune, long, bon marché, intellectuel, grand, riche, ambitieux, sentimental, malchanceux.*

Modèle: Elle a douze ans. Tu as douze ans.
Elle est aussi jeune que toi.
Tu es aussi jeune qu'elle.

1. Alain lit dix livres par mois. Catherine en lit deux par an.
2. Henri mesure 1 mètre 75. Gilbert mesure 1 mètre 75.
3. Février a 28 jours. Janvier a 31 jours.
4. Une radio coûte 50 dollars. Une télévision coûte 500 dollars.
5. M. Brault a un million. Mme Proulx a un million.
6. Jean veut devenir maçon. Sylvie veut devenir premier ministre.
7. Hélène a une jambe cassée. Lucien est dans le coma.
8. Arthur attend la femme de sa vie. Marcel veut faire beaucoup de conquêtes.

d. Répondez aux questions:

1. Es-tu moins grand(e) que ton père?
2. Es-tu plus petit(e) que ta mère?
3. Le singe est-il aussi intelligent que l'être humain?
4. Sommes-nous aussi intelligents qu'Einstein?
5. Les chats sont-ils plus affectueux que les chiens?
6. Es-tu meilleur(e) en maths que moi?
7. Est-ce que le professeur est plus terrifiant que Dracula?
8. Sommes-nous plus sages que nos ancêtres?
9. Le jazz est-il moins dynamique que le rock?
10. Un être humain est-il moins intelligent que l'ordinateur?
11. Le Tiers-Monde est-il aussi riche que les pays industrialisés?
12. Est-ce que l'avion est plus dangereux que la voiture?
13. Les Adirondacks sont-ils aussi impressionnants que les Rocheuses?
14. Les dauphins sont-ils plus intelligents que les chimpanzés?
15. Es-tu aussi musclé(e) qu'un gorille?
16. La campagne est-elle aussi polluée que la ville?
17. Les montagnes Rocheuses sont-elles plus hautes que l'Himalaya?
18. La viande est-elle meilleur marché que les fruits?
19. Est-ce que le vin est plus cher que la bière?
20. Est-ce que les Canadiens sont aussi nombreux que les Américains?

e. Donnez votre avis selon le modèle.

Modèle: l'argent / la santé / important
À mon avis, l'argent est aussi (plus, moins) important que la santé.

1. l'hiver / l'été / agréable
2. la cuisine italienne / la cuisine chinoise / délicat
3. un chien / un cheval / intelligent
4. un ordinateur / une machine à écrire / utile
5. le Canada / la France / diversifié
6. la crème glacée / la mousse au chocolat / bon
7. la moto / la voiture / dangereux
8. la viande / le poisson / bon pour la santé
9. la réussite professionnelle / la vie familiale / important
10. les livres / les voyages / enrichissant

11.2 Le superlatif de l'adjectif

1) Adjectives are made superlative by using the following constructions:

le / la / les plus... de

le / la / les moins... de

{ the most . . . in
the . . . -est . . . in
the least . . . in

2) If the adjective precedes the noun, the construction is:

le / la / les + plus / moins + adjective + noun + **de**

C'est la plus grande pièce de la maison.
It is the largest room in the house.
Ce sont les plus belles fleurs du jardin.
Those are the most beautiful flowers in the garden.

3) If the adjective follows the noun, the construction is:

le / la / les + noun + **le / la / les + plus / moins** + adjective + **de**

Paul est l'étudiant le plus intelligent de la classe.
Paul is the most intelligent student in the class.
C'est le chapitre le moins difficile du livre.
It is the least difficult chapter in the book.

4) The superlative form of superiority of **bon** is **le meilleur / la meilleure / les meilleurs / les meilleures**:

Agathe est la meilleure étudiante de la classe.
Agatha is the best student in the class.

The superlative form of **bon marché** is **le / la / les meilleur marché** (invariable):

J'ai acheté la cravate la meilleur marché du magasin.
I bought the cheapest tie in the store.

EXERCICES • ORALEMENT

a. Répondez aux questions:

1. Qui est le plus grand étudiant de la classe?
2. Quelle est la voiture la plus chère du monde?
3. Quelle est la plus grande ville du Canada?
4. Qui est l'homme le plus important du pays?
5. Qui est la femme la plus importante du pays?
6. Quelle est l'émission de télévision
la plus stupide de toutes?

7. Qui est le meilleur boxeur du monde?

8. Qui est le meilleur acteur du cinéma américain?

9. Quel est ton cours le moins difficile?

10. Comment s'appelle ta meilleure amie? ton meilleur ami?

11. Quel est le sport le moins fatigant?

12. Qui est la personne la plus importante de ta vie?

13. Qui est le politicien le moins intéressant?

14. Quel est le plus haut bâtiment du campus?

b. Faites une phrase avec un superlatif d'après le modèle.

> *Modèle:* le chien — fidèle — tous les animaux
> *Le chien est le plus fidèle de tous les animaux.*

1. la rose — élégant — toutes les fleurs

2. Muhammad Ali — connu — tous les boxeurs

3. février — froid — tous les mois

4. la bombe atomique — terrifiant — toutes les armes

5. le bonheur — bon — tous les remèdes

6. Gandhi — pacifique — tous les hommes

c. Faites des phrases d'après le modèle (attention à la place de l'adjectif).

> *Modèle:* peuplé / la Chine / le pays / la planète
> *La Chine est le pays le plus peuplé de la planète.*

1. beau / les Rocheuses / les montagnes / l'Amérique du Nord

2. joli / Suzanne / la fille / la famille

3. sincère / Henri Dupont/ le politicien / le pays

4. vieux / l'école / le bâtiment / la ville

5. drôle / cette comédie / la pièce / le festival

6. courageux / Martin / le joueur / l'équipe de football

7. chaud / août / le mois / l'année

8. grand / le Saint-Laurent / le fleuve / le Canada

11.3 Le verbe irrégulier *voir*

	Présent de l'indicatif		*Participe passé:*
je vois	nous voyons		vu
tu vois	vous voyez		
il / elle / on voit	ils / elles voient		

Voir means "to see":

> Il porte des lunettes parce qu'il ne <u>voit</u> pas bien.
> Nous avons <u>vu</u> Nicole la semaine dernière.
> Venez me <u>voir</u> la semaine prochaine.

EXERCICES • ORALEMENT

a. Répondez aux questions:

1. Est-ce que tu vois des arbres par la fenêtre?
2. Est-ce que tu vois un médecin régulièrement?
3. Est-ce que vous me voyez parfois à la bibliothèque?
4. Est-ce que vous voyez vos amis à la cafétéria?
5. Est-ce que nous voyons des films dans la classe de français?
6. Est-ce que nous voyons la lune le soir?
7. Est-ce qu'on voit l'ultraviolet?
8. Est-ce que je vois dans l'avenir?
9. Est-ce qu'une sorcière voit dans l'avenir?

b. Répondez aux questions:

1. Quand as-tu vu un film pour la dernière fois?
2. Où peut-on voir des tableaux d'Emily Carr?
3. Est-ce que les amoureux voient la vie en rose?
4. Où est-ce qu'on voit des animaux exotiques?
5. Qu'est-ce qu'on voit dans un musée d'art?
6. Voit-on souvent le premier ministre à la télévision?
7. Est-ce que vous me voyez quelque-fois faire du sport?
8. Est-ce que vous m'avez vu(e) arriver à l'université?
9. As-tu déjà vu une girafe?

11.4 Le verbe irrégulier *croire*

Présent de l'indicatif		*Participe passé:*
je **crois**	nous **croyons**	**cru**
tu **crois**	vous **croyez**	
il / elle / on **croit**	ils / elles **croient**	

Croire means "to believe":

> Tu ne me dis pas la vérité: je ne te <u>crois</u> pas.

It is used with the preposition **en** before a noun which refers to a deity, a person or a thing when it means "to have faith in," "to believe in":

> Elle <u>croit en</u> Dieu.
> Elle <u>croit en</u> son mari.
> Les jeunes <u>croient en</u> l'avenir.

It is used with the preposition **à** before an abstract noun when it means "to believe in the reality or validity of something":

> Je ne <u>crois</u> pas <u>à</u> la parapsychologie.
> Il <u>croit à</u> l'existence de Dieu.
> Il <u>croit à</u> l'amour.

EXERCICES • ORALEMENT

a. Répondez aux questions d'après le modèle.

> *Modèle:* Je te crois. Et lui?
> *Il te croit aussi.*

1. Je la crois. Et toi? Et lui? Et eux?
2. Elle me croit. Et toi? Et lui?
3. Vous me croyez. Et eux? Et elles? Et toi?
4. Nous te croyons. Et lui? Et toi?
5. Ils nous croient? Et elles? Et lui? Et vous?

b. Répondez aux questions:

1. Est-ce que tu crois les politiciens?
2. Est-ce que tu crois à la théorie de l'évolution?
3. Est-ce que tu crois en l'avenir?
4. Est-ce que tu crois au progrès?
5. Est-ce que les athées croient en Dieu?

c. Faites une phrase d'après le modèle à partir des éléments donnés, au choix.

> *Modèle:* mes amis / le sport le plus excitant
> *Mes amis croient que le sport le plus excitant, c'est le hockey.*

1. je / la meilleure équipe de base-ball
2. nous / le cours le plus intéressant
3. mon (ma) meilleur(e) ami(e) / le plus beau film
4. mes parents / l'acteur / actrice le / la plus charismatique
5. le professeur / la plus belle ville
6. les étudiants / le plus grand musicien
7. les enfants / le repas le plus savoureux
8. les personnes âgées / l'activité la plus satisfaisante

11.5 Le passé composé des verbes pronominaux

Être is the auxiliary verb used in the formation of the **passé composé** of all pronominal verbs. The past participle of a pronominal verb having a *reflexive* or *reciprocal* meaning agrees in gender and number with the direct object if this object precedes the verb.

1) If the reflexive pronoun is the direct object of the verb, the past participle agrees with the reflexive pronoun.

se laver

je me suis lavé(e)		**nous nous**	**sommes lav**é(e)s
tu t'es lavé(e)		**vous vous**	**êtes lav**é(e)(s)
il s'est lavé		**ils se**	**sont lav**és
elle s'est lavée		**elles se**	**sont lav**ées
on s'est lavé			

2) If the reflexive pronoun is not the direct object of the verb, three situations may occur:

   a) The verb has no direct object, hence the past participle does not agree:

   Ils se sont parlé.
   Elles se sont téléphoné.

   Note that in these examples the reflexive pronoun is the indirect object of the verb.

   b) The verb has a direct object but this object follows the verb, hence there is still no agreement of the past participle:

   Ils se sont dit des insultes.   Elle s'est lavé les mains.

   In this last sentence **les mains** is the direct object and the reflexive pronoun is considered to be the indirect object.

   c) The verb is preceded by a direct object, in which case the past participle agrees with that object:

   Est-ce que tu t'es lavé <u>les mains</u>? — Oui, je me <u>les</u> suis <u>lavées</u>.
   Les lettres <u>qu'</u>ils se sont écri<u>tes</u> sont très belles.

The past participle of a pronominal verb having an idiomatic meaning normally agrees with the subject of the verb:

   Elles se sont bien entendues.
   Ils se sont rendus à New York.

EXERCICES · ORALEMENT

a. Épelez la terminaison du participe passé:

   1. Ils se sont (aimer).
   2. Elles se sont (rencontrer).
   3. Elle s'est beaucoup (reposer).
   4. Il s'est (laver).
   5. Elles se sont bien (amuser).
   6. Ils se sont (promener).

b. Même exercice:

1. Elle s'est (brosser) les cheveux.
2. Elle s'est (laver) les mains.
3. Ils se sont (dire) des insultes.

4. Elles se sont (écrire).
5. Ils se sont (téléphoner).
6. Elles se sont (parler).

c. Même exercice:

1. Elle s'est (attendre) à un examen difficile.
2. Ils se sont (rendre) au bureau du directeur.

3. Il s'est (mettre) au travail.
4. Elles se sont (mettre) au travail.
5. Ils s'en sont (aller).
6. Elles se sont (servir) d'un ordinateur.

d. Mettez les phrases au passé composé.

> *Modèle:* Je me couche tard.
>
> *Je me suis couché(e) tard.*

1. Henri se lève à sept heures.
2. Madeleine se maquille soigneusement.
3. Mes parents se promènent sur le campus.
4. Nous nous rencontrons à la bibliothèque.
5. Les étudiants se préparent pour l'examen.

6. Nous nous téléphonons à midi.
7. Ils s'entendent bien avec leur professeur.
8. Mes amis se rendent à Toronto en train.
9. Je me sers d'un ordinateur.
10. Les enfants s'amusent bien au zoo.

11.6 Quelques autres verbes pronominaux

Here is a list of some additional pronominal verbs:

se baigner (to take a dip/to bathe)	Je me baigne dans le lac tous les matins.
se cacher (to hide)	Les perdrix se cachent dans les bois.
s'ennuyer (to be bored)	On s'ennuie quand on est malade.
s'habituer à (to get used to)	Elle s'est habituée à son nouveau travail.
se marier (avec) (to marry/to get married)	Il s'est marié avec son amie d'enfance.
se raser (to shave)	Il se rase avec un rasoir électrique.
se rendre compte de (to realize)	Je me rends compte des erreurs que j'ai faites.

EXERCICE • ORALEMENT

Répondez aux questions:

1. Quand tu vas à la mer, est-ce que tu te baignes?
2. Aimes-tu te baigner dans l'eau très froide?

3. Est-ce que tu te peignes les cheveux?
4. Est-ce que les acteurs se maquillent?
5. Est-ce que je me maquille?
6. À quelle heure t'es-tu levé(e) ce matin?
7. Est-ce que je m'habille à la mode?
8. Est-ce que toi et tes amis, vous vous voyez régulièrement?
9. Est-ce que tu vas te marier bientôt?
10. Avec qui vas-tu te marier?
11. Où les enfants se cachent-ils après un film d'épouvante?
12. Est-ce que tu t'ennuies dans la classe de français?
13. Est-ce que les enfants s'ennuient à l'école?
14. Est-ce que tu t'habitues à la vie universitaire?
15. Est-ce qu'on peut s'habituer à tout?

EXERCICES ÉCRITS

a. Faites des comparaisons avec *plus… que, moins… que,* et *aussi… que.*
Faites l'accord de l'adjectif.

> *Modèle:* la lune — grand — la terre
> *La lune est moins grande que la terre.*

1. le soleil — chaud — la lune
2. les clowns — amusant — les hommes d'affaires
3. les femmes — agressif — les hommes
4. la natation — dangereux — l'alpinisme
5. le train — rapide — l'avion
6. l'eau — nécessaire — la nourriture
7. les banquiers — riche — les secrétaires

b. Répondez aux questions par des phrases complètes:

1. À votre avis, quelle est la meilleure actrice de cinéma?
2. À votre avis, qui est le meilleur boxeur du monde?
3. Quelle est la plus grande université au Canada?
4. Quelle est la voiture la moins chère?
5. Est-ce qu'une voiture est meilleur marché qu'une bicyclette?
6. Quelle est la plus grande planète du système solaire?
7. Est-ce que la France est aussi grande que le Canada?
8. Est-ce que New York est moins grand que Toronto?
9. Quel fruit est plus nourrissant, la banane ou la pêche?

c. Remplacez les tirets par la forme appropriée de *voir* ou de *croire*, au présent:

1. Je ne _____ pas de nuage dans le ciel.
2. Elle ne _____ pas au coup de foudre.
3. Vous _____ vos amis tous les jours.
4. Il _____ que je ne dis pas la vérité.
5. Nous _____ des films à la télévision.
6. _____ -tu qu'il va faire froid ce soir?

7. Les amoureux _____ la vie en rose.   9. Les myopes _____ mal sans lunettes.
8. _____ -vous à la télépathie?

d. Mettez les phrases au passé composé. Attention à l'accord du participe passé.

1. Pierre et Jean se regardent.   8. Elles se téléphonent.
2. Elles se mettent au travail.   9. Elle se peigne les cheveux.
3. Elle se lève.   10. Quelle voiture s'achète-t-il?
4. Brigitte se lave le visage.   11. Mes mains, je me les lave.
5. Ils s'habituent à leur nouvelle vie. 12. Elle s'ennuie.
6. Michel se brosse les cheveux.   13. Elles se maquillent.
7. Ils se marient.   14. Elles se brossent les dents.

e. Répondez aux questions par des phrases complètes:

1. Avec quoi te rases-tu?   6. Est-ce que tu t'habilles à la mode?
2. À quelle heure t'es-tu levé(e) ce matin? 7. Est-ce que vous vous écrivez, tes amis et toi?
3. Quand est-ce que tu t'ennuies?
4. Avec qui est-ce qu'on se dispute   8. Est-ce que toutes les femmes se
   généralement?   maquillent?
5. Avec qui la reine Élisabeth II s'est-elle
   mariée?

Lecture Lecture Lecture

Les jeunes et la vie

Que veulent les jeunes de la vie? Que pensent-ils des études, du travail, du mariage et des enfants, des relations entre garçons et filles, de l'amour? Quelle est leur attitude au sujet de leur avenir et de leur orientation professionnelle? À ces questions, voilà les réponses qu'ont fournies un groupe d'étudiants du Secondaire 3, 4 et 5.

La vie en général

Ils veulent être heureux. Ils souhaitent que la vie leur apporte la santé et le bonheur pour eux et leur prochain. Ils pensent que la vie a de bons et de mauvais moments et qu'il ne faut s'attendre à rien.

Leur orientation professionnelle

Ils visent des professions d'envergure; ils n'ont pas fini d'étudier pour avoir un bon métier. La profession numéro un est la médecine et les professions paramédicales et en second, les métiers d'avenir (génie, informatique, aéronautique, etc.). Un faible pourcentage est attiré par les arts.

L'éducation

Ils trouvent que le système d'éducation est bon en général (79%), excellent quelquefois (7%) ou mauvais (14%). Ils déplorent beaucoup de perte de temps et de cours inutiles.

L'amour

Ils veulent vivre l'amour avec maturité. Ils ont vu l'amour se détruire dans leur famille et leur entourage et ils refusent de vivre cette situation. Il y a aussi la sexualité qui côtoie l'amour, alors plusieurs jeunes exigent que l'amour ne soit pas vécu seulement pour la sexualité mais aussi pour les sentiments. 77% désirent l'amour libre, 23% sont contre.

Le mariage et les enfants

Les jeunes gens et les jeunes filles veulent se marier et avoir des enfants. 82% sont en faveur du mariage, 10% sont contre, 6% sont indécis et 2% désirent avoir des enfants sans se marier. Ils dénoncent le divorce de leurs parents.

Les relations entre garçons et filles

Certains adolescents se disent trop gênés lorsqu'ils parlent à un adolescent du sexe opposé. Les relations sont agréables mais le dialogue est difficile. D'autres, cependant, semblent très satisfaits de leurs relations et croient qu'elles sont nécessaires à l'épanouissement de la personnalité.

(Extrait et adapté d'un article de *L'Éducation*, vol. no. 3, d'I. Saint-Amand, N. Vachon, *et al.*)

agréable	pleasant	**gêné(e)**	shy
(s') alarmer	to get alarmed	**génie** (m.)	engineering
amour (m.)	love	**indécis, ise**	undecided
apporter	to bring	**informatique** (f.)	computer science
avenir (m.)	future	**(s')inquiéter**	to worry
cependant	nevertheless	**inutile**	useless
conclure	conclude	**jeunes gens**	young people
contre	against	**libre**	free
côtoyer	to mix with	**mauvais, aise**	bad
dénoncer	to denounce	**médecine** (f.)	medicine
déplorer	to deplore	**métier** (m.)	trade
détruire	to destroy	**pas du tout**	not at all
(se) dire	to say to oneself; to claim	**perte** (f.)	loss, waste
		prochain (m.)	fellow human being
entourage (m.)	family circle		
envergure: d'—	important, far-reaching	**satisfait, aite**	satisfied
		sembler	to seem
épanouissement (m.)	blossoming	**sentiment** (m.)	feeling
		viser	to aim at
faible	slight	**vivre**	to live
fournir	to furnish, to provide		

QUESTIONS

1. Que veulent les jeunes de la vie?
2. Quelles professions préfèrent-ils?
3. Les arts sont-ils populaires?
4. Que déplorent-ils du système d'éducation?
5. Quelle sorte d'amour veulent-ils vivre?
6. Est-ce que le mariage a la faveur des jeunes?
7. Que dénoncent-ils?
8. Que pensent-ils des relations avec le sexe opposé?
9. Quel est le plus grand problème entre eux?

SITUATIONS / CONVERSATIONS

1. Racontez vos préparatifs du matin: se lever, s'habiller, se laver, se brosser les dents, se maquiller, etc. Employez le passé composé.

2. Racontez vos activités avec votre ami(e) préféré(e). Employez des expressions comme: se promener, se téléphoner, se rencontrer, se parler, se dire, se disputer, etc. Dites ce que vous faites et ce que vous ne faites pas ensemble.

3. Formez un groupe de 3 ou 4 personnes. Faites des comparaisons entre vous. Employez beaucoup d'adjectifs divers: grand(e), petit(e), timide, intellectuel(le), actif (-ive), sportif(-ive), élégant(e), agressif(-ive), etc.

4. Posez-vous des questions les uns aux autres. Employez des superlatifs:

Qui est le meilleur acteur de cinéma?
Quelle est la plus grande ville du monde?
Quels sont les animaux les plus doux? les plus féroces?
Quel est le moyen de transport le plus pratique? etc.

5. À quoi croyez-vous? À quoi ne croyez-vous pas? Posez-vous ces questions les uns aux autres à propos des thèmes suivants et apportez des arguments:

la télépathie, les soucoupes volantes, les fantômes, les maisons hantées, les extra-terrestres, la vie dans l'univers, la magie, le triangle des Bermudes, les miracles, le progrès de la science, le progrès de l'humanité, la troisième guerre mondiale, l'intelligence des ordinateurs.

6. Répondez aux questions suivantes selon vos convictions:

Que pensez-vous de vos études? Quelles sont vos ambitions? Que voulez-vous faire dans la vie? Êtes-vous satisfait(e) de vos relations avec vos camarades? À qui confiez-vous vos problèmes? Pourquoi étudiez-vous? Quelle est votre attitude au sujet du mariage et des enfants?

COMPOSITIONS

1. Racontez au passé composé vos activités du matin depuis le moment où vous vous êtes levé(e) jusqu'au moment où vous partez de chez vous. Employez, entre autres, des verbes pronominaux.

2. Faites des comparaisons entre vous et vos parents, du point de vue physique et du point de vue psychologique.

3. Donnez votre opinion sur les sujets abordés dans la lecture.

PRONONCIATION

(This exercise is at the end of Chapitre 11 on the tape.)

Le son l (/l/)

Répétez d'après le modèle:

1. lit   loupe   l'œuf   long   l'espoir   l'aide   lent   lin
   lutte   large   l'homme   lézard   l'heure   lime   laine   Luc

2. mal   tulle   bile   boule   molle
   pèle   belle   seul   sale

3. un nouvel étudiant   une nouvelle auto
   un nouvel arbre   un nouvel outil
   une nouvelle odeur   un nouvel incident
   une nouvelle idée   une nouvelle encre

4. nous cherchons le chien   nous voyons le parc
   nous trouvons le pont   nous mangeons le gâteau
   nous jouons le jeu   nous finissons le travail
   nous prenons le train   nous regardons le film

5. je le crois   je le dis   tu le prends   tu le finis
   je le vois   je le mange   tu le gardes   tu le prépares

6. c'est de l'eau   c'est de la monnaie   il y a de la place   il a de l'appétit
   c'est de la bière   c'est de la salade   il y a de l'ombre   il a de la chance
                                               il y a de la lumière   il a de l'ambition

Weblinks

Jeunes et famille **www.cfc.efc.ca/docs/00000523.htm**

Accroche-toi **schoolnet2.carleton.ca/francais/adm/orientation/accroche-toi/**

AdoMonde **www.adomonde.qc.ca/**

Ados qui se mouillent **www.lpce.com/michelet/home.html**

Accès Jeunes **acces.jeunes.com/**

Chapitre 12

Bon appétit

Thèmes

- La vie d'autrefois
- Différences entre l'an dernier et cette année
- La nourriture – les boissons – les aliments
- Testez vos connaissances en nutrition
- Dîner au restaurant *Les Gourmands*
- Faire un compliment sur un repas
- Plainte au restaurant
- Recette minceur

Lecture

Dis-moi comment tu manges... et je te dirai qui tu es.

Grammaire

12.1 L'imparfait

12.2 Le pronom interrogatif *lequel*

12.3 Le verbe irrégulier *boire*

VOCABULAiRE UTiLE

aliment (m.)	food	**courant** (m.)	current (power)
arachide (f.)	peanut	**cuisine** (f.)	cooking
arête (f.)	fishbone	**cuisiner**	to cook
arroser	to sprinkle	**départ** (m.)	departure
autour	around	**disposer**	to place
autrefois	in the past	**diminuer**	to decrease
avocat(e)	lawyer	**emballage** (m.)	wrapping
bateau (m.)	boat	**ensemble**	together
bébé (m.)	baby	**entreposage** (m.)	storage
bonbon (m.)	candy	**équilibré(e)**	stable
chanter	to sing	**étranger, ère**	foreign
commander	to order	**feuille** (f.)	leaf
congeler	to freeze	**fringale** (f.)	craving

frit, frite	fried	**pièce** (f.)	room
inconnu(e)	unknown	**poids** (m.)	weight
joyeux, joyeuse	happy	**recette** (f.)	recipe
léger, légère	light	**(se) réunir**	to gather
maigrir	to lose weight	**souvent**	often
manquer	to lack	**tapisser**	to cover
minceur (f.)	slimness	**(en) tête-à-tête** (m.)	alone together
partout	everywhere	**traîneau** (m.)	sleigh
patinage (m.)	skating	**trancher**	to slice
peler	to peel		

GRAMMAIRE ET EXERCICES ORAUX

12.1 L'imparfait

The **imparfait** is a simple (one-word) past tense.

Formation

The **imparfait** is formed by dropping **-ons** from the **nous** form of the present tense and adding the endings **-ais, -ais, -ait, -ions, -iez, -aient**. All verbs, whether regular or irregular, follow this pattern, except **être**, whose stem in the **imparfait** is **ét-**.

	finir		*être*
je	finiss**ais**	j'	ét**ais**
tu	finiss**ais**	tu	ét**ais**
il / elle / on	finiss**ait**	il / elle / on	ét**ait**
nous	finiss**ions**	nous	ét**ions**
vous	finiss**iez**	vous	ét**iez**
ils / elles	finiss**aient**	ils / elles	ét**aient**

Other examples:

chanter (nous <u>chant</u>ons) ⟶ je chantais

attendre (nous <u>attend</u>ons) ⟶ j'attendais

prendre (nous <u>pren</u>ons) ⟶ je prenais

lire (nous <u>lis</u>ons) ⟶ je lisais

With verbs in **-ger**, the letter **e** is inserted between **g** and the endings which begin with **a**:

je man<u>ge</u>ais   *but*   nous man<u>gi</u>ons

With verbs in **-cer**, the **cédille** is used with **c** before the endings which begin with **a**:

> ils commen<u>ç</u>aient   *but*   vous commen<u>ci</u>ez

Uses of the *imparfait*

The **imparfait** is used to express *continuous* past actions or states of affairs and *habitual* past actions.

a) *Continuous past actions or states of affairs*
    The **imparfait** indicates an action or state of affairs which was continuous or in progress in the past without indicating whether that action or state has ended:

Ce matin-là, il travaillait.	He was working that morning.
Il pleuvait hier.	It was raining yesterday.

The action and state in the above examples are presented as being in progress. This is often expressed in English by the continuous past, as in the translations above.

b) Since it expresses continuity, the **imparfait** is used to describe situations, persons or things:

Il faisait très froid.	It was very cold.
Il y avait du soleil.	It was sunny.
Elle avait l'air intelligente.	She looked intelligent.

c) Verbs expressing mental states or activities in the past most often appear in the **imparfait**:

Il aimait ses parents.	He loved his parents.
Elle avait peur des inconnus.	She was afraid of strangers.
Je voulais devenir avocat.	I wanted to become a lawyer.

d) *Habitual past actions*
    The **imparfait** may express that a past action occurred on a regular basis or was repeated an unspecified number of times:

Le samedi, il allait au cinéma.	On Saturdays, he would go to the cinema.
Quand j'étais enfant, j'allais à l'église.	When I was a child, I used to go to church.

Certain time expressions are often used with the imparfait:

autrefois	in the past, long ago
à cette époque-là	in those days
chaque jour / mois / année	every day / month / year
d'habitude	generally / usually
tous les jours / mois	every day / month
souvent	often

EXERCICES • ORALEMENT

a. Mettez les verbes à l'imparfait.

faire

Tous les dimanches…

je _____ mes devoirs.

tu _____ du patinage.

il _____ du ski.

nous _____ la cuisine.

danser

Autrefois…

je _____ avec mes camarades.

vous _____ souvent la gigue.

ils _____ ensemble.

elle _____ toutes les nuits.

vouloir

Souvent…

il _____ me téléphoner.

elles _____ le cadeau.

nous _____ le regarder.

pouvoir

D'habitude…

je _____ y aller.

elles _____ prendre le train.

vous _____ vous reposer.

réfléchir

Souvent…

je _____ à mes problèmes.

vous _____ à vos vacances.

elle _____ aux conséquences.

elles _____ à leur départ.

finir

À cette époque-là…

nous _____ la soirée chez nos cousins.

ils _____ leurs devoirs.

tu _____ de préparer le réveillon.

elles _____ leur danse.

aller

Chaque semaine…

je _____ à l'église.

tu _____ chez tes parents.

il _____ à l'opéra.

ils _____ à la campagne.

mettre

Le dimanche matin…

je _____ des bonbons sur la table.

vous _____ des fruits dans un bol.

ils _____ leurs vêtements neufs.

elle _____ son bébé au lit.

b. Mettez à l'imparfait:

1. C'est dimanche.
2. Il y a de la neige.
3. C'est l'hiver.
4. J'ai mal à la tête.
5. Il est fatigué.
6. Tu as toujours faim.
7. Ils sont heureux.
8. Il y a des gens partout.
9. Nous sommes toujours en retard.
10. Vous n'avez pas l'adresse.
11. Ils ont soif après le repas.
12. Il y a du vin.
13. C'est le jour de l'An.
14. Tu es joyeuse.
15. Il n'y a pas de bière.
16. C'est une fête religieuse.
17. Il n'a pas d'amis.
18. Ils ont envie d'un cognac.

c. Dans le bon vieux temps. Grand-mère, quand tu étais petite, est-ce que…

1. il neigeait beaucoup l'hiver?
2. tu allais à l'école en autobus scolaire?
3. il y avait des cours de français?
4. tu sortais avec tes amis la fin de semaine?

5. tu regardais la télévision tous les jours?

6. tu habitais la campagne?

7. tu aimais les études?

8. tu faisais des bonshommes de neige en hiver?

9. tu patinais sur la glace?

10. tu obéissais toujours à tes parents?

11. il y avait des automobiles de ton temps?

d. Que faisaient-ils hier soir, quand on a coupé le courant?

1. Georges (étudier) dans sa chambre.

2. Kim (finir) de laver ses vêtements.

3. Louis (écouter) de la musique rock dans le salon.

4. Fido (dormir) sur le plancher de la cuisine.

5. Marie (être) encore au téléphone avec son ami.

6. Papa (ranger) des choses dans le garage.

7. Maman (mettre) le couvert sur la table.

8. Le chat (se cacher) sous le lit de ma chambre.

e. Différences entre cette année et l'an dernier.

Cette année…

1. j'étudie à l'université.

2. j'habite sur le campus universitaire.

3. je sors tous les samedis avec mes amis.

4. je joue dans l'équipe de soccer.

5. je mange au resto le dimanche.

6. je fais souvent du sport au gymnase.

7. je téléphone à mes parents chaque semaine.

L'an dernier…

je ....

je ....

je ....

je ....

je ....

je ....

je ....

f. Mes activités favorites. Regardez les activités de la liste ci-dessous. Quand vous aviez douze ans, qu'est-ce que vous préfériez comme activités?

faire du sport / jouer à ——- / aller au cinéma / étudier beaucoup / lire des romans d'aventures / manger au restaurant / aller au chalet de mes parents / tricoter / faire de la voile / aller à la pêche, etc.

Moi, quand j'avais douze ans, je ....

La nourriture

Les repas

1) <u>Le déjeuner</u> (breakfast)

un jus de fruit	**du pain** (bread)	**un œuf** (egg)
un café	**du beurre** (butter)	**du jambon** (ham)
un thé	**de la confiture** (jam)	**des céréales**

2) <u>Le dîner</u> (lunch)

une soupe	**une omelette**	**du fromage** (cheese)
un sandwich	**une quiche**	**un biscuit** (cookie)
une salade	**un fruit**	**un gâteau** (cake)

3) <u>Le souper</u> (dinner)

un hors-d'œuvre	**des pâtes** (f.) (pasta)
une entrée	**des légumes** (m.) (vegetables)
de la viande (meat)	**un dessert**

Les boissons

1) <u>non-alcoolisées</u>

l'eau (f.) (water)
le chocolat chaud (hot chocolate)
le lait (milk)
la limonade (lemonade)
un jus de fruit
le thé
le café

2) <u>alcoolisées</u>

la bière
un cocktail
une liqueur
le vin

Les aliments

1) <u>Les fruits</u>

les bleuets (m.) (blueberries)	**une banane**
les cerises (f.) (cherries)	**une pomme**
les fraises (f.) (strawberries)	**une poire**
les framboises (f.) (raspberries)	**une pêche**

2) <u>Les fruits de mer et les poissons</u>

une crevette (shrimp)	**un saumon** (salmon)
un homard (lobster)	**une truite** (trout)
un crabe	**un filet de sole**

3) <u>Les légumes</u>

une carotte	**une pomme de terre** ou **une patate** (potato)
un concombre	**un oignon**
un chou (cabbage)	**une tomate**

4) <u>Les pâtes</u>

des nouilles (f.) (noodles)	**des macaroni(s)** (m.)
des spaghetti(s) (m.)	**des lasagnes** (f.)

5) <u>La viande</u>

de l'agneau (m.) (lamb)   **du porc**
du bœuf   **du veau** (veal)

6) <u>La volaille</u>

de la dinde (turkey)   **du canard** (duck)
du poulet (chicken)

EXERCICES · ORALEMENT

a. Mes préférences

1. Qu'est-ce que tu manges généralement au déjeuner?
2. Quel est ton fruit préféré? ton légume favori?
3. Quelle est la viande que tu préfères?
4. Préfères-tu les carottes ou les pommes de terre?
5. Aimes-tu le poisson? Quel genre de poisson?
6. Est-ce que tu mets du sucre et du lait dans ton café?

b. Qu'est-ce qu'on mange quand on est végétarien?

quand on fête un anniversaire?   quand on est malade?
quand on va pique-niquer?   quand on a le rhume?
quand on n'a pas d'appétit?   quand on veut maigrir?
quand on a la fringale?   quand on veut grossir?

c. Qu'est-ce qu'on mange à un anniversaire? à Noël? au Jour de l'An? à Pâques? à la Fête des mères?

d. Comment s'appelle quelqu'un qui ne mange que des légumes? que de la viande? qui aime bien manger? qui mange avec excès? qui mange tout le temps? qui aime la cuisine raffinée? (Un(e) bec fin, carnivore, glouton, végétarien, gourmet, gourmand.)

e. De quelle couleur? Répondez selon le modèle.

Modèle: De quelle couleur sont les bananes?

Les bananes sont jaunes.

1. De quelle couleur sont les framboises? les pêches? les pommes? les fraises? les pommes de terre? les choux? les concombres? les carottes? les homards?
2. De quelle couleur est le lait? le beurre? le jambon? le café? le sucre?

f. Maintenant et avant. (Attention aux pronoms.)

Modèle: Maintenant, je mange des légumes mais avant, je n'en mangeais pas.

1. Maintenant, je choisis mes aliments mais avant, je…
2. Maintenant, je bois du vin mais avant, je…
3. Maintenant, je sais faire la cuisine mais avant, je…
4. Maintenant, j'apprécie les plats raffinés mais avant, je…
5. Maintenant, je vais dans les grands restaurants mais avant, je…
6. Maintenant, j'adore les pâtes italiennes mais avant, je…
7. Maintenant, je connais beaucoup de recettes, mais avant, je…

Testez vos connaissances en nutrition

1. Une pomme de terre peut remplacer une portion de:

   a) pain
   b) légumes
   c) viande
   d) pain ou légumes

2. Lequel (lesquels) de ces aliments est (sont) riche(s) en calcium?

   a) Le fromage.
   b) Le brocoli.
   c) Le saumon en conserve (avec les arêtes).
   d) Tous ces aliments.

3. Quel est le meilleur choix dans un restaurant si vous suivez un régime bas en cholestérol?

   a) Spaghetti-sauce tomate.
   b) Foie de veau à l'orange.
   c) Omelette aux champignons.
   d) Crevettes grillées.

4. Lequel (lesquels) de ces suppléments nutritifs devez-vous acheter si vous manquez d'énergie?

   a) Des multivitamines.
   b) Du ginseng.
   c) Les deux (a et b).
   d) Aucune de ces réponses.

5. La date indiquée sur les viandes et volailles fraîches est la date:

   a) de fraîcheur
   b) de conservation
   c) d'emballage
   d) d'entreposage

6. Le lait 2%:

   a) est enrichi en vitamine A
   b) est enrichi en vitamine D
   c) est enrichi en vitamines A et D
   d) n'est pas enrichi de vitamines

7. De quelle façon doit-on faire une activité physique pour perdre du poids?

   a) De façon intensive durant une courte période de temps (15-20 minutes).
   b) De façon intensive durant une longue période de temps (45-60 minutes).
   c) De façon modérée durant une courte période de temps (15-20 minutes).
   d) De façon modérée durant une longue période de temps (45-60 minutes).

8. Lequel de ces aliments ne se congèle pas?

   a) Le lait.
   b) Le blanc d'œuf.
   c) La gélatine aux fruits.
   d) Aucun de ces aliments ne se congèle.

9. Lequel de ces aliments peut se conserver à la température de la pièce?

   a) Les œufs.
   b) Les fromages.
   c) Le beurre.
   d) Aucune de ces réponses.

10. Pour diminuer les calories d'une recette, on peut remplacer la crème par:

    a) de la crème 15%.
    b) du yogourt nature.
    c) du fromage à la crème "léger."
    d) aucune de ces réponses.

11. Un régime nutritif équilibré doit contenir un minimum de:

    a) 500 calories.
    b) 800 calories.
    c) 1000 calories.
    d) 1500 calories.

12. Quel lunch est le plus équilibré pour la santé?

    a) Sandwich aux œufs + yogourt + pomme.
    b) Salade de saumon + jus de légumes + raisins
    c) Sandwich au beurre d'arachides + muffin aux carottes.
    d) Tous ces lunches sont équilibrés.

Réponses au test:

1. b	4. d.	7. d.	10. b.
2. d	5. c.	8. c.	11. c.
3. a.	6. c.	9. d.	12. a.

(Extrait du magazine *Fermières*, mai 1989.)

12.2 Le pronom interrogatif *lequel*

The interrogative pronoun **lequel** is used to distinguish between several persons or things. It corresponds to "which one" or "which ones."

	Singular	Plural
Masculine	lequel	lesquels
Feminine	laquelle	lesquelles

<u>Laquelle</u> des entrées as-tu choisie?
<u>Lesquels</u> des serveurs étaient absents?

Lequel may be used instead of the interrogative adjective **quel** + noun:

Je préfère un fruit.   — Quel fruit?
     — Lequel?

J'ai acheté des légumes.   — Quels légumes?
     — Lesquels?

Contractions occur when used with **à** or **de**, except for **laquelle**:

à + lequel ————▶ **auquel**   de + lequel ————▶ **duquel**

à + lesquels ————▶ **auxquels**   de + lesquels ————▶ **desquels**

à + lesquelles ————▶ **auxquelles**   de + lesquelles ————▶ **desquelles**

J'ai besoin d'un livre. — <u>Duquel</u> as-tu besoin?

<u>Auxquelles</u> des étudiantes a-t-il parlé?

EXERCiCES • ORALEMENT

a. Remplacez les mots soulignés par une forme de *lequel*:

1. <u>Quels livres</u> de recettes avez-vous lus?
2. <u>Quelle tarte</u> vas-tu faire ce soir?
3. <u>Quelles pommes</u> as-tu achetées?
4. <u>Quel journal</u> lis-tu?
5. <u>À quel banquet</u> es-tu allé(e)?
6. <u>De quelle assiette</u> te sers-tu?
7. <u>De quels animaux</u> a-t-il peur?
8. <u>À quelle surprise</u> t'attendais-tu?
9. <u>À quelles organisations</u> as-tu écrit?

b. À la cafétéria, votre ami vous demande de faire des choix. Utilisez une forme de *lequel*.

1. Alors, _____ de ces sandwiches choisis-tu?
2. _____ de ces fruits?
3. _____ de ces bières?
4. _____ de ces biscuits?
5. _____ de ces légumes?
6. _____ de ces gâteaux?
7. _____ de ces plats de nouilles?
8. _____ de ces salades?

12.3 Le verbe irrégulier *boire*

Présent de l'indicatif		Participe passé	Imparfait
je **b**ois	nous **b**uvons	**bu**	**je buvais**
tu **b**ois	vous **b**uvez		
il / elle / on **b**oit	ils / elles **b**oivent		

Boire means "to drink."

EXERCiCES • ORALEMENT

a. Remplacez le sujet par les mots entre parenthèses:

1. Pierre boit du jus de tomate. (nous, ils, on, je)
2. Je bois du café. (tu, elles, vous, il)
3. Elles ont bu de la bière. (je, elle, nous, tu)
4. Il buvait du vin. (tu, vous, elles, nous)

b. Répondez aux questions:

1. Est-ce que tu bois du vin avec le dîner?
2. Est-ce que les enfants boivent du cognac?
3. Est-ce que les athlètes doivent boire du lait?
4. Où est-ce que tu bois de la bière?
5. Quand est-ce que tu buvais un cocktail?
6. Qu'est-ce que tu bois au déjeuner? au dîner? au souper?
7. Qu'est-ce que tu bois quand il fait chaud? quand il fait froid?
8. Qu'est-ce qu'on boit quand on a un rhume?
9. Quand est-ce que tu as bu une liqueur?

Expressions utiles

Pour offrir une consommation:

Voulez-vous boire quelque chose? Un coca, un verre d'eau, une bière, un jus, un café, un thé, une tisane?

Est-ce que je peux t'offrir un verre?

En réponse:

Je vieux bien.	Non, merci.
Volontiers.	Merci.*
Avec plaisir.	Non, merci, je ne bois pas.
S'il vous plaît.	

Pour porter un toast:
À votre santé!
Salut!

EXERCICES ÉCRITS

a. Mettez les phrases suivantes à l'imparfait:

1. Nous regardons les légumes.
2. Elle choisit des fruits.
3. Il vend des fruits et des légumes.
4. Je prends un café.
5. Ils écrivent à leurs parents.
6. Tu bois du champagne.
7. Vous voulez aller chez votre grand-père.
8. Mon cousin s'attend à une surprise.
9. Je m'entends bien avec mes beaux-parents.
10. Ma mère adore le homard.
11. Il dort le dimanche matin.
12. Ils se souviennent de l'oncle Robert.
13. Il y a des œufs pour le déjeuner.
14. Ma sœur attend mon père.
15. Nous mangeons de la dinde tous les jours.

---

* Note that *Merci* alone will be taken as a refusal, whereas in English, *Thank you* or *Thanks* without the *no* or a shake of the head would be interpreted as acceptance.

16. Vous vous téléphonez souvent.
17. Tu dois t'ennuyer sans tes frères et sœurs.
18. Elle sert des liqueurs à ses invités.
19. Mon frère commence à travailler.

b. Remplacez l'adjectif interrogatif et le nom par un pronom interrogatif.

Modèle: Quelle nappe as-tu achetée?
Laquelle as-tu achetée?

1. Quel cours de cuisine préférez-vous?
2. Quels livres lisez-vous?
3. Quel film regardes-tu?
4. Quelles étudiantes font des gâteaux?
5. Quelle sauce as-tu choisie?
6. À quel restaurant allons-nous?
7. De quelle tisane parles-tu?
8. À quelles serveuses as-tu parlé?
9. De quels fruits as-tu besoin?

c. Le verbe *boire*. Conjuguez:

au présent
1. Je _____ du café.
2. Nous _____ du jus.
3. Ils _____ du thé.

à l'imparfait
4. Je _____ de la limonade.
5. Tu _____ de l'orangeade.
6. Vous _____ du thé glacé.

au passé composé
7. Le bébé _____ du lait.
8. Il _____ du chocolat chaud.
9. Elles _____ de la bière.

Lecture Lecture Lecture

Dis-moi comment tu manges... et je te dirai qui tu es.

"Durant mon enfance en Zambie" raconte Margaret Visser, professeure à Toronto et auteure du livre *Rituels du dîner*, "nous mangions des fourmis volantes et si on refusait, c'était anormal". Dans son ouvrage, madame Visser remonte le cours de l'histoire pour étudier l'évolution des manières à table. Elle a voulu faire comprendre que l'acte de manger a ses rituels dans toutes les sociétés humaines.

Les femmes ont apparemment toujours été investies de la mission de sauvegarder et d'enseigner les rituels car ils sont liés au partage des ressources alimentaires et à la protection des plus petits ou des plus faibles. Selon l'auteure, le relâchement actuel des règles à table vient du peu de temps dont disposent les femmes de nos jours car elles ne sont plus les servantes qu'elles étaient. Ainsi, ont disparu, les invitations par écrit, les nappes blanches, les plats de services étincelants, les services nombreux et les repas interminables.

Elle a observé d'un œil détaché les habitudes de table des Occidentaux. Elle a constaté que les Latins sont davantage attirés par le cérémonial que les Anglo-Saxons qui l'ont en horreur. Elle y voit l'influence du puritanisme chez les protestants et les traces d'anciennes fêtes païennes chez les catholiques. Par contre, elle a remarqué qu'on s'attend à plus de propreté en cette fin de siècle hygiénique qu'au Moyen-Âge où les ablutions se faisaient à table et permettaient aux autres convives d'en être témoins et, par le fait même, d'être rassurés.

Bien qu'il soit généralement impoli de régler ses différends à table, de discuter politique ou religion, la véritable condamnation sociale est de manger bruyamment (surtout la soupe) ou la bouche ouverte, de salir la table et d'allumer une cigarette ou un cigare. Paradoxe, il est conseillé de fermer la bouche mais également de parler à table car le silence peut-être interprété comme une marque d'agressivité.

Les traditions reproduisent les manières d'autrefois lors de fêtes religieuses ou de réunions familiales. Les repas de fête sont l'occasion idéale de mettre en pratique les manières appropriées. En ces occasions, personne ne songerait à regarder la télévision, pas plus qu'un Allemand ne couperait une pomme de terre avec son couteau ou qu'un Italien ne mangerait ses pâtes avec une cuillère. Même la façon de tenir les couverts trahit l'appartenance sociale. L'Européen garde sa fourchette dans la main gauche et son couteau dans la droite alors que le Canadien utilise la main droite aussi bien pour couper que pour porter la nourriture à sa bouche. Les Français mangent les avant-bras bien en vue sur la table, alors que les Américains, comme les Britanniques, ne montrent qu'un seul bras et déposent l'autre sur leur cuisse (ou celle de la voisine!).

Toutes les sociétés humaines, de la plus simple à la plus sophistiquée, ont leur étiquette à table. C'est une affaire de culture et de point de vue.

Extrait de *L'actualité*, 1er mars 1992, par Josée Blanchette.

alimentaire	food (adj.)	**habitude** (f.)	habit
allumer	to light	**interminable**	endless
appartenance (f.)	belonging	**investir**	to invest
(s')attendre à	to expect	**Moyen-Âge** (m.)	Middle Ages
attirer	to attract	**nappe** (f.)	tablecloth
autrefois	in the past	**nourriture** (f.)	food
avant-bras (m.)	forearm	**ouvrage** (m.)	work
bruyamment	noisily	**païen, païenne**	pagan
conseiller	to advise	**par contre**	on the other hand
convive (m. / f.)	guest at a meal	**partage** (m.)	sharing
couper	to cut	**porter**	to bring
cours (m.)	course	**propreté** (f.)	cleanliness
couteau (m.)	knife	**règle** (f.)	rule
couvert (m.)	cutlery	**régler**	to settle
cuillère (f.)	spoon	**relâchement** (m.)	slackening
différend (m.)	disagreement	**remonter**	to go back
disparaître	disappear	**salir**	to dirty
disposer de	to spare	**sauvegarder**	to safeguard
enseigner	to teach	**siècle** (m.)	century
étincelant, ante	sparkling	**songer**	to dream
étiquette (f.)	etiquette	**témoin** (m.)	witness
façon (f.)	way	**tenir**	to hold
faible (m.)	the weak one	**trahir**	to betray
fourchette (f.)	fork	**voisine** (f.)	neighbour
fourmi (f.)	ant	**volonté** (f.)	will

QUESTiONS

1. Que mangeait Mme Visser en Zambie durant son enfance?
2. Qu'est-ce que l'auteure a étudié?
3. À quoi sont liés les rituels de la table?
4. Qu'est-ce qui a disparu de nos jours et pourquoi?
5. Quelle explication l'auteure donne-t-elle des habitudes des Latins et des Anglo-Saxons?
6. Pourquoi au Moyen-Âge, faisait-on les ablutions à table?
7. Quelles sont les manières condamnables socialement?
8. Qu'est-ce qu'il est mal vu de faire à l'occasion d'une fête?
9. Quelles sont les différentes manières de tenir le couvert chez les Européens et chez les Canadiens?
10. Qu'est-ce qui justifie l'étiquette à table?

 Restaurant Les Gourmands

M E N U

Entrées
Crudités
Asperges vinaigrette
Quiche aux épinards

Soupes
Soupe à l'oignon
Crème de carottes
Velouté de légumes

Plats principaux
Brochette d'agneau
Jambon aux ananas
Grillade garnie
Entrecôte à l'ail

Desserts
Sorbet à l'orange
Mousse au sirop d'érable
Gâteau au chocolat

Boissons
Café / thé
Tisane

Vin maison
1 litre - 1 demi-litre - 1 quart de litre. Blanc ou rouge

Au restaurant

LE SERVEUR: Voilà le menu, Madame,
LA CLIENTE: Merci.
LE SERVEUR: Êtes-vous prête à commander?
LA CLIENTE: Oui, je suis prête. Je prends une soupe à l'oignon et la brochette d'agneau.
LE SERVEUR: La brochette, saignante, rosée ou bien cuite?
LA CLIENTE: Rosée.
LE SERVEUR: Vous avez choisi le vin?
LA CLIENTE: Oui, un demi-litre de rouge, s'il vous plaît.
LE SERVEUR: Comme dessert, nous avons une mousse au sirop d'érable.
LA CLIENTE: Oui, s'il vous plaît.
LE SERVEUR: Très bien madame, bon appétit.

Pour faire un compliment sur un repas:

Ce plat, ce gâteau, ce dîner, est succulent, délicieux, savoureux.
Merci, pour le dîner, c'était délicieux.

Plainte au restaurant:

Ce n'est pas ce que j'ai commandé.
Pouvez-vous le changer, s'il vous plaît.
La viande est trop (pas assez) cuite, saignante, dure.
Mon plat est froid.
Ce n'est pas frais.
Il y a une erreur dans l'addition.

SiTUATiONS / CONVERSATiONS

1. Qu'est-ce que vous mangez pour le déjeuner, le dîner et le souper généralement?

2. En quoi consistait un repas typique dans votre famille? (Quelles viandes, quels légumes, quels desserts vos parents servaient-ils généralement?)

3. Quel était votre plat favori quand vous étiez enfant et de quoi était-il composé?

4. Nommez un mets typiquement américain; russe; français; belge; allemand; suisse; grec; anglais; canadien; québécois; espagnol; mexicain; chinois; japonais; hawaïen.

5. Composez un menu équilibré pour une journée.

6. Imaginez un menu pour un pique-nique, un brunch, un dîner en tête-à-tête.

7. Nommez un plat typiquement végétarien.

8. Dans quel établissement trouve-t-on des beignes? de la viande? du fromage? des chocolats? du vin? des épices? du café? du poisson? des saucissons? du lait? (À la fromagerie, confiserie, pâtisserie, fruiterie, épicerie, poissonnerie, charcuterie, laiterie.)

9. Quel plat traditionnel servait-on dans votre famille? Quels en étaient les ingrédients?

10. Racontez un souvenir d'enfance qui vous est cher.

11. Quels talents artistiques retrouvait-on dans votre famille?

12. Comment étiez-vous quand vous étiez enfant? Étiez-vous sensible, délicat(e), normal(e), détendu(e)? Obéissiez-vous à vos parents? à vos professeurs? Quels étaient vos loisirs? Quelle sorte d'élève étiez-vous?

Recette: Salade minceur

4 onces de fromage cottage
1 orange pelée et tranchée en rondelles
1/2 pomme rouge tranchée
1/2 pomme verte tranchée
1/2 banane coupée en rondelles

1 tranche de cantaloup
2 petites grappes de raisins noirs
Jus de 1/4 de citron
4 feuilles de laitue Boston

Tapisser un plat de feuilles de laitue et placer le fromage au centre.
Disposer les fruits autour du fromage et arroser de jus de citron.
Servir immédiatement.

1. Donnez-moi votre recette favorite et les ingrédients qui la composent.

COMPOSITIONS

1. Faites la critique d'un restaurant où vous avez mangé récemment et du plat qu'on vous y a servi.

2. Racontez un dîner extraordinaire que vous avez fait.

3. Préparez votre menu pour la semaine prochaine.

4. Racontez vos vacances pendant les fêtes quand vous étiez enfant.

PRONONCiATiON
(This exercise is at the end of Chapitre 12 on the tape.)

Les sons **eu** fermé et **eu** ouvert (/ø/ – /œ/)

i. Eu fermé (/ø/)

The sound /ø/ is a closed vowel. It is associated with the spellings **eu** and **œu** and only occurs in an open syllable or in a closed syllable ending in /z/.

Répétez:

eux, peu, deux, jeu, bleu, bœufs, œufs, peut-être, généreux, généreuse, heureux, heureuse, curieux, curieuse, sérieux, sérieuse, précieux, précieuse, furieusement, peureusement, somptueusement, malheureusement

ii. Eu ouvert (/œ/)

The sound /œ/ is an open vowel. It is associated with the spellings **eu** and **œu** and only occurs in closed syllables (not ending in /z/).

Répétez:

jeune, seul, aveugle, neuf, peuvent, veulent, intérieur, extérieur, voyageur, plusieurs, faveur, menteur, neuve, peuple, œuf, bœuf, feuille, œuvre.

Weblinks

Gastronomie française massena.univ-mlv.fr/~dittgen/Gastronomie/gastro.html

Boutique du gourmet www.abadac.com/cfm/defau_fr.cfm

Site gastronomique www.receptionfrance.com/fr.htm

Au Japon mscomm.infinit.net/ency-voy/japon/japjacli.htm

La boîte à recettes www.imagine-mms.com/public/recettes.htm

Chapitre 13

La famille

Thèmes
- **Les membres de ma famille**
- **Les étapes de la vie (les fréquentations — les fiançailles — le mariage — la mort**
- **Raconter des événements du passé**

Lecture
Les nouveaux couples

Grammaire
13.1 **Contrastes entre l'imparfait et le passé composé**

13.2 **L'imparfait avec *depuis***

13.3 **Le verbe irrégulier *recevoir***

13.4 **Les pronoms démonstratifs**

13.5 **Le comparatif et le superlatif de l'adverbe**

VOCABULAIRE UTILE

accoucher	to give birth to	**(s')entendre**	to get along
d'un bébé	a baby	**époux, épouse**	spouse
alliance (f.)	wedding; ring	**faire-part** (m.)	wedding
ami(e): petit(e)	boyfriend; girlfriend		announcement
amitié (f.)	friendship	**femme** (f.)	wife
assister à	to attend	**fiançailles** (f.pl.)	engagement
cadeau (m.)	gift	**fiancé(e): être**	
célibataire	single	**— avec**	to be engaged to
conjoint(e) (m./f.)	husband and wife	**se fiancer**	to get engaged
divorce (m.)	divorce	**foyer** (m.)	home
deuil: être en —	mourning	**garde** (f.) **des**	custody
élever un enfant	to raise a child	**enfants**	
émouvant, ante	touching	**lien** (m.)	tie
enceinte	pregnant	**loisir** (m.)	spare time

mari (m.)	husband	**(se) rencontrer**	to meet
mariage (m.)	marriage, wedding	**seul(e)**	alone
(se) marier avec	to get married to	**sexuel, elle**	sexual
matière (f.)	subject	**vie commune** (f.)	shared life
ménage (m.)	household	**vivre en**	to live common-
meuble (m.)	piece of furniture	**concubinage**	law
noces (f. pl.)	wedding	**vitrine** (f.)	shop window

Les membres de ma famille

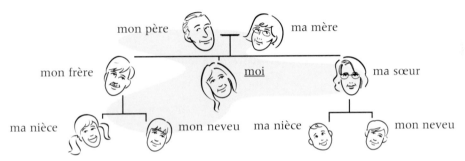

Mon père et ma mère sont **mes parents**.
Mon père est **le mari*** de ma mère.
Ma mère est **la femme*** de mon père.
Mon frère est **le fils** de mes parents.

Ma sœur est **la fille** de mes parents.
Le fils de mon frère / ma sœur est **mon neveu**.
La fille de ma sœur / mon frère est **ma nièce**.
Le conjoint / La conjointe

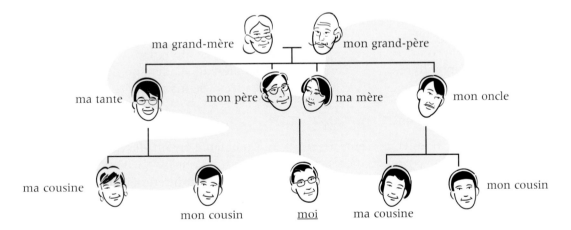

Mon grand-père et ma grand-mère sont **mes grands-parents**.
Le frère de mon père / ma mère est **mon oncle**. Sa sœur est **ma tante**.
Le fils de mon oncle / ma tante est **mon cousin**.
La fille de ma tante / mon oncle est **ma cousine**.
Je suis **le petit-fils / la petite-fille** de mes grands-parents.

* ou: l'ex-mari, l'ex-femme

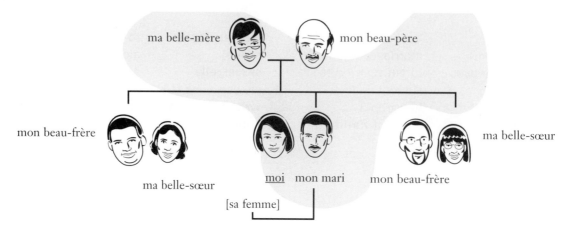

Les parents de mon mari / ma femme sont **mes beaux-parents**.
Les frères et les sœurs de ma femme / mon mari sont **mes beaux-frères** et **mes belles-sœurs**.
Le mari de ma sœur est aussi **mon beau-frère** et la femme de mon frère est aussi **ma belle-sœur**.

   Note: *Belle-mère* and *beau-père* can also mean stepmother and stepfather.

EXERCICES · ORALEMENT

a. Complétez les phrases d'après le modèle.

Modèle: Le mari de ma mère…
Le mari de ma mère est mon père.

1. La femme de mon père…
2. La sœur de mon père…
3. Le frère de ma mère…
4. Le fils de ma sœur…
5. La fille de mon frère…
6. Le fils de mon oncle…
7. La fille de mon oncle…
8. Le mari de ma sœur…
9. Le frère de ma femme…
10. Le père de mon mari…
11. La mère de ma femme…
12. La sœur de ma femme…

b. Répondez aux questions:

1. Combien de frères et de sœurs as-tu?
2. Combien de neveux et de nièces as-tu?
3. As-tu des cousins? De qui sont-ils les fils?
4. As-tu des cousines? De qui sont-elles les filles?
5. Où habitent tes grands-parents maternels et paternels?
6. Combien d'enfants tes grands-parents maternels ont-ils?
7. Est-ce que tes frères et sœurs sont mariés?
8. Où habitent tes oncles et tantes?

LES ÉTAPES DE LA VIE

Les fréquentations — les fiançailles — le mariage — la mort

L'état civil	Être célibataire — marié(e) — divorcé(e) — veuf(ve)
Les fréquentations	Faire la connaissance de quelqu'un Tomber amoureux(se) de quelqu'un Fréquenter quelqu'un
Les fiançailles	Se fiancer à quelqu'un Porter une bague de fiançailles
Le mariage	Se marier avec quelqu'un Se marier religieusement ou civilement Célébrer les noces Porter une alliance Assister au mariage
Le concubinage	Habiter avec quelqu'un Vivre ensemble
La séparation ou le divorce	Divorcer de quelqu'un Se séparer de quelqu'un Se réconcilier avec quelqu'un
La naissance	Être enceinte Attendre un enfant Donner naissance à un enfant Élever des enfants
La mort	Une personne est morte ou décédée. Un veuf / une veuve est en deuil. Assister aux funérailles

EXERCICES • ORALEMENT

Racontez les étapes de la vie de votre grand-père et de votre grand-mère.

1. D'abord, mes grand-parents _____
2. Ensuite, ils _____
3. Après, ma grand-mère _____
4. Plus tard, ils _____
5. Finalement, _____

GRAMMAIRE ET EXERCICES ORAUX

13.1 Contrastes entre l'imparfait et le passé composé

When using the **imparfait**, one presents an event in its duration, without indication of beginning or end (for instance, a state of mind free of time limits, or an action repeated an indeterminate number of times). The **passé composé**, on the other hand, presents an event in its completeness, ascribed to a particular moment or to a definite period of time. These contrasts may be best brought out by comparing the two tenses in similar sentences.

Passé composé	*Imparfait*
1) <u>Completed event</u>	1) <u>Uncompleted event</u>
Hier, il a plu à Vancouver.	**Il pleuvait à Vancouver quand j'ai pris l'avion.**
It rained yesterday in Vancouver. (*The implication is that it stopped raining at some point.*)	It was raining in Vancouver when I boarded the plane. (*Whether it stopped raining or not is not at issue here.*)
2) <u>Single occurrence</u>	2) <u>Repetition or habitual action</u>
L'an dernier, elle est allée à Montréal.	**L'an dernier, elle allait souvent à Montréal.**
Last year she went to Montreal.	Last year she used to go to Montreal often.
3) <u>Discontinuous event</u>	3) <u>Continuous event</u>
Quand j'ai vu le chien, j'ai eu peur.	**Quand j'étais enfant, j'avais peur des chiens.**
I got scared when I saw the dog. (*At that moment, I started being scared.*)	When I was a child, I was (*continuously*) scared of dogs.

Several observations should be added to these comparisons:

1) <u>Completed/Uncompleted event</u>

When using the **passé composé**, one is automatically ascribing a definite time limit to the past event. When using the **imparfait**, on the contrary, one is not concerned whether the event stopped or not, usually because it provides the continuous background, or context for other events narrated in the **passé composé**:

> **Hier, il <u>faisait</u> chaud quand nous <u>sommes partis</u>.**
>
> (The warm weather is the context within which our departure took place.)
>
> **Nous <u>partions</u> quand le téléphone <u>a sonné</u>.**
>
> (In this last sentence, our departure is the background against which the telephone rang.)

On the other hand, one automatically uses the **passé composé** when specifiying the duration of a single event (with **pendant**, during, or **longtemps**, for a long time, for instance), its end (**jusqu'à**, until), or its beginning (**à partir de**, from):

> Sa femme <u>a eu</u> mal à la tête pendant trois jours.
>
> Le mariage <u>a longtemps constitué</u> la norme.
>
> Ils <u>sont restés</u> mariés <u>jusqu'à</u> l'été dernier.
>
> Ce couple <u>a habité</u> Hamilton <u>à partir de</u> 1985.

2) <u>Single occurrence/Repetition</u>

By contrast with the **passé composé**, the **imparfait** indicates that an action occurred several times or on a repetitive basis during an indeterminate period of time. However, if one specifies the number of times the event occurred or mentions a definite period of time, the **passé composé** must be used:

> L'hiver dernier, <u>il a neigé</u> seulement <u>trois fois</u>.
>
> <u>Entre le mois de décembre et le mois de février</u>, il a souvent <u>neigé</u>.

3) <u>Discontinuity/Continuity</u>

Verbs used to describe situations or denoting states of being, states of mind or mental processes are usually in the **imparfait** (in a past context) since their very meaning is associated with continuity. They are used in the **passé composé** to indicate that a situtation or a state of mind *began* at a particular moment which one usually specifies in the sentence:

> Autrefois, <u>je voulais</u> devenir musicien.
>
> *but:*
>
> Le jour où j'ai entendu l'orchestre symphonique de Montréal, <u>j'ai voulu</u> devenir musicien.

EXERCICES • ORALEMENT

a. Le Grand Jour! Décrivez la cérémonie de mariage de votre ami.

1. Ils se sont mariés le 7 août. Il (faire) ＿＿＿＿＿＿ beau. Le soleil (briller) ＿＿＿＿＿＿. Tout le monde (être) ＿＿＿＿＿＿ joyeux.

2. La mariée est arrivée à l'heure. Elle (sourire) ＿＿＿＿＿＿ de bonheur. Ses sœurs (porter) ＿＿＿＿＿＿ de jolies robes. Sa mère (admirer) ＿＿＿＿＿＿ ses filles.

3. L'officiant s'est placé devant l'autel. Il (tenir) _____ une chandelle à la main. Les parents (suivre) _____ les mariés. L'église (sentir) _____ l'encens.

4. Les fiancés se sont avancés. Ils (se regarder) _____ dans les yeux. Il (avoir) _____ les larmes aux yeux. Elle (être) _____ émue.

5. La célébration a commencé. La chorale (chanter) _____ un cantique. Les invités (écouter) _____ religieusement. Les enfants (s'asseoir) _____ sagement.

6. À la fin de la cérémonie, alors que les nouveaux mariés (sortir) _____ , tout à coup un orage (éclater) _____ et il (se mettre) _____ à pleuvoir. Quel beau mariage!

b. Une fois ou souvent?

1. Mardi dernier, il (aller) _____ au cinéma.
2. Quand il était étudiant, il (sortir) _____ souvent avec des amis.
3. La semaine dernière, nous (faire) _____ du ski deux fois.
4. Franco (faire) _____ un voyage au Mexique l'été dernier.
5. Giselle (habiter) _____ chez ses grands-parents pendant trois mois.

6. Quand il était adolescent, il (penser) _____ devenir architecte, mais à l'âge de vingt ans, il _____ (choisir) _____ la carrière de journaliste.
7. Je (vouloir) _____ faire de la boxe mais, quand je (avoir) _____ un accident, je (devoir) _____ abandonner mes projets.
8. Il (écrire) _____ à ses parents toutes les semaines, puis il (se marier) _____ et ses lettres (devenir) _____ moins fréquentes.

c. L'histoire d'Yvette et de Marcel.

Quand Yvette et Marcel (se rencontrer) _____ , ils (avoir) _____ vingt ans. D'abord, ils (sortir) _____ ensemble pendant un an, puis ils (décider) _____ de vivre en concubinage parce qu'ils (vouloir) _____ faire l'expérience du mariage à l'essai.

Yvette et Marcel (être) _____ heureux, ils (ne pas avoir) _____ de difficulté à vivre ensemble et ils (s'entendre) _____ bien. Après deux ans de vie commune, comme ils (désirer) _____ avoir des enfants, ils (choisir) _____ de se marier.

13.2 L'imparfait avec *depuis*

To indicate that an action or a state of affairs has been going on in the past until some other event took place, the **imparfait** is used with **depuis** (for/since). The verb describing the other event is in the **passé composé**.

In French, **depuis** is used with the present tense (Chapter 10), whereas "for" and "since" are used with the present perfect in English. Likewise, the **imparfait** is used in French, whereas the pluperfect is used in English.

Exemples:

1) **Elle travaillait depuis trois ans quand elle est tombée malade.**
   She had been working for three years when she became ill.

2) **Elle voyageait depuis le mois de janvier quand elle est tombée malade.**
   She had been travelling since January when she became ill.

Note the questions corresponding to 1 and 2:

1) **<u>Depuis combien de temps</u> travaillait-elle quand elle est tombée malade?**
   How long had she been working when she became ill?

2) **<u>Depuis quand</u> voyageait-elle quand elle est tombée malade?**
   Since when had she been traveling when she became ill?

EXERCICES • ORALEMENT

a. Posez la question avec _depuis quand_ ou _depuis combien de temps_.

   Modèle: Il la connaissait depuis deux ans quand ils se sont mariés.
   Depuis combien de temps la connaissait-il quand ils se sont mariés?

   1. Jim et Lucy sortaient ensemble depuis un an quand ils se sont fiancés.
   2. Elle était enceinte depuis six mois quand son père est décédé.
   3. Ils habitaient Montréal depuis 1989 quand ils ont divorcé.
   4. Ils étudiaient à l'université depuis deux ans quand ils se sont rencontrés.
   5. Ils vivaient ensemble depuis le mois de mars quand ils se sont séparés.
   6. Paul et Jane étaient séparés depuis 1992 quand ils se sont réconciliés.

b. Répondez aux questions.

   Modèle: Depuis combien de temps attendais-tu quand je suis arrivé(e)? (un quart d'heure)
   J'attendais depuis un quart d'heure quand tu es arrivé(e).

   1. Depuis combien de temps avait-il mal aux dents quand il est allé chez le dentiste? (une semaine)
   2. Depuis combien de temps pleuvait-il quand tu es sorti(e)? (20 minutes)
   3. Depuis quand faisait-il humide quand il a commencé à pleuvoir? (le matin)
   4. Depuis combien de temps dormais-tu quand le téléphone t'a réveillé(e)? (une demi-heure)
   5. Depuis combien de temps vivait-elle à Montréal quand elle a dû partir? (un an)
   6. Depuis quand était-il étudiant quand il a abandonné ses études? (1982)
   7. Depuis combien de temps avais-tu de la fièvre quand tu as décidé de venir à l'hôpital? (deux jours)
   8. Depuis quand étaient-ils mariés quand ils ont eu un enfant? (1980)
   9. Depuis combien de temps la connaissais-tu quand elle s'est mariée? (deux ans)
   10. Depuis combien de temps habitait-elle Ottawa quand tu l'as rencontrée? (trois mois)

13.3 Le verbe irrégulier *recevoir*

	Présent de l'indicatif			*Participe passé*
je	reçois	nous	recevons	reçu
tu	reçois	vous	recevez	
il / elle / on	reçoit	ils / elles	reçoivent	

Recevoir means "to receive." **Apercevoir** (to catch a glimpse of), **s'apercevoir de** (to realize/to become aware of) and **décevoir** (to disappoint) are conjugated using the same pattern as **recevoir**. Note the **cédille** under **c** before **o** and **u**.

As-tu reçu mon faire-part?

Quand j'étais enfant, je recevais beaucoup de cadeaux.

On aperçoit le soleil entre les nuages.

J'ai aperçu Paul au mariage.

Ne décevez pas vos amis.

La note qu'il a reçue à l'examen le déçoit.

Il s'est aperçu de son erreur.

EXERCiCES • ORALEMENT

a. Remplacez le sujet par les mots entre parenthèses:

1. Je reçois plusieurs magazines. (Solange, nous, tu, ils)
2. Elle recevait des invités. (je, nous, tu, mes parents)
3. Nous avons reçu une lettre. (il, je, vous)
4. Il aperçoit le satellite. (nous, tu, je, elles)
5. Vous me décevez. (il, tu, elles)
6. Elle s'aperçoit de ses erreurs. (tu, je, ils, vous)

b. Demandez à un(e) autre étudiant(e) s'il / si elle…

1. reçoit souvent des cadeaux.
2. déçoit ses parents.
3. aperçoit le soleil par la fenêtre.
4. reçoit ses amis à Noël.
5. déçoit quelquefois ses amis.
6. aperçoit le professeur à la cafétéria quelquefois.
7. reçoit souvent des lettres d'amour.

c. Répondez aux questions:

1. Qu'est-ce que tu as reçu à ton anniversaire?
2. Qu'est-ce qui te déçoit à l'université?
3. Est-ce qu'on aperçoit des changements dans la famille?
4. Est-ce que tes amis te déçoivent?
5. Est-ce que tu recevais souvent des invités autrefois?
6. Est-ce que tu t'aperçois vite de tes erreurs?
7. As-tu aperçu un oiseau rare à la discothèque?

13.4 Les pronoms démonstratifs

	Singular	*Plural*
Masculine	celui	ceux
Feminine	celle	celles

The demonstrative pronouns refer to persons or things and agree in gender and number with the nouns they stand for. They are never used alone but are followed by:

1) a relative clause:
   Quelle robe voulez-vous? — <u>Celle</u> qui est dans la vitrine.
   Quels vidéos as-tu apportés? — <u>Ceux</u> que tu voulais regarder.

2) **de** + noun:
   Derrière la maison, il y a ma voiture et <u>celle de</u> mon père.

3) **-ci** or **-là** (this one/that one):
   Tu vois ces maisons: j'habite <u>celle-ci</u> et Hélène habite <u>celle-là</u>.

Followed by **-ci** and **-là**, the demonstrative pronouns may mean "the latter" and "the former":

   J'ai connu Estelle et David à l'université. <u>Celui-ci</u> est devenu architecte; <u>celle-là</u> est devenue médecin.

Ceci and **cela** (this/that) are also demonstrative pronouns. They are mostly used to refer to facts, ideas or situations. **Ceci** is often used to present some further idea:

   Je peux te dire <u>ceci</u>: je ne te comprends pas.

Cela is used to refer to an idea or a fact which has been previously mentioned:

   Je lui ai dit que j'étais malade. <u>Cela</u> l'a inquiété.
   Il ne veut pas étudier. Je ne comprends pas <u>cela</u>.

In spoken usage, **cela** is replaced by **ça**. **Ce** usually replaces **cela** or **ça** as the subject of **être**:

   <u>Cela</u> devient monotone.   <u>Ce</u> sont des événements importants.
   <u>Ça</u> va bien.   <u>C'</u>était une belle journée.

EXERCICES • ORALEMENT

a. Remplacez les mots soulignés par le pronom démonstratif approprié:

1. C'est <u>la voiture</u> que nous avons achetée.
2. C'est <u>l'université</u> où j'ai fait mon baccalauréat.
3. Veux-tu <u>l'album</u> que je viens de regarder?
4. As-tu vu <u>l'émission</u> que Radio-Canada a présentée?

5. J'ai jeté <u>les meubles</u> qui étaient usés.

6. Elle a envoyé <u>le faire-part</u> qui restait.

7. Il a mangé son dessert et <u>le dessert</u> de son père.

8. Avez-vous pris votre voiture ou <u>la voiture</u> de vos amis?

9. Il m'a parlé de ses problèmes et <u>des problèmes</u> de ses parents.

b. Que choisissez-vous?

> *Modèle:* Je vais acheter cette chemise-ci, et toi?
>
> *Moi, je vais acheter celle-là.*

1. J'aime ce pantalon-ci, et toi?

2. J'ai envie de ce gâteau-ci, et toi?

3. J'ai apporté ces cassettes-ci, et toi?

4. Je veux entrer dans ce restaurant-ci, et toi?

5. Je prends cet autobus-ci, et toi?

6. J'ai besoin de ce stylo-ci, et toi?

7. Je vais emporter ce livre-ci, et toi?

c. On regarde la photo de votre mariage et on vous pose des questions. Répondez avec un pronom démonstratif.

1. Qui est ton grand-père?   C'est _____ qui a les cheveux blancs.

2. Qui est ta cousine?   C'est _____ qui porte la robe rouge.

3. Qui sont tes amis?   Ce sont _____ qui se trouvent derrière moi.

4. Qui sont tes nièces?   Ce sont _____ qui portent les fleurs.

5. Qui est ta mère?   C'est _____ qui est placée près de la mariée.

6. Qui est ton père?   C'est _____ qui sourit le plus.

7. Qui est cette beauté?   C'est moi, bien sûr.

13.5 Le comparatif et le superlatif de l'adverbe

The comparative and superlative of adverbs are similar to those of the adjectives.

1) *Comparative*
   — superiority: Il nage <u>plus vite</u> que moi.
   — inferiority: Il pleut <u>moins souvent</u> ici qu'à Vancouver.
   — equality: Paul joue <u>aussi bien</u> au tennis que Pierre.

2) *Superlative*
   — superiority: Marie a travaillé <u>le plus fort</u>.
   — inferiority: Celui qui est resté <u>le moins longtemps</u>, c'est Léon.

With an adverb, only the masculine singular form of the definite article **le** is used.

3) *Bien*

The comparative and superlative of superiority of **bien** (well) are irregular: **mieux** (better) and **le mieux** (the best):

> Il écrit <u>mieux</u> que toi.
>
> Suzanne est l'étudiante qui a <u>le mieux</u> réussi.

EXERCICES · ORALEMENT

a. Transformez les phrases selon le modèle.

> *Modèle:* Pierre marche vite. (Francine, +)
> *Pierre marche plus vite que Francine.*

1. Vous avez attendu longtemps. (nous, -)
2. Colette écrit bien. (moi, +)
3. Ma tante parle fort. (eux, =)
4. Tu apprends facilement. (ta sœur, +)
5. Il joue bien aux échecs. (son père, -)
6. Nous sommes arrivés tôt. (eux, +)
7. Philippe joue mal au tennis. (moi, =)

b. Répondez aux questions:

Dans ta famille…
1. qui travaille le plus fort?
2. qui dort le plus longtemps?
3. qui regarde la télévision le plus souvent?
4. qui fait le moins bien la vaisselle?
5. qui fait le moins souvent le ménage?

Dans la classe…
6. qui est le plus souvent absent?
7. qui est le moins souvent absent?
8. qui parle le plus souvent?
9. qui répond le mieux aux questions?
10. qui écoute le plus attentivement?

EXERCICES ÉCRITS

a. Scène entre fiancés. Répondez aux questions avec les mots dans la colonne de droite. Mettez les verbes à l'imparfait ou au passé composé.

Pourquoi…
1. as-tu refusé de déjeuner avec moi?
2. n'as-tu pas répondu au téléphone hier?
3. n'as-tu pas ouvert la porte?
4. n'es-tu pas venu(e) me parler?
5. t'es-tu couché(e) si tôt?
6. t'es-tu fiancé(e) avec moi?

Parce que je…
(avoir) un cours.
(être) absent(e).
(parler) au téléphone.
(manquer) de temps.
(se sentir) pas très bien.
tu (sembler) compréhensif(ve).

b. Répondez aux questions par des phrases complètes:

1. Depuis combien de temps m'attendais-tu quand je suis rentré(e)?
2. Depuis combien de temps neigeait-il quand elle est sortie?
3. Depuis quand la connaissait-il quand ils se sont mariés?
4. Depuis combien de temps étudiait-il le français quand il est allé habiter Montréal?
5. Depuis quand faisait-il soleil quand tu es parti(e)?

c. Mettez les verbes à l'imparfait ou au passé composé:

1. Quand je (faire) mes études, je (lire) plusieurs livres toutes les semaines.
2. Il (avoir) une pneumonie quand il (avoir) dix ans.
3. Tous les jours, je (aller) me promener.
4. Ce jour-là, je (me promener).
5. Il (jouer) souvent aux échecs quand il (être) adolescent.
6. Elle (visiter) deux fois la ville de Québec.
7. Nous (écrire) trois cartes à nos parents pendant les vacances.
8. Elle (détester) les sports, puis elle (rencontrer) Pierre et elle (apprendre) la natation et le tennis.
9. Quand je (être) plus jeune, je (jouer) au base-ball tous les samedis.
10. Le mois dernier, l'équipe de hockey (perdre) cinq parties.

d. Employez le verbe qui convient *(apercevoir, s'apercevoir de, décevoir, recevoir)* au présent:

1. Le médecin _____ ses patients dans son bureau.
2. Quand il neige, on ne _____ pas le soleil.
3. Ses mauvaises notes _____ ses parents.
4. Ce soir, ils _____ des invités.
5. Vous _____ enfin des problèmes de votre fils!
6. De ma chambre, je _____ la rivière.
7. Nous _____ ce magazine tous les mois.

e. Remplacez les mots soulignés par un pronom démonstratif:

1. Le cours de français est-il plus facile que le cours de littérature anglaise?
2. Mon auto et l'auto de ma sœur sont dans le garage.
3. Vos cahiers sont sur le bureau; le cahier de Pierre est dans ma serviette.
4. Racontez-moi vos expériences et les expériences de vos amis.
5. J'ai plusieurs stylos: voulez-vous ce stylo-ci ou ce stylo-là?
6. Laquelle des deux compositions était la plus originale? La composition que Pierre a écrite ou la composition que Jeannine a écrite?

f. Faites des comparaisons selon le modèle.

   Modèle: Pierre / rire facilement / Lucie (+)
   Pierre rit plus facilement que Lucie.

1. Ce garçon / nager bien / sa sœur (-)
2. Paul / travailler lentement / Louise (+)
3. Il / lire vite / moi (=)
4. Vous / travailler fort / nous (-)
5. Elle / parler bien / son frère (+)

g. Répondez aux questions selon le modèle.

   Modèle: Martin parle fort. (le groupe)
   C'est Martin qui parle le plus fort du groupe.

1. Isabelle nage vite. (l'équipe)
2. Grégoire sourit souvent. (les enfants)
3. Henri étudie fort. (la classe)
4. Sylvie joue bien du piano. (la famille)
5. André m'écrit souvent. (mes frères et sœurs)

Lecture Lecture Lecture

Les nouveaux couples

C'était bien connu; dans les ménages canadiens, la contribution des femmes aux responsabilités familiales était beaucoup plus importante que celle des hommes. Mais, une enquête récente de Statistique Canada a démontré que les choses étaient en train de changer.

Il y a vingt-cinq ans, la participation des hommes aux travaux domestiques et aux soins des enfants était pratiquement nulle. Aujourd'hui, elle est bien réelle. Comme on s'en doute, cette évolution est directement liée à l'arrivée massive des femmes sur le marché du travail. En 1966, seulement 35 p. cent des femmes travaillaient à l'extérieur; maintenant, cette proportion est de 60 p. cent. Ces chiffres imposaient une conclusion: si les femmes étaient plus nombreuses à travailler à l'extérieur et à occuper des emplois à temps plein, il devenait illogique et injuste qu'elles continuent à supporter l'essentiel des tâches domestiques.

Voyons donc comment, en 1992, le travail était réparti entre madame et monsieur. Si on prenait un couple qui travaillait à temps plein et qui avait deux enfants d'âge préscolaire. C'était évidemment l'emploi qui occupait le plus de temps: entre 8 heures par jour pour les hommes et 6 heures pour les femmes. Venaient ensuite les travaux ménagers, c'est-à-dire le ménage, le lavage, la vaisselle, la préparation des repas et le nettoyage après les repas, les courses alimentaires, l'entretien de la maison, de la voiture, du terrain, de la piscine, etc.: la charge des femmes était plus élevée mais moins qu'on le pensait. La moyenne était de 2 heures 18 pour les hommes et 3 heures pour les femmes par jour.

Ce qui faisait la plus grande différence, c'était les enfants (les soins, les jeux, les visites chez le médecin, les couches, les purées, la garderie, les heures passées à consoler et à cajoler); les femmes ont consacré un peu plus de 3 heures par jour contre 1 heure 30 pour les hommes.

D'autre part, l'enquête mentionnait les tensions que provoquait la difficulté de concilier les obligations professionnelles et la vie de famille. Le niveau de stress était beaucoup plus élevé chez les couples qui élevaient des enfants d'âge préscolaire et diminuait lorsque les enfants étaient plus âgés. Le fait de confier la garde des enfants à des étrangers constituait un facteur de stress pour 90 p. cent des hommes et des femmes. Il est cependant intéressant de constater que le stress lié à l'emploi et à la famille touchait aussi bien les hommes que les femmes.

(Extrait de *La Presse*, 21 mars 1995, par Claude Picher)

cajoler	to cuddle	**injuste**	unfair
chiffre (m.)	figure	**jeu** (m.)	game
chose (f.)	thing	**lier**	to link
concilier	to reconcile	**ménage** (m.)	household
confier	to entrust	**moyenne** (f.)	average
consacrer	to devote	**niveau** (m.)	level
consoler	to soothe	**nombreux, nombreuse**	numerous
constater	to notice	**nul, nulle**	none
constituer	to make up	**plein, pleine**	full
couche (f.)	diaper	**préscolaire**	preschool
d'autre part	moreover	**purée** (f.)	baby food
enquête (f.)	survey	**répartir**	to share
étranger, étrangère	stranger	**soin** (m.)	care
fait (m.)	fact	**tâche** (f.)	task, work
garde (f.)	care	**travaux ménagers** (m.)	housework
garderie (f.)	day care center	**toucher**	to concern

QUESTIONS

1. Qu'est-ce que l'enquête de Statistique Canada a constaté chez les ménages canadiens?
2. Quelle était la participation des hommes il y a vingt-cinq ans? et en 1992?
3. À quoi attribuer cette évolution?
4. À quelle conclusion en arrivait l'enquête?
5. Nommez quelques travaux ménagers qu'un couple doit accomplir?
6. Quelle était la moyenne de temps consacré aux travaux domestiques par les hommes? par les femmes?
7. Qu'est-ce qui faisait la différence pour les femmes?
8. Quelles tâches reliées aux enfants sont accomplies par les femmes?
9. L'enquête a mentionné le stress. À quoi l'attribuait-on?
10. Quelle constatation est-il intéressant de noter à la suite de cette enquête?

SITUATIONS / CONVERSATIONS

1. D'après vous, la vie de famille est-elle en train de disparaître? Qu'en pensez-vous?
2. Avez-vous l'intention de vous marier et de fonder une famille? Pour quelles raisons? Quels avantages y voyez-vous?
3. Quel genre de vie familiale avez-vous connu? Avez-vous l'intention de conserver le même type de vie? Pourquoi? Qu'allez-vous y changer?
4. Êtes-vous pour ou contre: le mariage, la vie commune, la cohabitation sans liens légaux?
5. Comment sera d'après vous la vie familiale en l'an 2000?
6. Quel rôle ont joué vos grands-parents dans votre vie? Comment étaient-ils?
7. Racontez une sortie intéressante que vous avez faite (à la discothèque, au restaurant, au cabaret, au théâtre).
8. Décrivez vos activités de la fin de semaine dernière.
9. Vous rencontrez un(e) ami(e) d'enfance que vous n'avez pas vu(e) depuis longtemps. Posez-lui des questions sur sa vie.
10. Décrivez une activité que vous avez toujours détestée.
11. Décrivez votre famille. Avez-vous un père, une mère, des grands-parents, des frères, des sœurs, des tantes, des cousins, etc?
12. Vous nous montrez un album de famille et nous posons des questions.
    Exemple: Qui est à côté de toi sur la photo? (C'est ma sœur.) Quel âge a-t-elle? Que fait ton grand-père sur la photo? etc.
13. À qui ressemblez-vous physiquement et intellectuellement?
14. Quel membre de votre famille vous fascinait beaucoup quand vous étiez enfant et pourquoi?

COMPOSITIONS

1. Racontez l'histoire de votre vie. (Où êtes-vous né(e)? Où avez-vous vécu? Quelles écoles avez-vous fréquentées? Où avez-vous habité? Comment étiez-vous à l'école? Où avez-vous travaillé? etc.)

2. *Sondage:* Indiquez sur une feuille:

   — votre matière préférée à l'université;
   — votre loisir favori;
   — votre plus grande ambition;
   — comment vous vous voyez dans 20 ans.

   En comparant les réponses des garçons et celles des filles, vous pourrez noter les ressemblances et les différences et même des remarques concernant les rôles masculins et féminins.

3. Dressez une liste d'activités qui ont été associées à la virilité masculine et une liste d'activités associées à la féminité.

4. Quels sont les plus grands problèmes auxquels doit faire face la famille moderne?

PRONONCIATION

(This exercise is at the end of Chapitre 13 on the tape.)

E caduc (/ə/)

The vowel /ə/ is called "unstable" (**caduc**) because it is sometimes pronounced, sometimes silent, and sometimes its pronunciation is optional.

When is unstable *e* silent?

1) At the end of an isolated word or at the end of a rhythmic group:

> Regardé.   Tu parlés.   As-tu l'heuré?

One exception: /ə/ is retained in the pronoun **le** after an imperative form:

> Regardez-l̲e̲.   Attendons-l̲e̲.   Finis-l̲e̲.

2) Whenever it is preceded by a single pronounced consonant, within a word or within a rhythmic group:

> samédi, bouchérie, épicérie, bravément
> Il n'y a pas dé vent. Va chez lé médecin.

When is unstable *e* pronounced?

1) At the beginning of a rhythmic group, when it is preceded by two pronounced consonants:

> Pr̲e̲nons un café.

2) Within a word or a rhythmic group, when it is preceded by two pronounced consonants:

> mercr̲e̲di, vendr̲e̲di, berg̲e̲rie,
> just̲e̲ment
> Il est sur l̲e̲ toit.
> Pierre m̲e̲ fatigue.

When is the pronunciation of /ə/ optional?

At the beginning of a rhythmic group, when it is preceded by a single pronounced consonant:

> R̲e̲viens!   J̲e̲ parlé.   L̲e̲ verré est vidé.

Répétez:

1. il n'a pas de livre
    il n'a pas de peigne
    il n'a pas de veston
    il n'a pas de voiture

    il n'y a pas de vent
    il n'y a pas de cours
    il n'y a pas de soleil
    il n'y a pas de professeur

2. j'ai beaucoup de chance
    j'ai beaucoup de temps
    j'ai beaucoup de travail
    j'ai trop de patience

    j'ai trop de peine
    j'ai trop de problèmes
    j'ai un peu de pain
    j'ai un peu de vin

3. il vient de chez lui
    il vient de Toronto
    il vient de partir
    il vient de manger

    va chez le dentiste
    va chez le médecin
    va chez le marchand
    va chez le coiffeur

4. passe-moi le sel
    passe-moi le pain
    passe-moi le vin
    passe-moi le cahier

    donne-lui ce gâteau
    donne-lui ce marteau
    donne-lui ce livre
    donne-lui ce crayon

Donnez l'adverbe correspondant: (brave ⟶ bravement)

bête	dernier	gracieux	long
clair	franc	facile	premier
complet	grand	heureux	sincère

Weblinks

Nations Unies **www.unfpa.org/FRANCAIS/PUBLICAT/HOMMES.HTM**

Communiqués du CSF **www.cfs.gouv.qc.ca/actu/com/index.htm#fiscfami**

femmes babelweb **www.babelweb.org/mpc**

European students against sexism
www.geocities.com/CapitolHill/7422/FranzoesischMixture.html

Le monde diplo **www.monde-diplomatique.fr/md/1997/03/femmes/**

L'Acadie et la mer

Thèmes
- Parler de mes projets futurs
- Voyage dans les Maritimes
- Exprimer la négation

Lecture
L'Acadie

Grammaire

VOCABULAiRE UTiLE

anse (f.)	cove	**déprimer**	to depress
baie (f.)	bay	**digue** (f.)	dike
bateau (m.)	boat	**dis donc!**	by the way
berge (f.)	bank	**discuter**	to discuss
blague (f.)	joke	**embêter**	to annoy
cacher	to hide	**gîte** (m.) **du passant**	bed and breakfast
colon (m.)	settler	**histoire** (f.)	history; story
communauté (f.)	community	**homard** (m.)	lobster
confiance (f.)	confidence	**isolé(e)**	isolated
conscient, ente	conscious	**île** (f.)	island
côte (f.)	coast	**(s') installer**	to settle
côtier, côtière	coastal	**libre**	free
découvrir	to discover	**marin** (m.)	sailor

mer (f.)	sea	**relâche** (f.)	break
montagne (f.)	mountain	**rivière** (f.)	river
montant (m.)	amount	**sable** (m.)	sand
mouette (f.)	seagull	**souci** (m.)	worry
paysage (m.)	landscape	**tempête** (f.)	storm
pêche (f.)	fishing	**vague** (f.)	wave
pêcheur (m.)	fisherman	**veiller**	to spend the
pétoncle (m.)	scallop		evening
pionnier, pionnière	pioneer		in company
plage (f.)	beach	**vérité** (f.)	truth
port (m.)	port, harbour	**voie** (f.)	way
prêt (m.)	loan		

GRAMMAIRE ET EXERCICES ORAUX

14.1 Le futur

The future tense of regular verbs is formed by adding to the infinitive the endings **-ai, -as, -a, -ons, -ez, -ont**.

		marcher	*finir*	*répondre*
je		marcher**ai**	finir**ai**	répondr**ai**
tu		marcher**as**	finir**as**	répondr**as**
il / elle / on		marcher**a**	finir**a**	répondr**a**
nous		marcher**ons**	finir**ons**	répondr**ons**
vous		marcher**ez**	finir**ez**	répondr**ez**
ils / elles		marcher**ont**	finir**ont**	répondr**ont**

The final **e** of infinitives in **-re** is dropped before the endings are added:

attendre ⟶ j'attendrai   vendre ⟶ je vendrai

Regular verbs in -er with spelling changes

The spelling changes occurring in the present tense are retained in the stem of *all* the forms of the future tense (see also pp. 411-415):

acheter: achèterai, achèteras, achètera, achèterons, achèterez, achèteront
jeter: jetterai, jetteras, jettera, jetterons, jetterez, jetteront
payer: paierai, paieras, paiera, paierons, paierez, paieront

However, the **accent aigu** is retained in verbs whose infinitive ends in **é** + consonant + **er**:

espérer: espérerai, espéreras, espérera, espérerons, espérerez, espéreront

Verbs with irregular stems in the future

The endings of the future tense are the same for all verbs. Among irregular verbs, some follow the regular pattern in the formation of the future tense (that is, their infinitive form is used as the future stem), for example, **connaître**, **dire**, **dormir**, **prendre**, etc. Other irregular verbs* have irregular future stems:

aller	j'<u>ir</u>ai	**pouvoir**	je <u>pourr</u>ai
avoir	j'<u>aur</u>ai	**recevoir**	je <u>recevr</u>ai
devoir	je <u>devr</u>ai	**savoir**	je <u>saur</u>ai
être	je <u>ser</u>ai	**venir**	je <u>viendr</u>ai
faire	je <u>fer</u>ai	**voir**	je <u>verr</u>ai
falloir	il <u>faudr</u>a	**vouloir**	je <u>voudr</u>ai

EXERCICES • ORALEMENT

a. Mettez les verbes à l'infinitif à la personne du futur qui est indiquée:

1. je mangerai   parler, réfléchir, répondre, se promener
2. tu finiras   terminer, bâtir, vendre, s'ennuyer
3. elle descendra   marcher, choisir, attendre, se laver
4. nous achèterons   appeler, punir, jeter, se raser
5. vous réussirez   regarder, remplir, payer, se disputer
6. ils rendront   commencer, précéder, obéir, se fatiguer

b. Mettez les verbes au futur selon le modèle.

AUJOURD'HUI   *DEMAIN*

Modèle: Il arrive à l'heure.   Il arrivera à l'heure.

1. Elle répond au professeur.   9. Nous déjeunons à huit heures.
2. Tu réfléchis à ce problème.   10. Elles s'amusent ensemble.
3. Nous nous disputons.   11. Tu t'entends avec tes amis.
4. Les enfants obéissent à leur père. 12. Il me vend son veston.
5. Je te rends ton livre.   13. Je le rencontre à Moncton.
6. Vous insistez sur ce point.   14. Nous vous donnons un chèque.
7. J'écoute une émission culturelle. 15. Tu leur souhaites bon voyage.
8. Hubert réussit au concours.

c. Nos projets pour l'an prochain.

1. L'année prochaine, seras-tu à la même université?
2. Serons-nous dans les mêmes classes?
3. Partiras-tu en voyage pendant la relâche?
4. Visiteras-tu les Maritimes pendant les vacances?

* **Envoyer**, otherwise a regular **-er** verb, has an irregular stem in the future (as in the conditional):
j'enverrai.

5. Voudras-tu faire partie de l'équipe de football?

6. Ira-t-on au cinéma tous les samedis?

7. Sortirons-nous ensemble en fin de semaine?

8. Feras-tu encore du français?

d. Racontez votre prochain voyage dans les Maritimes et mettez les verbes au futur.

1. Pour mes vacances, je (aller) dans les Maritimes (au Nouveau-Brunswick, en Nouvelle-Écosse, à l'Île-du-Prince-Édouard).

2. Je me (rendre) à Moncton en train (en autobus, en autocar, en avion, en auto).

3. Je (descendre) dans un hôtel chic (auberge de jeunesse, un gîte du passant).

4. Je (se promener) sur la plage (près des dunes, sur le quai, sur les rochers).

5. Je (se baigner) dans la mer (dans l'océan, sur une petite plage isolée, dans les vagues).

6. Je (visiter) les vieux quartiers des villes (les musées, le vieux port, les galeries d'art, les antiquaires).

7. Je (aller) même à la pêche sur l'océan (en haute mer, sur les quais).

8. Le soir, je (sortir) dans les bars (les discothèques, au théâtre, au concert public).

9. Je (faire) des marches au clair de lune (sur le sable fin, sur la berge, au vieux port).

10. Je (dormir) au son des vagues (des mouettes, du vent, de la tempête).

e. Voici quelques conseils de votre professeur. Mettez les verbes au futur.

Pour réussir ce cours, vous…
(devoir) _____ travailler très fort.
(étudier) _____ trois heures minimum par jour.
(ne pas sortir) _____ le soir pendant les examens.
(apprendre) _____ votre matière suffisamment.
(se reposer) _____ huit heures par nuit.
(ne pas boire) _____ d'alcool avant les tests.
(manger) _____ légèrement, sans abus.
(ne pas téléphoner) _____ à vos amis trop longtemps.
(remettre) _____ vos travaux à temps.
Et alors, peut-être (réussir)-vous _____ ce cours!

f. Dis-moi, plus tard, est-ce que…

1. tu iras en vacances en Europe?
2. tu visiteras le Québec?
3. tu voudras venir me voir à Moncton?
4. tu écriras un livre sur ta vie?
5. tu achèteras une automobile?
6. tu termineras tes études universitaires?
7. tu te marieras et auras une famille?
8. tu achèteras une propriété?

14.2 Le futur avec *quand, dès que, tant que*

Quand and **lorsque** mean "when."
Dès que and **aussitôt que** mean "as soon as."
Tant que and **aussi longtemps que** mean "as long as."

In the future context, the future tense is used after these conjunctions, whereas in English the present tense is used after the corresponding expressions.

> **Je le verrai quand il reviendra.**
> I will see him when he comes back.
>
> **Nous lui téléphonerons lorsqu'il sera à Toronto.**
> We will call him when he is in Toronto.
>
> **Nous partirons dès que tu seras prêt(e).**
> We will leave as soon as you are ready.
>
> **Elles m'écriront aussitôt qu'elles arriveront.**
> They will write to me as soon as they arrive.
>
> **Tu devras rester au lit tant que tu auras de la fièvre.**
> You will have to stay in bed as long as you have a fever.
>
> **Aussi longtemps qu'elle n'étudiera pas, elle aura de mauvaises notes.**
> As long as she does not study, she will get bad grades.

EXERCICES · ORALEMENT

a. Que ferez-vous plus tard?

1. Aussitôt que les cours finiront, je…
2. Quand j'aurai du temps libre, je…
3. Dès que j'aurai du travail, je…
4. Je me marierai, quand je…
5. J'aurai une famille, aussitôt que…
6. Je m'achèterai une maison, quand…

b. Un rendez-vous… peut-être! Je veux savoir…

1. quand me téléphoneras-tu? (Quand — revenir — vacances)
2. quand m'inviteras-tu chez toi? (Quand — être — chez moi)
3. combien de temps devrai-je attendre? (Tant que — être occupé(e))
4. quand puis-je espérer ton appel? (Aussitôt — être libre)
5. quand irons-nous au ciné ensemble? (Quand — pleuvoir)
6. quand viendras-tu voir ma collection de timbres? (Dès que — être possible)
7. quand est-ce que ce sera possible? (Quand — tu me inviter)

14.3 *Quelqu'un / personne — quelque chose / rien*

These are indefinite pronouns which are invariable. (Their form never varies. For the purpose of agreement with the past participle of verbs conjugated with **être**, they are considered masculine singular.)

1) **Quelqu'un** (somebody) / **personne** (nobody/not... anybody)

> <u>Quelqu'un</u> est entré dans ma chambre.
> <u>Personne</u> n'est venu.
> Il a parlé à <u>quelqu'un</u>.
> Elle ne rencontrera <u>personne</u>.

J'ai vu <u>quelqu'un</u> à la porte.

Nous n'avons besoin de <u>personne</u>.

✪   Note that *personne* is used with *ne*, which is placed immediately before the verb. When *personne* is the direct object of a verb in the *passé composé* or in the infinitive, it is placed after the past participle or the infinitive:

Je <u>n</u>'ai vu <u>personne</u>.

Il <u>ne</u> veut voir <u>personne</u>.

2) **Quelque chose** (something) / **rien** (nothing/not... anything)

<u>Quelque chose</u> est tombé du toit.

<u>Rien</u> ne l'amuse quand il est préoccupé.

J'ai entendu <u>quelque chose</u>.

Tu n'as <u>rien</u> mangé.

As-tu envie de <u>quelque chose</u>?

Ils ne m'ont parlé de <u>rien</u>.

Rien is used with **ne**, which is placed immediately before the verb. When **rien** is the direct object of a verb in the **passé composé** or in the infinitive, it is placed between the auxiliary verb and the past participle or between the conjugated verb and the infinitive:

Je <u>n</u>'ai <u>rien</u> vu.

Il <u>ne</u> veut <u>rien</u> voir.

3) **Quelqu'un, quelque chose, personne, rien + à +** infinitive

Je m'ennuie: je <u>n</u>'ai <u>rien à faire</u>.

Est-ce qu'il y a <u>quelque chose à manger</u>?

Il est seul: il cherche <u>quelqu'un à aimer</u>.

Je <u>ne</u> connais <u>personne à inviter</u>.

4) **Quelqu'un, quelque chose, personne, rien + de +** adjective
In this construction, the adjective remains invariable.

Elle a rencontré <u>quelqu'un de fantastique</u>.

Y a-t-il <u>quelque chose d'intéressant</u> à la télé?

Je n'ai <u>rien</u> acheté <u>de cher</u>.

Je <u>n</u>'ai rencontré <u>personne de sympathique</u>.

EXERCICES • ORALEMENT

a. Répondez aux questions affirmativement et négativement d'après les modèles.

> *Modèles:* Qu'est-ce que tu vois?   Qui attendais-tu?
> *Je vois quelque chose.*   *J'attendais quelqu'un.*
> *Je ne vois rien.*   *Je n'attendais personne.*

1. Qu'est-ce que tu fais?	9. Qu'est-ce qu'il y a?
2. Qui regardes-tu?	10. Qu'est-ce que tu as lu?
3. Qui a-t-il rencontré?	11. Qui espères-tu rencontrer?
4. Qu'est-ce qu'elle veut faire?	12. Qu'est-ce qu'elle a pu faire?
5. Qui est arrivé?	13. Qu'est-ce qui se passera?
6. De quoi parleras-tu?	14. De qui parles-tu?
7. De quoi as-tu besoin?	15. De quoi avais-tu envie?
8. À qui pensais-tu?	16. À quoi penses-tu?

b. Répondez négativement: Dis donc! ce week-end…

As-tu quelque chose à faire? Non, ———— .

Dois-tu rencontrer quelqu'un? Non, ———— .

As-tu quelque chose d'important à étudier? Non, ———— .

As-tu quelqu'un d'intéressant à me présenter? Non, ———— .

Est-ce qu'il y a quelque chose à voir au cinéma? Non, ———— .

Amèneras-tu quelqu'un veiller samedi soir? Non, ———— .

Prépareras-tu quelque chose de bon à grignoter? Non, ———— .

As-tu quelque chose de passionnant à lire? Non, ———— .

Dis donc! as-tu quelque chose de positif à dire? Non, ———— .

14.4 Les pronoms objets et l'impératif

When the verb is in the affirmative imperative, the direct and indirect object pronouns, as well as **y** and **en**, are placed after the verb and are joined to it by a hyphen:

Regarde le professeur.	Regarde-le.
Prends la voiture.	Prends-la.
Parlez à vos amis.	Parlez-leur.
Apportez deux sandwiches.	Apportez-en deux.
Allez au cinéma.	Allez-y.

The direct and indirect pronoun **me** becomes **moi** after the verb:

Regarde-moi.	Parlez-moi.

Before **y** and **en**, the letter **s** (pronounced /z/) is added to the second person singular form of the imperative of **-er** verbs (including **aller**):

Manges-en.	Achètes-en.	Vas-y.

When the verb is in the negative imperative, the pronouns precede the verb:

Ne me regarde pas.	Ne leur téléphone pas.
N'en prenez pas.	N'y allez pas.

EXERCICES · ORALEMENT

a. Remplacez le nom par un pronom objet:

1. Amène <u>ton ami</u>.
2. Mangeons <u>la tarte</u>.
3. Téléphone <u>à Marcel</u>.
4. Écrivons <u>à nos amis</u>.
5. Achète <u>du vin</u>.
6. Amenez beaucoup <u>d'amis</u>.
7. Apporte trois <u>tasses</u>.
8. Embrassez <u>vos cousins</u>.
9. Parle à <u>ton ami</u>.
10. Réponds <u>au professeur</u>.
11. Fais <u>la vaisselle</u>.
12. Prends <u>de l'argent</u>.
13. Mange <u>un biscuit</u>.
14. Va dans <u>le jardin</u>.

b. Votre ami(e) est déprimé(e). Essayez de le/la réconforter et dites-lui de...

1. vous regarder dans les yeux.
2. vous parler de ses problèmes.
3. vous téléphoner pour discuter.
4. vous répondre franchement.
5. ne pas vous inquiéter pour rien.
6. ne pas vous raconter de mensonges.
7. vous confier ses soucis.
8. vous dire toute la vérité.
9. vous accorder sa confiance.
10. vous informer de sa décision.
11. ne rien vous cacher.
12. ne pas vous décevoir.

14.5 Place des pronoms après l'impératif

When two pronouns are used with the affirmative imperative, they both follow the verb and are joined by a hyphen. Direct object pronouns must always precede indirect object pronouns. The order in which pronouns are placed is:

le	+	**me***	+	**en**
la		**lui**		
les		**nous**		
		leur		

Rends-nous ce disque.	Rends-le-nous.
Donne-moi la chemise.	Donne-la-moi.
Achète-leur des fleurs.	Achète-leur-en.
Emprunte-lui deux stylos.	Emprunte-lui-en deux.
Lis-leur la lettre.	Lis-la-leur.
Prête-moi un livre.	Prête-m'en un.

When the verb is in the negative imperative, the order of the pronouns before the verb is the same as with all the other forms of the verb (see Chapter 10):

Ne m'en parle pas.	Ne la lui donnons pas.
Ne lui en parle pas.	Ne les leur prête pas.

---

* **Me** becomes **moi** when placed in the last position; it becomes **m'** before **en**.

EXERCICES • ORALEMENT

a. Suivez le modèle. Dites à un(e) autre étudiant(e) de...

> *Modèle:* vous prêter <u>son crayon</u>.
>
> *Prête-le-moi.*

1. vous payer <u>une bière</u>.
2. vous donner <u>le livre</u>.
3. vous emprunter <u>votre moto</u>.
4. vous vendre <u>son ordinateur</u>.
5. vous passer <u>les biscuits</u>.
6. vous prêter <u>deux livres</u>.
7. vous apporter <u>beaucoup de fruits</u>.
8. vous amener <u>ses amis</u>.
9. vous dire <u>la vérité</u>.
10. vous écrire <u>une carte</u>.

b. Suivez le modèle. Dites à d'autres étudiants de...

> *Modèle:* nous donner <u>de l'argent</u>.
>
> *Donnez-nous-en.*

1. nous prêter <u>leur voiture</u>.
2. nous acheter <u>nos disques</u>.
3. nous vendre <u>leurs livres</u>.
4. nous répéter <u>la phrase</u>.
5. nous parler de <u>leurs projets</u>.
6. nous parler de <u>leur voyage</u>.
7. nous donner <u>du vin</u>.
8. nous servir <u>des sandwiches</u>.

c. Remplacez les noms par des pronoms objets.

> *Modèle:* Donne <u>le crayon à Pierre</u>.
>
> *Donne-le-lui.*

1. Prêtez <u>de l'argent à vos amis</u>.
2. Vends <u>ton vélo à Sylvie</u>.
3. Passe <u>la serviette à Marc</u>.
4. Donne <u>les clés à tes parents</u>.
5. Parlons <u>de nos difficultés à Gaston</u>.
6. Servez <u>du vin à vos invités</u>.
7. Empruntez <u>un peu d'argent à la banque</u>.
8. Donnez <u>beaucoup de temps à vos amis</u>.

d. Remplacez le nom par un pronom.

> *Modèle:* Ne me dis pas <u>de mensonges</u>.
>
> *Ne m'en dis pas.*

1. Ne lui donne pas <u>ta bicyclette</u>.
2. Ne leur prête pas <u>ta voiture</u>.
3. Ne la prête pas <u>à Thomas</u>.
4. Emprunte-le <u>à Marie</u>.
5. Donne-leur <u>les gâteaux</u>.
6. Écris-lui <u>la bonne nouvelle</u>.
7. Ne leur sers pas <u>trop de vin</u>.
8. N'en donne pas trop <u>aux enfants</u>.
9. Prête-nous <u>un livre</u>.

14.6 Le verbe irrégulier *tenir*

Présent de l'indicatif				*Participe passé*	*Futur*
je	tiens	**nous**	tenons	**tenu**	je <u>tiend</u>rai
tu	tiens	**vous**	tenez		
il / elle / on	tient	**ils / elles**	tiennent		

tenir (to hold)
Il <u>tient</u> un stylo entre ses doigts.
Elle <u>tenait</u> son bébé dans ses bras.

tenir à (to hold dear/to cherish):
Je <u>tiens à</u> toi.
Elle <u>tient à</u> ce cadeau de son père.
Nous <u>tenons à</u> la vie.

se tenir (to hold oneself/to stay):
<u>Tiens-toi</u> droit!
Il <u>se tiendra</u> tranquille.

contenir (to contain):
Ma serviette <u>contient</u> des livres et des papiers.
Ce verre <u>contenait</u> du poison.

EXERCICE • ORALEMENT

Répondez aux questions:

1. Je tiens un stylo dans ma main. Et toi? Et lui? Et elle?
2. Est-ce que nous tenons à la vie?
3. Est-ce que tu tiens à la vie?
4. Est-ce que les gens en général tiennent à la vie?
5. Est-ce que tu tiens à tes parents?
6. Est-ce que tes parents tiennent à toi?
7. Est-ce qu'Abélard tenait à Héloïse?
8. Qu'est-ce que ta serviette contient?
9. Est-ce que tu as déjà tenu un bébé dans tes bras?
10. Est-ce que tu te tiens debout dans la classe?

14.7 Le verbe irrégulier *vivre*

Présent de l'indicatif		Participe passé	Futur
je vi<u>s</u>	nous vi<u>v</u>ons	vécu	je vivrai
tu vi<u>s</u>	vous vi<u>v</u>ez		
il / elle / on vi<u>t</u>	ils / elles vi<u>v</u>ent		

Vivre means "to live"; **survivre (à)** means "to survive" and "to outlive":

Ce vieil homme <u>a vécu</u> jusqu'à cent ans.
Il <u>vit</u> à Victoria depuis quinze ans.
Elle est heureuse, elle a de l'argent: elle <u>vit</u> bien.
Il <u>a survécu</u> à son accident.
Joséphine <u>a</u>-t-elle <u>survécu</u> à Napoléon?

EXERCICE • ORALEMENT

Questions indiscrètes.

1. Je vis sur le campus. Et toi? Et lui? Et elle?
2. Est-ce que tu vis ici depuis longtemps?
3. Dans quelle ville vivras-tu plus tard?
4. As-tu déjà vécu dans un autre pays? Dans une autre ville?
5. Est-ce que l'humanité survivra à une guerre nucléaire?
6. Est-ce que tu survis depuis ton divorce?
7. Est-ce qu'on peut survivre sans amour?

14.8 Le pronom relatif *dont*

Dont (whose/of which), like **qui**, **que** and **où**, is a relative pronoun. It stands for the preposition **de** + noun and is used in a relative clause which contains a construction with **de**. This occurs in three cases:

1) The verb in the relative clause requires the preposition **de** (parler de, avoir besoin de, avoir envie de, avoir peur de, être content(e) de, être sûr(e) de, être amoureux(se) de, être conscient(e) de, être satisfait(e) de, discuter de, jouer de (un instrument), rire de, se souvenir de, se servir de:

> Tu as un livre. J'ai besoin <u>de ce livre</u>.
> ───────────────▶ Tu as un livre <u>dont</u> j'ai besoin.

Compare with:

> Tu as un livre. Je ne connais pas <u>ce livre</u>.
> ───────────────▶ Tu as un livre <u>que</u> je ne connais pas.

2) **Dont** replaces **de** + noun when **de** links that noun to another noun to indicate possession or connection:

> Je connais un garçon. Le père <u>de ce garçon</u> est maçon.
> ───────────────▶ Je connais un garçon <u>dont</u> le père est maçon.

> Je lui donne des fleurs. Elle aime l'odeur <u>de ces fleurs</u>.
> ───────────────▶ Je lui donne des fleurs <u>dont</u> elle aime l'odeur.

3) **Dont** also replaces **de** + noun when **de** links that noun to an adjective:

> Il a une moto. Il est fier <u>de cette moto</u>.
> ───────────────▶ Il a une moto <u>dont</u> il est fier.

EXERCiCES • ORALEMENT

a. Transformez les phrases selon le modèle.

> *Modèle:* Il a emprunté l'argent. Il avait besoin <u>de cet argent</u>.
> *Il a emprunté l'argent dont il avait besoin.*

1. Elle veut acheter une robe. Elle a envie <u>de cette robe</u>.
2. As-tu vu le film? Je t'ai parlé <u>de ce film</u>.
3. C'est une blague. Tout le monde rit <u>de cette blague</u>.
4. Jacques a un piano. Il ne joue pas souvent <u>de ce piano</u>.
5. Je ne connais pas ce professeur. Tu as peur <u>de ce professeur</u>.
6. Il félicite cette étudiante. Les notes <u>de cette étudiante</u> sont excellentes.
7. Je connais cette jeune fille. Tu as rencontré le père <u>de cette jeune fille</u>.
8. Mes cousins ont un chien. Les oreilles <u>de ce chien</u> sont pointues.
9. Elle aime les hommes. Les vêtements <u>de ces hommes</u> sont élégants.

10. Il a rencontré une femme. Il est tombé amoureux <u>de cette femme</u>.
11. C'est une tradition. Les Acadiens sont fiers <u>de cette tradition</u>.
12. Elle a fait des achats. Elle est contente <u>de ces achats</u>.
13. Voilà une théorie. Je suis sûr <u>de cette théorie</u>.
14. Cette jeune fille a un certain charme. Elle n'est pas consciente <u>de ce charme</u>.

b. Remplacez les tirets par *que* ou par *dont*:

1. La femme _____ il aime est anglaise.
2. L'homme _____ elle admire est un ami de son père.
3. Cet homme, _____ j'admire l'intelligence, est un ami de mon père.
4. Je n'ai pas les outils _____ tu as besoin.
5. J'aime bien les livres _____ tu m'as prêtés.
6. Elle déteste le musicien _____ je lui ai parlé.
7. Il fait les choses _____ il aime.
8. Je connais bien le garçon _____ elle est amoureuse.
9. Elle est amoureuse d'un homme _____ je connais.
10. Philippe habite une chambre _____ les fenêtres sont trop petites.
11. J'ai acheté le livre _____ tu m'as recommandé.
12. J'ai acheté une maison _____ le propriétaire était américain.

EXERCICES ÉCRITS

a. Mettez les verbes au futur:

1. Tu (recevoir) de l'argent de tes parents.
2. Je (aller) à la gare chercher Paul.
3. Elles (choisir) des vacances à la mer.
4. Vous (s'ennuyer) de votre famille.
5. Nous (payer) comptant le voyage.
6. Nous (appeler) l'agence de voyage.
7. Vous (acheter) des souvenirs pour nous.
8. Il (se rendre) compte de ses erreurs.
9. Tu (obéir) aux règlements de la route.
10. Nous (apprendre) le français plus vite.
11. Ils (envoyer) un chèque au bon montant.
12. Vous (attendre) une réponse positive.
13. Je (prendre) le train pour Halifax.
14. Tu (boire) trop d'alcool en voyage.
15. Nous (voir) les rochers et les dunes.
16. Tu (dire) la vérité avant de quitter ton ami.

b. Complétez les phrases avec imagination. Employez le futur:

1. En l'an 2010, nous...
2. Quand j'aurai trente ans, je...
3. Dès qu'il fera soleil, les fleurs...
4. Aussi longtemps qu'il neigera, nous...
5. Lorsque les cours finiront, les étudiants...
6. Pendant mes vacances, je...
7. Quand tu viendras me voir, je...
8. Quand j'aurai assez d'argent, je...
9. Tant que tu seras malade, tu...
10. Aussitôt que je rentrerai chez moi, je...

c. Donnez la réponse négative:

1. Est-ce que quelqu'un est venu?
2. As-tu acheté quelque chose?
3. Est-ce que quelque chose de grave est arrivé?
4. Fais-tu quelque chose d'intéressant?
5. As-tu rencontré quelqu'un?
6. Est-ce qu'il y avait quelqu'un d'amusant chez Irène?
7. Est-ce qu'elle avait quelque chose à faire?
8. Avez-vous vu quelqu'un dans l'escalier?
9. Ont-ils mangé quelque chose?

d. Dites à quelqu'un de...

Modèle: vous comprendre.

Comprends-moi.

1. vous parler.
2. vous apporter un livre.
3. ne pas vous écouter.
4. ne pas vous attendre.

e. Remplacez tous les noms par des pronoms objets:

1. Donne un biscuit au chien.
2. Passe ton stylo à Hélène.
3. Parle de tes problèmes à ta mère.
4. N'emprunte pas d'argent à tes parents.
5. Vendez vos cassettes à Henri.
6. Apportons beaucoup de cadeaux aux enfants.
7. Ne sers pas de vodka aux invités.
8. Prête ta bicyclette à ta sœur.

f. Mettez le verbe entre parenthèses au présent:

1. Elle (vivre) à Montréal depuis longtemps.
2. Nous (tenir) à toi.
3. Ils (se tenir) debout dans la classe.
4. Cette bouteille (contenir) de l'eau.
5. Vous (vivre) à Moncton.

g. Remplacez les tirets par le pronom relatif approprié (*qui, que, dont, où*):

1. Elle ne veut pas me rendre l'argent _____ elle me doit.
2. Elle a acheté la robe _____ elle avait envie.
3. Prends les livres _____ tu as besoin.
4. Je connais la ville _____ tu vis.
5. Il connaît le professeur _____ tu parles.
6. Elle a rencontré l'architecte _____ a dessiné les plans de ma maison.
7. C'est le médecin _____ la fille sort avec Alain.
8. Tu as mangé le gâteau _____ ta mère a préparé.

Lecture Lecture Lecture

L'Acadie

Où se trouve l'Acadie? On peut dire que l'Acadie, ce sont ces régions des Maritimes où sont concentrés les Acadiens: à l'Île-du-Prince-Édouard, en Nouvelle-Écosse et surtout au Nouveau-Brunswick. Et qui sont les Acadiens? Ce sont les descendants de ces colons français qui se sont établis en Nouvelle-Écosse, puis qui ont été dispersés par les Anglais au milieu du 18e siècle — déportés en France, en Nouvelle-Angleterre; réfugiés au Québec ou en Louisiane; cachés dans les forêts de l'intérieur — et qui sont revenus finalement chez eux. De la centaine de familles qui se sont à nouveau installées sur les régions côtières des Maritimes descendent la majorité des 330 000 francophones dont la plus grosse partie (230 000) vit au Nouveau-Brunswick.

C'est bien sûr par leur langue mais surtout par leur histoire bien particulière que les Acadiens se définissent. En dépit d'une assimilation progressive, ils maintiennent le sens de leur identité et la vitalité de leurs traditions. On peut visiter des vestiges de cette histoire à Port-Royal, en Nouvelle-Écosse, où se sont installés les premiers colons; à Louisbourg, sur l'Île du Cap-Breton, et à Mont-Carmel, où on peut voir le village des pionniers acadiens.

L'Acadie vivante, on la découvre le long des côtes, de la baie de Fundy à la baie des Chaleurs.

Les Acadiens ont d'abord été marins et pêcheurs et ils restent des gens dont la vie est profondément influencée par la mer. Les paysages de l'Acadie sont uniques. Il y a d'abord les dunes — des collines de sable qui relient des îles ou qui s'étendent dans la mer. La dune de Bouctouche a plus de 10 kilomètres de long. Il y a aussi les "barachois" — sortes de petits fjords sans les montagnes — les pointes et les caps, les baies et les anses, les ports commerciaux et les petits ports de pêche. À l'intérieur, tous les villages sont installés près des nombreuses rivières, voies de communication avec la mer. Et puis les vallées comme celle de Memramcook où on peut voir des "aboiteaux" qui sont des digues construites par les Acadiens pour reprendre la terre à la mer.

C'est encore la mer que célèbrent la plupart des festivals: festival du saumon, du homard, des pétoncles, des rameurs, du pêcheur. Les légendes aussi se rattachent à la mer, comme celle du bâteau fantôme, ainsi que les histoires de trésors cachés dans les sables.

La communauté acadienne a survécu à bien des infortunes et a réussi à maintenir son identité. Les livres d'Antonine Maillet et les chansons d'Édith Butler ont permis aux Canadiens de prendre conscience de l'Acadie. À nous de la redécouvrir!

bateau fantôme (m.)	phantom ship	**par**	by
bien de(s)	many	**permettre**	to enable
cap (m.)	cape	**plupart: la — de**	most of
célébrer	to celebrate	**pointe** (f.)	headland
centaine (f.)	about a hundred	**prendre**	
construit, uite	built	**conscience de**	to become aware of
(se) définir	to define (oneself)	**rameur, rameuse**	rower
déporté(e)	deported	**(m. / f.)**	
descendre de	to be descended from	**(se) rattacher à**	to be connected to
dispersé(e)	dispersed	**relier**	to link
en dépit de	in spite of	**reprendre (à)**	to take back (from)
(s')établir	to settle		
(s')étendre	to stretch	**sens** (m.)	sense
infortune (f.)	misfortune	**sûr: bien —**	of course
long: le — de	along	**trésor** (m.)	treasure
maintenir	to maintain, to hold	**vestige** (m.)	trace/remains
milieu: au — de	in the middle of	**vivant, ante**	living

QUESTIONS

1. Où se trouve l'Acadie? Est-ce que c'est un territoire officiellement reconnu?
2. Qui sont les Acadiens? Combien sont-ils dans les Maritimes?
3. Que savez-vous de l'histoire des Acadiens?
4. Qu'est-ce qui caractérise l'Acadie et les Acadiens?
5. Qu'est-ce qu'une dune? et un "barachois"?
6. Pourquoi les Acadiens ont-ils construit des "aboiteaux"?
7. Quels genres de festivals et de légendes y a-t-il en Acadie?
8. Qui sont Antonine Maillet et Édith Butler?
9. D'après vous, quels genres de difficultés les Acadiens ont-ils connus en tant que minorité?

SITUATIONS / CONVERSATIONS

1. Qu'est-ce que vous ferez dès que les cours se termineront? Partirez-vous en vacances? Travaillerez-vous? Où irez-vous? Parlez de vos projets pour l'été prochain.

2. Imaginez que vous gagnez beaucoup d'argent à la loterie. Qu'est-ce vous en ferez? Où et comment vivrez-vous? Comment vous occuperez-vous?

3. Vous voulez faire un voyage en Acadie. Vous allez dans une agence de voyages pour demander des renseignements. Un(e) autre étudiant(e) vous informe. Posez des questions et répondez-y (inspirez-vous de la lecture).

4. L'an 2010 approche... Qu'est-ce qui changera d'ici là dans la vie quotidienne? Pensez-vous qu'il y aura des progrès scientifiques et techniques importants? Des bouleversements dans les relations internationales? Des transformations sociales?

5. *À tour de rôle.* Vous êtes dans la politique et vous devez convaincre un petit groupe de gens de voter pour vous. Parlez des changements que vous apporterez, de la façon dont vous résoudrez divers problèmes, des priorités que vous établirez. Les autres étudiants vous posent des questions. Employez le futur pour les questions et pour les réponses.

6. Imaginez qu'il y aura une guerre nucléaire. La vie sera-t-elle encore possible? Qui survivra et / ou qu'est-ce qui survivra? Qu'est-ce qui se passera selon vous?

COMPOSITIONS

1. Vous organisez un voyage dans les Maritimes. Où irez-vous d'abord? Passerez-vous le long des côtes? Prendrez-vous le bateau ou le traversier? Quelles villes visiterez-vous? Quels sites historiques? Qu'est-ce que vous mangerez?, etc. Préparez votre composition à l'aide de brochures touristiques et employez le futur.

2. Imaginez votre vie dans dix ans. Employez le futur pour parler de vos activités, de votre situation, de l'endroit où vous vivrez, de vos diverses activités, des gens que vous connaîtrez.

PRONONCIATION

(This exercise is at the end of Chapitre 14 on the tape.)

E caduc (suite)
i. Deux consonnes prononcées + /ə/

At the beginning of or within a rhythmic group, /ə/ is pronounced when preceded by two pronounced consonants.

Répétez:

1. il le voit	il le mange	elle le sait	elle le vend
il le prend	il le croit	elle le tient	elle le paie
il le fait		elle le sert	

2. pour le professeur   pour le boucher   par le train   par le jardin
   pour le médecin   pour le mineur   par le chemin   par le sentier

3. le héros   le haut   le hall   le hollandais
   le haricot   le hors-d'œuvre   le hangar   le hareng

4. passe le sel   apporte le disque il me parle   il me déteste
   ferme le livre   donne le cahier   il me connaît   il me cherche

Give the corresponding adverb:

autre	large	simple
correct	manifeste	sensible
fort	pénible	visible

ii. Contraste: e caduc prononcé/non prononcé

Répétez:

1. je m¢ lave   /   il s͟e lave
   je m¢ promène   /   il s͟e promène
   je m¢ rase   /   il s͟e rase
   tu t¢ laves   /   il s͟e lave
   tu t¢ peignes   /   elle s͟e peigne
   tu t¢ prépares   /   elle s͟e prépare

2. je m¢ suis caché(e)   /   ils s͟e sont cachés
   je m¢ suis regardé(e)   /   elles s͟e sont regardées
   je m¢ suis maquillé(e) /   elles s͟e sont maquillées
   je m¢ suis marié(e)   /   ils s͟e sont mariés

3. fais l¢ travail   /   fais-l͟e
   tiens l¢ fil   /   tiens-l͟e
   prends l¢ biscuit   /   prends-l͟e
   mets l¢ veston   /   mets-l͟e

4. tu l¢ fais   /   il l͟e fait
   tu l¢ bois   /   il l͟e boit
   tu l¢ connais   /   il l͟e connaît
   tu l¢ vends   /   il l͟e vend

Weblinks

L'Acadie au bout des doigts **www.rpa.ca/acadie/**

Acadie-Net **rbmulti.nb.ca/acadie/acadie.htm**

Édith Butler **edithbutler.com/**

Réseau scolaire acadien **ressac.rpa.ca/index.html**

Nouveau-Brunswick Tourisme **www.cybersmith.net/nbtour/htm-f/welcome.htm**

Un poète québécois

Thèmes

- Quel genre de littérature préfères-tu?
- Quel est ton auteur favori?
- Exprimer la nécessité, la probabilité, l'obligation
- S'exprimer avec politesse
- Exprimer la possession

Lecture

Le jardin d'antan

Grammaire

15.1 Le conditionnel présent

15.2 La phrase conditionnelle

15.3 Le verbe *devoir* (imparfait, passé composé, futur, conditionnel présent)

15.4 Les pronoms possessifs

15.5 Le verbe irrégulier *suivre*

VOCABULAIRE UTILE

auteur(e) (m. / f.)	author	**librairie** (f.)	bookstore
bref	short	**littéraire**	literary
bouquin (m.)	book	**maison d'édition**	publishing
critique littéraire (f.)	literary criticism	(f.)	house
écriture (f.)	writing	**nouvelle** (f.)	short story
écrivain(e) (m. / f.)	writer	**œuvre** (f.)	work(s)
exprimer	to express	**manuel scolaire**	textbook
feuilleter	to glance through	(m.)	
intrigue (f.)	plot	**ouverture** (f.)	opening
lecteur, lectrice	reader	**panne** (f.)	breakdown
(m. / f.)		**personnage** (m.)	character
lecture (f.)	reading	**pièce de théâtre** (f.)	play
libraire (m./f.)	bookseller	**plume** (f.)	pen

poésie (f.)	poetry, poem	**rime** (f.)	rhyme
poète (m.); **femme —**	poet	**roman** (m.)	novel
poétique	poetical	**romancier,**	
porte-monnaie (m.)	wallet	**romancière** (m. / f.)	novelist
publier	to publish	**vedette** (f.)	star
raisonnable	reasonable	**vers** (m.)	verse
rémunérateur,		**volume** (m.)	book
rénumératrice	lucrative		

GRAMMAiRE ET EXERCiCES ORAUX

15.1 Le conditionnel présent

The conditional, like the indicative and the imperative, is a mood. It has two tenses: the present and the past.

The present conditional is formed by adding to the future stem of the verb the endings **-ais, -ais, -ait, -ions, -iez, -aient**. (These are also the endings of the **imparfait**.)

Remember that the future stem of most verbs is their infinitive form. Irregular future stems must be memorized.

	marcher	*être (ser-)*	*pouvoir (pourr-)*
je	marcherais	serais	pourrais
tu	marcherais	serais	pourrais
il / elle / on	marcherait	serait	pourrait
nous	marcherions	serions	pourrions
vous	marcheriez	seriez	pourriez
ils / elles	marcheraient	seraient	pourraient

The present conditional is mostly used to express a hypothetical action or event, that is an action or event which would take place under some specific circumstances, and to express a wish or what someone else has said.

> **Peu de gens survivraient à une guerre nucléaire.**
> Few people would survive a nuclear war.

> **Sans mes livres et mes cassettes, je m'ennuierais.**
> I would be bored without my books and cassettes.

It may also be used instead of the present indicative to make a request more polite, especially with the verbs **vouloir** and **pouvoir**, but with other verbs as well:

Pourriez-vous finir ce poème? / Could you finish this poem?

Viendrais-tu avec moi à la librairie? / Would you come with me to the bookstore?

Un jour, j'aimerais être riche et célèbre. / One day, I would like to be rich and famous.

EXERCICES · ORALEMENT

a. Substituez au sujet les mots entre parenthèses:

1. J'attendrais la fin de la pièce.
   (elle, vous, ils)
2. Nous finirions nos études. (tu, il, je)
3. Elle s'habillerait mieux.
   (vous, tu, nous)

4. Il irait au théâtre. (je, nous, elles)
5. Je ferais une lecture. (vous, il, tu)
6. Tu aurais du succès. (je, nous, ils)
7. Il voudrait s'en aller. (tu, vous, elles)
8. Vous viendriez me voir. (il, tu, elles)

b. Les verbes des phrases suivantes sont au futur. Mettez-les au conditionnel présent:

1. Je voudrai le voir jouer au théâtre.
2. J'aurai du travail comme comédien(ne).
3. Tu seras une vedette.
4. Vous pourrez me téléphoner.
5. Il faudra y aller avant l'ouverture.
6. Ils sauront parler français.

7. Elle viendra te voir répéter.
8. Nous verrons des scènes superbes.
9. Tu jetteras tes vieux livres.
10. Elle appellera l'éditeur.
11. Il pleuvra.
12. Nous achèterons des vêtements élégants.

c. Que ferais-tu à ma place?

> *Modèle:* Voudrais-tu reprendre la scène cinq fois?
>
> *Oui, à ta place, je la reprendrais cinq fois.*

1. Voudrais-tu t'en aller vivre à New York?
2. Voudrais-tu réfléchir à ce nouveau spectacle?
3. Voudrais-tu écrire un nouveau roman?
4. Voudrais-tu faire un poème futuriste?
5. Voudrais-tu travailler dans ce vieux théâtre?

6. Voudrais-tu relire la biographie de Marcel Dubé?
7. Voudrais-tu jouer une pièce musicale d'André Gagnon?
8. Voudrais-tu téléphoner à une maison d'édition?

d. À la bibliothèque. Adressez-vous poliment au préposé à l'aide du conditionnel.

Pardon monsieur,

Est-ce que vous (avoir) le dernier roman d'Antonine Maillet? J'ai oublié le titre. Est-ce que vous (pouvoir) le trouver?

Je ne sais pas utiliser l'ordinateur, (vouloir)-vous m'indiquer comment? Dans quelle section est-ce que je (pouvoir) trouver le volume?

Dans quelle direction est-ce que je (devoir) me rendre? Est-ce que vous (pouvoir) me passer une autre œuvre de Maillet? Si vous ne l'aviez pas, (vouloir)-vous me téléphoner? Quand est-ce que je (pouvoir) venir le chercher?

Merci, monsieur.

e. Les prévisions. Mettez les verbes au conditionnel présent.

J'ai lu dans le journal qu'il fera beau demain.

que le président viendra au Canada bientôt.

que le concert aura lieu vendredi.

que le nouveau film arrivera la semaine prochaine.

qu'il neigera dans le sud des États-Unis.

qu'il pleuvra toute la fin de semaine.

qu'on présentera une nouvelle pièce de F. Loranger.

qu'un récital de piano se tiendra à la Place des Arts.

f. Qu'aimeriez-vous faire, plus tard, dans votre vie?

Poursuivre mes études (ou arrêter d'étudier) — trouver un travail intéressant (ou rémunérateur) — habiter la campagne (ou la ville) — apprendre à jouer d'un instrument de musique — avoir une grande (ou petite) maison — écrire des romans (ou une biographie ou un recueil de poèmes) — aider les autres — être riche et célèbre (ou demeurer simple et modeste).

15.2 La phrase conditionnelle

A conditional sentence is made up of two clauses: a **si** (if) clause stating the condition and a main clause stating the result. **Si** becomes **s'** before **il** or **ils**. The **si** clause may come before or after the main clause.

1) When the **si** clause is in the **imparfait**, the main clause is in the *present conditional*:

Si j'avais de l'argent, j'achèterais cette voiture.
If I had money, I would buy this car.

2) When the **si** clause is in the *present indicative*, the main clause is usually in the *future*:

Si j'ai de l'argent, j'achèterai cette voiture.
If I have money, I will buy this car.

The main clause may also be in the *present indicative* or in the *imperative*:

Si tu es fatigué(e), tu peux aller au lit.
If you are tired, you may go to bed.

Lis un livre si tu t'ennuies.
Read a book if you are bored.

Summary

Si Clause	Main Clause
present indicative	present indicative future imperative
imparfait	present conditional

EXERCiCES · ORALEMENT

a. Répondez selon le modèle.

> *Modèle:* Quelle langue parlerais-tu si tu étais américain(e)?
> *Si j'étais américain(e), je parlerais anglais.*

Quelle langue parlerais-tu si tu étais chinois(e)? allemand(e)? russe? espagnol(e)?
italien(ne)? mexicain(e)? portuguais(e)? brésilien(ne)? belge? japonais(e)? marocain(e)?
vietnamien(ne)? suisse?

b. Répondez aux questions selon le modèle.

> *Modèle:* Que ferais-tu si tu avais de l'argent? (manger au restaurant)
> *Si j'avais de l'argent, je mangerais au restaurant.*

1. Que ferais-tu si tu allais en France? (visiter Paris)
2. Que ferais-tu ce soir si tu avais le temps?
   (aller à un concert)
3. Que ferais-tu si tu étais en vacances?
   (se reposer au bord de l'eau)
4. Que ferais-tu si tu n'étais pas étudiant(e)? (travailler)
5. Que ferais-tu si tu étais déprimé(e)?
   (se promener dans la nature)
6. Que ferais-tu si tu avais un talent artistique? (devenir peintre)
7. Que ferais-tu si tu étais riche? (vivre dans un pays chaud)

c. Que feriez-vous si...

— il pleuvait toute la fin de semaine?
— il y avait une tempête de neige?
— vous étiez malade?
— vous perdiez votre porte-monnaie?
— vous ratiez l'examen?
— votre auto était en panne?
— votre téléphone ne marchait pas?

— votre ami(e) vous insultait?
— vous receviez une lettre mystérieuse?
— vous étiez toujours fatigué(e)?
— vous rencontriez votre
   amoureux(euse) avec quelqu'un d'autre?
— vous vouliez devenir comédien(ne)?
   acteur / actrice? architecte? missionnaire?

d. Si j'avais le choix aujourd'hui, je...

1. (dormir) toute la matinée
2. (téléphoner) à mes parents en Europe.

3. (manger) au restaurant chinois.

4. (lire) le journal au complet.

5. (regarder) un bon film à la télévision.

6. (prendre) un bain chaud.

7. (aller) me promener dans un parc fleuri.

8. (dîner) avec un homme / une femme charmant(e).

9. (écouter) de la musique sentimentale.

10. Bref! (ne rien faire)

e. Complétez les phrases avec imagination:

1. S'il fait beau cette fin de semaine, je...

2. Si j'ai le temps ce soir, je...

3. Si je réussis à tous mes examens, je...

4. Si je n'ai rien à faire cette fin de semaine, je...

5. Si je peux partir en voyage cet été, je...

6. J'aurai de l'argent si...

7. Je ferai du sport cet été si...

8. J'aurai une bonne profession si...

9. Je me marierai si...

10. Je prendrai l'avion si...

15.3 Le verbe *devoir* (imparfait, passé composé, futur, conditionnel présent)

The verb **devoir** was presented in the present tense (Chapter 6) when it may express necessity, obligation, probability, or expectation. When it is used in other tenses and moods, what it expresses may vary:

1) **imparfait**

— necessity:

Quand j'habitais Montréal, je devais prendre le métro tous les matins.
When I lived in Montreal, I had to take the subway every morning.

— probability:

Il devait être huit heures quand je suis rentré(e).
It must have been eight o'clock when I came back.

— expectation:

Je devais lui téléphoner mais j'ai oublié.
I was supposed to call him but I forgot.

2) **passé composé**

— obligation:

Il a dû abandonner ses études après la mort de son père.
He had to give up his studies after his father's death.

— probability:

Il a dû oublier de venir.
He must have forgotten to come.

Il a dû oublier de venir

3) **futur**

— obligation:
   Nous devrons partir tôt.
   We will have to leave early.

4) **conditionnel présent**

— moral obligation or suggestion:
   Je devrais téléphoner à mes grands-parents.
   I should call my grandparents.

   Tu devrais te reposer.
   You ought to rest.

— probability:
   Elle devrait arriver bientôt.
   She should arrive soon.

EXERCICES • ORALEMENT

a. Conseils à un(e) ami(e).

   Modèle: Je suis fatigué(e). (se reposer)
   Tu devrais te reposer.

1. J'ai mal à la tête. (prendre une aspirine)
2. J'ai froid. (mettre un chandail)
3. Je suis déprimé(e). (voir des amis)
4. Je ne me sens pas bien. (consulter un médecin)
5. J'ai de mauvaises notes. (étudier plus sérieusement)

b. Répondez aux questions selon le modèle.

   Modèle: Que feras-tu s'il neige? (rester à la maison)
   S'il neige, je devrai rester à la maison.

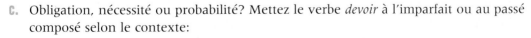

1. Que feras-tu si l'autobus est en retard? (prendre un taxi)
2. Que feras-tu si tu perds ton livre? (en acheter un autre)
3. Que feras-tu si tu as un accident? (appeler la compagnie d'assurances)
4. Que feras-tu si tu perds tes clés? (entrer par la fenêtre)
5. Que feras-tu si tu as mal aux dents? (aller voir le dentiste)

c. Obligation, nécessité ou probabilité? Mettez le verbe *devoir* à l'imparfait ou au passé composé selon le contexte:

1. Je _____ téléphoner au libraire mais j'ai perdu son numéro.
2. Il est minuit et Charles n'est pas rentré. Il _____ avoir un accident.
3. Quand elle vivait chez ses parents, elle _____ faire la vaisselle tous les jours.
4. Je _____ dormir quand tu es rentré hier soir parce que je ne t'ai pas entendu.

5. Après son accident, elle _____ rester trois semaines à l'hôpital.

6. Pierre _____ me téléphoner mais je n'ai pas eu de nouvelles, alors il _____ oublier.

7. Quand j'étais au secondaire, je _____ prendre le bus à 6 heures du matin.

8. La semaine prochaine, je _____ lire deux romans pour mon cours de français.

9. S'il faisait froid, je _____ m'acheter de nouvelles bottes d'hiver.

d. Faire ou ne pas faire. Qu'est-ce que...

1. vous deviez faire hier soir? (mais que vous n'avez pas fait).

2. vous avez dû faire? (et que vous avez fait).

3. vous devrez faire demain? (et que vous ferez).

4. vous devriez faire? (si vous étiez malade).

15.4 Les pronoms possessifs

	Singular		Plural	
	Masculine	*Feminine*	*Masculine*	*Feminine*
mine	**le mien**	**la mienne**	**les miens**	**les miennes**
yours	**le tien**	**la tienne**	**les tiens**	**les tiennes**
his/her/its	**le sien**	**la sienne**	**les siens**	**les siennes**
ours	**le nôtre**	**la nôtre**	**les nôtres**	**les nôtres**
yours	**le vôtre**	**la vôtre**	**les vôtres**	**les vôtres**
theirs	**le leur**	**la leur**	**les leurs**	**les leurs**

A possessive pronoun replaces a possessive adjective + noun; it must agree in gender and number with the noun it replaces (what is possessed):

Bertrand met sa cravate. ⟶ **Bertrand met la sienne.**
Bertrand puts on his tie. ⟶ Bertrand puts on his.

Lucie prend son vélo. ⟶ **Lucie prend le sien.**
Lucie takes her bicycle. ⟶ Lucie takes hers.

Le nôtre and **le vôtre** are pronounced with a closed **o** (/o/); the adjectives **notre** and **votre** with an open **o** (/ɔ/).

The usual contractions occur when **à** or **de** precede **le** or **les: au mien, aux tiens, aux siennes, du nôtre, du vôtre, des leurs,** etc.

Other constructions used to express possession are **être à** + noun or stress pronoun, and **appartenir à** + noun (or indirect object pronoun + **appartenir**):

Ce livre est à Paulette.

Ce livre est à elle.

Ce livre appartient à Paulette.

Ce livre lui appartient.

In summary, the following structures are all used to express possession:

— **de** + noun:	**C'est l'auto de Victor.**
— possessive adjective + noun:	**C'est son auto.**
— possessive pronoun:	**C'est la sienne.**
— **être + à** + noun:	**Cette auto est à Victor.**
— **appartenir à** + noun:	**Cette auto appartient à Victor.**

EXERCICES · ORALEMENT

a. Remplacez l'adjectif possessif + nom par un pronom possessif:

1. mon père	9. ma mère	17. ma cousine	25. mon frère
2. ton cousin	10. ta sœur	18. ta nièce	26. ton neveu
3. ses parents	11. sa parenté	19. son appartement	27. ses voisins
4. sa ville	12. son pays	20. ses amies	28. ses copains
5. notre travail	13. notre maison	21. notre auto	29. notre classe
6. votre autobus	14. votre rue	22. votre logement	30. votre piscine
7. leurs affaires	15. leur politique	23. leurs bagages	31. leur profession
8. leur diplôme	16. leurs enfants	24. leurs filles	32. leur garçon

b. Employez un pronom possessif pour remplacer les mots soulignés:

1. J'ai rencontré ton frère et <u>son frère</u>.
2. Il a joué avec sa cousine et <u>ta cousine</u>.
3. Elle a téléphoné à ses parents et à <u>mes parents</u>.
4. J'ai lu ta lettre et <u>leur lettre</u>.
5. Il a besoin de tes conseils et de <u>nos conseils</u>.
6. J'ai parlé à ses parents et à <u>vos parents</u>.
7. Compare ta composition et <u>sa composition</u>.
8. Apporte tes cassettes et moi, j'apporterai <u>mes cassettes</u>.

c. Répondez aux questions selon le modèle:

> *Modèle:* À qui appartient ce vélo? (moi)
> *Il est à moi.*

1. À qui appartient ce stylo? (Pierre)
2. À qui appartient cette statue? (lui)
3. À qui appartient cette maison? (nous)
4. À qui appartiennent ces dictionnaires? (eux)
5. À qui appartiennent ces papiers? (elles)

d. Répondez aux questions selon le modèle.

> *Modèle:* À qui est cette plume? (moi)
> *C'est la mienne.*

1. À qui sont ces fleurs? (elle)
2. À qui est cette machine à écrire? (lui)
3. À qui est cet ordinateur? (nous)
4. À qui est cette guitare? (eux)
5. À qui sont ces cassettes? (toi)
6. À qui sont ces bouquins? (elles)

e. Indiquez la possession de cinq manières différentes.

1. À qui est ce livre?
2. À qui sont ces jouets?

3. À qui est cet ordinateur?

15.5 Le verbe irrégulier *suivre*

	Présent de l'indicatif			*Participe passé*	*Futur*
je	suis	nous	suivons	suivi	je suivrai
tu	suis	vous	suivez		
il / elle / on	suit	ils / elles	suivent		

Suivre means

— to follow:
  Nous avons suivi la voiture de Paul.

— to take (a course):
  L'an prochain, je suivrai un cours de littérature.

Poursuivre is conjugated like **suivre** and means "to pursue" or "to carry on (with)":

Les policiers ont poursuivi
le voleur.
Je poursuivrai mes études
jusqu'au doctorat.

EXERCiCES • ORALEMENT

a. Substituez au sujet les mots entre parenthèses:

1. Je suis des cours du soir. (tu, nous, vous, ils)
2. Nous suivrons ta voiture. (elles, je, il)

3. Elle suivait un régime. (je, vous, ils)
4. J'ai suivi ses conseils. (il, nous, elles)
5. Il poursuit ses efforts. (je, ils, vous)

b. Répondez aux questions:

1. Quels cours suis-tu en ce moment?
2. Quels cours as-tu suivis l'an dernier?
3. Quels cours suivras-tu l'an prochain?
4. Suis-tu toujours les conseils de tes parents?

5. Est-ce que tu suis un régime?
6. Est-ce que tu suis les événements politiques?
7. Est-ce que tu poursuivras tes études jusqu'au doctorat?

EXERCICES ÉCRITS

a. Mettez les verbes des phrases suivantes à l'imparfait et au conditionnel présent, selon le cas:

1. Si vous (avoir) le temps, (partir)-vous?
2. Je (mettre) mon manteau s'il (faire) froid.
3. Si tu (être) moins paresseux(-euse), tu (faire) la vaisselle.
4. Si vous (vouloir) travailler, vous (réussir).
5. Nous ne (pouvoir) pas partir en vacances si nous ne (faire) pas d'économies.
6. Qu'est-ce que tu (dire) si je te (demander) de l'argent?
7. Est-ce que tu (venir) avec nous si nous (prendre) la voiture?
8. (Savoir)-tu faire les exercices si tu (apprendre) mieux tes leçons?
9. Si j'(être) marié(e), j'(avoir) des enfants.

b. Mettez les verbes au conditionnel pour faire des phrases plus polies:

1. Peux-tu me prêter ta voiture?
2. Pouvez-vous me rappeler demain?
3. Veux-tu me passer ce livre?
4. Nous voulons vous parler.
5. Qu'est-ce que vous voulez manger?
6. Je souhaite vous transmettre ce rapport.

c. Complétez les phrases avec imagination:

1. Si j'avais beaucoup d'argent, je...
2. Si j'étais en vacances maintenant, je...
3. Si les gens étaient plus intelligents, ils...
4. Je vivrais dans un pays chaud si...
5. Il n'y aurait pas de pollution si...
6. Je serais plus heureux(-euse) si...
7. Si je suis encore à l'université l'an prochain, je...
8. S'il fait beau la fin de semaine prochaine, je...
9. S'il y a un bon film à la télé ce soir, je...
10. Je deviendrai riche si...
11. Tu tomberas malade si...
12. Je poursuivrai mes études si...

d. Nommez deux choses que...

1. vous deviez faire quand vous étiez enfant.
2. vous avez dû faire hier.
3. vous devrez faire demain.
4. vous devriez faire si vous étiez raisonnable.

e. Remplacez les mots entre parenthèses par un pronom possessif:

1. J'ai dépensé tout mon argent. Mon ami a mis (son argent) à la banque.
2. Voilà ma casquette mais où est (ta casquette)?
3. Le directeur a répondu à la lettre de Jacques mais il n'a pas répondu (à ma lettre).
4. Serge a jeté tous ses vieux journaux mais moi, je n'ai pas jeté (mes vieux jounaux).
5. Le bébé a mangé tout son gâteau mais Pierre n'a pas mangé (son gâteau).
6. Il n'a invité que ses amis au mariage, mais elle n'a pas invité (ses amis).

7. Nous reconnaissons nos erreurs si vous reconnaissez (vos erreurs).

8. Je crois que votre fille est plus intelligente que (leur fille).

9. Si vous me rendez mon livre, je vous rendrai (votre livre).

10. Il a donné une réception plus mouvementée que (notre réception).

f. Employez le verbe *suivre* au temps et au mode appropriés:

1. Cette année, je _____ seulement cinq cours à l'université parce que, l'an dernier, j'en _____ dix.

2. Est-ce que tu _____ un régime si tu deviens malade?

3. Quand j'étais enfant, je _____ toujours les conseils de mes parents.

4. Si vous _____ mes conseils, vous réussiriez.

5. Elle le _____ s'il allait travailler au Brésil.

6. _____ -moi si tu m'aimes.

7. _____ la rivière et vous arriverez à la ferme.

8. Le verbe _____ normalement le sujet.

9. Dans un musée, les visiteurs _____ le guide.

Lecture Lecture Lecture

Le jardin d'antan

Né à Montréal en 1879, Émile Nelligan a écrit toute son œuvre poétique entre seize et dix-neuf ans. Il a passé le reste de sa vie (jusqu'en 1941) dans des institutions psychiatriques. Son talent, sa précocité et son destin tragique ont contribué à faire de lui une figure mythique de la littérature québécoise.

Rien n'est plus doux aussi que de s'en revenir
Comme après de longs ans d'absence,
Que de s'en revenir
Par le chemin du souvenir
Fleuri de lys d'innocence,
Au jardin de l'Enfance

Au jardin clos, scellé, dans le jardin muet
D'où s'enfuirent les gaietés franches,
Notre jardin muet
Et la danse du menuet
Qu'autrefois menaient sous branches
Nos sœurs en robes blanches.

Aux soirs d'Avrils anciens, jetant des cris joyeux
Entremêlés de ritournelles,
Avec des lieds joyeux
Elles passaient, la gloire aux yeux,
Sous le frisson des tonnelles,
Comme en les villanelles

Cependant que venaient, du fond de la villa,
Des accords de guitare ancienne,
De la vieille villa,
Et qui faisaient deviner là
Près d'une obscure persienne,
Quelque musicienne.

Mais rien n'est plus amer que de penser aussi
À tant de choses ruinées!
Ah! de penser aussi,
Lorsque nous revenons ainsi
Par des sentes de fleurs fanées,
À nos jeunes années.

Lorsque nous nous sentons névrosés et vieillis,
Froissés, maltraités et sans armes,
Moroses et vieillis,
Et que, surnageant aux oublis,
S'éternise avec ses charmes
Notre jeunesse en larmes!

("Le jardin d'antan," extrait de Nelligan: *Poésies complètes* 1896-1899 (1952), pp 55-56)

accord (m.)	chord	**joyeux, joyeuse**	joyful
amer, amère	bitter	**larmes: en —**	in tears
antan: d'—	of long ago	**lied** (m.)	lied (German
autrefois	in bygone days		song)
cependant que	while	**lys** (m.)	lily
chemin du		**maltraité(e)**	ill-treated
souvenir (m.)	memory path	**mener la danse**	to lead the
clos(e)	enclosed, walled-in		dance
cri: jeter un —	to give a cry	**menuet** (m.)	minuet
deviner	to guess	**muet, muette**	dumb, silent
s'enfuir	to flee	**névrosé(e)**	neurotic
entremêlé(e) de	intermingled with	**obscur(e)**	dark
s'éterniser	to outlast	**persienne** (f.)	shutter
	the years	**quelque**	some
fané(e)	wilted	**ritournelle** (f.)	ritornello (type of
fleuri(e) de	strewn with		song)
	(flowers)	**sente** (f.)	path
fond: du — de	from deep in	**scellé(e)**	sealed
franc, franche	candid, fresh, free	**surnageant aux**	
frisson (m.)	quiver	**oublis**	lingering on
froissé(e)	hurt, bruised	**tonnelle** (m.)	arbour
gloire: la —	with pride in	**villanelle** (f.)	vilanella (song,
aux yeux	their eyes		dance)

QUESTIONS

1. Où est-il doux de revenir?
2. Est-ce un voyage réel ou imaginaire?

3. Pourquoi le jardin est-il muet maintenant?

4. Que faisaient les sœurs autrefois?
5. Que symbolisent les robes blanches?
6. En quelle saison est située cette scène?
7. Quels sons proviennent des jeunes filles?
8. Quels sons proviennent de la villa? Qui produit ces sons?
9. Qu'est-ce qui est amer?
10. Que symbolisent les fleurs fanées?
11. Qu'est-ce qui cause la mélancolie quand on pense à sa jeunesse?
12. Sur quelle opposition le poème est-il construit?
13. Comment caractériseriez-vous l'enfance évoquée par le poète?
14. Quels sentiments ce poème évoque-t-il en vous?

SITUATIONS / CONVERSATIONS

1. Parlez de vos lectures. Quel est votre auteur favori? Pourquoi? Quels livres avez-vous lus de cet auteur ou d'un autre? Que lisez-vous tous les jours? Que lisiez-vous quand vous étiez petit(e)? Qu'est-ce que vous aimeriez lire si vous aviez le temps? Quelles sont vos lectures favorites (des romans, des pièces de théâtre, des recueils de poésies, des biographies, des traités de philosophie, des manuels scolaires)?

2. Composez un court poème et commencez par: Si j'avais le choix...

3. Vous arrive-t-il quelquefois d'être déprimé(e)? Qu'est-ce qui en est la cause? Que faites-vous pour vous changer les idées?

4. Racontez une activité que vous aimeriez faire si vous en aviez les moyens.

5. Faites une liste d'objets que vous voudriez acheter.
   Exemple: Je voudrais acheter un ordinateur; j'aimerais aussi acheter des vêtements; etc.

6. Dites à qui vous aimeriez le plus ressembler et pourquoi.
   Exemple: J'aimerais ressembler à Jean Chrétien parce que je voyagerais beaucoup, parce que j'aurais une influence politique, etc.

7. Quel genre de littérature préférez-vous? Parlez de votre roman ou de votre pièce de théâtre préférée. Quelle en est l'intrigue? Qui sont les personnages? Quel genre de milieu social l'auteur décrit-il?, etc.

COMPOSITIONS

1. Si vous gagniez un million à la loterie demain, que feriez-vous?

2. Certaines personnes disent que la seule solution aux problèmes de notre société serait le retour à une vie simple et naturelle. Imaginez en quoi consisterait cette vie simple et quels en seraient les avantages et les inconvénients.

3. Avez-vous un poète ou un romancier favori? Parlez de ses œuvres et dites pourquoi vous les aimez.

PRONONCIATION
(This exercise is at the end of Chapitre 15 on the tape.)

i. Le son s(/s/)

The sound /s/ is associated with the following letters:

1) **s:** savant, danser, autobus

2) **ss:** masse, brosser

3) **c** or **sc** before vowels other than **a**, **o** and **u**: cirer, cinq, cendre, ce, cette, céder, ceux, science, scène, scie

4) **ç:** before **a**, **o** and **u**: façade, maçon, déçu

5) **t** in the endings **-tie, -tiel, -tier, -tial, -tiaux, -tieux, -tion**: démocratie, confidentiel, initier, partial, impartiaux, ambitieux, nation

ii. Contraste /s/-/z/

1) The sound /z/ is associated with:

    a) the letter **z**: zone, bronze, douze
    b) the letter **s** between two oral vowels and between an oral vowel and a silent **e**.

Répétez:

base	heureuse	loisir	désert
rose	église	saisir	cuisine
chose	refuse	raison	jalousie
mise	avise	présent	télévision
muse	arrose	viser	fusil

2) the letter **s** is pronounced /s/ when it is placed at the beginning of a word, after a nasal vowel and before or after a consonant.

Répétez:

sa	se	chanson	consoler	ustensile
si	sous	insister	vaste	université
son	anse	insuffisant	disque	bourse

3) Contrast /s/-/z/

Répétez:

1. basse / base   chausse / chose   douce / douze   racé / rasé   rossée / rosée
   casse / case   crisse / crise   lisse / lise   embrasser / embraser visser / visée

2. elles s'attendent / elles attendent   ils sont / ils ont
   ils s'oublieront / ils oublieront   elles sont / elles ont
   elles s'écoutaient / elles écoutaient   ils s'aident / ils aident
   ils s'accompagnent / ils accompagnent   ils s'aiment / ils aiment
   elles s'offriront / elles offriront   ils s'usent / ils usent

Weblinks

Club des poètes-Nelligan www.franceweb.fr/poesie/q-nelli3.htm

Laval U www.fse.ulaval.ca/fac/ten/courstic/aut19565/poet/Nelligan.html

Fan www.nscl.msu.edu/~gervais/home.html

Plaisir de lire www.plaisirdelire.sympatico.ca/index.htm

Salon de poésie www.ambafrance.org/SALON/salon.htm

L'autoroute électronique

VOCABULAIRE UTILE

apport (m.)	contribution	**espace** (m.)	space
autoroute (f.)	highway	**étude** (f.)	study
(se) brancher	to connect up	**fichier** (m.)	file
brasserie (f.)	pub	**image** (f.)	picture
citoyen, citoyenne (m. / f.)	citizen	**imprimante** (f.)	printer
		imprimer	to print
communiquer	to communicate	**informaticien, informaticienne** (m. / f.)	computer scientist
comptabilité (f.)	accounting		
déménager	to move		
écran (m.)	monitor, screen	**logiciel** (m.)	software
effacer	to delete	**malhonnête**	dishonest
enregistrer	to save	**mauvais, mauvaise**	bad
ensemble	together	**mensonge** (m.)	lie

nager	to swim	**soirée** (f.)	evening
note (f.)	mark	**sommet** (m.)	summit
partager	to share	**toit** (m.)	roof
rater	to fail	**traitement de**	word processor
salle (f.)	room	**texte** (m.)	
sauvegarder (f.)	to save (on omputer)	**utiliser**	to use
sélectionner	to select	**verre** (m.)	drink

GRAMMAiRE ET EXERCiCES ORAUX

16.1 Le conditionnel passé

The past conditional is a compound tense. It is formed by using the present conditional of the auxiliary verb (**avoir** or **être**) and the past participle of a verb.

penser

j'	aurais **pensé**	nous	aurions **pensé**
tu	aurais **pensé**	vous	auriez **pensé**
il / elle / on	aurait **pensé**	ils / elles	auraient **pensé**

aller

je	serais **allé(e)**	nous	serions **allé(e)s**
tu	serais **allé(e)**	vous	seriez **allé(e)(s)**
il / on	serait **allé**	ils	seraient **allés**
elle	serait **allée**	elles	seraient **allées**

se promener

je	me serais **promené(e)**	nous	nous serions **promené(e)s**
tu	te serais **promené(e)**	vous	vous seriez **promené(e)(s)**
il / on	se serait **promené**	ils	se seraient **promenés**
elle	se serait **promenée**	elles	se seraient **promenées**

The past conditional expresses an action or event which *would have* taken place in the past under some appropriate set of circumstances:

> **Dans ce cas-là, je ne serais pas venu(e).**
> In that case, I would not have come.

> **Sans l'ordinateur, je n'aurais pas réussi.**
> Without the computer, I would not have succeeded.

Whereas the present conditional expresses a possibility in the present or the future and may be used to indicate a wish, the past conditional expresses a possibility that no longer exists and may be used to express regret. Compare:

> **J'aimerais acheter des logiciels.**
> I would like to buy some software.

> **J'aurais aimé acheter des logiciels.**
> I would have liked to buy some software.

EXERCICES · ORALEMENT

a. Répondez selon le modèle.

> *Modèle:* Il a suivi ce cours difficile. (moi)
> *Moi, je ne l'aurais pas suivi.*

1. Nous avons réussi à l'examen. (eux)
2. Elle a attendu toute la soirée. (lui)
3. J'ai jeté mes vieilles disquettes. (nous)
4. Il lui a prêté son ordinateur. (moi)
5. Elles sont sorties dans la tempête. (nous)
6. Papa est monté sur le toit. (moi)
7. Ils sont allés en Alaska. (toi)
8. Josette est revenue de Floride. (lui)
9. Il s'est baigné dans un lac pollué. (nous)
10. Elle s'est inquiétée parce que son mari était en retard. (moi)
11. Ils se sont bien entendus avec leurs correspondants. (nous)

b. Des conseils d'amis. Ah! tu aurais dû... (Attention aux pronoms!)
Répondez selon le modèle.

> *Modèle:* Le prof est furieux contre moi.
> *Ah! tu aurais dû lui parler.*

1. Mon ordinateur ne fonctionne pas.
2. Je n'avais pas de disquettes.
3. Je n'avais pas d'argent.
4. Mon dernier logiciel est inadéquat.
5. J'ai raté mon examen d'informatique.
6. J'ai attendu le technicien toute la journée.

c. Des regrets! Dis-moi...

1. où aurais-tu préféré naître?
2. dans quels pays aurais-tu aimé voyager?
3. dans quelle ville aurais-tu voulu habiter?
4. quel personnage aurais-tu souhaité connaître?
5. combien d'argent aurais-tu espéré gagner?
6. avec qui aurais-tu désiré passer le week-end?
7. à quel restaurant aurais-tu voulu dîner?
8. à quelle activité aurais-tu souhaité participer?

16.2 Le plus-que-parfait

The **plus-que-parfait** (pluperfect) is a compound tense in the indicative mood. It is formed using the **imparfait** of the auxiliary verb (**avoir** or **être**) and the past participle of the verb:

Il était arrivé en retard.	**J'avais déjà mangé.**
He had arrived late.	I had already eaten.

The pluperfect is used to indicate that a past action or event occurred before another past event, or in the remote past. (This aspect will be detailed in Chapter 21.) It is also used in **si** clauses in conditional sentences when the past conditional is used in the main clause.

attendre

j'	avais attendu	nous	avions attendu
tu	avais attendu	vous	aviez attendu
il / elle / on	avait attendu	ils / elles	avaient attendu

venir

j'	étais venu(e)	nous	étions venu(e)s
tu	étais venu(e)	vous	étiez venu(e)(s)
il / on	était venu	ils	étaient venus
elle	était venue	elles	étaient venues

se reposer

je	m'étais reposé(e)	nous	nous étions reposé(e)s
tu	t'étais reposé(e)	vous	vous étiez reposé(e)(s)
il / on	s'était reposé	ils	s'étaient reposés
elle	s'était reposée	elles	s'étaient reposées

EXERCICES • ORALEMENT

a. Trop tard! Quand je suis arrivé(e)...

1. il a déjà lu sa lettre.
2. il est rentré depuis longtemps.
3. nous avons déjà mangé.
4. elles ont vu le film à la télévision.
5. il a déjà fini son travail.
6. Paul est parti.
7. ils n'ont pas répondu aux questions.

b. Pourquoi est-ce que...

> *Modèle:* tu n'as pas voulu manger?
> *J'avais déjà mangé.*

1. tu n'as pas voulu te reposer?
2. il n'a pas voulu aller au centre?
3. elle n'a pas voulu voir ce document?
4. ils n'ont pas voulu se promener?

5. tu n'as pas voulu prendre un café?

6. elles n'ont pas voulu suivre ce cours?

7. il n'a pas voulu acheter ce logiciel?

8. il n'a pas voulu téléphoner?

16.3 La phrase conditionnelle au passé

When a conditional sentence refers to the past, the **plus-que-parfait** is used in the **si** (if) clause and the past conditional in the main (result) clause:

> **S'il avait plu, nous ne serions pas sortis.**
> If it had rained, we would not have gone out.

> **Il aurait déjà répondu s'il avait reçu la lettre.**
> He would have answered already if he had received the letter.

The conditional sentence may be formed using the following patterns:

Si Clause	Main Clause
present indicative	present indicative future imperative
imparfait	present conditional
plus-que-parfait	past conditional

EXERCICES · ORALEMENT

a. Mettez les phrases au passé selon le modèle.

> *Modèle:* S'il *neigeait*, je (faire) du ski.
> *S'il avait neigé, j'aurais fait du ski.*

1. S'il *faisait* mauvais, je ne (sortir) pas.
2. Si je le *voyais*, je lui (parler).
3. Si nous *n'avions* pas de devoir, nous (aller) au cinéma.
4. Il te (prêter) ses disquettes si tu en *avais* besoin.
5. Il t'(écouter), si tu *voulais* lui expliquer tes problèmes.
6. Si vous *veniez* plus tôt, nous (avoir) le temps de prendre un verre ensemble.
7. Il me (téléphoner), s'il *voulait* me voir.
8. Tu (avoir) de mauvaises notes, si tu *remettais* ce travail.
9. Si tu *utilisais* un bon traitement de texte, il (corriger) tes erreurs.

b. Qu'aurais-tu fait...

1. si tu avais eu mal à la tête? Je...
2. si tu étais devenu(e) millionnaire? Je...
3. si tu avais économisé de l'argent? Je...
4. si tu avais eu du talent? Je...
5. si tu étais né(e) en Afrique? Je...
6. si tu n'étais pas entré(e) à l'université? Je...

c. Nommez...

— une chose que vous n'auriez pas dû faire;

— une chose que vous n'auriez pas dû dire;

— une injustice qui n'aurait pas dû exister;

— un voyage que vous n'auriez pas dû entreprendre;

— un personnage qui n'aurait pas dû être au pouvoir;

— un instrument duquel vous auriez aimé jouer;

— un film que vous auriez voulu voir;

— un pays que vous auriez voulu visiter;

— un monument que vous auriez voulu voir.

16.4 Les adjectifs indéfinis *chaque* et *aucun*

Chaque and **aucun** are indefinite adjectives (like **tout**, **quelques** and **plusieurs**).

1) **Chaque** means "each" and is invariable:

Chaque jour, il va nager.	Each day, he goes swimming.
Chaque personne est différente.	Each person is different.

Note the expression *chaque fois que* (each time that/whenever):
Chaque fois qu'il boit, il est malade.
Each time he drinks, he is sick.

2) **Aucun** means "not one." It agrees in gender with the noun modified: its feminine form is **aucune**. **Aucun(e)** is always used with **ne** which precedes the verb:

Aucun étudiant n'est venu.	Not one student came.
Il n'a aucun ami.	He does not have a single friend.
Je ne joue d'aucun instrument.	I do not play a single instrument.

EXERCICES • ORALEMENT

a. La routine.

1. Qu'est-ce que tu fais chaque matin? chaque soir?
2. Qu'est-ce que tu manges chaque jour?
3. Est-ce que tu viens chaque jour à l'université?
4. Vas-tu chaque semaine à la brasserie?
5. Parles-tu à chaque type que tu rencontres?
6. T'intéresses-tu à chaque personne que tu connais?
7. Réussis-tu à chaque examen?

b. Chaque fois... tu exagères!

1. Chaque fois que je vais en voyage...
2. Chaque fois que j'ai mal à la tête...
3. Chaque fois que je réussis à un examen...
4. Chaque fois que je tombe amoureux(-euse)...
5. Je fais du ski chaque fois que...
6. Je travaille fort chaque fois que...
7. Chaque fois que je bois du vin, je...
8. Je perds la tête chaque fois que...

c. L'ordinateur ne fonctionne pas. Répondez en employant *aucun... ne* ou *ne... aucun*.

> *Modèle:* Quel film as-tu regardé hier soir?
> *Je n'ai regardé aucun film.*

1. Quel logiciel as-tu utilisé?
2. À quel technicien as-tu parlé?
3. A-t-il résolu le problème?
4. As-tu branché l'imprimante?

5. As-tu enregistré un document?
6. Quel fichier as-tu effacé?
7. La disquette est-elle sortie?
8. As-tu aperçu l'image à l'écran?

d. Vrai ou pas vrai!

> *Modèle:* Tu as fait une erreur.
> *Ce n'est pas vrai. Je n'ai fait aucune erreur.*

1. Ce politicien a dit un mensonge.
2. Tous les programmes sont difficiles.
3. Ce cours a déçu plusieurs étudiants.
4. Il y a des vampires en Transylvanie.
5. Beaucoup d'avocats sont malhonnêtes.
6. Ce chef du syndicat a quelques ennemis.

16.5 Verbes suivis de *à* ou *de* + infinitif

A number of verbs require no preposition when followed by an infinitive. Other verbs require the prepositions **à** or **de**.

Verbs requiring *de* before an infinitive

accepter de (to accept)	Il a accepté de nous enseigner.
cesser de (to stop)	J'ai cessé de travailler il y a un an.
décider de (to decide)	Nous avons décidé de partir plus tôt.
demander à quelqu'un de (to ask)	Il me demande de revenir demain.
dire à quelqu'un de (to tell)	Elle lui a dit de vous avertir.
essayer de (to try)	Ils essaient de parler français.
finir de (to finish)	Il finit de travailler à trois heures.
permettre à quelqu'un de (to allow)	Son père leur permet de sortir.
promettre à quelqu'un de (to promise)	J'ai promis à ma mère de rentrer tôt.
oublier de (to forget)	J'ai oublié de fermer la porte.
regretter de (to regret)	Je regrette d'être en retard.
refuser de (to refuse)	Il refuse de m'accompagner.

Verbs requiring *à* before an infinitive

apprendre à (to learn)	Nous apprenons à utiliser un traitement de texte.
aider quelqu'un à (to help)	Mon ami m'aide à faire les exercices.
commencer à (to begin)	Il commence à comprendre l'informatique.

continuer à (to continue)   Continuez à faire des progrès.

hésiter à (to hesitate)   Elle n'a pas hésité à se brancher sur Internet.

inviter quelqu'un à (to invite)   Nous les avons invités à diner chez nous.

se mettre à (to start)   Elle s'est mise à étudier l'astronomie.

réussir à (to succeed)   J'ai réussi à effacer le virus.

EXERCiCES • ORALEMENT

a. Répondez selon le modèle. Employez le passé composé dans la réponse.

> *Modèle:* Est-ce qu'il va venir? (non, refuser)
> *Non, il a refusé de venir.*

1. Est-ce que tu joues de la guitare? (oui, apprendre)
2. Est-ce qu'ils travaillent plus tard? (non, finir)
3. Est-ce qu'elle fait du ski? (oui, se mettre)
4. Est-ce que tu travailles chez Tecknika? (non, cesser)
5. Est-ce qu'il fait des progrès? (oui, commencer)
6. Est-ce qu'elles vont rentrer tôt? (oui, promettre)
7. Est-ce qu'il a de bonnes notes? (oui, réussir)
8. Est-ce que tu apportes des disquettes? (non, oublier)
9. Est-ce que tu fais la comptabilité? (oui, essayer)
10. Est-ce que vous déménagez? (oui, décider)

b. Répondez selon le modèle. Employez *je* et le passé composé dans la réponse.

> *Modèle:* Est-ce que Jean va téléphoner? (dire)
> *Oui, je lui ai dit de téléphoner.*

1. Est-ce que ton petit frère écoute tes cassettes? (permettre)
2. Est-ce que ta sœur apprend le piano? (aider)
3. Est-ce que Simon et Chantal vont venir dîner? (inviter)
4. Est-ce que tes parents te donnent des conseils? (demander)
5. Est-ce que tes amis vont t'attendre? (dire)

c. Les bonnes résolutions. À partir d'aujourd'hui, je vais...

1. essayer de _____
2. décider de _____
3. ne pas oublier de _____
4. me mettre à _____
5. réussir à _____
6. commencer à _____
7. promettre de _____
8. cesser de _____

16.6 Expressions d'enchaînement logique

When speaking or writing, one tries to order events and ideas into logical sequences. A number of words and expressions are used in making explicit connections between clauses and sentences to achieve that purpose. Here are a few common ones:

1) Chronological sequence:

d'abord (first) **ensuite / puis** (then/next) **enfin** (finally)

D'abord, il s'est levé, puis il s'est lavé et habillé.
Ensuite, il est sorti et il est allé prendre l'autobus.
Enfin, il est arrivé au bureau.

2) Logical consequences:

ainsi (thus/this way) **donc** (thus/hence)
par conséquent (therefore/consequently)
c'est pourquoi (that is why)

Il étudiait très fort. Ainsi, il a réussi brillamment.
On ne peut pas changer cette situation. Il faut donc l'accepter.
Tu n'études pas, tu ne vas pas aux cours et tu n'aimes pas
l'université. Par conséquent tes résultats sont très mauvais.
J'étais malade; c'est pourquoi je n'ai pas pu venir au rendez-vous.

3) Opposition:

mais (but) **cependant / pourtant** (however/yet)
néanmoins (nevertheless)

Il l'aime, mais elle, elle ne l'aime pas.
Elle est intelligente, jolie, sportive, et pourtant elle est timide.
Vous avez probablement raison, cependant je ne partage pas votre avis.
Ce n'est pas un travail très agréable; il faut néanmoins le faire.

EXERCiCES • ORALEMENT

a. La chronologie

Modèle: As-tu imprimé le document tout de suite?
Non, d'abord je l'ai enregistré, ensuite je l'ai imprimé.

1. As-tu sélectionné une fonction tout de
suite? (consulter le fichier)
2. Es-tu allé au centre de documentation
tout de suite? (téléphoner)
3. As-tu répondu tout de suite au
message? (réfléchir)

4. As-tu accepté l'ordinateur tout de
suite? (essayer)
5. As-tu appelé l'opérateur tout de suite?
(consulter le guide)

b. Les conséquences logiques

1. Pierre travaille trop tard. Il est toujours
fatigué.

2. Ce logiciel est facile. Jean le comprend
bien.

3. Jim ne pratique pas assez. Il n'est pas un expert.

4. Elle a un emploi intéressant. Elle est très satisfaite.

5. On ne peut pas changer la situation. Il faut l'accepter.

C. L'opposition

Modèle: Jeanne étudie beaucoup. Elle ne réussit pas.

Jeanne étudie beaucoup, pourtant elle ne réussit pas.

1. C'est un homme intelligent. Il a de graves défauts.

2. Vous ne voulez pas vous marier. Vous voulez des enfants.

3. C'est un travail difficile. Il faut le faire.

4. Elle l'aime. Elle est désagréable avec lui.

5. Mon ordinateur est efficace. Il ne fonctionne pas très bien.

EXERCICES ÉCRITS

a. Mettez le verbe au conditionnel passé (attention à l'accord du participe passé):

1. Tu (réussir) à ton examen.
2. Il (prendre) l'avion pour New York.
3. Nous (se promener) dans les bois.
4. Vous (faire) du ski de fond.
5. Ils (préférer) partir plus tôt.
6. Je (ne pas savoir) répondre à cette question.
7. Elles (revenir) en train.
8. Tu (avoir) froid sans ce manteau.
9. Je (ne pas être) heureux(-euse) dans cette ville.
10. Elles (se rencontrer) pour en parler.
11. Suzanne (s'habituer) à ce type de travail.
12. Ils (se rendre) à Montréal tout de suite.

b. Changez les temps des verbes: mettez-les au plus-que-parfait et au conditionnel passé, selon le cas:

1. Si j'étais paresseux(-euse), je ne réussirais pas.
2. Je voyagerais plus souvent si j'avais beaucoup d'argent.
3. S'il pleuvait, je prendrais ma voiture.
4. Si je savais la réponse, je ne te la demanderais pas.
5. Je prendrais un café si je n'étais pas en retard.
6. Personne ne l'écouterait s'il n'était pas le directeur.
7. Si Simone devenait actrice, elle aurait du succès.
8. Tu t'ennuierais si tu restais chez toi.

c. Transformez les phrases selon le modèle (une phrase avec *chaque*, une phrase avec *aucun(e)*).

Modèle: Je connais quelques étudiants dans la classe.

Je connais chaque étudiant dans la classe.
Je ne connais aucun étudiant dans la classe.

1. Il a répondu à quelques questions.
2. Quelques rêves sont intéressants.

3. Quelques universités ont deux salles d'informatique.

4. Elle a réussi à quelques examens.

d. Complétez les phrases avec imagination:

1. Pour être heureux, il faut d'abord...
2. Il fait beaucoup de sport, c'est pourquoi...
3. J'ai mis un gros chandail et un manteau, ainsi...
4. Tu devrais d'abord terminer tes études, ensuite...
5. Je n'aime pas les ordinateurs, et pourtant...
6. Les cours finissent la semaine prochaine; enfin...
7. Je n'ai pas assez d'argent pour avoir une voiture, par conséquent...
8. Ce musicien n'a pas un talent extraordinaire, néanmoins...

e. Remplacez les tirets par les prépositions *à* ou *de*:

1. Il m'a demandé _____ communiquer avec lui.
2. Je continue _____ suivre des cours d'espagnol.
3. Elle a refusé _____ sortir avec lui.
4. Il n'aurait pas réussi _____ faire ce travail sans toi.
5. Essayez _____ ne pas fumer.
6. N'oubliez pas _____ apporter vos disquettes.
7. Il n'a pas commencé _____ utiliser le traitement de texte.
8. N'hésite pas _____ me téléphoner.
9. Mon père ne me permettra pas _____ travailler dans un bar.
10. Tu devrais cesser _____ perdre ton temps.
11. Nous les inviterons _____ prendre un café.

Lecture Lecture Lecture

L'autoroute électronique

Un journaliste, un chercheur, un professeur, ou un(e) étudiant(e) qui a besoin de documentation, ne sera plus désormais obligée de passer des heures à la bibliothèque pour trouver ce qu'il ou elle cherche. En pianotant sur le clavier de son ordinateur, il ou elle aura accès à des milliers de ressources documentaires provenant de tous les pays du monde grâce à l'autoroute électronique.

L'autoroute électronique c'est la convergence du téléphone et du câble ainsi que du satellite et du micro-ordinateur qui permettrait à tout le monde, n'importe où, de recevoir et de transmettre de l'information. Trois grands outils accélèrent et rendent efficace la recherche documentaire: les disques CD-Rom qui conservent sur un même support des milliers de pages d'informations, les banques de données qui offrent une information récente et spécialisée, et les réseaux informatiques comme Internet (auquel sont reliés les systèmes canadien CANET et québécois RISQ).

Pour pouvoir accéder à ces ressources, l'usager devra avoir un téléphone, un téléviseur ou un ordinateur muni d'un modem pour pouvoir parler avec les autres. Le modem est une boîte qui sert à transformer les données numériques en signaux analogiques qui ressemblent à la voix humaine et vice versa.

Parmi les réseaux informatiques connus, Internet est présentement le plus populaire et le plus répandu dans le monde. On y trouve des catalogues descriptifs de produits, des logiciels, un courrier électronique, des banques de données et beaucoup d'autres choses. Par exemple, une simple consultation dans le courrier électronique fournit de tout; des passionnés de chrysanthèmes qui s'échangent des trucs, des scientifiques amateurs qui correspondent entre eux et même des écologistes qui donnent leur adresse. On peut envoyer des messages en Autriche, visiter le musée du Louvre, fouiller dans la bibliothèque de l'université du Caire, obtenir des données techniques sur un appareil spatial ou tout simplement consulter l'horaire des vols internationaux.

Quels sont les avantages de l'autoroute électronique? D'abord c'est un moyen de transmission universelle du savoir humain; elle donne accès à une information complète et diversifiée, permet l'enseignement à distance, favorise la participation en commun à des travaux scientifiques, et aussi rendra possible la commande de produits de consommation.

Les désavantages: on prévoit une détérioration des rapports humains, la congestion des réseaux pour certains types d'informations, le coût élevé des services, l'abus de certains usagers qui fournissent des informations non contrôlées, l'absence de confidentialité, et la délocalisation des places d'affaires. Mais n'a-t-on pas dit la même chose du téléphone au début du siècle?

(Extrait du magazine *L'ENJEU*, hiver 1995. Propos recueillis par Stéphane Gagné)

accéder à	to reach	**moyen** (m.)	means
appareil spatial (m.)	spacecraft	**munir**	to equip
boîte (f.)	box	**n'importe où**	anywhere
chercher	to search	**numérique**	numerical
chercheur,		**ordinateur** (m.)	computer
chercheuse (m. / f.)	researcher	**outil** (m.)	tool
chrysanthème (f.)	chrysanthemum	**passionné(e)**	passionate
clavier (m.)	keyboard	**pianoter**	to tinkle away
commander	to order	**provenir**	to come from
courrier (m.)	mail	**rapport** (m.)	relationship
coût (m.)	cost	**répandre**	to spread
début (m.)	beginning	**réseau** (m.)	network
désormais	from now on	**savoir** (m.)	knowledge
donnée (f.)	datum	**siècle** (m.)	century
élevé(e)	high	**truc** (m.)	trick
enseignement (m.)	teaching	**usager, ère** (m. / f.)	user
fouiller	to dig	**voix** (f.)	voice
horaire (m.)	schedule	**vol (m .)**	flight

QUESTIONS

1. Qui peut bénéficier le plus de l'autoroute électronique?
2. Comment a-t-on accès aux ressources documentaires?
3. Qu'est-ce que l'autoroute électronique?
4. Quels sont les outils qui rendent la recherche efficace?
5. De quels appareils a-t-on besoin pour avoir accès à l'autoroute électronique?
6. Que trouve-t-on dans Internet?
7. Que peut-on obtenir dans le courrier électronique?
8. Nommez deux avantages et deux désavantages de l'autoroute électronique.

SITUATIONS / CONVERSATIONS

1. Vous avez eu dans votre passé des désirs secrets qui ne se sont pas réalisés. Quels sont-ils?
   Exemple: J'aurais souhaité aller en Grèce passer des vacances, mais...

2. Avez-vous déjà commis des erreurs? Lesquelles n'auriez-vous jamais dû commettre?

   Exemple: Je n'aurais jamais dû acheter cette bicyclette d'occasion qui ne fonctionnait pas...

3. Quels hommes ou femmes célèbres auriez-vous aimé connaître?

4. Racontez un incident qui vous est arrivé et que vous auriez pu éviter.

5. Quelles qualités auriez-vous aimé posséder? Quels défauts vous auraient été utiles dans la vie?

6. Si vous aviez eu le pouvoir magique de changer quelque chose de votre passé, qu'auriez-vous changé?

7. Quel est le rôle de l'ordinateur dans la vie d'un(e) étudiant(e), d'un(e) comptable, d'un(e) secrétaire, d'un médecin, d'un(e) simple citoyen / citoyenne?

8. L'autoroute électronique est-elle un apport important ou négligeable pour la société en général?

COMPOSITIONS

1. Si vous aviez vécu au 19e siècle, comment aurait été votre vie? Racontez.

2. Si on vous avait donné l'occasion de passer une journée avec l'homme ou la femme qui vous plaît le plus, qui auriez-vous choisi, et qu'auriez-vous fait?

PRONONCIATION

(This exercise is at the end of Chapitre 16 on the tape.)

Les semi-voyelles **oué** et **ué** (/w/ -/ ɥ /)

i. Le son oué (/w/)

The semi-vowel /w/ always precedes a vowel sound and is written **ou**:

> oui, bouée, louer, avouer

The letter sequences **oi** and **oy** are pronounced /wa/:

> roi, toi, soi, soyons, endroit, voyage

The sequence **oin** is pronounced /wɛ̃/:

> soin, lointain, foin, moindre

ii. Le son ué (/ ɥ /)

The semi-vowel / ɥ / always precedes a vowel sound and is written **u**:

> buis, fui, muer, ruée, nuage, ruelle

Répétez:

bu / buée	lu / lui
su / suer	pu / puis
rue / ruer	fu / fui
mu / muer	nu / nuit

iii. Contraste /w/-/ ɥ /

Répétez:

1. bouée / buée   nouée / nuée
    enfouir / enfuir   oui / huit
    louis / lui   rouée / ruée

2. Louez-lui celui-ci.
    Puisque Louis conduit la nuit.

Weblinks

RISQ **www.risq.qc.ca/index.html**

Branchez-vous **www.branchez-vous.com/**

CIDIF **www.cidif.org/**

Cortexte **www.cortexte.con/indexc.html**

Radio Canada Branché **www.radio-canada.com/tv/branche/index.html**

Chapitre 17

L'environnement

Thèmes

- Les moyens à prendre pour protéger l'environnement
- Mon avenir: les choses que j'aurai accomplies
- Exprimer la manière de faire les choses et deux actions simultanées et faire des recommandations
- Exprimer la négation et la restriction

Lecture

Guide de l'environnement

Grammaire

VOCABULAiRE UTiLE

air (m.)	air	**empoisonner**	to poison
asphyxier	to asphyxiate	**en avoir marre**	to have had enough
augmenter	to increase	**espèce** (f.)	species
chasser	to hunt	**forêt** (f.)	forest
contaminer	to contaminate	**marée noire** (f.)	black tide
couche (f.)	layer	**menacer**	to threaten
déboisement (m.)	deforestation	**menace** (f.)	threat
déchets toxiques (m. pl.)	toxic waste	**milieu naturel** (m.)	natural environment
déverser	to unload	**nettoyer**	to clean
diminuer	to decrease	**nid** (m.)	nest
écologique	ecological	**niveau** (m.)	level
effet de serre (m.)	greenhouse effect	**nocif, nocive**	noxious, harmful

oiseau (m.)	bird	**règne animal** (m.)	animal kingdom
patte (f.)	leg	**rejeter**	to discharge
plaindre (se)	to complain	**sauvegarder**	to safeguard
pluies acides (f.pl.)	acid rain	**sol** (m.)	soil
polluant(e)	polluting	**végétal(e)**	vegetable
polluer	to pollute	**voie** (f.): **en —**	
réduire	to reduce	**de disparition**	endangered

GRAMMAIRE ET EXERCICES ORAUX

17.1 Le futur antérieur

The **futur antérieur** (future perfect) is a compound tense which consists of the future tense of the auxiliary verb (**avoir** or **être**) and the past participle of the verb.

finir

j'	aurai fini	nous	aurons fini
tu	auras fini	vous	aurez fini
il / elle / on	aura fini	ils / elles	auront fini

devenir

je	serai devenu(e)	nous	serons devenu(e)s
tu	seras devenu(e)	vous	serez devenu(e)(s)
il / on	sera devenu	ils	seront devenus
elle	sera devenue	elles	seront devenues

se laver

je	me serai lavé(e)	nous	nous serons lavé(e)s
tu	te seras lavé(e)	vous	vous serez lavé(e)(s)
il / on	se sera lavé	ils	se seront lavés
elle	se sera lavée	elles	se seront lavées

The future perfect indicates that a future action will have occurred before some other future action or some future moment.

> **J'<u>aurai fini</u> de préparer le repas quand les invités arriveront.**
> I will have finished preparing the meal when the guests arrive.

> **Lorsque tu <u>seras arrivé(e)</u> chez toi, tu me téléphoneras.**
> When you have arrived at home, you will call me.

L'année prochaine, on <u>aura nettoyé</u> les rivières.

Next year, we will have cleaned the rivers.

J'<u>aurai terminé</u> ma recherche avant cinq heures.

I will have finished my research before five o'clock.

 Note that the future perfect, like the future tense, is used after *quand*, *lorsque*, *dès que*, *aussitôt que*, *tant que*, whereas the present perfect is used in English after the corresponding conjunctions:

Dès que nous <u>aurons mangé</u>, nous partirons.

As soon as we have eaten, we will leave.

Il ne se reposera pas tant qu'il n'<u>aura</u> pas <u>terminé</u>.

He will not rest as long as he has not finished.

If the time lapse between both actions is minimal, the future tense rather than the future perfect is used after **dès que** and **aussitôt que**:

Il me téléphonera dès qu'il <u>arrivera</u>.

He will call me as soon as he arrives.

EXERCICES • ORALEMENT

a. Répétez les phrases en employant les sujets entre parenthèses:

1. Nous (Marcel, mes parents, je) serons allés à l'usine.
2. Tu (il, vous, les étudiantes) auras appris le français.
3. Elle (nous, je, mes amis) se sera promenée près de la rivière.
4. Je (tu, vous, Albert) serai parti à cinq heures.
5. Vous (elle, je, nous) aurez fait des recherches.
6. Ils (tu, Karine, vous) se seront mariés.

b. Qu'est-ce que vous aurez accompli dans dix ans?

1. Je (obtenir) mon diplôme en...
2. Je (quitter) cette ville.
3. Je (prendre) de longues vacances...
4. Je (acheter) une automobile...
5. Je (trouver) un emploi régulier.
6. Je (rencontrer) un(e) ami(e) sérieux(se).
7. Je (se marier) probablement.
8. Je (avoir des enfants).

c. Que fait-on après...

Modèle: Il apprendra le français, ensuite il ira au Québec. (quand)

Il ira au Québec quand il aura appris le français.

1. Je rencontrerai l'homme idéal, ensuite je me marierai. (lorsque)
2. J'écrirai cette lettre, ensuite nous irons nous promener. (aussitôt que)
3. Elle prendra un bain, ensuite elle préparera le repas. (quand)
4. Nous finirons notre partie d'échecs, ensuite je partirai. (dès que)
5. Il réalisera ses ambitions, ensuite il sera content. (lorsque)
6. Tu gagneras assez d'argent, ensuite tu achèteras une auto. (dès que)

d. Complétez les phrases suivantes. Employez le futur antérieur:

1. Je te téléphonerai dès que...
2. Nous partirons en vacances aussitôt que...
3. Jules prendra une décision dès que...
4. Je ne partirai pas tant que...
5. Vous viendrez me voir quand...
6. Tu me rendras mes cassettes lorsque...

17.2 Les verbes irréguliers *ouvrir, offrir, souffrir*

Ouvrir means "to open" and is conjugated like regular **-er** verbs in the present indicative and the imperative.

Présent de l'indicatif		Impératif (2ᵉ personne)	Participe passé	Futur
j'	ouvre	ouvre	ouvert	j'ouvrirai
tu	ouvres			
il / elle / on	ouvre			
nous	ouvrons			
vous	ouvrez			
ils / elles	ouvrent			

Offrir (to offer/to present someone with something) and **souffrir** (to suffer) are conjugated in the same way, and so are **couvrir** (to cover) and **découvrir** (to discover).

Il fait chaud: <u>ouvre</u> la fenêtre!
Elle <u>a couvert</u> le pot de crème d'un papier d'aluminium.
Le ciel <u>se couvrait</u> de nuages.
Nous <u>découvrirons</u> la solution au problème du déboisement.
Il <u>offrait</u> des fleurs à toutes les femmes.
Cet animal a eu la patte cassée: il <u>souffre</u> beaucoup.

EXERCiCES • ORALEMENT

a. Répondez aux questions:

1. Quand il fait chaud, j'ouvre la fenêtre de ma chambre. Et toi? Et vous?
2. J'ai ouvert le livre de français. Et elle? Et eux? Et vous?

3. Elle offre du café à ses invités. Et toi?
   Et tes parents?

4. Vous découvrirez un trésor. Et moi?
   Et lui? Et elles?

5. Je me couvre chaudement quand il
   fait froid. Et toi? Et lui? Et nous?

b. D'après vous...

1. Est-ce qu'il y a beaucoup d'oiseaux
   qui souffrent de la pollution de l'air?

2. Est-ce qu'on souffre de plus d'allergies
   aussi?

3. Est-ce qu'on découvrira un remède
   contre le SIDA d'ici dix ans?

4. Est-ce qu'on ouvre souvent des
   produits toxiques à la maison?

5. Est-ce que le ciel se couvre de nuages
   quand il y a un accident nucléaire?

6. Est-ce que les écologistes découvrent
   toujours les pollueurs?

7. Est-ce que l'air sain entrerait dans la
   classe si nous ouvrions les fenêtres?

8. Est-ce que nous offrirons une planète
   polluée à nos enfants?

17.3 Le participe présent

The present participle is formed by adding **-ant** to the stem of the first person plural form of the present indicative.

Infinitive	Present tense (1st person plural)	Present participle
appeler	nous **appel**ons	appelant
choisir	nous **choisiss**ons	choisissant
attendre	nous **attend**ons	attendant
aller	nous **all**ons	allant
faire	nous **fais**ons	faisant

Only three verbs do not conform to this pattern:

être   étant   **avoir**   ayant   **savoir**   sachant

The present participle is most often used after the preposition **en** to indicate:

1) the means by which an end is achieved or the manner in which the action of the main verb is performed **(manière):**

> **Elle a appris à chanter en imitant sa mère.**
> She learned to sing by imitating her mother.

2) the moment when the action described by the main verb occurs **(moment)**:

> **En voyant le chien, elle a eu peur.**
> Upon seeing the dog (the moment she saw the dog), she got scared.

3) the background action during the performance of which the action described by the main verb occurs **(simultanéité)**:

> **Il chante en prenant une douche.**
> He sings while taking a shower.

○ Note that in the negative, *ne* precedes the present participle and *pas* (or any other negative word) follows it:

> En ne respectant pas la nature, on provoque des catastrophes.

An object pronoun is placed directly before the present participle:

> Le gouvernement a aidé ces petites compagnies en leur donnant des subventions.

The present participle without **en** is most often used in writing and usually indicates a causal connection:

> **Ne connaissant personne dans cette ville, il s'ennuyait.**
> As he did not know anybody...
> **Étant très occupé(e), je n'ai pas pu prendre de vacances.**
> Since I was very busy...

EXERCiCES • ORALEMENT

a. Dites comment ça s'est passé (la manière). Utilisez *en + participe présent* (manière).

> *Modèle:* Comment a-t-on pollué les plages? (On y a jeté des déchets.)
> *On a pollué les plages en y jetant des déchets.*

1. Comment a-t-on contaminé la mer? (On a déversé du pétrole.)
2. Comment a-t-on causé la mort des oiseaux? (On a détruit les nids.)
3. Comment a-t-on pollué l'atmosphère? (On a rejeté des gaz toxiques.)
4. Comment a-t-on déboisé les forêts? (On a coupé les arbres.)
5. Comment a-t-on tué certaines espèces animales? (On les a chassées sans restriction.)
6. Comment a-t-on dénaturé le paysage? (On a construit des autoroutes.)
7. Comment a-t-on sauvé des espèces végétales? (On a créé des parcs nationaux.)
8. Comment a-t-on protégé les ressources océaniques? (On a organisé des campagnes.)

b. Quelle est la meilleure manière...

> *Modèle:* de conserver la nourriture? (la réfrigérer)
> *En la réfrigérant.*

1. de découvrir la solution? (utiliser un ordinateur)
2. de sauver les oiseaux? (protéger leurs nids)
3. de dépolluer les rivières? (nettoyer les berges)
4. de reboiser une forêt? (planter des arbres)
5. de rester en bonne santé? (bien manger)
6. de sauvegarder les animaux menacés? (créer des parcs nationaux)
7. de faire quelque chose d'utile? (respecter la nature)

c. Des recommandations. *En + participe présent.*

> *Modèle:* Tu m'écriras quand tu arriveras là-bas.
> *Tu m'écriras en arrivant là-bas.*

1. Tu mangeras quand tu rentreras.
2. Tu me téléphoneras quand tu recevras la réponse.
3. Tu penseras à moi quand tu entendras cette chanson.
4. Tu lui parleras quand tu marcheras près de lui.
5. Tu te reposeras quand tu reviendras ce soir.
6. Tu prendras une pilule quand tu te coucheras.

d. Un mauvais moment.

> *Modèle:* Il est parti. Il a oublié ses clés.
> *Il a oublié ses clés en partant.*

1. Il est entré. Il ne m'a pas salué.
2. Je l'ai vue. Je ne l'ai pas reconnue tout de suite.
3. Il m'a vu. Il n'a pas souri.
4. Elle a quitté Toronto. Elle a eu de la peine.
5. Il a perdu un emploi. Il a été triste.
6. Je l'ai aperçu. J'ai été surpris de son apparence.

e. *En + participe présent (*simultanéité*).* Comment et quand?

> *Modèle:* Il s'est cassé la jambe pendant qu'il faisait du ski.
> *Il s'est cassé la jambe en faisant du ski.*

1. J'ai attrapé mal à la tête pendant que je l'écoutais.
2. Le vieillard est tombé pendant qu'il traversait la rue.
3. Nous avons découvert ce restaurant pendant que nous nous promenions.
4. Je lisais le journal. J'ai vu une photo de ton père.
5. Le mineur descendait dans la mine. Il a eu un accident.
6. Il parlait avec des amis. Il a appris la nouvelle.
7. Je rentrais chez moi à pied. Je me suis blessé(e).
8. Renée voyageait. Elle l'a rencontré.

17.4 La négation

Adverbs

1) **ne... jamais** (never) ≠ **parfois, quelquefois** (sometimes), **une fois** (once), **toujours** (always), **souvent** (often)

Je n'ai <u>jamais</u> vu de lion.   J'ai vu un lion <u>une fois</u>.

2) **ne... pas encore** (not yet) ≠ **déjà** (already)

Il <u>n</u>'a <u>pas encore</u> de voiture.   Il a <u>déjà</u> une voiture.

3) **ne... pas non plus** (neither) ≠ **aussi** (also/too)

Je <u>n</u>'irai <u>pas</u> au cinéma <u>non plus</u>.   J'irai au cinéma <u>aussi</u>.

4) **ne... plus** (no more/no longer) ≠ **encore** (still)

Nous <u>ne</u> te verrons <u>plus</u>.   Nous te verrons <u>encore</u>.

Il <u>ne</u> boit <u>plus</u> d'alcool.   Il boit <u>encore</u> de l'alcool.

5) **ne... nulle part** (nowhere) ≠ **quelque part** (somewhere), **partout** (everywhere)

Il <u>ne</u> veut aller <u>nulle part</u>.   Il veut aller <u>quelque part</u>.

On <u>n</u>'en trouve <u>nulle part</u>.   On en trouve <u>partout</u>.

> Note: 1) After these negative expressions, just as after *ne... pas*, the forms of the indefinite and partitive articles all become *de*.
>
> 2) With *ne... non plus* stress pronouns are frequently used:
> <u>Moi</u> non plus, je ne suis pas fatigué(e).
> Ils ne sont pas venus, <u>eux</u> non plus.

The conjunction *ni*

Ni means the opposite of **et** and **ou** and is most often used in the structure **ne** + verb + **ni... ni** to connect two expressions having the same grammatical function, that is, two direct or indirect objects, two predicate adjectives, etc.

Je <u>ne</u> suis <u>ni</u> malade <u>ni</u> fatigué(e).
Il <u>n</u>'est allé <u>ni</u> à Montréal <u>ni</u> à Québec.
Je <u>n</u>'ai apporté <u>ni</u> mon manteau <u>ni</u> mes gants.
Elle <u>n</u>'a parlé <u>ni</u> au professeur <u>ni</u> aux autres étudiants.

After **ni... ni**, no indefinite or partitive article is used. Compare the following sentences:

Il mange <u>des</u> fruits et <u>des</u> légumes.   As-tu <u>un</u> frère et <u>une</u> sœur?
Il ne mange <u>ni</u> fruits <u>ni</u> légumes.   Je n'ai <u>ni</u> frère <u>ni</u> sœur.

Elle boit <u>du</u> vin et <u>de la</u> bière.
Elle ne boit <u>ni</u> vin <u>ni</u> bière.

EXERCICES · ORALEMENT

a. Dites le contraire des phrases suivantes:

1. Je suis déjà allé(e) en Chine.
2. J'ai déjà mangé du caviar.
3. Il veut aller quelque part.
4. Nous voyagerons partout.
5. Il y avait des policiers partout.
6. J'ai aperçu tes clés quelque part.
7. Jean-Paul et Simone sortent souvent ensemble.
8. Elle m'a quelquefois offert des fleurs de son jardin.
9. Je le vois toujours à la bibliothèque.
10. Vous écoutez souvent du jazz.
11. Il a encore essayé de la rencontrer.
12. Tu feras encore des erreurs.
13. Toi aussi, tu es sportif(-ive).
14. Je prendrai un café aussi.
15. Charles est actif et dynamique.
16. Nous irons en Italie et en France.
17. Elle l'a dit à Pierre et à Suzanne.
18. Elle a acheté une jupe et une robe.
19. Il a du courage et de l'ambition.
20. Je veux cette chemise et ce pantalon.
21. Paul n'aime pas le caviar, et toi?

b. Votre amie se plaint de sa colocataire. J'en ai marre...

1. Moi, je fais *toujours* la vaisselle mais elle _____
2. Elle laisse ses vêtements *partout* mais moi _____
3. J'ai *déjà* payé le loyer mais elle _____
4. Elle mange tous *les fruits et les légumes* alors que moi _____
5. Elle reçoit *souvent* ses amis mais moi _____
6. Je prends *quelquefois* ses messages mais elle _____
7. J'ai *encore* lavé ses vêtements mais elle _____
8. J'ai *déjà* essayé de discuter mais elle _____
9. Elle boit *du vin et de la bière* mais moi _____
10. J'ai essayé de cesser de fumer *une fois*, mais elle _____
11. Je fais *parfois* les achats alimentaires mais elle _____
12. Elle veut *encore* habiter avec moi mais moi _____

17.5 *Ne... que* (la restriction)

Ne... que has the same meaning as **seulement** (only). **Ne** is placed before the verb and **que** before the expression which is modified by the restriction:

Il a <u>seulement</u> seize ans.   Il <u>n</u>'a <u>que</u> seize ans.
Elle est ici depuis <u>seulement</u> six mois.   Elle <u>n</u>'est ici <u>que</u> depuis six mois.
J'achète <u>seulement</u> les cassettes   Je <u>n</u>'achète <u>que</u> les cassettes bon marché.
bon marché.

Ne... que is not a negative but a restrictive expression. Therefore, the indefinite and definite articles do not change to **de** when they follow **ne... que**:

Nous n'avons mangé que <u>des</u> fruits.
Elle n'a regardé qu'<u>un</u> film.

EXERCICES · ORALEMENT

a. Substituez *ne... que* à *seulement*:

1. Il fait seulement de la chimie.
2. Je le reverrai seulement s'il devient plus aimable.
3. Cette bouteille contient seulement un demi-litre.
4. Je te téléphonerai seulement quand je serai revenu.
5. Il y a seulement des mines dans cette région.
6. Je l'ai invité seulement parce que c'est ton ami.
7. Ouvre seulement une fenêtre.
8. Elle dort seulement cinq heures par nuit.
9. Cet arbre a seulement dix mètres de haut.
10. Cette voiture coûte seulement mille dollars.
11. Il est seulement dix heures du soir.

b. Demandez à votre voisin(e):

Modèle: Combien as-tu de cassettes?
Je n'en ai que dix.

1. Combien as-tu de livres dans ta serviette?
2. Combien de mains as-tu?
3. Combien de langues parles-tu?
4. Combien d'étudiants y a-t-il dans la classe?
5. Combien de bicyclettes as-tu?
6. Combien de jours y a-t-il en février?
7. Combien de langues officielles y a-t-il au Canada?
8. Combien de temps reste-t-il avant la fin de la classe?
9. Combien de semaines reste-t-il avant la fin des cours?
10. Depuis combien de mois étudies-tu le français?

EXERCICES ÉCRITS

a. Mettez les verbes entre parenthèses au futur antérieur:

1. J'espère que nous nous reverrons quand tu (revenir) de vacances.
2. Nous pourrons partir dès que je le (voir).
3. Je donnerai au chien la nourriture que nous (ne pas manger).
4. Je suis sûr(e) que tu la trouveras sympathique quand tu la (rencontrer).
5. Rends-moi ce livre aussitôt que tu le (lire).

b. Mettez les verbes entre parenthèses au présent de l'indicatif:

1. Henri (offrir) une cravate à son père.
2. Est-ce que vous (souffrir) beaucoup?
3. La pluie entre dans la pièce quand on (ouvrir) la fenêtre.
4. Elle (se couvrir) le visage de maquillage.
5. Nous (découvrir) de nouvelles choses.

C. La simultanéité — le moment.

> *Modèle:* Il est tombé. (monter l'escalier)
> *Il est tombé en montant l'escalier.*

1. On développe ses muscles. (faire de la natation)
2. Chantal a souri. (me regarder)
3. Je l'ai aperçu. (entrer dans la classe)
4. Nous mangeons. (regarder le match de hockey)
5. Frédéric est devenu riche. (vendre des maisons)
6. J'ai appris la nouvelle. (lire le journal)
7. Tu as trouvé ce portefeuille. (te promener)
8. Madeleine a trouvé un emploi. (rentrer de voyage)

d. La manière. Employez *en* + *participe présent*.

> *Modèle:* Comment as-tu appris le violon?
> *J'ai appris le violon en prenant des leçons.*

1. Comment attrape-t-on un rhume?
2. Comment restes-tu en forme?
3. Comment les enfants apprennent-ils à respecter la nature?
4. Comment réussit-on à éliminer la pollution?
5. Comment apprend-on les nouvelles récentes?

e. Donnez le contraire des phrases suivantes:

1. Je veux voyager partout.
2. Fernande a encore des allergies.
3. J'écoute parfois la radio.
4. Ils sont déjà rentrés du camping.
5. Louis a aussi acheté un ordinateur.
6. Elle est intelligente et ambitieuse.
7. Nous mangeons des fruits et des légumes.
8. Il a apporté son livre et ses notes de classe.
9. Je vais quelquefois à la plage?

f. Substituez *ne... que* à *seulement*:

1. Je te parlerai seulement quand tu seras plus raisonnable.
2. Elle veut seulement un sandwich.
3. Les Desjardins ont seulement deux enfants.
4. On peut ouvrir seulement une fenêtre.
5. Il y a des fleurs seulement devant la maison.
6. Nous nous reverrons seulement dans deux mois.
7. J'ai lu ce livre seulement parce que tu me l'as recommandé.
8. Il va suivre seulement trois cours.

Lecture Lecture Lecture

Guide de l'environnement

Lecture

La révolution industrielle est synonyme de pollution et de gaspillage. Comment faire échec à l'un et à l'autre? C'est d'abord un défi qui commence par soi, un défi individuel.

Énergie

On sait que la production industrielle contamine la biosphère par la pollution thermique de l'air, des sols et, par voie de conséquence, de l'eau.

Remède

Économisez l'énergie. Utilisez parcimonieusement les appareils électriques. Ne tombez pas dans le piège des gadgets.

Matières plastiques

La mode est au plastique, au vinyle et autres produits synthétiques qui polluent. En brûlant, les plastiques absorbent une énorme quantité d'oxygène et rejettent des gaz nocifs.

Remède

Vous avez sans doute remarqué que les chaînes alimentaires utilisent une prolifération de contenants en plastique pour les aliments. Faites un effort sérieux pour éviter la multiplication de sacs en papier et autres types d'emballage ruineux.

Eau

Les eaux de pluie qui charrient des oligo-éléments toxiques ont pollué des centaines de cours d'eau, de lacs et de rivières. À présent, on ne boit plus l'eau du lac, on achète l'eau, une nouvelle industrie lucrative.

Remède

Ménagez l'eau. Ne la gaspillez pas. Ne laissez pas bêtement couler les robinets sous prétexte "que nous avons de l'eau et qu'il y en aura toujours". Erreur. Protégez farouchement votre lac, la rivière près de votre chalet, en vous répétant que l'eau, c'est la vie.

Produits domestiques et cosmétiques

Les liquides à base de phosphate (détergents), rejetés à l'eau, tuent les cours d'eau et contaminent la vie aquatique.

Remède

Utilisez pour vos lessives et lavages des produits biodégradables. Ne jetez pas dans les renvois des produits — pesticides, insecticides — qui polluent le cours d'eau et servez-vous de produits et cosmétiques naturels.

Papiers

Même si le domaine forestier représente 2 p. cent de toutes les forêts du monde, le bois n'est pas une richesse inépuisable. L'utilisation abusive du papier peut faire disparaître nos forêts et, avec elles, l'oxygène.

Remède

Modifiez vos habitudes. Rendez-vous à l'épicerie avec un panier à provisions. Pourquoi deux sacs pour emballer une livre de beurre.

Chez nous, le triple emballage a du succès. Mais, pendant que nous épuisons le domaine forestier, l'industrie de l'emballage fait de bonnes affaires.

Aliments

Colorants, édulcorants, additifs, acide phosphorique, parafine, entrent dans la fabrication de l'aliment chimifié. Les emballages des produits douteux sont attrayants et souvent offerts en "spéciaux".

Remède

Ne vous laissez pas fasciner par des produits nocifs et nuisibles à votre santé. Si vous aimez les fruits traités au D.D.T., c'est votre affaire.

Achetez de préférence des produits sains qui ne sont pas contaminés par des produits dangereux.

(Article tiré du *Guide de l'environnement,* Vol. 1 - avril 1991, Les Éditions Syverin.)

aliment (m.)	food	**gaspillage** (m.)	waste
attrayant(e)	attractive	**gaspiller**	to waste
bêtement	foolishly	**habitude** (f.)	habit
bois (m.)	wood	**inépuisable**	inexhaustible
chaîne alimentaire (f.)	food chain	**innocuité** (f.)	harmlessness
charrier	to carry	**lessive** (f.)	washing
chimifié	chemical	**mauvais(e)**	bad
couler	to run	**nocif, nocive**	noxious
défi (m.)	challenge	**nuisible**	harmful
douteux, douteuse	uncertain	**panier** (m.)	basket
échec (m.)	defeat	**parcimonieusement**	sparingly
édulcorant (m.)	sweetener	**piège** (m.)	trap
emballage (m.)	wrapping (up)	**remarquer**	to notice
emballer	to pack (up)	**ruineux, ruineuse**	expensive
épicerie (f.)	grocery	**renvoi** (m.)	drain
épuiser	to exhaust	**sain(e)**	healthy
farouchement	fiercely	**sol** (m.)	soil

QUESTIONS

1. Que contamine la production industrielle?
2. Comment y remédier?
3. Qu'advient-il lorsqu'on brûle du plastique?
4. Comment éviter l'utilisation de contenants en plastique?
5. Pourquoi ne peut-on plus boire l'eau des lacs?

6. Que conseille-t-on pour ménager l'eau?
7. Pourquoi devrait-on utiliser des produits biodégradables pour la lessive?
8. Comment peut-on épargner nos forêts et avec elles, l'oxygène?
9. Qu'est-ce qui entre dans la fabrication de l'aliment chimifié?
10. Que doit-on faire pour éviter ce type d'aliment?

SiTUATiONS / CONVERSATiONS

1. Vous représentez votre pays ou votre province au COMITÉ DE LA DÉFENSE DE L'ENVI-RONNEMENT.

   Préparez un bref discours de présentation dans lequel vous...

   a) exposez la situation environnementale qui existe dans votre pays (pollution de l'air, des eaux, du sol) et signalez les sources de pollution.

   b) décrivez les moyens entrepris pour améliorer la situation.

   c) préparez-vous à répondre aux questions des autres membres du comité.

2. Faites des questions et répondez-y d'après le modèle suivant.

   Modèle: Quelle est la première chose que tu fais en te levant le matin?

   En me levant le matin, j'écoute la radio / je me prépare un café / je me lave / je lis le journal.

   Quelle est la première chose que tu fais en rentrant chez toi le soir?
   Quelle est la première chose que tu fais en arrivant en classe? en entrant dans une discothèque?, etc.

3. Posez des questions et répondez-y en employant *en + participe présent* pour exprimer la manière.

   Modèles: Comment est-ce qu'on devient cultivé?

   On devient cultivé en lisant beaucoup.

   Comment est-ce qu'on fait la vaisselle?
   On fait la vaisselle en lavant les ustensiles avec de l'eau chaude et du savon.

   Comment est-ce qu'on va en Afrique?
   On va en Afrique en prenant le bateau ou l'avion.

4. Posez des questions qui demandent des réponses négatives.

   Modèles: Est-ce que tu es <u>déjà</u> allé(e) au Tibet?
   Non, je ne suis jamais allé(e) au Tibet.

   Est-ce que tu as <u>déjà</u> une profession?
   Non, je n'ai pas encore de profession.

Est-ce que tu apportes ton ordinateur <u>partout</u>?

Non, je ne l'apporte nulle part.

5. Posez des questions et répondez-y en employant le futur antérieur.

Modèle: Qu'est-ce que tu feras quand tu auras fini tes études?

Quand j'aurai fini mes études, je ferai un voyage autour du monde.

Voudras-tu avoir des enfants après que tu te seras marié(e)?, etc.

6. Êtes-vous pour ou contre l'exploitation de l'énergie nucléaire? Justifiez votre opinion.

7. Est-il important de faire tous les efforts possibles pour protéger toutes les espèces d'animaux en voie de disparition, même si, pour cela, il faut supprimer des projets technologiques importants? À la limite, est-ce que les intérêts humains justifient la disparition d'un bon nombre d'espèces animales?

8. On prévoit pour le 21ᵉ siècle une pénurie de beaucoup de ressources naturelles et un manque de nourriture pour une population de plus en plus considérable. Que va-t-il se passer selon vous? Vers quoi les efforts humains devraient-ils être orientés pour faire face à ces problèmes?

9. Qu'aurez-vous accompli d'ici 20 ans?

Exemples: *J'aurai fini mes études en sciences.*

J'aurai travaillé pour le gouvernement.

etc.

COMPOSITIONS

1. Avez-vous une vision optimiste ou pessimiste de l'avenir? Réussira-t-on à trouver des solutions aux problèmes de pollution et de diminution de ressources naturelles? Quels genres de nouvelles technologies envisagez-vous?

2. Est-ce que l'avenir de l'humanité dépendra de la recherche spatiale?

3. La pénurie de ressources naturelles et énergetiques ainsi que la pénurie de nourriture vont-elles créer des conflits internationaux? Les guerres seront-elles inévitables ou est-ce que les nations vont s'orienter vers une meilleure répartition des ressources et une entraide?

4. Vous prenez de bonnes résolutions à l'occasion du Nouvel An: Qu'est-ce que vous allez faire que vous n'avez pas encore fait? Qu'est-ce que vous ne ferez plus? Qu'est-ce que vous ne ferez jamais? Employez beaucoup de négations diverses.

PRONONCiATiON

(This exercise is at the end of Chapitre 17 on the tape.)

La semi-voyelle /**j**/ (le yod)

The semi-vowel /**j**/ is written **i** or **y** in the following sequences of letters:

i. i or y + pronounced vowel

Répétez:

il y a	rayer	fier	mieux	confiant	rayon	mien
spécial	métier	miel	vieux	amiante	inspiration	viens
yaourt	parliez	pluriel	cieux	expérience	condition	maintien
immédiat	inquiet	assiette	sérieux	viande	omission	bientôt
racial	ennuyé	mièvre	dieu			

ii. Vowel + il or ille

Répétez:

ail	soleil	feuille	fouille
maille	oreille	œil	houille
travail	veille	seuil	rouille
caillé	conseil	cueille	nouille
ailleurs	treille	deuil	douille

iii. The combination of sounds /ij/

The following sequences of letters are associated with /ij/:

1) consonant + **r** or **l** + vowel:
   crier, trier, sablier, plier, plia, plions

2) consonant + **ill** or **ille** + vowel:
   griller, grillon, briller, famille, fille

Weblinks

Écoroute **www.ecoroute.uqcn.qc.cq/cons/index/html**

Gouvernement **www.ns.ec.gc.ca/publications_f.html**

Environnement Canada **www.ec.gc.ca/fenvhome.html**

Environment Québec **www.generation.net/-index.htm**

ÉcoloWeb **www.odyssee.net/-sdesmar/enviro/index.html**

Chapitre 18

Les Cajuns de la Louisiane

Thèmes

- Les Cajuns, le Mardi gras et la Louisiane
- Qu'est-ce que la diversité peut apporter à une société?
- Mes sentiments, mes émotions, mes désirs, mes doutes, mon opinion
- Exprimer la nécessité, l'incertitude, un souhait

Lecture

Les Cajuns de la Louisiane

Grammaire

18.1 Le subjonctif présent

18.2 Emploi du subjonctif après des expressions impersonnelles

18.3 Les pronoms relatifs *ce qui, ce que, ce dont*

18.4 Le verbe irrégulier *battre*

18.5 Les pronoms relatifs précédés d'une préposition

VOCABULAiRE UTiLE

appareil (m.)	appliance	**coutume** (f.)	custom
argent (m.)	money	**crépuscule** (m.)	twilight
attraper	to catch	**crevette** (f.)	shrimp
aube (f.)	dawn	**croyance** (f.)	belief
avenir (m.)	future	**crustacé** (m.)	shellfish
billet (m.)	ticket	**désolé(e)**	sorry
bonheur (m.)	happiness	**disparaître**	to disappear
canne à sucre (f.)	sugar cane	**échecs** (m. pl.)	chess
chaussette (f.)	sock	**emprunter**	to borrow
colline (f.)	hill	**énerver**	to annoy
concours (m.)	contest	**étonné(e)**	astonished
couramment	fluently	**entraînement** (m.)	training
course (f.)	race	**exiger**	to demand

ferme (f.)	farm	**rat musqué** (m.)	muskrat
fourrure (f.)	fur	**raton laveur** (m.)	racoon
guerre (f.)	war	**réagir**	to react
humeur (f.)	mood	**rendre compte**	to give account
(s')habituer à	to get used to	**renommé(e)**	famous
hasard (m.)	chance	**renseignement** (m.)	information
incendie (m.)	fire	**(se) retrouver**	to gather, to meet
irriter	to irritate	**réunir**	to bring together
juste	in tune	**riz** (m.)	rice
lac (m.)	lake	**saucisse** (f.)	sausage
langue (f.)	language	**sauvage**	wild
marais (m.)	swamp	**sentiment** (m.)	feeling
mesure (f.)	time	**signifier**	to mean
mode de vie (m.)	way of life	**souhaiter**	to wish
pétrole (m.)	oil	**terre** (f.)	land
pétrolier, pétrolière	oil (adj.)	**trappeur** (m.)	trapper
pompier (m.)	fireman	**troupe** (f.)	band
près	near		

GRAMMAIRE ET EXERCICES ORAUX

18.1 Le subjonctif présent

The indicative mood is used by the speaker to report events factually. The subjunctive mood is used in subordinate clauses to relate an event which follows from a certain attitude or proviso. Specific instances in which the subjunctive forms are used will be detailed in this and the following chapters.

The present subjunctive of regular verbs

The present subjunctive of regular verbs is formed by dropping **-ent** from the third person plural form of the present indicative and adding to that stem the subjunctive endings which are: **-e, -es, -e, -ions, -iez, -ent.**

	regarder	*finir*	*vendre*
je	regarde	finisse	vende
tu	regardes	finisses	vendes
il / elle / on	regarde	finisse	vende
nous	regardions	finissions	vendions
vous	regardiez	finissiez	vendiez
ils / elles	regardent	finissent	vendent

Regular **er** verbs with spelling changes in their stems in the present indicative retain these changes in the present subjunctive:

> **acheter:** j'achète / nous achetions
> **espérer:** j'espère / nous espérions
> **appeler:** j'appelle / nous appelions
> **jeter:** je jette / nous jetions
> **payer:** je paie / nous payions

The present subjunctive expresses a *present* or *future* event.

Use of the subjunctive after certain verbs and verbal expressions

The subjunctive is used in subordinate clauses introduced by the conjunction **que** when the verb or verbal expression in the main clause expresses:

1) an emotion or a feeling:

aimer	J'aimerais que vous restiez ici.
avoir peur	Elle a peur qu'ils ne lui obéissent plus.
être content	Je suis content(e) que tu réussisses.
être désolé	Elle est désolée que je ne m'entende pas avec son ami.
être heureux	Elle est heureuse que nous travaillions.
être triste	Il est triste que tu ne répondes pas à ses lettres.
être surpris	Elle est surprise que nous ne fumions plus.
regretter	Nous regrettons que vous abandonniez la ferme.

2) a wish, a desire or a demand:

désirer	Elle désire que tu lui répondes.
exiger	Il exige que je lui rende son argent.
souhaiter	Je souhaite que vous lui parliez.
préférer	Je préfère que tu ne m'attendes pas.
vouloir	Ils veulent que nous chantions.

3) a doubt:

douter	Je doute qu'il finisse son travail à temps.

4) an opinion: verbs like **croire**, **être sûr**, **penser**, **supposer**, etc., when used in the negative and the interrogative, imply doubt and are generally followed by the subjunctive.* However, when they are used in the affirmative, no doubt is implied and they are followed by the indicative. Compare the following sentences:

---

* When these verbs are used in a question about some *future* event, generally the future tense or the present conditional is used in the subordinate clause rather than the subjunctive:

> Pensez-vous qu'elle <u>rentrera</u>?   Avez-vous cru que nous <u>réussirions</u>?

croire	Il croit que nous chantons bien.
	Il ne croit pas que nous <u>chantions</u> bien.
	Croit-il que nous <u>chantions</u> bien?
penser	Elle pense que nous l'attendons.
	Elle ne pense pas que nous l'<u>attendions</u>.
	Pense-t-elle que nous l'<u>attendions</u>?
être sûr	Tu es sûr(e) qu'il obéit à ses parents.
	Tu n'es pas sûr(e) qu'il <u>obéisse</u> à ses parents.
	Es-tu sûr(e) qu'il <u>obéisse</u> à ses parents?
être certain	Elle est certaine que nous travaillons bien.
	Elle n'est pas certaine que nous <u>travaillions</u> bien.
	Est-elle certaine que nous <u>travaillions</u> bien?

Subjunctive versus infinitive

When the subject of the subordinate clause refers to the same person or thing as the subject of the main clause, avoid using the structure **que** + subjunctive. Instead, put the subordinate verb in the infinitive:

Nous préférons attendre.
(Rather than: <u>Nous</u> préférons que <u>nous</u> attendions.)
Je veux le rencontrer.
(Rather than: <u>Je</u> veux que <u>je</u> le rencontre.)
Je regrette de ne pas réussir.
(Rather than: <u>Je</u> regrette que <u>je</u> ne réussisse pas.)
Tu as peur d'oublier.
(Rather than: <u>Tu</u> as peur que <u>tu</u> oublies.)

As in the last two examples, remember to insert a preposition before the infinitive if required after the conjugated verb.

EXERCICES • ORALEMENT

a. Que veulent vos parents? Exprimez leurs désirs, selon le modèle.

Modèle: Je veux étudier dans une autre université.
Mes parents ne veulent pas que j'étudie dans une autre université.

1. Je veux partir en vacances seul(e).
2. Je souhaiterais vivre dans un autre pays.
3. Je désire sortir tous les samedis soirs.
4. Je veux acheter une auto sport.
5. Je voudrais étudier les arts.
6. Je souhaite louer un appartement très moderne.
7. Je voudrais déménager dans une grande ville cosmopolite.
8. Je veux me marier prochainement.
9. Je voudrais décider moi-même de mon avenir sans consulter personne.

b. Exprimez une opinion en employant "Je pense que" + indicatif ou "Je ne pense pas" + subjonctif.

1. Est-ce que les Acadiens habitent tous au Nouveau-Brunswick?
2. Est-ce qu'on parle créole en Louisiane?
3. Est-ce qu'ils parlent français?
4. Est-ce que les trappeurs attrapent toujours des visons?
5. Est-ce qu'on ne mange que des crevettes en Louisiane?
6. Est-ce que le milieu rural présente plus d'intérêt que le milieu urbain?
7. Est-ce que les colons s'établissent près des bayous?

c. Votre copain est de mauvaise humeur et rejette toutes vos suggestions.

1. Veux-tu qu'on écoute de la musique? Non, ...
2. Veux-tu qu'on joue aux cartes? Non, ...
3. Préfères-tu qu'on joue aux dominos? Non, ...
4. Aimerais-tu qu'on choisisse un bon film. Non, ...
5. Désires-tu que nous mangions au restaurant? Non, ...
6. Préfères-tu que nous parlions de tes problèmes? Non, ...
7. Veux-tu que nous travaillions à l'ordinateur? Non, ...
8. Veux-tu qu'on se promène dans le parc? Non, ...
9. Qu'est-ce que tu veux alors? Je veux que...

d. Demandez à un(e) autre étudiant(e)...

Modèle: de vous répondre.
Je veux que tu me répondes.

1. de vous obéir.
2. de réfléchir.
3. de choisir un de vos disques.
4. de vous vendre sa bicyclette.
5. de vous attendre.
6. de vous prêter une cravate.
7. de vous rendre votre stylo.
8. de descendre de la voiture.
9. de finir son dessert.
10. de réussir au concours.

e. Exprimez vos sentiments.

Modèle: heureux — vous étudiez le français
Je suis heureux(-euse) que vous étudiiez le français.

1. désolé — vous mangez mal à la cafétéria
2. surpris — vous arrivez à l'heure
3. content — vous m'attendez
4. heureux — vous vous entendez bien

5. furieux — il ne répond pas à ma lettre   7. touché — vous me donnez ce cadeau

6. étonné — elle rougit si facilement   8. triste — tu agis de cette manière

f. Exprimez le doute.

> *Modèle:* Il me rendra mon livre.
> *Je doute qu'il me rende mon livre.*

1. Nous arriverons à l'heure.
2. Tu réagiras bien.
3. Elle vendra ses livres.
4. Nous nous habituerons à cette nouvelle vie.

5. Il punit ses enfants.
6. Vous vous rendez bien compte de la difficulté.
7. Nous le retrouverons.

18.2 Emploi du subjonctif après des expressions impersonnelles

The subjunctive is also used in subordinate clauses introduced by **que** after impersonal expressions to express necessity, possibility, and probability:

il (ne) faut (pas)	Il faut que je réfléchisse.
il (n')est (pas) nécessaire	Il est nécessaire que vous restiez.
il (n')est (pas) important	Il est important que vous m'écoutiez.
il (n')est (pas) possible	Il est possible que je vende ma voiture.
il (n')est (pas) impossible	Il n'est pas impossible que nous réussissions.
il est (peu) probable	Il est peu probable qu'elle obéisse.
il semble	Il semble qu'elle ne réfléchisse pas assez.

However, after impersonal expressions expressing certainty, the indicative mood is used:

il est sûr/certain	Il est certain qu'il réussira.
il est clair/évident	Il est évident qu'elle perd son temps.
il est vrai	Il est vrai que nous mangeons trop.

EXERCICES · ORALEMENT

a. Qu'est-ce qu'il faut faire demain?

Il faut que je...

1. _____ (rencontrer) l'agent de voyages.
2. _____ (organiser) mes vacances.
3. _____ (étudier) à la bibliothèque.
4. _____ (téléphoner) à mon copain.
5. _____ (laver) mes chaussettes.
6. _____ (lire) un nouveau roman.
7. _____ (mettre) de l'ordre dans ma chambre.
8. _____ (acheter) un cadeau pour Marc.
9. _____ (commander) mon nouveau vélo.
10. _____ (établir) un itinéraire de voyage.
11. _____ (emprunter) de l'argent de mon père.

b. Exprimez la possibilité, la probabilité ou la certitude.

1. Il est possible que nous (rentrer) à minuit.
2. Il est peu probable que je (vendre) mon ordinateur.
3. Il est probable qu'elle (arriver) demain.
4. Il n'est pas impossible que je (réussir) à rencontrer le premier ministre.
5. Il est peu probable qu'elle (choisir) de devenir médecin.
6. Il est sûr que cette équipe (gagner) le match de dimanche.
7. Il semble que Serge (réagir) moins bien que Nicole.
8. Il est impossible que tu (ne pas réussir).
9. Il est clair que nous (ne pas s'entendre).
10. Il est peu probable que nous (rentrer) avant la semaine prochaine.
11. Il est évident que vous (ne pas aimer) ces gens.

18.3 Les pronoms relatifs *ce qui, ce que, ce dont*

Ce qui, ce que (what/that/which) and **ce dont** are relative pronouns without antecedents: they refer to ideas which have not been expressed or which are expressed later in the sentence.

1) **Ce qui:** subject

> **Je ne comprends pas ce qui t'inquiète.**
> I do not understand what worries you.

Ce qui, in this example, has no antecedent.

> **Ce qui l'intéresse, c'est l'histoire des Acadiens.**
> What interests him is the history of the Acadians.

Here, **ce qui** stands for (anticipates) the idea "l'histoire des Acadiens."

2) **Ce que:** direct object

> **Je veux savoir ce que tu as trouvé.**
> I want to know what you found.
> **Ce qu'il veut, c'est d'aller en Louisiane.**
> What he wants is to go to Louisiana.

3) **Ce dont:** object of a verb requiring the preposition **de**

> **Je ne sais pas ce dont il a besoin.** (avoir besoin <u>de</u>)
> I do not know what he needs.
> **Ce dont il a peur, c'est de ne pas trouver d'emploi.** (avoir peur <u>de</u>)
> What he is afraid of is not finding a job.

EXERCICES • ORALEMENT

a. Vous ne comprenez pas l'attitude de votre ami(e). Employez *ce qui, ce que, ce dont* dans vos réponses.

Modèle: Marie a besoin de quelque chose.

Je ne comprends pas ce dont elle a besoin.

1. Il se passe quelque chose.
2. Elle me demande quelque chose.
3. Elle parle de quelque chose.
4. Elle a peur de quelque chose.
5. Elle dit quelque chose.
6. Quelque chose l'énerve.
7. Quelque chose la préoccupe.
8. Elle veut quelque chose.

b. Je me pose des questions. Employez "Je me demande" et *ce qui, ce que,* ou *ce dont.*

Modèle: Qu'est-ce qui provoque les crises économiques?

Je me demande ce qui provoque les crises économiques.

1. Qu'est-ce qu'il a acheté?
2. Qu'est-ce que ça signifie?
3. Qu'est-ce qui l'amuse?
4. De quoi a-t-elle envie?
5. Qu'est-ce qui lui donne mal à la tête?
6. Qu'est-ce qu'ils ont fait?
7. De quoi discutent-ils?
8. Qu'est-ce qui l'irrite?
9. Qu'est-ce qu'il y a dans cette boîte?

18.4 Le verbe irrégulier *battre*

Présent de l'indicatif			Participe passé	Futur
je bats	nous battons		battu	je battrai
tu bats	vous battez			
il / elle / on bat	ils / elles battent			

Battre means "to beat," "to beat up" or "to defeat":

Il bat son chien quand il est en colère.
Pour ce genre d'omelette, il faut battre les œufs.
J'ai battu mon frère aux échecs.

Se battre (avec/contre) means "to fight (with/against)":

Les deux boxeurs se sont bien battus.
Mon fils s'est battu avec le vôtre à l'école.

Combattre also means "to fight" but it is a transitive verb (it can take a direct object):

Pendant la guerre, il a combattu les Allemands.
Il faut combattre la tyrannie.

Abattre means "to fell":

Ils abattront tous les arbres qui sont sur cette colline.

Répondez aux questions:

1. Est-ce que le professeur bat la mesure?
2. As-tu déjà battu un record sportif?
3. Est-ce qu'on bat des blancs d'œufs pour faire de la meringue?
4. Est-ce que tu bats les œufs pour faire une omelette?
5. Est-ce que tu me battrais si nous jouions aux échecs?
6. Est-ce que les gangsters se battent entre eux?
7. Est-ce que les Américains se sont déjà battus contre les Japonais?
8. Contre qui les Canadiens se sont-il battus pendant la Deuxième guerre mondiale?
9. Est-ce que tu te bats contre l'injustice?
10. Avec quels médicaments est-ce qu'on combat une infection?
11. Est-ce qu'on abat beaucoup d'arbres au Canada?
12. As-tu déjà abattu un arbre?

18.5 Les pronoms relatifs précédés d'une préposition

The relative pronouns used as objects of prepositions other than **de** are:

1) **Qui** if the antecedent is a person:

Je connais cet étudiant. Paul est assis <u>à côté de cet étudiant</u>.

→ **Je connais l'étudiant <u>à côté de qui</u> Paul est assis.**
   I know the student beside whom Paul is sitting.

J'ai rencontré la jeune femme <u>avec qui</u> tu es sorti.
I met the young lady with whom you went out.

Voilà les infirmières <u>à qui</u> j'ai parlé.
Here are the nurses to whom I spoke.

2) **Lequel (laquelle, lesquels, lesquelles)** if the antecedent is a thing:*

C'est le restaurant. Nous nous sommes rencontrés <u>près de ce restaurant</u>.

→ **C'est le restaurant <u>près duquel</u> nous nous sommes rencontrés.**
   This is the restaurant near which we met.

Elle m'a parlé du projet <u>auquel</u> elle travaillait.
She told me about the project on which she was working.

C'est la moto <u>avec laquelle</u> je suis allé(e) en Floride.
This is the motorcycle on which I went to Florida.

3) **Quoi** if the antecedent is an idea or if there is no antecedent:

Je ne sais pas <u>à quoi</u> il pense. (no antecedent)
I do not know what he is thinking about.

---

* The forms of **lequel** may also be used when the antecedent is a person. However, it is recommended for practice at this stage to use **qui** to refer to persons and the forms of **lequel** to refer to things.

Mon oncle connaissait le directeur, grâce <u>à quoi</u> j'ai obtenu un emploi.
My uncle knew the director, thanks to which I got a job.
(**Quoi** refers to the fact: "mon oncle connaissait le directeur.")

Note that in French the preposition precedes the relative pronoun, which must always be mentioned, whereas in English the preposition is often placed at the end of the relative clause and the relative pronoun is frequently omitted.

EXERCICES · ORALEMENT

a. Transformez les phrases d'après le modèle.

> *Modèle:* Je n'ai pas revu cet homme. J'ai prêté de l'argent à <u>cet homme</u>.
> *Je n'ai pas revu cet homme à qui j'ai prêté de l'argent.*

1. Elle n'aime pas ces gens. Elle doit travailler avec ces gens.
2. Regarde le garçon. Sylvie est assise à côté de ce garçon.
3. Je dois rencontrer un client. Je vais vendre une maison à ce client.
4. Voici le professeur. J'ai préparé un travail pour ce professeur.
5. Connais-tu cette femme? Henri joue au tennis avec cette femme.
6. C'est l'architecte. J'ai parlé à cet architecte.

b. Même exercice.

> *Modèle:* C'est la rivière. Nous allons nous promener le long de cette rivière.
> *C'est la rivière le long de laquelle nous allons nous promener.*

1. Voici le parc. J'habite en face de ce parc.
2. Je ne connais pas le jeu. Vous voulez jouer à ce jeu.
3. Ce sont les outils. Je travaille avec ces outils.
4. C'est un problème. J'ai beaucoup réfléchi à ce problème.
5. Raconte-moi la discussion. Tu as participé à cette discussion.

c. Faites des phrases d'après le modèle. Employez "Je ne sais pas" + *préposition* + *quoi.*

> *Modèle:* Tu t'attendais à quelque chose.
> *Je ne sais pas à quoi tu t'attendais.*

1. Elle pense à quelque chose.
2. Je vais laver la vaisselle avec quelque chose.
3. Les enfants jouent à quelque chose.
4. Ils se battent contre quelque chose.
5. Je vais commencer par quelque chose.

EXERCICES ÉCRITS

a. Exprimez un souhait, un désir. Employez le subjonctif.

1. Elle veut. Tu lui (vendre) ta bicyclette.
2. Il préfère. Tu (finir) le travail sans lui.
3. Nous désirons. Elle (retourner) à la maison.

4. Tu préfères. Je (acheter) un billet pour toi.
5. Vous exigez. Il vous (rendre) votre argent.
6. Elles souhaitent. Vous leur (écrire) bientôt.
7. Je veux. Tu (visiter) ton père malade.
8. Il exige. Nous (remettre) notre devoir.

b. Exprimez des sentiments.

1. Je regrette. Vous (ne pas aimer) ce film.
2. Je ne suis pas contente. Mon chien (ne pas obéir).
3. Nous avons peur. Il (ne pas finir) ses études.
4. Yoko est étonnée. Nous (parler) japonais.
5. Ses parents sont tristes. Elle (agir) sans réfléchir.
6. Je suis désolé. Vous (tomber) souvent malade.

c. Exprimez le doute.

1. Je doute que Paul (vendre) son auto.
2. Nous doutons que l'argent (apporter) le bonheur.
3. Tu doutes que Nadine (se marier) au printemps.
4. Il doute que je (réussir) à tous mes examens.
5. Vous doutez que Jim (dépenser) beaucoup d'argent.
6. Elles doutent qu'on (choisir) la bonne profession.

d. Exprimez une opinion. Attention à l'indicatif présent ou au subjonctif.

1. Elle est sûre que tu l'(attendre).
2. Croyez-vous qu'il (répondre) correctement?
3. Elle n'est pas certaine que nous (chanter) juste.
4. Je ne crois pas que vous (vous amuser) beaucoup.
5. Mon beau-frère pense que nous (parler) toujours de lui.

e. Exprimez la possibilité ou la nécessité.

1. Il est souhaitable. Nous (attendre) quelques jours.
2. Il est nécessaire. Vous (arriver) à l'avance.
3. Il est possible. Elle (vendre) sa voiture.
4. Il faut. Tu (réfléchir) longtemps.
5. Il est probable. Elle m'(attendre).
6. Il n'est pas impossible. Nous le (trouver) à la bibliothèque.

f. Mettez les verbes entre parenthèses au présent de l'indicatif:

1. On (abattre) trop d'arbres.
2. Nous (se battre) contre l'injustice.
3. Les pompiers (combattre) l'incendie.
4. Je (ne pas battre) mon chien.
5. Elle (battre) ses amies aux cartes.

g. Remplacez les tirets par *ce qui, ce que* ou *ce dont*:

1. Je voudrais bien savoir _____ tu as envie.
2. L'étudiant ne comprend pas _____ est écrit au tableau.
3. Dites-moi _____ vous avez besoin.
4. Savez-vous _____ il faut faire?
5. _____ l'inquiète, c'est d'avoir oublié ses livres chez elle.
6. Fais _____ tu veux.

h. Remplacez les tirets par le pronom relatif approprié. N'oubliez pas la contraction (*auquel, duquel*, etc.):

1. Il habite une maison derrière _____ il y a un parc.
2. Je ne sais pas avec _____ je vais réparer cet appareil.
3. Il veut que nous rencontrions la jeune femme avec _____ il va se marier.
4. La course à pied est un sport pour _____ il faut beaucoup d'entraînement.
5. C'est une discussion à _____ je refuse de participer.
6. L'homme devant _____ Hélène est assise travaille avec mon père.
7. Ce sont des questions à _____ je n'ai pas beaucoup réfléchi.
8. Il regardait les gens en face de _____ il était assis.
9. Le lac près de _____ j'habite est très grand.
10. Dis-moi contre _____ tu te bats.

Lecture Lecture Lecture

Les Cajuns de la Louisiane

Parmi tous les Acadiens qui avaient été expulsés par les Anglais au 18e siècle, un certain nombre ont voyagé jusqu'au sud de la Louisiane. Ils savaient qu'on parlait français à La Nouvelle-Orléans où étaient établis des Créoles, descendants des premiers colons français. Les Acadiens, venus d'un milieu rural, ont cherché des terres pour s'installer; ainsi ils ont remonté les "bayous" (rivières) du delta du Mississippi et ont peuplé le Sud-Ouest de la Louisiane. Ils ont établi des fermes le long de ces bayous qui, quand il n'y avait pas encore de routes, servaient de voies de communication.

En Acadie, c'est la mer qui avait façonné le mode de vie des Acadiens; en Louisiane, ce sont les bayous, les lacs et les marais. En effet, la pêche a été pour les Cajuns un moyen de subsistance important, en particulier la pêche aux crevettes et aux écrevisses. Le festival des Écrevisses de Breaux Bridge continue à honorer ce délicieux crustacé qui est un des ingrédients de la cuisine si renommée de la Louisiane. Le paysage de ces marais et bayous est mystérieux et magique; les grands arbres auxquels pend la tillandsie se reflètent dans l'eau et prennent des formes hallucinantes à l'aube et au crépuscule. On comprend pourquoi les croyances magiques se sont longtemps perpétuées: il existe encore des "traitiers" ou guérisseurs qui se transmettent leur savoir d'une génération à l'autre. En hiver, les trappeurs capturent des visons, des rats musqués, des ratons laveurs et surtout des ragondins: c'est de Louisiane que viennent la plupart des fourrures d'animaux sauvages aux États-Unis.

D'abord la culture de la canne à sucre, ensuite l'exploitation pétrolière ont modifié l'économie et l'écologie du "triangle français" de la Louisiane et ont ainsi contribué à transformer le mode de vie rural traditionnel. Les Cajuns ont pourtant conservé leur identité ethnique. Ils sont environ 600 000 francophones, dont 160 000 continuent à parler français, un français un peu particulier, souvent mélangé d'anglais, mais qui est fonctionnel et dont les Cajuns sont fiers. Grâce aux efforts du Codofil (Comité pour l'enseignement du français en Louisiane), on a recommencé depuis les années soixante-dix à enseigner le français dans les écoles de la première à la dernière année.

En plus de leur langue, les Cajuns ont conservé leur musique dans laquelle l'accordéon est l'instrument essentiel, leur cuisine bien particulière — les gumbos et jambalayas épicés — ainsi que leurs coutumes communautaires: le "fais do-do"* du samedi soir, quand les gens se retrouvent pour danser pendant que les enfants dorment, et surtout le Mardi gras annuel. C'est un Mardi gras bien différent de celui de La Nouvelle-Orléans: une troupe de cavaliers masqués et déguisés parcourt la communauté pour recueillir des ingrédients — du riz, des saucisses, du poulet — pour l'énorme gumbo de l'après-midi qui réunit toutes les familles et qui est suivi d'un grand "fais do-do". Les jeux de hasard tiennent une place importante: les Cajuns aiment miser sur les courses de chevaux, d'écrevisses, de pirogues et sur les combats de coqs.

Comme en Acadie, on assiste à une renaissance chez les Cajuns de la Louisiane. Le folklore peut bien disparaître, mais il est important que les gens conservent leur esprit communautaire et continuent à être fiers de leur héritage: c'est la garantie de la diversité culturelle.

cavalier (m.)	horseman	**pendre**	to hang
combat de coqs (m.)	cockfight	**peupler**	to populate
communautaire	community (adj.)	**pirogue** (f.)	canoe
contribuer à	to help to	**ragondin** (m.)	coypu†
culture (f.)	cultivation	**recueillir**	to collect
écrevisse (f.)	crayfish	**(se) refléter**	to be reflected
expulser	to deport	**remonter**	to go upstream
façonner	to shape	**renaissance** (f.)	revival, renaissance
guérisseur,		**savoir** (m.)	knowledge
guérisseuse (m. / f.)	healer	**tillandsie** (f.)	Spanish moss
masqué(e)	masked	**transmettre**	to hand down,
mélangé(e)	mixed		to pass on
miser	to bet	**vison** (m.)	mink

QUESTIONS

1. Quelles sont les origines des Cajuns? D'où vient le mot "Cajun", pensez-vous?
2. Pourquoi certains des Acadiens sont-ils allés en Louisiane? Qui étaient les Créoles?
3. Où se sont installés les Acadiens?
4. De quelle façon l'eau a-t-elle façonné le mode de vie des Cajuns?
5. Qui sont les "traitiers"? Connaissez-vous certaines pratiques des guérisseurs?
6. Quels sont les animaux à fourrure que les trappeurs capturent? Dans quel habitat vivent ces animaux?
7. Quels ont été les facteurs importants de transformation?
8. Quelle est la situation en ce qui concerne la langue française?
9. Quels aspects de leurs traditions les Cajuns ont-ils conservés?
10. Comment se passe le Mardi gras?
11. Quels sont les jeux de hasard que les Cajuns aiment?
12. Qu'est-ce qui est plus important que

* "Faire do-do" is a childish expression for "dormir." Here, the expression refers to an adults' party while the children are sleeping.
† An aquatic rodent similar to the beaver.

SiTUATiONS / CONVERSATiONS

1. À l'aide des expressions connues et du subjonctif, exprimez...

   la nécessité: Nommez deux choses que vous devez faire chaque matin.
   un souhait: Nommez une qualité que vous souhaitez trouver chez votre ami(e).
   un sentiment: Nommez deux choses que vous aimez de vos parents.

2. Est-il important que les minorités linguistiques conservent leur langue maternelle et leur héritage culturel? Qu'est-ce que la diversité peut apporter à une société? Faut-il encourager l'enseignement des langues maternelles aux minorités?

3. Vous organisez une petite fête avec quelques camarades. Chacun de vous exprime ce qu'il veut faire. Employez "Je (ne) veux (pas) que nous" + *subjonctif*.

   Exemple: Je veux que nous mangions de la pizza.
   Moi, je veux que nous dansions.
   Moi, je veux que nous jouions de la musique.
   Je veux que nous invitions le professeur., etc.

4. À tour de rôle, vous êtes un grand-père ou une grand-mère qui donne des conseils à ses petits-enfants. Employez "Il (ne) faut (pas) que vous" + *subjonctif*.

   Exemple: Il faut que vous travailliez à l'école.
   Il faut que vous obéissiez à vos parents.
   Il ne faut pas que vous preniez de la drogue., etc.

5. Posez des questions et répondez-y d'après le modèle.

   Exemple: Comment s'appelle le garçon <u>à côté de qui</u> tu es assis(e)?
   Le garçon à côté de qui je suis assis(e) s'appelle Jean.
   Comment s'appelle l'étudiant(e) <u>derrière qui</u> tu es assis(e)?, etc.

6. À part la France, le Canada et certaines régions des États-Unis, connaissez-vous d'autres pays où on parle couramment français? Chacun de vous devra recueillir des renseignements sur un pays particulier et parler du statut et de l'usage du français dans ce pays.

COMPOSiTiONS

1. Racontez un voyage dans le sud des États-Unis.

2. Écrivez une lettre à un(e) ami(e) qui va commencer ses études à l'université. Donnez-lui des conseils. Employez des expressions suivies du subjonctif.

3. Pensez-vous que la cuisine soit un aspect important d'une culture? de la vie en général? Quelles sont vos préférences culinaires?

PRONONCiATiON

(This exercise is at the end of Chapitre18 on the tape.)

i. Ch: le son / ʃ / et le son / k /

Most of the time, the letters **ch** are pronounced / ʃ /.

Répétez:

chat	cher	chose	marche
charmant	achète	chocolat	mèche
chameau	chemise	chou	poche
champ	chimique	chute	bouche
chanter	chipie	fourchu	huche

In a few words borrowed from other languages, **ch** is pronounced /k /.

Répétez:

chaos, chianti, chœur, choléra
archaïsme, archange, archéologie, lichen, orchestre, orchidée, psychanalyse, psychologie, psychiatrie, écho

ii. Gn: le son / ɲ /

Répétez:

agneau	compagne	digne	cognac
montagnard	Espagne	signal	Pologne
compagnie	Allemagne	consigne	Gascogne

iii. Th: le son / t /

Répétez:

thé	sympathique	gothique
théâtre	mathématiques	pathétique
théorie	bibliothèque	luth
théologie	athéisme	vermouth

Weblinks

Festival de la Louisiane **fil.net-connect.net/2home.html**

Action Cadienne **www.rbmulti.nb.ca/cadienne/cadienne.htm**

Bienvenue **www.allons.com/bienve.htm**

Belges en Louisiane **www.soirillustre.be/3411louisiane.html**

Francofête 1999 en Louisiane **www.infinit.fr/~tabgrall/cgbl_4.htm**

Chapitre 19

Les autochtones

Thèmes

- **Les Amérindiens**
- **Les minorités**
- **Exprimer mon opinion, mes sentiments, la possibilité, la probabilité et le doute**
- **Donner des conseils**

Lecture

Le rêve d'Ashini

Grammaire

VOCABULAIRE UTILE

amaigrissant(e)	slimming	**chevreuil** (m.)	deer
amérindien,	North American	**conditions**	
amérindienne	Indian	**de vie** (f. pl.)	living conditions
(m. / f.)		**convaincre**	to convince
amitié (f.)	friendship	**cru(e)**	raw
atteindre	to reach	**droit** (m.)	right
au sujet de	regarding	**fier, fière**	proud
autochtone	native	**fierté** (f.)	pride
bienfait (m.)	benefit	**gibier** (m.)	game
chasse (f.)	hunting	**loi** (f.)	law
chasseur (m.)	hunter	**nouvelle** (f.)	news
chef (m.)	chief	**par terre**	on the floor

phoque (m.)	seal	**terre** (f.)	land
plaidoyer (m.)	plea	**territoire** (m.)	territory
peuple (m.)	people	**traité** (m.)	treaty
récompense (f.)	reward	**tribu** (f.)	tribe
siège (m.)	seat	**vérité** (f.)	truth

GRAMMAIRE ET EXERCICES ORAUX

19.1 Le subjonctif des verbes irréguliers

1) Many irregular verbs have regular forms in the present subjunctive: **connaître, dire, dormir, écrire, lire, mentir, mettre, partir, sentir, servir,** etc. For example:

connaître:	connaisse, connaisses, connaisse, connaissions, connaissiez, connaissent
lire:	lise, lises, lise, lisions, lisiez, lisent

2) **Être** and **avoir** have irregular stems and they are also the only verbs which have irregular subjunctive endings:

avoir:	aie, aies, ait, ayons, ayez, aient
être:	sois, sois, soit, soyons, soyez, soient

3) **Faire, pouvoir** and **savoir** have an irregular stem:

faire:	fasse, fasses, fasse, fassions, fassiez, fassent
pouvoir:	puisse, puisses, puisse, puissions, puissiez, puissent
savoir:	sache, saches, sache, sachions, sachiez, sachent

The subjunctive forms of **falloir** and **pleuvoir** are **il faille** and **il pleuve**.

4) **Aller** and **vouloir** have two irregular stems:

aller:	j'aille, tu ailles, il / elle / on aille, ils / elles aillent nous allions, vous alliez
vouloir:	je veuille, tu veuilles, il / elle / on veuille, ils / elles veuillent nous voulions, vous vouliez

5) Some irregular verbs have regular subjunctive stems in the **je, tu, il / elle / on** and **ils / elles** forms. The subjunctive stem for the **nous** and **vous** forms is the same as the imperfect of the indicative:

boire:	boive, boives, boive, boivent
	buvions, buviez
devoir:	doive, doives, doive, doivent
	devions, deviez
prendre:	prenne, prennes, prenne, prennent
	prenions, preniez
recevoir:	reçoive, reçoives, reçoive, reçoivent
	recevions, receviez
tenir:	tienne, tiennes, tienne, tiennent
	tenions, teniez
venir:	vienne, viennes, vienne, viennent
	venions, veniez
voir:	voie, voies, voie, voient
	voyions, voyiez

EXERCICES • ORALEMENT

a. Exprimez vos sentiments.

1. Je suis content(e) qu'il ait de bonnes raquettes. (tu, nous, elles, vous)
2. Je suis heureux(euse) que tu veuilles venir au pow-pow. (vous, Mark, ils)
3. Il est bon que tu saches la vérité sur les Amérindiens. (elle, vous, mes amis)
4. Je suis surpris(e) que tu boives de l'alcool. (elle, vous, ces adolescents)
5. Il est désolé que tu n'ailles pas à la chasse avec lui. (elle, ses amis, vous)

b. Exprimez votre opinion à l'aide de *Je ne pense pas, Je ne crois pas* et *le subjonctif*.

D'après moi,

1. les historiens ont toujours raison. Je _____
2. les Amérindiens peuvent chasser partout au Canada. Je _____
3. les Innu savent construire des iglous. Je _____
4. ton ami Atondo va à Kuujjuaq. Je _____
5. les autochtones tiennent beaucoup à nos valeurs. Je _____
6. Tagoona est malade. Je _____
7. ton cousin revient d'un voyage dans le Grand Nord. Je _____
8. la langue iroquoise est difficile à apprendre. Je _____

c. Est-il possible ou probable que...

1. Boirons-nous du champagne à la réception ce soir?
2. Viendras-tu avec ton ami Acharon?
3. Prendras-tu le train pour retourner à Inuvik la semaine prochaine?
4. Est-ce que vous voudrez venir avec nous à Métabechouan?
5. Prendrez-vous une décision au sujet de mon invitation?

d. Vous doutez de tout!

> *Modèle:* Est-ce que les Inuit boivent surtout du thé?
>
> *Je doute qu'ils boivent surtout du thé.*

1. Est-ce qu'un pow-wow est une danse funéraire?
2. Est-ce qu'on doit porter des mocassins pour la cérémonie?
3. Est-ce que Jaluk vient à la pêche au saumon?
4. Est-ce que ton frère apprend l'inuit?
5. Est-ce que Katari obtiendra de bonnes notes pour ce test de langue crie?
6. Est-ce qu'on doit suivre le guide pour participer aux activités traditionnelles?

e. Il faut que...

1. Est-ce que nous devons écrire une lettre à l'Assemblée des Premières Nations? Oui, il faut que _____.
2. Devons-nous lire la réponse du Chef? Oui, il faut que _____·_____.
3. Doit-on dire la vérité sur les conditions de vie des autochtones? Oui, il faut que _____.
4. Devons-nous soumettre un projet sur l'environnement? Oui, il faut que

_____.
5. Dois-je lire ce livre sur les Abénaquis? Oui, il faut que _____.
6. Quand est-ce que les Amérindiens doivent partir pour la chasse? Il faut que _____.
7. Est-ce que les chasseurs doivent dormir sous la tente? Oui, il faut que _____.

19.2 La voix passive

The passive voice

A sentence in the passive voice is one in which the subject is acted upon ("Mary is congratulated by her friends.") whereas in a sentence in the active voice, the subject performs the action ("Her friends congratulate Mary.").

The French passive construction is similar to the English one to the extent that **être** followed by the past participle of the verb is substituted for the active form of the verb:

Note the changes which occur in this transformation:

1) the subject in the active construction becomes the agent in the passive, preceded by the preposition **par**;

2) the direct object in the active construction becomes the subject in the passive;

3) the tense of the verb in the active construction is the same as the tense of the auxiliary verb **être** in the passive;

4) the verb in the active construction becomes a past participle which agrees in gender and number with the subject in the passive.

With verbs indicating a feeling or a state more than an action, such as **accompagner**, **aimer**, **couvrir**, **précéder**, **respecter**, **suivre**, the agent is preceded by the preposition **de**:

> Il est aimé <u>de</u> ses amis.
> Elle était respectée <u>de</u> ses étudiants.
> Ce nom est précédé <u>d</u>'une préposition.

Sometimes the agent is not expressed:

> La vaisselle n'a pas été faite.
> Cet enfant sera puni.

Alternatives to the passive voice

1) It must be emphasized that in French, only the *direct object* of the verb in the active voice may become the subject of the verb in the passive voice. By contrast, in English it is possible to use as the subject of the passive sentence what would be the *indirect object* of the verb in the active voice. For instance, we may find in English a sentence such as:

> Paul was given a book by Edith.

The corresponding sentence in the active voice is:

> Edith gave <u>Paul</u> a book.

In the latter sentence, "Paul" is the *indirect object* of the verb, a fact which may be made more apparent by using the equivalent prepositional phrase:

> Edith gave a book <u>to Paul</u>.

In French, the indirect object of the verb in the active voice *cannot* become the subject of the verb in the passive voice. Hence, it would be impossible to create a sentence such as:

> Paul a été donné un livre par Édith.

2) The restriction just mentioned is one of the reasons why the use of the passive voice is more frequent in English than in French. Of course, it would be possible (referring to the above example) to use the following sentence in the passive voice:

> Un livre a été donné à Paul par Édith.

Such a sentence, however, would sound as awkward in French as its equivalent in English ("A book was given to Paul by Edith"). The tendency in French is to use instead the corresponding sentence in the active voice:

> Édith a donné un livre à Paul.

Now, many sentences are created in English using the same pattern as "Paul was given a book" without mentioning the agent:

> He was given a present.
> Julian was told a lie.

The corresponding sentences in French use the active voice with the indefinite subject pronoun **on** as a subject:

> On lui a donné un cadeau.
> On a dit un mensonge à Julian.

3) When the verb expresses a general or habitual fact, the pronominal form of the verb may be substituted for **on** + active voice:

> Inuktitut is spoken in Kuujjuaq. $\left\{\begin{array}{l}\text{On parle inuktitut à Kuujjuaq.}\\\text{L'inuktitut se parle à Kuujjuaq.}\end{array}\right.$

EXERCICES • ORALEMENT

a. Mettez les phrases suivantes au passif selon le modèle.

> *Modèle:* Mes parents m'ont puni.
> *J'ai été puni par mes parents.*

1. Un grand Amérindien a écrit ce livre.
2. Henry Moore a exécuté cette sculpture.
3. Boris te battra au tennis.
4. L'orage a abattu plusieurs arbres.
5. Les étudiants n'ont pas compris cette légende.
6. Le chef prendra une décision.
7. Mes grands-parents m'ont offert ces mocassins.

b. Mettez les phrases au passif en employant la préposition **de**.

> *Modèle:* Les étudiants aiment ce professeur.
> *Ce professeur est aimé des étudiants.*

1. Une réception suivra la Danse du soleil.
2. Ses collègues la respectent.
3. Son ami accompagnait Acharo.
4. Des nuages couvraient le ciel.
5. Une discussion a précédé le vote.

c. Mettez les phrases suivantes à l'actif selon le modèle.

Modèle: Ces raquettes m'ont été données par Jaluk.
Jaluk m'a donné ces raquettes.

1. Les clés ont été oubliées par Martine.
2. Ces livres lui ont été prêtés par ses amis.
3. Mes vêtements sont choisis par ma mère.
4. Cet article a été écrit par Tagoona.
5. Le kayak nous sera prêté par mon voisin.
6. Ma ligne à pêche est réparée par mes parents.
7. Le chevreuil était attendu par le coyote.

d. Mettez les phrases suivantes à l'actif selon le modèle.

Modèle: Cette vieille maison va être démolie.
On va démolir cette vieille maison.

1. Du pétrole a été découvert dans cette région.
2. Nous avions été invités au pow-pow.
3. Ce wigwam leur a été offert pour leur mariage.
4. Une réponse vous sera donnée la semaine prochaine.
5. Aucune solution n'a été trouvée.
6. Rien ne lui a été dit.

e. Transformez les phrases suivantes selon le modèle.

Modèle: Le vin blanc est servi avec le poisson.
Le vin blanc se sert avec le poisson.

1. Ces fruits sont vendus dans les magasins de produits exotiques.
2. Cet appareil peut être acheté dans tous les bons magasins.
3. Le huron est appris facilement.
4. Le phoque est mangé cru.
5. Cette construction n'est pas employée en montagnais.

Modèle: On n'apprend pas le huron en un mois.
Le huron ne s'apprend pas en un mois.

1. On ne dit pas cela en algonquin.
2. On comprend facilement son erreur.
3. On parle aussi l'iroquois à Kanasetake.
4. On sert le poisson avec la tête.
5. On met la viande sur la glace.
6. On oublie difficilement une erreur historique.

19.3 Le verbe irrégulier *s'asseoir*

Présent de l'indicatif	*Participe passé*	*Futur*
je **m'ass**ois	**assis**	je **m'assoirai**
tu **t'ass**ois		
il / elle / on **s'ass**oit	The present subjunctive is regular.	
nous **nous ass**oyons		
vous **vous ass**oyez		
ils / elles **s'ass**oient		

S'asseoir means "to sit down" and must not be confused with **être assis** (to sit/to be sitting):

> **Je m'assois sur une chaise. / Je suis assis(e) sur une chaise.**
> I sit down on a chair. / I am sitting on a chair.

EXERCICES • ORALEMENT

a. Remplacez le sujet par les mots entre parenthèses:

1. Je m'assois sur le lit. (tu, elle, nous, les enfants)
2. Il s'est assis dans un fauteuil. (je, tu, Marie)
3. Nous nous assoirons par terre. (tu, Paul, vous, elles)
4. Il faut que tu t'assoies. (je, nous, ils, vous)

b. Répondez aux questions:

1. Préfères-tu t'asseoir sur une chaise ou dans un fauteuil?
2. Où t'assois-tu généralement quand tu lis?
3. Est-ce que tu t'assois souvent par terre? Quand?
4. Si tu voyageais en avion, t'assoirais-tu dans la section fumeurs ou non-fumeurs?
5. Est-ce que tu t'es déjà assis(e) dans le siège d'un pilote d'avion?
6. Est-ce que tu t'assoyais sur les genoux de ton père quand tu étais enfant?
7. Est-ce qu'il faut que tu t'assoies pour étudier?

EXERCICES ÉCRITS

a. Mettez le verbe au subjonctif à l'aide des différentes expressions.

> *Modèle:* Il fait beau. (je suis content(e))
> *Je suis content(e) qu'il fasse beau.*

1. Il pleut. (je regrette)
2. Le chef peut vous recevoir. (je ne pense pas)
7. Vous savez ce qu'il faut faire. (il est bon)
8. Il faut faire tous les exercices. (je ne

3. Elle a tort. (il est possible)

4. Tu viens à la Danse du soleil. (je veux)

5. Elles sont à la bibliothèque. (il est peu probable)

6. Vous allez consulter un médecin. (il serait utile)

crois pas)

9. Nous sommes déjà en retard. (j'ai peur)

10. Vous voulez déjà partir. (je suis triste)

11. Tu ne vas pas à la bibliothèque. (je suis surpris(e))

b. Remplacez le verbe *devoir* par l'expression "Il faut que" + subjonctif.

> *Modèle:* Tu dois partir.
> *Il faut que tu partes.*

1. Tu dois dormir.

2. Je dois écrire à mes parents.

3. Les enfants doivent boire du lait.

4. Nous devons revenir demain.

5. Tu dois retenir cette leçon.

6. Vous devez lire ce livre.

7. Je dois mettre la table.

8. Ils doivent dire la vérité.

9. Tu dois me comprendre.

10. Il doit apprendre le cri.

c. Mettez les phrases suivantes à l'actif:

1. La nouvelle a été communiquée à Akomalik.

2. Cet article a été écrit par une Amérindienne.

3. Elle est aimée de tous ses camarades.

4. Une récompense lui a été offerte.

5. Les criminels ne sont pas assez punis.

6. La conférence sera suivie d'une discussion.

7. Ce canot m'a été prêté par des amis.

8. Ces documents préhistoriques ont été perdus.

d. Employez le verbe *s'asseoir* au temps et au mode appropriés:

1. Hier, nous ———— à côté des Duval au cinéma.

2. Pourquoi ———— -tu toujours à côté de la fenêtre?

3. Pierre ———— près de Louise; Jean et Charlotte ———— à côté de moi.

4. Quand il était enfant, il ———— toujours par terre.

5. Où voulez-vous que je ———— ?

6. Je ———— où je voudrai!

Lecture Lecture Lecture

Le rêve d'Ashini

Yves Thériault is one of Quebec's best-known writers. His novel Ashini *(1961) tells the story of an old Montagnais Indian who, before he dies, wants to meet with the "great white chief in Ottawa" and attempt to reclaim his people's heritage. The white chief will not come and Ashini will empty his veins. The following is the passage where he tells the contents of his dream.*

Que[1] les Blancs habitent le bas du pays et la droite du pays comme la gauche. Qu'ils occupent les péninsules, les plaines grasses et les bois feuillus! En nos forêts saines et sèches nous serions maîtres. On n'y viendrait dérober ni minerai ni versant d'eau. On nous laisserait le gibier des rivières comme des bosquets, les arbres et même les plus petites et les plus jolies fleurs.

Il ne serait[2] de baies, de tendres herbes et de racines guérisseuses qui ne viennent enrichir notre bien.

L'oiseau du ciel et l'insecte, la bête et le poisson, le pin noir et le muguet timide, le thym et les genévriers, chaque caillou, chaque goutte d'eau, chaque souffle de vent, chaque perle de rosée seraient nôtres.

Et le droit incontestable de le garder jusqu'à la fin des temps.

Pour moi, je ne voulais rien d'autre que de cheminer à ma guise sur notre sol retrouvé.

Pour les miens, je voulais le sang reconquis, la fierté rendue.

Était-ce donc un propos de dément?

Je ne savais pas que la loi des justes n'a pas encore été votée en les contrées civilisées de la terre.

Il n'est qu'à nous[3], les primitifs, les sauvages du globe, de dispenser l'équité des jugements.

Voilà peut-être le plus grand de nos anachronismes...

1. **Que**, introducing an independent clause and followed by a third person subject and a verb in the subjunctive mood, indicates a wish or a command (*Let them dwell...*).
2. **Il ne serait:** il n'y aurait pas
3. **Il n'est qu'à nous:** *we are the only ones who can...*

baie (f.)	berry	**guérisseur,**	
bas: le —	the lower country,	**guérisseuse**	healing
du pays	region	**incontestable**	indisputable
bête (f.)	animal	**juste**	just, fair
bien (m.)	goods, possessions	**maître** (m.)	master
bosquet (m.)	copse, grove	**miens: les —**	my family,
caillou (m.)	pebble		my people
cheminer	to walk (along)	**minerai** (m.)	ore
contrée (f.)	land, region	**muguet** (m.)	lily of the valley
dément (m.)	lunatic	**péninsule** (f.)	peninsula
dérober	to steal	**perle** (f.)	pearl
dispenser	to dispense,	**pin** (m.)	pine
	to give out	**propos** (m.)	talk, words;
équité (f.)	equity		intention
feuillu(e)	leafy	**racine** (f.)	root
genévrier (m.)	juniper tree	**reconquis(e)**	recovered, won back
globe (m.)	globe, earth	**retrouvé(e)**	regained
goutte (f.)	drop	**rosée** (f.)	dew
grand(e)	great	**sain(e)**	healthy
gras, grasse	luxuriant	**sang** (m.)	blood
		versant d'eau (m.)	river

QUESTIONS

1. Où Ashini voulait-il que les Blancs habitent?
2. Où habiteraient les Montagnais?
3. Que signifie le mot "maître" dans ce contexte?
4. Si le rêve d'Ashini se réalisait, qu'est-ce que les Blancs ne feraient plus? Qu'est-ce que les Blancs laisseraient aux Amérindiens?
5. Qu'est-ce qu'Ashini voudrait que son peuple possède?
6. Quel droit souhaite-t-il avoir?
7. Qu'est-ce qu'Ashini désire pour lui-même? Pour son peuple?
8. Qu'est-ce que les "primitifs" ont et que les "civilisés" n'ont pas?
9. Quel est le plus grand anachronisme des autochtones? Pourquoi ce mot est-il ironique?
10. Pensez-vous que le rêve d'Ashini continue d'être celui des Amérindiens d'aujourd'hui? Ce rêve pourra-t-il se réaliser un jour?

SITUATIONS / CONVERSATIONS

1. Que faut-il que vous fassiez aujourd'hui? (ce soir? demain? la semaine prochaine? l'année prochaine?)

2. Vous préparez une soirée pour vos amis. Écrivez ce qu'il faut que vous fassiez avant.

> Il faut que je nettoie l'appartement.
> Il faut que j'achète...
> etc.

3. Vous partez en voyage. Vous organisez une excursion en kayak. Vous faites un travail de recherche sur les minorités. Que faut-il que vous fassiez pour que votre voyage, votre excursion ou votre travail de recherche soient réussis?

4. Que faut-il que vous fassiez pour réussir votre vie? Quels objectifs faut-il que vous atteigniez?

5. Y a-t-il des autochtones dans votre province? Parlez-nous de leur origine, de leur culture, de leur vie. Croyez-vous qu'ils aient raison de préserver leur culture?

6. Notre société se veut plus consciente de son écologie. Quel enseignement pourrait nous fournir les autochtones?

7. Comment réagissez-vous à des injustices contre les autochtones?

8. Pourquoi, d'après vous, les gouvernements s'intéressent-ils aux droits des autochtones?

9. Comment voulez-vous que l'homme ou la femme de votre vie soit?
   Exemple: Il faut qu'il / elle soit intelligent(e), qu'il / elle ait une profession, etc.

COMPOSITIONS

1. On déplore les manifestations racistes à l'endroit des minorités. Croyez-vous que le racisme existe vraiment dans ce pays? À quoi l'attribuez-vous?

2. Préparez un plaidoyer en faveur des droits des autochtones.

3. S'il fallait que vous convainquiez un groupe minoritaire des bienfaits de votre civilisation, quels arguments apporteriez-vous?

PRONONCiATiON

(This exercise is at the end of Chapitre 19 on the tape.)

i. Le son p (/p/)

Répétez d'après le modèle:

pas	pis	pot	pour	père
patron	piston	pore	poule	appeler
partir	pire	reporter	poudre	répète
repasser	empire	rapport	repousser	pelle

pan	pont	pain	tape	loupe
penser	pondre	pincer	carpe	lampe
pendre	répondre	repeindre	type	trompe
soupente	lapon	lapin	taupe	pulpe

ii. Le son t (/ t /)

Répétez d'après le modèle:

ta	tôt	tout	thé	tic
étape	râteau	atout	amputé	timon
tableau	couteau	bistouri	haute	Attila
attaque	torride	retour	téléphone	otite

tant	ton	tain	patte	rote
tendre	tondre	teindre	rate	arête
attendre	laiton	atteindre	route	pente
honteux	chaton	lutin	rut	pinte

iii. Le son k (/ k /)

Répétez d'après le modèle:

carotte	cour	cultiver	qui	coma
cabane	couler	culot	quitte	cobra
écart	écouler	acculer	équilibre	école
escale	découper	recul	requis	accoler

conte	quand	sac	suc	brique
compter	cancan	bec	donc	moque
décompte	décanter	choc	banque	musc
acompte	encan	bouc	cinq	tchèque

Weblinks

Nations **www.indianamarketing.com/nations/nations.htm**

MCC **www.cmcc.muse.digital.ca/cmc/cmcfra/ca12bfra.html**

Autochtones du Québec **www.qbc.clic.net/-lagriffe/index.html**

Sculpture Inuit **www.azimut.com/sculpture/fpage1/.htm**

Yves Thériault **www.rescol.ca/collections/thériault/therhome.htm**

L'emploi

Thèmes

- L'emploi
- Mon curriculum vitae
- Une entrevue pour un emploi
- Comment exprimer un but, une concession, une condition, une restriction et le temps
- Ce que je fais aux autres
- Ce que les autres me font

Lecture

Travailler en l'an 2000

Grammaire

20.1 Le subjonctif après certaines conjonctions

20.2 Emploi de l'infinitif à la place du subjonctif

20.3 *Faire* + infinitif

20.4 *Rendre* + adjectif

20.5 Le verbe irrégulier *conduire*

20.6 Les pronoms indéfinis

VOCABULAIRE UTILE

allemand(e)	german	**calcul** (m.)	arithmetic
annonce classée (f.)	classified ad	**camion** (m.)	truck
aptitude (f.)	skill	**candidature** (f.);	
artisanal(e)	craft	**poser sa** ___	to apply for
à son compte	one's own business	**chômage** (m.)	unemployment
assurance-	unemployment	**chômeur,**	unemployed
chômage (f.)	insurance	**chômeuse** (m. / f.)	person
autoritaire	authoritarian	**congé** (m.)	leave
bâtiment (m.)	building	**congédier**	to dismiss
bénéfices		**contremaître,**	foreman,
marginaux (m. pl.)	fringe benefits	**contremaîtresse**	forewoman
boulot (m.) (fam.)	work	(m. / f.)	
cadre (m.)	managerial staff	**contribuable** (m. / f.)	taxpayer
caissier,		**impôt** (m.)	tax
caissière(m. / f.)	cashier	**curriculum vitae**	

(c.v.) (m.)	resume	**impôt** (m.)	tax
débouché (m.)	job prospect	**joindre**	to reach
demande		**main d'œuvre** (f.)	manpower
d'emploi (f.).	job application	**marché du**	
démontrer	to demonstrate	**travail (m.)**	job market
(se) détendre	to relax	**métier** (m.)	trade
disponible	available	**ouvrier, ouvrière**	labourer
domaine (m.)	field	**(m./ f.)**	
économiser	to save	**poste** (m.)	position
embaucher	to hire	**poster**	to mail
embrasser	to kiss	**préposé(e)** (m. / f.)	employee
emploi (m.)	job	**recherche** (f.)	esearch
entreprise (f.)	firm	**remorquer**	to tow
entrevue (f.)	interview	**rémunérateur,**	
épuisant(e)	exhausting	**rémunératrice**	lucrative
exigeant(e)	demanding	**(m. / f.)**	
faiblesse (f.)	weakness	**salarié(e)**	wage earner
fonctionnaire		**sauf**	except
(m. / f.)	civil servant	**serveur,**	waiter,
fort	a lot	**serveuse**(m. / f.)	waitress
gages (m. pl.)	wages	**tâche** (f.)	task
gagner (de l'argent)	to earn (money)	**taper**	to type
gardien,	babysitter	**traduire**	to translate
gardienne (m. / f.)		**travailleur,**	
genre (m.)	kind	**travailleuse** (m. / f.)	worker
guérir	to cure	**temps partiel: à —**	part-time
horaire (m.)	schedule	**temps plein: à —**	full-time

GRAMMAiRE ET EXERCiCES ORAUX

20.1 Le subjonctif après certaines conjonctions

The subjunctive must be used in clauses introduced by conjunctions that express a goal, a concession, a condition, a restriction, and time.

pour que	} so that (a goal)	**à moins que**	unless (a restriction)
afin que		**sans que**	without (a restriction)
bien que	} although	**avant que**	before (time)
quoique	(a concession)	**jusqu'à ce que**	until (time)
pourvu que	} provided that		
à condition que	(a condition)		

Exemples:

Je lui ai écrit <u>pour qu</u>'elle ait ma nouvelle adresse. (a goal)

<u>Bien qu</u>'il soit malade, il vient au boulot. (a concession)

Je te prêterai de l'argent <u>à condition que</u> tu me le rendes. (a condition)

Nous irons faire du ski <u>à moins qu</u>'il fasse trop froid. (a restriction)

Il persistera <u>jusqu'à ce qu</u>'il réussisse. (time)

EXERCICES · ORALEMENT

a. Quels sont leurs buts? Employez *pour que* ou *afin que* + *subjonctif*.

1. Cet ouvrier travaille fort. (Son contremaître est fier de lui.)
2. Je poserai ma candidature à plusieurs postes. (On ne m'oubliera pas.)
3. J'ai prêté mon ordinateur à mon frère. (Il pourra préparer son c.v.)
4. Soignez bien votre c.v. (On aura une bonne opinion de vous.)
5. Laisse-lui un message. (Il saura où te joindre.)

b. Quelquefois, il faut faire des concessions. Employez *bien que* ou *quoique* + *subjonctif*.

1. J'aime ce travail; pourtant il n'est pas très rémunérateur.
2. Elle continue de travailler au restaurant; pourtant elle trouve son patron trop exigeant.
3. Je viendrai cette fin de semaine; pourtant j'ai beaucoup de travail.
4. John s'occupe de l'administration; pourtant il déteste les chiffres.
5. Louise veut devenir avocate; pourtant elle ne comprend pas bien le Code civil.

c. Il y a toujours une condition à tout. Employez le subjonctif.

1. Je t'attendrai pourvu que tu _____
2. Elle fera une belle carrière à condition que ses patrons _____
3. Nous choisirons une industrie pourvu que _____
4. Je souhaite un poste de cadre à condition que la direction _____
5. J'assumerai de nombreuses responsabilités pourvu que ma famille _____

d. Avec ou sans restriction. Employez le subjonctif.

1. Je ne serai pas nerveux à l'entrevue à moins que _____
2. Je peux prendre une décision sans que _____
3. L'employeur m'oblige à répondre sans que _____
4. Je peux terminer ce travail à moins que _____
5. Sophie acceptera cet emploi à moins que _____

e. Exprimez le temps. Employez *avant que*.

1. Je voudrais le revoir. Il s'en ira.
2. Nous te reverrons. Tu partiras.
3. Elle embrasse ses enfants. Ils dormiront.

4. Le professeur veut que nous lisions ce livre. Nous ferons notre composition.
5. Nous irons prendre un café. Tu partiras.

Employez *jusqu'à ce que*.

1. Nous regarderons ce film. Il se terminera.
2. Je te répéterai la même chose. Tu comprendras.
3. Elle restera au lit. Elle n'aura plus de fièvre.

4. Elle refuse de manger. Elle perdra cinq kilos.
5. Vous devriez rester ici. Il cesse de pleuvoir.

f. Un peu de tout... avec imagination! Faites des phrases avec les conjonctions suivantes.

1. pour que
2. bien que
3. jusqu'à ce que

4. pourvu que
5. à moins que

20.2 Emploi de l'infinitif à la place du subjonctif

When the subject of the main clause refers to the same person or thing as the subject of the subordinate clause in the subjunctive, the subjunctive is replaced by the infinitive and the following conjunctions are replaced by corresponding prepositions:

Conjunctions	*Prepositions*
pour que	pour
afin que	afin de
à condition que	à condition de
à moins que	à moins de
sans que	sans
avant que	avant de

Do not use these constructions:	*Use instead:*
J'étudie pour que <u>je</u> devienne avocat.	J'étudie pour devenir avocat.
<u>Elle</u> travaille pour qu'<u>elle</u> gagne de l'argent.	Elle travaille pour gagner de l'argent.
<u>Elle</u> viendra à condition qu'<u>elle</u> soit disponible.	Elle viendra à condition d'être disponible.
<u>Nous</u> avons passé deux nuits sans que <u>nous</u> dormions.	Nous avons passé deux nuits sans dormir.
Viens me voir avant que <u>tu</u> t'en ailles.	Viens me voir avant de t'en aller.
<u>Je</u> te le prêterai à moins que j'en aie besoin.	Je te le prêterai à moins d'en avoir besoin.

Some conjunctions do not have a corresponding preposition: **bien que**, **quoique**, **pourvu que**, **jusqu'à ce que**. In such a case, the infinitive construction is not possible and the subjunctive must be used:

> Il fait du théâtre bien qu'il n'ait pas de talent.
> Quoique nous soyons occupés, nous irons voir ce film.
> J'étudierai jusqu'à ce que j'obtienne mon diplôme.
> Elle ira faire du patin pourvu qu'elle n'ait pas le rhume.

EXERCICES • ORALEMENT

a. Transformez les phrases d'après le modèle.

> *Modèle:* Je reviendrai vous voir. J'en aurai le temps. (à condition de)
> *Je reviendrai vous voir à condition d'en avoir le temps.*

1. Je l'ai fait. J'y pensais. (sans)
2. Tu dois lire ce livre. Tu comprendras cette théorie. (afin de)
3. Il veut la revoir. Il va partir. (avant de)
4. Fais la vaisselle. Tu aideras ta mère. (pour)
5. Il réussira. Il travaillera. (à condition de)
6. Il tombera malade. Il se détendra. (à moins de)
7. Elle s'entraîne. Elle participera au marathon. (afin de)
8. On ne peut pas devenir ingénieur. On fait des maths. (à moins de)
9. Lave-toi les mains. Tu vas manger. (avant de)

b. Complétez les phrases suivantes. Employez l'infinitif ou le subjonctif selon le cas:

1. Je te téléphonerai avant de...
2. Elle étudiera jusqu'à ce que...
3. Je bois du café bien que...
4. Va voir un médecin pour que...
5. Je te prêterai ma voiture à condition que...
6. Il portera une cravate afin de...
7. Elle ne veut pas partir sans...
8. Nous irons nous promener à moins que...
9. Il s'habille avec élégance pour...
10. Tu réussiras pourvu que...
11. Les vacances finiront avant que...

20.3 *Faire* + infinitif

The causative construction **faire** plus infinitive indicates that the subject of **faire** causes an action to be performed by someone else. It corresponds to the English constructions "to make someone do (something)" and "to have something done (by someone)."

1) **Il fait travailler ses étudiants.** He makes his students work.

In this sentence, **ses étudiants** refers to the people performing the action and is the direct object of **faire**. As a noun, it follows the infinitive. If it is replaced by a direct object pronoun, this pronoun must precede **faire**:

Il <u>les</u> fait travailler.   He makes them work.

Similarly:

Elle faisait lire sa fille. ——————▶ Elle la faisait lire.

Il fait rire les spectateurs. ——————▶ Il les fait rire.

2) **Il a fait réparer sa voiture.**   He had his car repaired.

Here, we do not know who performs the action: **sa voiture** is the direct object of the infinitive **réparer** and refers to what the action is performed upon. However, the construction is identical to the one in (1): as a noun, the direct object of the infinitive follows it; as a direct object, it precedes **faire**:

Il <u>l</u>'a fait réparer.   He had it repaired.

Similarly:

Elle fait décorer sa maison. ——————▶ Elle la fait décorer.

Il a fait bâtir sa maison. ——————▶ Il l'a fait bâtir.

✪   Note: that the past participle of *faire* does not agree with the direct object in a causative construction.

3) **Il fait répéter la phrase aux étudiants.**   He makes the students repeat the sentence.

When, as in this sentence, the infinitive has a direct object **(la phrase)** and the person or group performing the action is also mentioned, the noun referring to the latter is preceded by the preposition **à** or **par**. If it is a pronoun, the *indirect* object pronoun is used:

Il <u>leur</u> fait répéter la phrase.   He makes them repeat the sentence.

Similarly:

J'ai fait écrire la lettre par ——————▶ Je lui ai fait écrire la lettre.
la secrétaire.

Elle fait laver la vaisselle ——————▶ Elle leur fait laver la vaisselle.
par les enfants.

Note that a direct object pronoun and an indirect object pronoun may be used together in this construction:

Il <u>la leur</u> fait répéter.

Je <u>la lui</u> ai fait lire.

Elle <u>la leur</u> fait laver.

EXERCICES · ORALEMENT

a. Répondez aux questions en remplaçant les noms par des pronoms.

Modèle: Est-ce que Maurice fait lire ses enfants?

Il les fait lire.

1. Est-ce que Charlie Chaplin faisait rire les gens?
2. Est-ce que les professeurs font travailler les étudiants?
3. Est-ce que je vous fais parler français?
4. Est-ce que les parents font étudier leurs enfants?
5. Est-ce que je vous fais rire?
6. Est-ce que tu fais pleurer les jeunes femmes / les jeunes hommes?
7. Est-ce que le café te fait dormir?
8. Est-ce que le cours de français vous fait dormir?
9. Est-ce que le cours de français vous fait réfléchir?

b. Que faire si... (Attention aux pronoms!)

1. ta voiture est en panne. Je... (remorquer par le garagiste).
2. tes boutons de chemise ont disparu. Je... (remplacer par ma copine).
3. le ménage n'est pas fait. Je... (faire par le colocataire).
4. ton auto est encore sale. Je... (laver par le garagiste).

5. ton électricité a été coupée. Je... (rétablir par l'hydro).
6. Ton chien a vraiment faim. Je... (manger).
7. Tu ne sais pas comment coudre la robe. Je... (coudre par une couturière).

c. Suivez le modèle: employez d'abord un pronom object indirect, ensuite, employez aussi un pronom objet direct.

> *Modèle:* Je fais laver la vaisselle à Béatrice.
> *Je lui fais laver la vaisselle.*
> *Je la lui fais laver.*

1. Je fais réparer mon auto par le garagiste.
2. Elle fait répéter des phrases aux étudiants.

3. Il a fait lire ce livre à son frère.
4. Nous avons fait boire du café à Nicolas.
5. Tu feras regarder ce film par tes parents.

20.4 *Rendre* + adjectif

Rendre, not **faire**, is used with an adjective in a causative construction:

> **Il rend sa femme malheureuse.**   **Son succès l'a rendu vaniteux.**
> He makes his wife unhappy.   His success made him vain.

EXERCiCE • ORALEMENT

a. Allons, dis-moi ce qui ne va pas.

1. Qu'est-ce qui te rend triste? C'est _____

2. Qui est-ce qui te rend malheureux(se)? C'est _____

3. Pourquoi est-ce que tu te rends malade? Parce que _____

4. Qu'est-ce qui te rend si impatient(e)? C'est _____

5. Qui est-ce qui te rend si nerveux(se)?
C'est _____

6. Qu'est-ce qui te rend si agressif(ve)?
C'est _____

7. Qu'est-ce qui rendrait ton travail plus
facile? C'est _____

8. Qui est-ce qui pourrait te rendre plus
joyeux(se)? C'est _____

20.5 Le verbe irrégulier *conduire*

Présent de l'indicatif		*Participe passé*	*Futur*
je conduis	nous conduisons	conduit	je conduirai
tu conduis	vous conduisez		
il / elle / on conduit	ils / elles conduisent		

The present subjunctive of **conduire** is regular.

Conduire means "to drive" or "to lead." Other verbs conjugated like **conduire** include
construire (to build), **détruire** (to destroy), **produire** (to produce), **reconduire**
(to drive/escort/take someone back home; to accompany), **réduire** (to reduce, to decrease)
and **traduire** (to translate; to convey).

Elle conduit une vieille voiture.

On a construit une nouvelle maison dans cette rue.

Ce village a été détruit pendant la guerre.

Ces vaches produisent beaucoup de lait.

Est-ce qu'on a traduit Margaret Atwood en français?

EXERCICE • ORALEMENT

Demandez à un copain ou à une copine:

1. Est-ce que tu conduis bien?
2. Est-ce que tu conduis vite?
3. Quel genre de voiture conduis-tu?
4. Quelle voiture conduisent tes parents?
5. Est-ce que tu conduis mieux quand
tu as bu de l'alcool?
6. Est-ce que ton père te conduit
à l'université le matin?
7. Est-ce que tu conduis ta mère ou ton
père au travail?
8. Reconduis-tu ton ami(e) chez lui / elle
quand vous êtes sortis ensemble?
9. As-tu déjà conduit une moto? un
camion? un tracteur?
10. Est-ce qu'on construit de nouveaux
bâtiments sur le campus?
11. Est-ce qu'on a construit un centre
nucléaire près d'ici?
12. Est-ce que la pollution détruit
l'environnement dans ta région?
13. Qu'est-ce qui a détruit les poissons dans
la rivière?
14. Qu'est-ce que les fermiers produisent
surtout dans votre région?
15. Est-ce qu'on a traduit Mao Tsé-toung
en anglais?

20.6 Les pronoms indéfinis

The indefinite pronouns **quelqu'un**, **quelque chose**, **personne** and **rien** have already been presented. The following are also indefinite pronouns.

1) **Tout / tous / toutes** (all/everything)

The singular form **tout** is invariable:

J'ai <u>tout</u> entendu, mais je n'ai pas <u>tout</u> compris.
Nous n'avons plus rien à faire: <u>tout</u> est fini.
Cet enfant veut <u>tout</u> connaître.

Tous and **toutes** replace the adjectives **tous** and **toutes** when the noun they modify is replaced by a personal pronoun (subject, direct or indirect object):

<u>Tous les travailleurs</u> sont absents. ⟶ <u>Ils</u> sont <u>tous</u> absents.
<u>Toutes ses amies</u> travaillent. ⟶ <u>Elles</u> travaillent <u>toutes</u>.
Il a rencontré <u>tous les employeurs</u>. ⟶ Il <u>les</u> a <u>tous</u> rencontrés.
Elle parlera à <u>toutes ses amies</u>. ⟶ Elle <u>leur</u> parlera à <u>toutes</u>.

Note that

— the **s** in **tous** is pronounced;
— **tout**, **tous** and **toutes** are placed between the auxiliary verb and the past participle in compound tenses when used as direct objects;
— **tous** and **toutes** may function as subjects without a personal subject pronoun: <u>Tous</u> sont absents. / <u>Toutes</u> travaillent.

2) **Chacun / chacune** (each one)

Chacun(e) replaces the adjective **chaque** and the masculine or feminine noun it modifies:

<u>Chaque ouvrier</u> est différent. ⟶ <u>Chacun</u> est différent.
Il a parlé à <u>chaque employée</u>. ⟶ Il a parlé à <u>chacune</u>.

Chacun(e) may be followed by the preposition **de** + stress pronoun or by **de** + determiner + noun:

> Chacun de nous est fatigué.
> Il a parlé à chacune d'elles.
> Je remercie chacun de vous.

> Chacune de mes amies est sportive.
> Il connaît chacune de mes faiblesses.
> Il a obéi à chacun des ordres.

3) **Aucun / aucune** (none/not . . . a single one)

Aucun / aucune replaces the adjective **aucun / aucune** and the noun it modifies when used as a subject. When used as a direct object, the pronoun **en** must replace the noun. Like the corresponding adjective, the pronoun **aucun / aucune** is used with **ne**.

> Aucune étudiante n'est venue. ⟶ Aucune n'est venue.
> Je n'ai vu aucun film. ⟶ Je n'en ai vu aucun.

Aucun(e) may be followed by the preposition **de** + stress pronoun or by **de** + determiner + noun:

> Aucun de nous n'est responsable.
> Je n'ai parlé à aucune d'elles.
> Aucun de ces livres ne l'intéresse.
> Elle ne veut rencontrer aucun des représentants.

4) **Quelques-uns / quelques-unes** (some)

Quelques-uns / quelques-unes replaces the adjective **quelques** and the masculine or feminine noun it modifies when used as a subject. When used as a direct object, the pronoun **en** must replace the noun.

> Quelques tomates sont mûres. ⟶ Quelques-unes sont mûres.
> J'ai lu quelques livres. ⟶ J'en ai lu quelques-uns.

These pronouns may be followed by **de** + determiner + noun:

> Quelques-uns de ces postes sont dangereux.
> J'aime quelques-unes des pièces de Michel Tremblay.

They may also be followed by **d'entre** + stress pronoun:

> Je l'ai déjà dit à quelques-uns d'entre vous.
> Quelques-unes d'entre elles font des mathématiques.

EXERCICES • ORALEMENT

a. Dites le contraire. Employez *tout* ou *aucun / aucune*:

1. Il ne veut rien lire.
2. Tous les emplois l'intéressent.
3. Rien ne l'amuse.
4. Je n'ai rien mangé.
5. Toutes mes sœurs sont mariées.

6. Il n'a rien su faire.
7. J'en ai parlé à tous mes amis.
8. Elle veut jeter toutes ses robes.
9. Je n'ai rien perdu.

b. Employez les pronoms *tous* ou *toutes*.

Modèle: Il fait lire tous ses étudiants.
Il les fait tous lire.

1. J'ai téléphoné à tous mes cousins.
2. Tous mes amis sont venus.
3. Elle vendra toutes ses robes.
4. Toutes les raisons sont différentes.

5. Elle prête de l'argent à toutes ses amies.
6. Je te donnerai tous les noms.
7. J'ai lu tous les livres d'Yves Thériault.

c. Transformez les phrases d'après le modèle.

Modèle: Nous sommes tous responsables.
Chacun de nous est responsable.

1. Elles sont toutes différentes.
2. Vous avez tous des responsabilités.
3. Nous avons tous du travail.

4. Je vous écrirai à tous.
5. Il nous a tous encouragés.

d. Dites le contraire.

Modèle: Chacun de nous est responsable.
Aucun de nous n'est responsable.

1. Chacune d'elles sait conduire.
2. Chacun de nous a le temps de le faire.

3. J'en ai donné à chacun de vous.
4. Il aime chacune d'elles.
5. Écoute chacun d'eux.

e. Répondez aux questions, soit avec *aucun(e)*, soit avec *quelques-un(e)s*.

Modèle: As-tu vu des pièces de théâtre récemment?
Oui, j'en ai vu quelques-unes. / Non, je n'en ai vu aucune.

1. As-tu acheté des disques récemment?
2. As-tu regardé des films à la télé?
3. Lis-tu les annonces classées?

4. Accepteras-tu des emplois de serveur?
5. As-tu reçu des réponses positives?
6. Est-ce qu'il y a des offres d'emploi?

EXERCICES ÉCRITS

a. Transformez les phrases d'après le modèle.

> *Modèle:* Dépêchons-nous. Elle ne doit pas nous attendre. (afin que)
> *Dépêchons-nous afin qu'elle ne doive pas nous attendre.*

1. Je voudrais te revoir. Tu t'en vas. (avant que)
2. Je dois aller à la banque. Tu veux y aller à ma place. (à moins que)
3. Ses parents ont économisé de l'argent. Il pourra faire des études. (pour que)
4. Nous t'attendrons. Tu ne seras pas trop en retard. (pourvu que)
5. Il n'est pas nerveux. Il boit beaucoup de café. (bien que)
6. Elle ne peut rien faire. Nous l'aidons. (sans que)
7. Tu devras travailler fort. Tu feras des progrès. (jusqu'à ce que)
8. C'est une bonne secrétaire. Elle n'est pas très rapide. (quoique)
9. Je vais te donner des instructions. Tu sauras ce qu'il faut faire. (afin que)
10. La banque vous prêtera de l'argent. Vous avez un emploi. (à condition que)

b. Transformez les phrases selon le modèle.

> *Modèle:* Je t'accompagnerai. J'aurai le temps. (à condition de)
> *Je t'accompagnerai à condition d'en avoir le temps.*

1. Nous avons décidé d'aller le voir. Nous en discuterons avec lui. (afin de)
2. Il ne guérira pas. Il prendra des antibiotiques. (à moins de)
3. Téléphone-moi. Tu viendras me voir. (avant de)
4. Vous devez lui parler. Vous la rassurerez. (pour)
5. Il a nagé deux kilomètres. Il ne s'est pas arrêté. (sans)

c. Transformez les phrases d'après le modèle. Employez le verbe *faire* au présent.

> *Modèle:* Les étudiants refont l'exercice. (le professeur)
> *Le professeur fait refaire l'exercice aux étudiants.*

1. Son petit-fils écoute de la musique classique. (Olivier)
2. Sa fille apprend le russe. (la pharmacienne)
3. Le maçon répare la cheminée. (je)
4. Nous faisons des compositions. (le professeur)
5. Il lit le journal. (son père)
6. Elles lavent la vaisselle. (leur mère)

d. Répondez aux questions par des phrases complètes:

1. À qui fais-tu lire tes compositions?
2. À qui fait-on apprendre à écrire?
3. À qui le professeur fait-il étudier la leçon?
4. Par qui fait-on réparer sa voiture?
5. À qui les médecins font-ils prendre des médicaments?

e. Transformez les phrases d'après le modèle.

> *Modèle:* Les gens deviennent déprimés. (l'inactivité)
> *L'inactivité rend les gens déprimés.*

1. Je suis devenu(e) prudent(e). (cet accident)
2. Les gens deviennent paresseux. (trop de confort)
3. Pierre devient désagréable. (l'alcool)
4. Elle devenait ridicule. (son snobisme)
5. Vous devenez très élégante. (ces vêtements)

f. Mettez les verbes entre parenthèses au présent de l'indicatif:

1. Il (traduire) ce roman en allemand.
2. Les gens qui ont bu (conduire) dangereusement.
3. Est-ce que tu (reconduire) Sylvie chez elle?
4. Je (construire) ma maison moi-même.
5. Il dit que nous (détruire) la planète.
6. Est-ce que vous (produire) beaucoup de pétrole dans votre pays?

g. Remplacez les mots soulignés par les pronoms appropriés:

1. J'ai vu <u>tous les films de Fassbinder</u>.
2. Il a donné des biscuits à <u>chaque petite fille</u>.
3. J'ai jeté <u>toutes mes cravates</u>.
4. Nous avons rencontré <u>quelques Acadiens</u>.
5. <u>Quelques fenêtres</u> sont ouvertes.
6. <u>Chaque homme</u> a son prix.

Lecture Lecture Lecture

Travailler en l'an 2000

Soigner les humains ... et les robots. Telles sont les voies de l'avenir pour les adolescents d'aujourd'hui qui veulent s'assurer un emploi en l'an 2000.

"Les industries manquent déjà de techniciens en robotique", dit Sylvain Bélisle, coauteur de *Tendances professionnelles au Québec vers les années 2000*, un document du gouvernement fédéral. "Et avec le vieillissement de la population, on manquera d'infirmières."

Près de 90 % des nouveaux emplois créés au cours des années 90 le seront dans les services: restauration (surtout "minute" et familiale), électronique, santé, administration, secrétariat, informatique, génie, vente. On parle aussi beaucoup de "productique", ce néologisme à la mode associé à l'entretien des équipements automatisés de production.

Le marché de l'emploi de l'an 2000 sera un peu plus favorable aux jeunes qu'il ne l'était dans les années 80, dit-on au ministère de la Main-d'œuvre du Québec. Non pas parce qu'il y aura plus d'emplois. Mais parce qu'il y aura moins de jeunes.

Mais ce ne sera pas l'Eldorado. Les jeunes continueront de se heurter au mur de la génération des 35–54 ans.

Malgré les nombreuses mises à la retraite dans le domaine de l'enseignement, par exemple, le nombre élevé de finissants en éducation continuera de limiter l'accès à la profession. Seul le réseau des garderies pourrait, en se développant, offrir de réels débouchés.

Le meilleur atout des jeunes demeurera donc la formation dans une technologie de pointe. "Les jeunes qui pourront faire de l'entretien préventif sur des chaînes de montage automatisées remplaceront les travailleurs déqualifiés par le progrès technologique", dit Sylvain Bélisle.

Déjà, la demande dépasse l'offre. Chez Teccart, un collège montréalais spécialisé en électronique, plus de 98 % des diplômés ont trouvé un emploi l'an dernier. Et pas au salaire minimum! Plus de 25 000 dollars en moyenne. "Je manque de finissants pour répondre à la demande", dit Yves Lewis, directeur des services pédagogiques. Et les filles ne sont pas au rendez-vous. À peine 40 cette année sur les 700 étudiants de Teccart alors qu'il y a beaucoup plus de filles que de garçons qui terminent le secondaire!

Les "techniques" n'ont plus tellement la cote. Les inscriptions en techniques infirmières ont baissé de plus de 20 % en raison, notamment, d'une perception plutôt négative des conditions de travail (horaires de nuit, temps partiel, etc.). Pourtant, avec le vieillissement de la population, les professionnels de la santé seront de plus en plus en demande.

Et il ne faut pas trop rêver de "stabilité". La règle du jeu de l'an 2000 sera le recyclage.

Le travailleur moyen changera quatre ou cinq fois de métier ou de profession durant sa vie active. Plus peut-être. "Même les emplois gouvernementaux seront de plus en plus précaires", dit Sylvain Bélisle.

Les besoins de la société changeront vite. La "capacité d'apprendre" sera un avantage sur le marché du travail, et une bonne formation générale, un atout précieux. Mais pas une garantie absolue...

(Article de Carole Beaulieu, publié dans *L'actualité*, 15 mai 1991, pages 39–40)

administration (f.)	management	**mise à la retraite** (f.)	retirement
s'assurer	to secure	**mode** (f.): à la —	fashionable
atout (m.)	asset	**moyen, enne**	average
automatisé(e)	computerized	**moyenne: en —**	on the average
baisser de	to go down	**notamment**	particularly
chaîne de montage (f.)	assembly line	**peine** (f.): à —	hardly, barely
cote: avoir la —	to be popular	**pointe** (f.): de —	leading, advanced
cours: au — de	during	**précaire**	precarious
créer	to create	**raison** (f.): en — de	on account of
débouché (m.)	employment opportunity	**recyclage** (m.)	retraining
		réseau (m.)	network
diplômé(é)	graduate	**restauration** (f.)	restaurant industry
entretien (m.)	maintenance		
équipement (m.)	machinery	**seul(e)**	only
finissant(e) (m. / f.)	graduate	**soigner**	to look after, to nurse
garderie (f.)	day-care centre		
génie (m.)	engineering	**tel, telle**	such
se heurter à	to come up against	**tellement**	so
		tendance (f.)	trend
horaire de nuit (m.)	night shift	**terminer**	to complete
informatique (f.)	data processing	**vieillissement** (m.)	aging
manquer	to lack		

QUESTIONS

1. Quelles sont les voies de l'avenir? Pourquoi?
2. Dans quel secteur y aura-t-il de nouveaux emplois?
3. Qu'est-ce que les restaurants "minute"?
4. Qu'est-ce que la productique?
5. Pourquoi le marché de l'emploi de l'an 2000 sera-t-il plus favorable aux jeunes?

6. À quel obstacle les jeunes continue-ront-ils de se heurter?

7. Dans quel secteur de l'éducation y aura-t-il des débouchés?

8. Quel sera le meilleur atout des jeunes?

9. Est-ce que les diplômés en électronique gagnent le salaire minimum? Est-ce que ce sont surtout des filles ou des garçons?

10. Pourquoi y a-t-il moins d'étudiants en techniques infirmières?

11. De quoi ne faut-il pas trop rêver et pourquoi?

12. Comment se présente l'avenir de l'emploi en général?

SITUATIONS / CONVERSATIONS

PERSONNEL DEMANDÉ

1. **Téléphoniste demandé(e).**
   De jour et de soir. Expérience dans la vente. Bienvenue aux étudiant(e)s. Horaire flexible, très payant.

2. **Cuisinier** avec un peu d'expérience en petits déjeuners, pizza, etc. Horaire jour.

3. **Serveuse avec expérience.**
   Petite salle à manger. Jour ou soir. Salaire fixe et pourboires.

4. **Gardien(ne) d'enfants demandé(e).**
   Deux enfants de 3-5 ans. Expérience cuisine et légers travaux domestiques. Bons gages.

5. **Moniteur(trice) de camp de vacances.**
   De mai à septembre. Expérience activités sportives et artisanales. Salaire intéressant.

6. **Préposé(e) au comptoir — commerce de cadeaux.** Expérience comme caissier(ère). Travail permanent. Bénéfices marginaux.

7. **Vendeur(euse) d'articles de sport.**
   Expérience de la vente et amateur(e) de sport. Poste à temps partiel pendant les vacances.

CURRICULUM VITAE

Nom ....

Adresse ....

Tél. ....

Formation: universitaire, secondaire, élémentaire

Expérience de travail — Nom de l'entreprise.

Poste .... Tâches ....

Intérêts divers (politique, littérature, informatique, etc.)

Activités parascolaires (sportives, artistiques, etc.)

Références sur demande.

1. Vous passez une entrevue pour l'emploi que vous avez choisi (voir les petites annonces à la page 383). Un(e) étudiant(e) joue le rôle du candidat ou de la candidate et les autres étudiants du groupe jouent le rôle des membres du comité de sélection pour l'employeur. Les membres du comité posent des questions sur les aptitudes et la formation; le candidat ou la candidate répond aux questions des membres du comité et les interroge sur les conditions de travail.

2. Dans quel domaine voulez-vous travailler? (agriculture, industrie, commerce, technologie, administration, domaine public)

    Quel genre de travail préférez-vous? (intellectuel, recherche, entrepreneur, administration, direction)

    Quels métiers ou quelles professions? (mécanicien(ne), secrétaire, plombier(ière), médecin, infirmier(ère), professeur(e), informaticien(ne), cadre, avocat(e), etc.)

    Préférez-vous travailler à votre compte ou être salarié d'une entreprise?

    Quels sont les avantages et désavantages de la profession que vous avez choisie? (Bons salaires (revenus instables), nombreux débouchés (peu de débouchés), contacts humains, avantages sociaux sûrs (inexistants), possibilités de promotion assurée (ou non), stabilité d'emploi (ou instabilité), nombreuses responsabilités (ou responsabilités limitées), etc.)

3. Parlez de l'emploi que vous avez occupé l'an dernier. L'horaire, les tâches, le poste, etc.

4. Racontez à tour de rôle ce que vos parents, vos professeurs et vos amis vous font faire. Racontez aussi ce que vous faites faire à votre chien ou à votre chat, à vos frères et sœurs, à vos parents, à vos amis. En fonction des réponses de chaque étudiant(e), jugez dans quelle mesure chacun a un tempérament dominateur ou docile.

5. Parlez de la profession que vous avez choisie et de vos projets d'avenir. Qu'est-ce que vous devez faire pour trouver un emploi? Est-ce que ce sera facile ou difficile? Pensez-vous que vos études vous préparent de façon adéquate pour le marché du travail?

6. De nouvelles professions, encore inconnues, apparaîtront avec les changements technologiques. Imaginez quelles seront ces professions.

7. Quel est pour vous l'intérêt des études universitaires? Pensez-vous que l'université doive surtout vous préparer à trouver de l'emploi ou surtout vous préparer à mieux vivre et à mieux penser? Est-ce que le système universitaire que vous connaissez réussit à atteindre ces deux objectifs? l'un ou l'autre? aucun des deux?

8. Est-ce que la perspective du chômage vous fait peur? Qu'est-ce que le chômage représente pour vous? Que pensez-vous du système actuel de l'assurance-chômage?

COMPOSITIONS

1. Comment envisagez-vous votre avenir professionnel? Êtes-vous optimiste ou pessimiste à ce sujet? Avez-vous confiance de pouvoir travailler dans le domaine de votre choix? Quels sont les obstacles et les difficultés que vous pensez rencontrer? Que pensez-vous devoir faire pour réaliser vos objectifs?

2. Est-ce que le travail est la priorité essentielle de votre vie ou est-ce que vous avez d'autres priorités? Selon vous, quelle devrait être la place du travail dans une vie équilibrée? Les conditions sociales actuelles favorisent-elles cet équilibre? Qu'est-ce que vous changeriez si vous le pouviez?

3. À l'aide du modèle proposé, faites votre c.v. accompagné d'une courte lettre à un employeur.

PRONONCIATION

(This exercise is at the end of Chapitre 20 on the tape.)

S + i ou u

When followed by **i** or **u**, the letters **s**, **ss** and **z** are always pronounced / s / or / z /.

Répétez:

1) / z /

azur	brisure	vision	lisiez
usure	césure	visière	cerisier
usuel	casuel	rasions	cohésion
visuel	frisure	rasiez	fusion
mesure	masure	lisions	décision

2) / s /

sur	massue	passion	poussions
rassurer	moussu	dossier	laissions
tonsure	bossu	poussière	cassionssw
tissu	assurance	scission	dépensions
issue	pansu	pension	fassions

Weblinks

Réseau d'information jeunesse Canada **www.jeunesse.gc.ca/manu-f.shtml**

École de formaiton **www.infobahnos.com-adsroyal/**

Formation technique **www.inforoutefpt.org/Welcome.html**

Formation 15-23 ans **inclic.collegebdeb.qc.ca/main/main.html**

Job ads **www.matin.qc.ca/100.shtml**

Chapitre 21

L'humeur et l'humour

Thèmes

- Qu'est-ce qui te fait rire?
- As-tu le sens de l'humour? Qu'est-ce que cela signifie pour toi?
- Exprimer le passé dans le passé
- Que s'est-il passé avant? — Ce qu'ils ont fait après — Que s'est-il passé après?
- Rapporter les propos de quelqu'un

Lecture

Le club des déprimés

Grammaire

VOCABULAIRE UTILE

blague (f.)	joke	**douche** (f.)	shower
cafard: avoir le —	to feel blue, low	**douleur** (f.)	pain, sorrow
colère (f.)	anger	**ennui** (m.)	worry
colère: se mettre		**épouser**	to marry
** en —**	to get angry	**fou, folle**	crazy
content(e)	glad, happy	**gai(e)**	cheerful
convenir	to suit	**grand-chose**	much
d'accord	agreed	**humeur: être de**	to be in a
découragé(e)	discouraged	** bonne —**	good mood
déprimé(e)	depressed	**humoristique**	humorous
détendu(e)	relaxed	**jeune**	young
disputer	to tell off	**joyeux, joyeuse**	joyful

malheur (m.)	misfortune	**raconter**	to tell
malheureux,		**tendu(e)**	tense
malheureuse	unhappy	**vaniteux, vaniteuse**	conceited
moral: avoir le —	to be in good spirits	**voir la vie en rose**	to see everything
plaisanterie:			through rose-
faire une	to joke		colored glasses
prendre les choses	**to** look on the		
du bon côté	bright side		

GRAMMAIRE ET EXERCICES ORAUX

21.1   L'antériorité dans le passé: le plus-que-parfait

The **plus-que-parfait** was presented in Chapter 16 in conjunction with the past conditional. Apart from its use in **si** (if) clauses, the **plus-que-parfait** may be used to indicate anteriority in relation to some point in the past which is sometimes stated and sometimes understood:

> **Elle était fatiguée parce qu'elle <u>avait</u> beaucoup <u>travaillé</u>.**
>
> She was tired because she had worked a lot.
>
> **Il a jeté la cravate que son ex-amie lui <u>avait donnée</u>.**
>
> He threw away the tie that his ex-girlfriend had given him.
>
> **J'<u>avais</u> déjà <u>mangé</u> quand tu es arrivé(e).**
>
> I had already eaten when you arrived.

It may also be used in contrast to the **passé composé** to emphasize the fact that one is referring to the distant past. Compare the following sentences:

> **Il n'<u>a</u> jamais <u>pensé</u> devenir humoriste.**
>
> He has never thought of becoming a humorist (until now).
>
> **Il n'<u>avait</u> jamais <u>pensé</u> devenir humoriste.**
>
> He had never thought of becoming a humorist (until then).
>
> **J'ai perdu le stylo que tu m'<u>as donné</u>.**
>
> I lost the pen that you gave me (more or less recently).
>
> **J'ai perdu le stylo que tu m'<u>avais donné</u>.**
>
> I lost the pen that you gave me (quite a while ago).

EXERCICES · ORALEMENT

a.   Situez les événements chronologiquement.

    Modèle: Tu m'as parlé de ce film la semaine dernière. Je l'ai vu hier.

J'ai vu hier le film dont tu m'avais parlé la semaine dernière.

1. Elle a rencontré cet artiste à Bâton Rouge l'an dernier. Elle l'a épousé.
2. Ce théâtre a été détruit pendant la guerre. On l'a reconstruit.
3. Il a acheté ce disque humoristique à Calgary. Il ne l'a pas retrouvé.
4. J'ai prêté ce recueil de blagues à ce garçon. Je ne l'ai pas revu.
5. Mon ami a créé ce monologue. Je l'ai écouté plusieurs fois.
6. Cet artiste n'a pas fait les répétitions. Le directeur l'a disputé.

b. Dites pourquoi. Utilisez le plus-que-parfait dans vos réponses.

1. Pourquoi n'a-t-elle pas réussi au théâtre? (elle ne prépare rien)
2. Pourquoi a-t-il eu un accident? (il conduit trop vite)
3. Pourquoi étais-tu si fatigué(e) hier? (je ne dors pas assez)
4. Pourquoi n'étais-tu pas au cinéma samedi? (j'oublie notre rendez-vous)
5. Pourquoi avez-vous quitté le spectacle? (nous nous ennuyons)
6. Pourquoi était-il de si bonne humeur? (il reçoit une ovation)

c. Qu'aviez-vous accompli avant l'âge de seize ans?

1. Je (commencer à fumer)...
2. Je (étudier l'informatique)...
3. Je (apprendre à cuisiner)...
4. Je (faire une première expérience amoureuse)...
5. Je (avoir des ennuis de santé)...
6. Je (voyager beaucoup)...
7. Je (écrire un premier roman)...
8. Je (ne pas faire grand chose)...

21.2 L'infinitif passé

The perfect infinitive is formed by using the infinitive of the auxiliary verb (**avoir** or **être**) and the past participle of the verb:

> avoir chanté   être revenu   s'être lavé

It is used to indicate anteriority in relation to the conjugated verb. The agreement of the past participle follows the usual rules:

> Il regrette d'avoir ache<u>t</u>é cette voiture.
>
> Cette voiture, je regrette de l'avoir achet<u>ée</u>.
>
> Elle est heureuse d'être ven<u>ue</u> vous voir.
>
> Elles se souviennent de s'être promen<u>ées</u> dans ce parc pendant leur enfance.

The perfect infinitive must be used after the preposition **après**:

> **Après être rentrés du cinéma, ils ont dîné.**
>
> After coming back (having come back) from the cinema, they had dinner.
>
> **Il est allé au lit après avoir mangé.**
>
> He went to bed after having eaten.

EXERCICES • ORALEMENT

a. Transformez les phrases d'après le modèle.

> *Modèle:* Je les ai rencontrés. Je ne me rappelle pas cela.
>
> *Je ne me rappelle pas les avoir rencontrés.*

1. Il a oublié ses clés au motel. Il pense cela.
2. J'ai réussi à l'examen. J'espère cela.
3. Elle s'est mariée trop jeune. Elle regrette cela.
4. Ils ont pris une bonne décision. Ils croient cela.
5. Nous nous sommes dépêchés. Nous sommes contents de cela.
6. Tu as assez mangé. Es-tu sûr(e) de cela?
7. J'ai vu cet homme quelque part. Je me souviens de cela.
8. J'ai attrapé froid. J'ai peur de cela.

b. Exprimez vos sentiments sur ce qui s'est passé.

> *Modèle:* Je suis désolé(e) de...
>
> *Je suis désolé(e) d'être arrivé(e) en retard.*

1. Je ne crois pas...
2. Je suis certain(e) de...
3. Je regrette de...
4. J'ai peur de...
5. J'espère...
6. Je suis surpris(e) de...
7. Je pense...
8. Je me souviens de...

c. Qu'ont-ils fait après...

> *Modèle:* Il a pris son déjeuner. Ensuite, il est sorti.
>
> *Il est sorti après avoir pris son déjeuner.*

1. Elle est rentrée de vacances. Ensuite, elle a trouvé un emploi.
2. J'ai dîné dans ce nouveau restaurant. Ensuite, j'ai eu une indigestion.
3. Elle a rencontré Alain. Ensuite, elle s'est séparée de son mari.
4. Parle à tes parents. Ensuite, nous mangerons.
5. Tu finiras tes études. Qu'est-ce que tu feras ensuite?
6. Ils ont acheté un ordinateur. Ensuite, ils se sont branchés sur Internet.
7. Il a perdu son emploi. Ensuite, il s'est remis à étudier.

d. Complétez les phrases en employant des infinitifs passés.

> *Modèle:* Le professeur a eu mal à la tête après...
>
> *Le professeur a eu mal à la tête après avoir lu ma composition.*

1. Il se brosse les dents après...
2. J'ai sommeil après...
3. Elle a décidé de devenir comédienne après...
4. Nous avons attrapé un rhume après...
5. Marc a cessé de fumer après...
6. Ils sont allés au restaurant après...
7. J'ai eu mal à l'estomac après...
8. Nous irons au Théâtre des Variétés après...

e. Et que ferez-vous après...

Après avoir obtenu mon diplôme, je ....(1)

et ensuite après avoir (1)..........................., je ....(2)

puis après (2)..., je.....................................(3)

plus tard, après (3).., je ....(4)

finalement, après (4).., je ....(5).

21.3 Le verbe irrégulier *valoir*

Although **valoir** may be used in all persons with the meaning of "to be worth," it is most commonly used in the third person singular.

Présent de l'indicatif:	il vaut
Futur:	il vaudra
Participe passé:	valu
Présent du subjonctif:	il vaille

Valoir is used in the expression **il vaut mieux** (it is better), followed either by an infinitive or by **que** + subjunctive:

<u>Il vaut mieux</u> ne pas s'impatienter: il est toujours en retard.

<u>Il vaut mieux que</u> nous partions tôt parce qu'il va neiger.

<u>Il vaudrait mieux que</u> tu t'en ailles, car tu deviens agressif.

<u>Il vaudrait mieux que</u> tu dormes plutôt que d'aller à la discothèque.

<u>Il aurait mieux valu que</u> tu ne viennes pas: elle ne veut pas te voir.

It is also used in the expression **ça vaut la peine / ça ne vaut pas la peine** (it is well worth/it is not worth the trouble):

<u>Ça vaut la peine</u> de suivre ce cours: il est intéressant.

<u>Ça ne vaut pas la peine</u> que tu ailles voir ce film: il est très mauvais.

Note that these expressions are followed either by **de** + infinitive or by **que** + subjunctive.

EXERCICE • ORALEMENT

a. Simple suggestion: Il vaudrait mieux que...

1. Je rentrerai à minuit. (plus tôt)
2. Paul suivra un cours de chimie. (maths avant)
3. Les étudiants jouent au poker. (faire du sport)
4. Je m'en vais seul à travers le parc. (m'attendre)
5. J'ai une vilaine grippe. (te coucher).
6. Bob a mal à la tête. (prendre une pilule)
7. Louise ne se trouve pas d'emploi. (faire des études)
8. Jojo a vraiment mal aux dents. (voir le dentiste)
9. Le prof m'a fait des reproches. (en tenir compte)

21.4 Le discours indirect

The difference between direct speech (**discours direct**) and indirect speech (**discours indirect**) is shown in the following two sentences:

> Il m'a dit: "Je suis très occupé aujourd'hui."
> Il m'a dit qu'il était très occupé ce jour-là.

The change from direct to indirect speech entails several modifications. In this particular instance:

> a) the quote becomes a subordinate clause;
> b) the subject of the quote must be changed;
> c) the tense must be changed;
> d) words and expressions of time must change.

From quote to subordinate clause

1) <u>Imperative sentence</u>

> The imperative is changed to the infinitive form preceded by **de**:
> Il nous dit: "Venez." ⟶ Il nous dit de venir.

2) <u>Declarative sentence</u>

A declarative sentence is replaced by a subordinate clause introduced by the conjunctive **que**:

> Il dit: "Je téléphonerai." ⟶ Il dit qu'il téléphonera.

3) <u>Interrogative sentence</u>

> a) A question requiring a "yes" or "no" answer, using **est-ce que** or an equivalent, becomes a subordinate clause introduced by **si** (whether):
>
> Elle demande: "Vient-il?" ⟶ Elle demande s'il vient.

> b) A question beginning with **qu'est-ce qui** is changed to a subordinate clause beginning with **ce qui**:
>
> Il se demande: "Qu'est-ce qui
> fait ce bruit?" ⟶ Il se demande ce qui fait ce bruit.

> c) A question beginning with **que** or **qu'est-ce que** is changed to a subordinate clause beginning with **ce que**:
>
> Tu me demandes: "Que fait-il?" ⟶ Tu me demandes ce qu'il fait.
> Elle demande: "Qu'est-ce que c'est?" ⟶ Elle demande ce que c'est.

d) The other interrogative words (adjectives, pronouns or adverbs) do not change:

> Je me demande <u>quelle</u> heure il est.
> Il demande <u>laquelle</u> j'ai achetée.
> Elle demande <u>avec qui</u> je suis sorti(e).
> Il lui demande <u>pourquoi</u> elle est partie.

Personal pronouns and possessive adjectives

Personal pronouns (subject, direct and indirect objet) and possessive adjectives change in a logical fashion:

Elle dit: "<u>Je</u> viendrai." ⟶ Elle dit qu'<u>elle</u> viendra.

Il me dit: "<u>Tu</u> ne me comprends pas." ⟶ Il me dit que <u>je</u> ne <u>le</u> comprends pas.

Ils demandent: "Où as-<u>tu</u> mis <u>nos</u> livres?" ⟶ Ils demandent où j'ai <u>mis</u> leurs livres.

Changes in verb tenses

1) When the verb of the main clause is in the present or the future tense, no change occurs in the subordinate clause:

> Elle nous dit: "J'arrive."   Elle nous dit qu'elle arrive.
> Elle me dira: "J'ai oublié."   Elle me dira qu'elle a oublié.

2) If the verb of the main clause is in a past tense (**passé composé**, **imparfait** or **plus-que-parfait**), the following tenses used in quotes must be changed in subordinate clauses:

Direct speech	*Indirect speech*
présent	*imparfait*
Elle m'a dit: "Il se repose."	Elle m'a dit qu'il se reposait.
passé composé	*plus-que-parfait*
Tu m'as dit: "Il a fait beau."	Tu m'as dit qu'il avait fait beau.
futur	*conditionnel présent*
Elle se demandait: "Où irai-je?"	Elle se demandait où elle irait.
futur antérieur	*conditionnel passé*
J'ai demandé: "Quand auront-ils fini?"	J'ai demandé quand ils auraient fini.

Expressions of time

When indirect speech is used to report what was said at some point in the past, the following expression of time must change:

Direct speech	Indirect speech
aujourd'hui	ce jour-là
hier	la veille
demain	le lendemain
ce matin	ce matin-là
ce soir	ce soir-là
cette semaine	cette semaine-là
ce mois-ci	ce mois-là
cette année	cette année-là
la semaine dernière	la semaine précédente
la semaine prochaine	la semaine suivante
l'année dernière	l'année précédente
l'année prochaine	l'année suivante
en ce moment maintenant	à ce moment-là, alors

EXERCiCES • ORALEMENT

a. Mettez les phrases au discours indirect (impératif – un ordre):

1. Elle a dit: "Venez tout de suite."
2. Il m'a dit: "Apporte un sandwich."
3. Je lui dis: "Fais la vaisselle."
4. Elle nous dit: "Ouvrez vos livres."
5. Il m'a dit: "Parle à tes parents."
6. Je lui dirai: "Oublie tes problèmes."
7. Il leur a conseillé: "Faites votre travail."
8. Tu nous as dit: "Amenez vos amis."

b. Mettez au style indirect. Attention aux pronoms personnels et aux adjectifs possessifs (une déclaration).

1. Il dit: "Je suis venu hier."
2. Elles disent: "Nous allons au magasin."
3. Je te dis: "Je reviendrai demain."
4. Nous lui disons: "Tu as tort."
5. Elle nous dit: "Vous n'arriverez pas à temps."
6. Il nous dit: "Vous ne m'écoutez pas."
7. Il me dit: "Tu me prêteras ta voiture."
8. Je te dis: "Tu m'oublieras."
9. Je dis à Suzanne: "Tu m'oublieras."
10. Elle dit à Pierre: "Tu ne me parles pas assez."
11. Elle dit à ses enfants: "Vous devez m'obéir."
12. Il dit à son ami: "Tu dois me rendre mon stylo."
13. Je dis à Henri: "Tu as oublié de m'apporter mes disques."

c. Qu'est-ce qu'il vous demande? (une interrogation)

Modèle: Est-ce qu'il pleut?
Il me demande s'il pleut.

1. Y a-t-il des fruits dans le réfrigérateur?
2. Est-ce que tu as déjà mangé?
3. Viendras-tu avec nous?
4. As-tu terminé ton travail?
5. Est-ce que tu veux emprunter ma voiture?
6. Qu'est-ce qui fait ce bruit?
7. Qu'est-ce qui t'inquiète?

8. Qu'est-ce qui cause ce problème?

9. Qu'est-ce qui te fait peur?

10. Qu'est-ce qu'il cherche?

11. Qu'est-ce que tu fais?

12. Qu'est-ce que tu veux manger?

13. Qu'as-tu trouvé?

14. Que feras-tu?

15. Qu'est-ce que tu voudrais?

16. Où iras-tu?

17. Pourquoi as-tu acheté cette voiture?

18. Quel cours est-ce que tu suis?

19. Comment a-t-il fait pour réussir?

20. Combien vaut cette voiture?

d. Mettez les phrases suivantes au style indirect en effectuant les changements de temps nécessaires.

Modèle: Alain m'a dit... (présent ➤ imparfait)

J'ai beaucoup de travail.

Alain m'a dit qu'il avait beaucoup de travail.

1. Il va neiger.
2. Je vais à la bibliothèque.
3. Je pars en vacances.
4. Je ne peux pas venir.
5. Tu es trop nerveux(-euse).
6. Nous devons partir.

Modèle: Hélène m'a demandé...

7. Veux-tu du café?
8. Est-ce que tu as quelque chose à faire?
9. Qu'est-ce qui te rend nerveux?
10. Qu'est-ce que tu regardes?
11. Que fais-tu?
12. Pourquoi fais-tu du sport?

Modèle: Je lui ai répondu... (passé composé ➤ plus-que-parfait)

13. Je suis allé(e) à Rome.
14. Je me suis promené(e) dans le parc.
15. J'ai étudié toute la journée.
16. J'ai réussi à mon examen.
17. Nous t'avons attendu(e).

Modèle: Je lui ai demandé... (passé composé ➤ plus-que-parfait)

18. Où es-tu allé(e)?
19. Qu'est-ce que tu as fait?
20. Pourquoi as-tu abandonné tes études?
21. As-tu déjà déjeuné?
22. Qu'est-ce qui t'a rendu(e) triste?

Modèle: Elle lui a demandé... (futur ➤ conditionnel présent)

23. Quand arriveras-tu?
24. Qu'est-ce que tu feras?
25. À quelle heure rentreras-tu?
26. Quand termineras-tu ton travail?
27. Seras-tu à la maison à onze heures?

Modèle: Il lui a répondu...

28. Nous te téléphonerons.
29. L'opération durera dix minutes.
30. Je prendrai le train de huit heures.
31. Nous irons faire du ski.
32. Ils seront en retard.

Modèle: Nous lui avons dit... (futur antérieur ➤ conditionnel passé)

33. Nous aurons fini avant cinq heures.
34. Nous te téléphonerons quand nous aurons dîné.
35. Nous viendrons te voir quand tu seras revenu(e).
36. Nous t'écrirons dès que nous serons arrivé(e)s.
37. Nous ferons du ski aussitôt que les cours seront finis.

e.　Tu as rencontré la belle Violette. Qu'est-ce qu'elle t'a raconté?

Elle m'a demandé...

J'ai répondu...

1. Comment vas-tu ce soir?
2. Est-ce que tu seras libre demain?
3. Qu'est-ce que tu fais ensuite?
4. Viendras-tu dîner avec moi?

5. Oui, d'accord, c'est mieux que rien.

Je vais bien, merci, et toi?
Je joue au football tout l'après-midi.
Je prendrai une douche.
Ça dépend, je pourrai entre 7 h 12 et 8 h 23. Est-ce que ça te convient?
Alors, on se verra demain. Salut!

EXERCICES ÉCRITS

a.　Mettez les verbes entre parenthèses au plus-que-parfait:

1. Je suis allé(e) voir la comédie dont tu me (parler).
2. Nous sommes retournés au théâtre où vous nous (amener).
3. Jean nous a raconté ce qu'il (faire) pendant ses vacances.
4. Comme elle (être) malade, elle devait se reposer.
5. Il a échoué à l'audition parce qu'il (ne pas se préparer).

b.　Transformez les phrases d'après le modèle. Remplacez les mots soulignés par un pronom.

Modèle: Je ne me souviens pas de cela: j'ai rencontré <u>cette jeune femme</u>.
　Je ne me souviens pas de l'avoir rencontrée.

1. Je crois cela: j'ai oublié <u>mes clés</u> chez vous.
2. Elle pensait cela: elle avait bien répondu <u>aux questions</u>.
3. Nous sommes désolés de cela: <u>nous sommes arrivés en retard</u>.
4. Elle est contente de cela: elle a acheté <u>une nouvelle robe</u>.
5. J'espère cela: j'ai trouvé <u>la bonne solution</u>.

c. Que s'est-il passé après...

> *Modèle:* J'ai travaillé dans le jardin. Ensuite, j'ai pris une douche.
> *J'ai pris une douche après avoir travaillé dans le jardin.*

1. Ma sœur s'est mariée. Ensuite, elle est devenue pilote.
2. Tu feras la vaisselle. Ensuite, tu pourras regarder la télé.
3. Le médecin m'a examiné(e). Ensuite, il m'a conseillé de faire de l'exercice.
4. Il est allé à la bibliothèque. Ensuite, il est rentré chez lui.

d. Répondez aux questions par des phrases complètes:

1. Est-ce que ça vaut la peine de faire du sport régulièrement?
2. Pourquoi est-ce que ça vaut la peine que tu finisses tes études?
3. Combien d'heures vaut-il mieux que tu dormes pour être en forme?
4. Est-ce qu'il vaut mieux prendre un café ou prendre une aspirine quand on a mal à la tête?

e. Votre mère vous a téléphoné la semaine passée pour vous donner des nouvelles de la famille. Répétez ce qu'elle vous a dit.

Elle a dit que:
1. "Fido est très malade."
2. "Ta sœur reviendra de son stage la semaine prochaine."
3. "Ton père et moi allons skier le mois prochain."
4. "Grand-père est parti en Floride hier."
5. "Viendras-tu passer quelques jours avant les examens."
6. "Travaille bien pour tes examens."
7. "Nous t'embrassons tous."

Lecture Lecture Lecture

Le club des déprimés

The author, Clémence Desrochers, is well known in Quebec as a performer of comic monologues.

Un soir que le sommeil se faisait désirer
M'est venue une idée tout simplement géniale
Je vais fonder un club pour les gens déprimés
Soyons de notre temps, exploitons le grand mal
 (J'espère pour mon succès que vous allez très mal,
Que vous êtes des cas — j'en suis un beau moi-même),
Nous mettrons en commun nos troubles et nos problèmes
Ceux de la femme de poids, des maigres enragées
Ceux qui suivent des cours de personnalité
Les jeunes hommes chauves et les dames poilues
Les filles trop jolies, les poètes déçus
Les dames désœuvrées des cercles littéraires
Enfin tous ceux qui restent au pays en hiver.
Je tiendrai réunion aux heures les plus sombres
Je vous espérerai déprimés en grand nombre.
Prière de s'abstenir lorsque pétant de joie
Ne pas venir jeter le doute sur nos croix.
Nous publierons un livre: Douleurs en statistiques,
Si tout va de travers, nous ferons même un disque
Dont j'ai déjà trouvé le titre des chansons:
— Comment perdre un ami en quatorze leçons.
— Comment bien mesurer le seuil de sa douleur.
— J'ai vécu en un an cent-vingt-et-un malheurs.
— Vingt cauchemars en une nuit. La R des Somnifères.
— Tout le monde m'en veut. Et j'passerai pas l'hiver.
Nous aurons des octrois au plus grand Déprimé
Nous vendrons nos malheurs aux Nouvelles Illustrées
Peut-être des émissions de T.V. en série
Quoique de ce côté, nous soyons bien servis.
Le club nous attendra aux heures les plus noires
Comme vient un AA et son envie de boire
J'organise le tout, je trouve le local
Et je suis assurée que tout ira très mal!

(Extrait de: Clémence Desrochers, *Sur un radeau d'enfant*, Leméac, 1969)

cas: être un —	to be a complicated "case"	**poids** (m.)	weight
		poilu(e)	hairy
chauve	bald	**prière de**	please don't
commun: mettre en —	to share	**s'abstenir**	come
		réunion: tenir (une) —	to hold a meeting
côté: de ce —	in this regard		
croix (f.)	cross	**série: en**	serial
désœuvré(e)	idle	**servi: être bien —**	to get more than enough
émission (f.)	broadcast		
enragé(e)	fanatic	**seuil** (m.)	threshold
envie (f.)	craving	**sombre**	dark
fonder un club	to start a club	**somnifère** (m.)	sleeping pill
génial(e)	inspired	**temps: être de son —**	to keep up with the times
littéraire	literary		
local (m.)	premises, place, room	**titre** (m.)	title
		tout: le —	the whole thing
maigre	skinny	**travers: aller de —**	to be going wrong
mal (m.)	sickness, sorrow		
octroi (m.)	grant	**vouloir: en — à**	to hold a grudge against
passer	to get through		
pétant(e) de joie	bursting with joy		

QUEFSTIONS

1. Quelle idée est venue à l'auteure? Dans quelles circonstances?
2. Quel est le "grand mal" de notre temps?
3. Qu'est-ce que l'auteure espère et pourquoi?
4. Que vont faire les gens dans le club?
5. Quelles sont les catégories de gens déprimés? Pourquoi cette énumération est-elle amusante?
6. Quand se tiendront les réunions?
7. Qui doit s'abstenir de venir aux réunions et pourquoi?
8. Quels sont les projets de l'auteure?
9. Qu'est-ce qui est comique dans les titres des chansons?
10. Que recevra le plus grand Déprimé?
11. Expliquez: "Quoique de ce côté, nous soyons bien servis".
12. À quoi l'auteure compare-t-elle les réunions du club?
13. De quoi l'auteure est-elle sûre?
14. De qui et de quoi l'auteure se moque-t-elle dans ce texte?

SITUATIONS / CONVERSATIONS

1. Un(e) ami(e) vous a raconté comment il / elle avait passé sa fin de semaine. Répétez ce qu'il / elle vous a dit en employant le style indirect.

2. Dites ce que vous êtes heureux(-euse) d'avoir fait dans votre vie jusqu'à présent; dites ce que vous regrettez de ne pas avoir fait. Employez des infinitifs passés.

3. Avez-vous le sens de l'humour? Qu'est-ce que cela signifie pour vous?

4. Racontez une plaisanterie à tour de rôle.

5. Vous êtes déprimé(e) (Charlie Brown). Vous allez consulter un(e) psychologue (Lucy). Racontez-lui vos malheurs. L'étudiant(e) qui joue le rôle du (de la) psychologue donne des recettes contre la dépression.

COMPOSiTiONS

1. Faites votre autoportrait en décrivant les humeurs qui vous caractérisent et dites à quelles situations ces humeurs sont associées.

2. Qu'est-ce qui vous fait rire? Donnez des exemples.

PRONONCiATiON

(This exercise is at the end of Chapitre 21 on the tape.)

Liaisons interdites et liaisons obligatoires

As mentioned in Chapter 2, **liaison** is optional in many instances. It is however important to remember particular instances when it must never be made (**liaisons interdites**) and when it must always occur (**liaisons obligatoires**).

Liaisons interdites
Do not make a **liaison**

— between two rhythmic groups:

Mes amis / ont faim.   Je pars / en train.
Les enfants / arrivent.   Peu de gens / étaient là.

— with a word beginning with an aspirate **h**:

très / haut   des / homards   les / harpons

— with the **t** of **et** and the following word:

nous et / eux   il part et / elle arrive

— between the pronouns **ils** and **elles** and the past participle in a question with inversion:

Sont-ils / arrivés?   Ont-elles / écouté?

Liaisons obligatoires
Always link

— a determiner and a noun or adjective:

les‿oranges	tes‿idées	les‿autres cours
des‿arbres	ses‿achats	mes‿anciens cours
deux‿autos	quelques‿œufs	plusieurs‿autres cours
trois‿arbres	plusieurs‿autos	leurs‿anciennes maisons

— an adjective and the noun following it:

de vieux‿arbres	d'anciens‿amis
de beaux‿enfants	les vieilles‿églises

— a subject or object pronoun and a verb:

nous‿avons	ils‿écoutaient	ils‿ont fini
vous‿aimez	elles‿adorent	elles‿ont mangé
je les‿aime	tu les‿écoutes	il vous‿admire

— a verb and a subject pronoun (or **y** and **en**) following it (in a question with inversion or in the imperative):

Part‿il?	Chantaient‿ils?	Prends‿en.
Attend‿elle?	Parleront‿elles?	Allez‿y.

— the adverbs **très**, **plus**, **moins** and the adjectives or verbs they modify:

très‿élégant	plus‿âgé	moins‿actif
J'ai moins‿aimé ce cours.		

— monosyllabic prepositions and the following article, noun or pronoun:

chez‿elles	sans‿eux	en‿Italie
dans‿une chambre	sous‿une table	

— the conjunction **quand** and the following pronoun:

quand‿elle arrive	quand‿il reviendra

Weblinks

Juste pour rire **www.hahaha.com/his-fr.htm**

Sur Clémence **www.fse.ulaval.ca/fac/ten/courstic/aut19565/poet/Clemence.html**

François Pérusse **www.zeromusic.com/perusse**

Les Nuls **www.sdv.fr/pages/ls/index.html**

Jokes **www.bleue.com3-3.html**

Chapitre 22

Les droits de la personne

Thèmes
- **Les droits fondamentaux**
- **Mes sentiments au sujet d'événements passés**

Lecture
Enfin, nous avons une Déclaration universelle des droits de l'animal

Grammaire
22.1 Le subjonctif passé

22.2 Le verbe *manquer*

22.3 Le verbe irrégulier *fuir*

22.4 Les verbes irréguliers en *-indre*

VOCABULAIRE UTILE

aide (f.)	help	**égalité** (f.)	equality
biens (m.pl.)	possessions, property	**espoir** (m.)	hope
		honneur (m.)	honour
citoyen, citoyenne (m. / f.)	citizen	**intégrité** (f.)	inviolability
		liberté (f.)	freedom
conscience (f.)	conscience	**libre**	free
consentement (m.)	consent	**minorité**	
démocratie (f.)	democracy	**ethnique** (f.)	ethnic minority
dignité (f.)	dignity	**obligation** (f.)	duty, obligation
discrimination (f.)	discrimination	**pénible**	hard
droit: avoir — à	to have a right to	**politique** (f.)	politics
droit: exercer	to exercise	**politique**	political
un —	a right	**respect** (m.)	respect

responsabilité (f.)	responsibility	**societé** (f.)	society
responsable	responsible	**sûreté** (f.)	personal security
réunion (f.)	assembly, meeting	**tenu(e): être**	to be bound to
secours (m.)	aid, assistance	**— de**	
secret	professional	**valeur** (f.)	value
professionnel (m.)	secrecy	**vie privée** (f.)	private life
séjour (m.)	stay		

GRAMMAiRE ET EXERCiCES ORAUX

22.1 Le subjonctif passé

The past subjunctive is formed by using the present subjunctive of **avoir** or **être** and the past participle of the verb.

aimer

j′	aie aimé	nous	ayons aimé
tu	aies aimé	vous	ayez aimé
il / elle / on	ait aimé	ils / elles	aient aimé

venir

je	sois venu(e)	nous	soyons venu(e)s
tu	sois venu(e)	vous	soyez venu(e)(s)
il / on	soit venu	ils	soient venus
elle	soit venue	elles	soient venues

s'habiller

je	me sois habillé(e)	nous	nous soyons habillé(e)s
tu	te sois habillé(e)	vous	vous soyez habillé(e)(s)
il / on	se soit habillé	ils	se soient habillés
elle	se soit habillée	elles	se soient habillées

While the present subjunctive indicates *simultaneity* or *posteriority* in relation to the action described by the verb in the main clause, the past subjunctive indicates *anteriority*. Compare the following examples:

1) the verb in the main clause is in the present tense:

Je suis heureux(euse) que tu <u>sois</u> ici. (simultaneity)

Je veux que tu <u>viennes</u> demain. (posteriority)

Je regrette que tu ne <u>sois</u> pas <u>venu(e)</u> hier. (anteriority)

2) the verb in the main clause is in a past tense:

> Il était content que nous <u>soyons</u> avec lui. (simultaneity)
>
> Il est parti avant que nous <u>arrivions</u>. (posteriority)
>
> Il a réussi à l'examen bien qu'il n'<u>ait</u> pas beaucoup <u>étudié</u>. (anteriority)

3) the verb in the main clause is in the future tense (or the **futur antérieur**):

> Nous ferons ce travail sans que vous nous <u>aidiez</u>. (simultaneity)
>
> J'aurai fini avant que vous <u>arriviez</u>. (posteriority)
>
> Il sera triste que tu ne <u>sois</u> pas <u>allé(e)</u> le voir. (anteriority)

Remember that the infinitive construction replaces the subjunctive when the subject of the subordinate clause in the subjunctive would refer to the same person or thing as the subject of the main clause. The past subjunctive is replaced by the past infinitive form:

> Il est content de <u>t'avoir vu(e)</u>.
>
> Je regrette d'<u>être venu(e)</u>.
>
> Elle est morte sans <u>avoir connu</u> son petit-fils.
>
> Vous réussirez à condition d'<u>avoir travaillé</u>.

EXERCICES · ORALEMENT

a. Répondez aux questions en exprimant l'incertitude à l'aide de *Je ne crois pas*.

> *Modèle:* Est-ce que ton grand-père a pris l'avion?
>
> *Je ne crois pas qu'il ait pris l'avion.*

1. Est-ce qu'ils ont pris un billet aller-retour?
2. Est-ce qu'il est parti sans espoir de retour?
3. Est-ce qu'elles sont rentrées de vacances la semaine dernière?
4. Est-ce que la famille a vendu tous ses biens?
5. Est-ce qu'ils ont menti aux inspecteurs des douanes?
6. Est-ce que ton cousin est devenu juge?
7. Est-ce qu'ils se sont rendu compte de leur erreur dans la déclaration?

b. Répondez en exprimant le doute, une opinion, un sentiment.

> *Modèle:* Il a déjà obtenu son visa de séjour. (je doute)
>
> *Je doute qu'il ait déjà obtenu son visa de séjour.*

1. Il a émigré en Afrique. (il est possible)
2. Ils se sont parlé au téléphone. (je ne pense pas)
3. Mon grand-père a attendu trop longtemps avant d'immigrer. (j'ai peur)
4. Tu as réfléchi aux problèmes des minorités. (je doute)
5. Vous êtes allés voir le Service d'immigration. (je suis content(e))
6. Vous n'avez pas reçu de réponse du gouvernement. (je regrette)
7. Pierre est resté six ans en Amérique du du Sud. (je suis surprise(e))

c. Subjonctif présent ou subjonctif passé? Employez le temps qui convient:

1. Il est parti avant que nous (arriver).
2. Je regrette que tu ne (pouvoir) pas venir dimanche dernier.
3. Bien qu'elle (être) malade la semaine dernière, elle a remis sa composition au professeur ce matin.
4. J'ai attendu jusqu'à ce que vous me (téléphoner).
5. Après leur séparation, il était triste que sa femme (vouloir) le quitter.
6. Je lui avais prêté de l'argent pour qu'il (pouvoir) acheter un ordinateur.

d. Exprimez la joie et la tristesse. Attention au subjonctif passé ou à l'infinitif passé.

1. Je suis heureux. Je suis venu au Canada.
2. Nous sommes contents. Vous avez obtenu votre permis de travail.
3. Il était triste. Il n'avait pas pu obtenir la citoyenneté.
4. Elle regrettait. Je n'avais pas encore reçu mon passeport.
5. Ils ont eu peur. Ils avaient fait une erreur dans leur déclaration.
6. Je ne pensais pas. J'avais fait des progrès si intéressants.

e. Transformez les phrases selon le modèle.

> *Modèle:* Tu réussiras. Tu auras fait des progrès. (à condition de)
> *Tu réussiras à condition d'avoir fait des progrès.*

1. Robert part. Il a averti ses parents. (sans)
2. J'ai pris une décision. J'avais beaucoup réfléchi. (sans)
3. Les enfants peuvent regarder la télévision. Ils ont terminé leurs devoirs. (à condition de)
4. Il arrivera bientôt. Il aura oublié notre rendez-vous. (à moins de)

22.2 Le verbe *manquer*

Manquer is a regular **-er** verb with two* distinct uses:

1) **manquer** + direct object means "to miss":

J'ai manqué le train.	I missed the train.
Tu as manqué un bon film à la télé.	You have missed a good movie on TV.
Il vient de manquer l'autobus.	He has just missed the bus.

---

* A third use of **manquer** is with an indirect object, with the meaning of "to miss (someone)," in a construction which is the reverse of the English one. For instance, "I miss you" corresponds to **"Tu me manques,"** where **me** is the indirect object. In Quebec, however, another construction is used to express the same meaning: **s'ennuyer de quelqu'un**. For instance, **"Je m'ennuie de toi"** would correspond to "I miss you."

2) **manquer de** means "to lack" "not to have enough":

> **Il manque de talent.**   He lacks talent.
> **Je manque de farine pour faire**   I do not have enough flour to make
> **un gâteau.**   a cake.

EXERCICES • ORALEMENT

a. Vous avez manqué quelque chose...

> *Modèle:* As-tu entendu ce concert?
> *Non, je l'ai manqué.*

1. A-t-il pris le train de 11 h 40?
2. As-tu eu le temps de prendre l'autobus?
3. Avez-vous vu ce film?
4. As-tu pu voir tes amis quand ils sont venus?

b. De quoi manque-t-on?

> *Modèle:* A-t-il assez d'argent?
> *Non, il manque d'argent.*

1. As-tu assez de temps pour terminer ton travail?
2. A-t-elle assez d'ambition pour devenir avocate?
3. Est-ce que les gens ont assez de nourriture dans ce pays?
4. A-t-il assez d'initiative pour prendre des décisions?
5. Avons-nous assez d'amour dans notre vie?

22.3 Le verbe irrégulier *fuir*

	Présent de l'indicatif			Participe passé	Futur
je	fuis	nous	fuyons	fui	je fuirai
tu	fuis	vous	fuyez		
il / elle / on	fuit	ils / elles	fuient		

Subjonctif présent: fuie, fuies, fuie, fuyions, fuyiez, fuient

Fuir means "to flee" and **s'enfuir de** means "to run away from."

> Pierre fuit les responsabilités.   Le criminel s'est enfui avant que la police arrive.
>
> Ces immigrants ont fui la guerre.   Trop d'adolescents s'enfuient de chez eux.

Dialogue absurde. Répondez aux questions.

Dis-moi...

1. Est-ce que tu fuis toujours tes responsabilités?
2. As-tu quelquefois envie de fuir la réalité? Quand?
3. Quel genre de personne est-ce que tu fuis?
4. T'es-tu parfois enfui(e) de chez toi quand tu étais enfant?
5. Trouves-tu que le temps fuit trop vite?
6. T'enfuirais-tu sur une île déserte avec moi?
7. Pourquoi est-ce que tu t'enfuis quand je veux te toucher?

22.4 Les verbes irréguliers en -indre

Atteindre (to reach), **craindre** (to fear), **peindre** (to paint) and **se plaindre** (to complain) are all irregular verbs conjugated on the same pattern.

Présent de l'indicatif

	craindre	**pe**indre
je	**cra**ins	**pe**ins
tu	**cra**ins	**pe**ins
il / elle / on	**cra**int	**pe**int
nous	**cra**ignons	**pei**gnons
vous	**cra**ignez	**pei**gnez
ils / elles	**cra**ignent	**pei**gnent

Participes passés: craint, peint
Futur: je craindrai, je peindrai
The present subjunctive is regular.

Exemples:

Je crains de m'être trompé. (+ **de** + infinitive)
Il craignait que nous ne l'attendions pas. (+ subjunctive)
Jean-Paul Riopelle a beaucoup peint.
Je repeindrai la maison au printemps.
On a atteint le sommet de l'Everest.
Est-ce que le gouvernement atteindra ses objectifs?
Il s'est plaint au directeur.
Elle se plaignait d'avoir mal à la tête (+ **de** + infinitive)
Il se plaint d'un mal de tête continuel. (+ **de** + noun)

EXERCICES • ORALEMENT

a. Remplacez le sujet par les mots entre parenthèses:

1. Il atteint toujours ses objectifs. (je, nous, vous, ils)
2. Elle peint surtout des paysages. (ces peintres, vous, je)
3. Tu te plains trop. (Pierre, vous, vos amis)
4. Nous craignons la guerre. (je, vous, elle, les jeunes)
5. Elle se plaignait du bruit. (je, nous, les étudiants)
6. J'atteindrai mon objectif. (vous, tu, nous)

b. Répondez aux questions.

1. Qu'est-ce que tu crains le plus pour l'humanité?
2. Craignais-tu les animaux quand tu étais enfant?
3. Qui a peint la Joconde?
4. Quel tableau aurais-tu aimé avoir peint?
5. Qu'est-ce que les enfants peignent généralement?
6. As-tu atteint tes objectifs jusqu'à maintenant? Lesquels dois-tu encore atteindre?
7. Est-ce que tu te plains souvent?
8. De quoi te plains-tu en général?

c. De quoi se plaint-il encore!

Il se **plaint** de ne pouvoir **peindre** le tableau génial qui lui permettrait d'**atteindre** son idéal sans **craindre** de perdre sa célébrité.

Faites une phrase de ce genre en utilisant les mêmes quatre verbes.

EXERCICES ÉCRITS

a. Mettez les verbes entre parenthèses au subjonctif passé:

1. Bien qu'il (faire) des progrès en mathématiques, il n'a pas réussi à l'examen.
2. Je regrette qu'elle (ne pas s'entendre) avec lui.
3. Il est possible qu'elles (revenir) en train.
4. Je doute qu'ils (téléphoner).
5. Elle regrette que nous (s'inquiéter).
6. Il était surpris qu'elle (rentrer) avant minuit.
7. Je lui téléphonerai à moins qu'elle (partir) déjà.

b. Refaites les phrases selon le modèle. Employez le temps du subjonctif qui convient (présent ou passé) dans la subordonnée.

Modèle: Je suis sûr(e) qu'il est venu. (je doute)
Je doute qu'il soit venu.

1. J'espère qu'il viendra. (il est possible)
2. Je savais que tu avais acheté une nouvelle voiture. (je ne pensais pas)
3. Nous pensons qu'elle est repartie à Montréal. (nous sommes contents)
4. Je crois qu'il est malade. (je ne crois pas)

5. Je pense qu'elle n'a pas réussi à l'examen. (j'ai peur)

6. Il est certain qu'il a du talent. (il n'est pas impossible)

7. Il a cru qu'elle était déjà partie. (il a eu peur)

c. Refaites les phrases suivantes en employant le verbe *manquer (de)*:

1. Il n'a pas assez d'argent pour poursuivre ses études.

2. Je n'ai pas pu voir ce film parce que j'étais trop occupé(e).

3. Je devais prendre le train, mais quand je suis arrivé(e) à la gare, il était déjà parti.

4. Je n'aime pas le camping parce qu'on n'a pas assez de confort.

d. Mettez les verbes *fuir* et *s'enfuir* au temps et au mode qui conviennent:

1. Il (fuir) toujours les responsabilités.

2. Quand elle était enfant, elle (s'enfuir) souvent de chez elle.

3. S'il y avait une guerre ici, il (s'enfuir) pour aller dans un autre pays.

4. Je suis désolé(e) que ton chien (s'enfuir) hier et ne soit pas revenu.

5. Ne (fuir) pas les efforts que vous devez faire pour réussir.

6. Nous sommes venus vivre à la campagne il y a cinq ans: nous (fuir) la ville et la pollution.

e. Mettez les verbes entre parenthèses au temps et au mode qui conviennent:

1. Tout le monde (craindre) d'aller chez le dentiste.

2. Quand il est devenu architecte, il (atteindre) son objectif.

3. Si le professeur me donne une mauvaise note, je (se plaindre).

4. Si tu (peindre) ta chambre en blanc, elle serait plus jolie.

5. Il est possible que vous (craindre) des choses qui n'existent pas.

6. Chaque fois que vous avez un peu de travail, vous (se plaindre)!

7. Si j'avais du talent, je (peindre).

8. Si elle (se plaindre) d'un mal de tête, tu lui donneras une aspirine.

Lecture Lecture Lecture

ENFiN... nous avons une Déclaration universelle des droits de l'animal

Il y a cinquante ans, l'homme créait la Charte des droits de l'homme dans laquelle il reconnaissait sa responsabilité face à la cause de son semblable qu'est l'animal. Pour mettre un terme à l'exploitation de l'animal qui existait depuis des siècles, on a remis, le 15 octobre 1978, au Secrétaire général de l'UNESCO, une déclaration universelle des droits de l'animal, dont voici les principaux articles.

Article premier

Tous les animaux naissent égaux devant la vie et ont les mêmes droits à l'existence.

Article deux

L'homme, en tant qu'espèce animale, ne peut s'attribuer le droit d'exterminer les autres animaux, ou de les exploiter en violant ce droit. Il a le devoir de mettre ses connaissances au service des animaux.

Article trois

Nul animal ne sera soumis à des mauvais traitements ni à des actes cruels. Si la mise à mort d'un animal est nécessaire, elle doit être instantanée, indolore et non génératrice d'angoisse.

Article quatre

Tout animal appartenant à une espèce sauvage a le droit de vivre libre dans son environnement et a le droit de se reproduire.

Article cinq

Tout animal appartenant à une espèce vivant traditionnellement dans l'environnement de l'homme a le droit de vivre et de croître au rythme et dans les conditions de vie et de liberté qui sont propres à son espèce.

Article six

Tout animal que l'homme a choisi pour compagnon a droit à une durée de vie conforme à sa longévité naturelle. L'abandon d'un animal est un acte cruel et dégradant.

Article sept

Tout animal ouvrier a droit à une limitation de la durée du travail, à une alimentation réparatrice et au repos.

Article huit

L'expérimentation animale impliquant une souffrance physique ou psychologique est incompatible avec les droits de l'animal.

Article neuf

Quand l'animal est élevé pour l'alimentation, il doit être nourri, logé et mis à mort sans qu'il en résulte pour lui ni anxiété, ni douleur.

Article dix

Nul animal ne doit être exploité pour le divertissement de l'homme.

Article onze

Tout acte impliquant la mise à mort d'un animal sans nécessité est un biocide, c'est-à-dire un crime contre la vie.

Article douze

Tout acte impliquant la mise à mort d'un grand nombre d'animaux sauvages est un génocide, c'est-à-dire une crime contre l'espèce. La pollution et la destruction de l'environnement naturel conduisent au génocide.

Article treize

L'animal mort doit être traité avec respect, et les scènes de violence dont les animaux sont victimes doivent être interdites.

Article quatorze

Les droits de l'animal doivent être défendus par la loi comme les droits de l'homme.

agir (s')	to be a matter of...	**mettre à mort**	to kill
angoisse (f.)	distress	**naître**	to be born
atteinte (f.)	attack	**niveau** (m.)	level
attribuer (s')	to claim	**nourrir**	to feed
conforme	in accordance with	**nul**	not one
connaissance (f.)	knowledge	**ouvrier,**	worker
croître	to grow	**ouvrière** (m. / f.)	
dégradant(e)	degrading	**propre**	own
divertissement		**réparateur,**	restorative,
(m.)	entertainment	**réparatrice**	nourishing
douleur (f.)	pain	**repos** (m.)	rest
droit (m.)	right	**sauvegarde** (f.)	safeguard
durée (f.)	duration	**sauvage**	wild
égal(e)	equal	**soin** (m.)	care
espèce (f.)	species	**souffrance** (f.)	suffering
loger	to live	**vivre**	to live
longévité (f.)	longevity	**violer**	to violate

Donnez un aperçu de ce que la Déclaration universelle des droits de l'animal proclame en ce qui a trait...

1. aux droits au respect de l'animal.
2. aux droits de l'animal sauvage.
3. aux animaux vivant dans l'environnement de l'homme.
4. aux animaux comme compagnons.
5. aux animaux ouvriers.
6. à l'expérimentation médicale.
7. à l'animal élevé pour l'alimentation.
8. à l'animal comme divertissement.
9. à l'animal et la loi.

SITUATIONS / CONVERSATIONS

1. Parmi les libertés fondamentales, y en a-t-il qui vous semblent plus importantes que d'autres?

2. Imaginez des situations dans lesquelles vous sentiriez des menaces peser sur 1) votre vie privée; 2) votre réputation; 3) votre liberté d'expression.

3. À part une charte ou une constitution, qu'est-ce qu'il faut pour garantir le respect des droits et libertés de la personne et celui des animaux?

4. Existe-t-il dans notre société des catégories de personnes dont les droits et libertés sont menacés?

5. Quel est le plus beau cadeau que vous ayez reçu de votre vie? Quel âge aviez-vous? Qui vous l'a offert? En quelle occasion?

6. Quand vous étiez enfant, quelles sont les choses que vous craigniez le plus?

7. Racontez l'expérience la plus amusante (ou la plus embarrassante) que vous ayez vécue.

8. Vos grands-parents ou vos parents viennent peut-être d'un pays étranger. Racontez leur arrivée dans notre pays. Quand, comment et pourquoi sont-ils venus?

COMPOSITIONS

1. Vous sentez-vous libre en toutes occasions? Que signifie la liberté pour vous?

2. Faut-il priver d'aide économique les pays où les droits de la personne ne sont pas respectés?

PRONONCIATION

(This exercise is at the end of Chapitre 22 on the tape.)

Les groupes figés

I. When two unstable **e**'s (/ ə /) follow each other at the beginning of a rhythmic group, it is sometimes possible to pronounce either the first or the second one:

je le̸ fais	or	je̸ le fais
ne me̸ parle pas	or	ne̸ me parle pas
je re̸pars	or	je̸ repars

II. Fixed groups (**groupes figés**) are those which are always pronounced in the same way.

1) <u>je ne̸</u>

Je ne̸ parle pas.	Je ne̸ l'ai pas fait.
Je ne̸ chante pas.	Je ne̸ l'ai pas pris.
Je ne̸ sais pas.	Je ne̸ l'ai pas cassé.
Je ne̸ peux pas.	Je ne̸ l'ai pas fini.
Je ne̸ veux pas.	Je ne̸ l'ai pas rendu.

2) <u>de n∉</u>

Il m'a dit de n∉ pas boire.   J'ai décidé de n∉ pas rentrer.
Il m'a dit de n∉ pas parler.   Il a choisi de n∉ pas venir.
Il m'a dit de n∉ pas partir.   Elle m'accuse de n∉ pas travailler.
Il me demande de n∉ pas manger.   Je suis sûr(e) de n∉ pas réussir.
Elle essaie de n∉ plus fumer.   Je m'excuse de n∉ pas comprendre.

3) <u>j∉ te</u>

J∉ te vois.   J∉ te ramènerai.
J∉ te comprends.   J∉ te téléphonerai.
J∉ te regarde.   J∉ te conduirai.
J∉ te parle.   J∉ te répondrai.
J∉ te crois.   J∉ te punirai.

4) <u>c∉ que</u>

Dis-moi c∉ que tu fais.   Fais c∉ que tu veux.
Dis-moi c∉ que tu veux.   Prends c∉ que tu peux.
Il fait c∉ que nous voulons.   Répète c∉ que tu dis.
Je comprends c∉ que tu dis.   Dis c∉ que tu penses.
Elle demande c∉ que vous faites.   Regarde c∉ que tu fais.

Weblinks

Comission canadienne des droits de la personne **www.chrc.ca/ccdp.htm**
Amnistie Internationale **amnistie.qc.ca/**
Déclaration **www.un.org/french/aboutun/dudh.htm**
Animaux sans frontières **ourworld.compuserv.com/homepages/asf1**
Cousteau **www.cousteau.org/FR/ecotechnie.html**

La conjugaison des verbes

A. Les verbes réguliers des trois groupes

	Verbes en -er	Verbes en -ir	Verbes en -re
INFINITIF	parler	finir	attendre
PARTICIPES			
Passé	parlé	fini	attendu
Présent	parlant	finissant	attendant
INDICATIF			
Présent	parle	finis	attends
	parles	finis	attends
	parle	finit	attend
	parlons	finissons	attendons
	parlez	finissez	attendez
	parlent	finissent	attendent
Imparfait	parlais	finissais	attendais
	parlais	finissais	attendais
	parlait	finissait	attendait
	parlions	finissions	attendions
	parliez	finissiez	attendiez
	parlaient	finissaient	attendaient
Futur	parlerai	finirai	attendrai
	parleras	finiras	attendras
	parlera	finira	attendra
	parlerons	finirons	attendrons
	parlerez	finirez	attendrez
	parleront	finiront	attendront
Passé composé	ai parlé	ai fini	ai attendu
Plus-que-parfait	avais parlé	avais fini	avais attendu
Futur antérieur	aurai parlé	aurai fini	aurai attendu
IMPÉRATIF	parle	finis	attends
	parlons	finissons	attendons
	parlez	finissez	attendez
CONDITIONNEL			
Présent	parlerais	finirais	attendrais
	parlerais	finirais	attendrais
	parlerait	finirait	attendrait
	parlerions	finirions	attendrions
	parleriez	finiriez	attendriez
	parleraient	finiraient	attendraient
Passé	aurais parlé	aurais fini	aurais attendu

SUBJONCTIF			
Présent	parle	finisse	attende
	parles	finisses	attendes
	parle	finisse	attende
	parlions	finissions	attendions
	parliez	finissiez	attendiez
	parlent	finissent	attendent
Passé	aie parlé	aie fini	aie attendu

B. Verbes dont l'orthographe varie

1) Les verbes comme **acheter** (**amener**, **emmener**, **lever**, **mener**, **promener**): le **e** qui précède la consonne devient **è** quand la consonne est suivie d'un **e muet**.

PARTICIPES
Présent/Passé   achetant/acheté

INDICATIF
Présent   achète, achètes, achète,
                       achetons, achetez, achètent

Imparfait   achetais, etc.

Futur   achèterai, etc.

CONDITIONNEL
Présent   achèterais, etc.

SUBJONCTIF
Présent   achète, achètes, achète,
                       achetions, achetiez, achètent

2) Les verbes comme **espérer** (**inquiéter**, **précéder**, **préférer**, **répéter**): le **é** qui précède la consonne devient **è** quand la consonne est suivie d'un **e caduc**, sauf au future et au conditionnel présent.

PARTICIPES
Présent/Passé   espérant/espéré

INDICATIF
Présent   espère, espères, espère,
                       espérons, espérez, espèrent

Imparfait   espérais, etc.

Futur   espérerai, espéreras, espérera,
                       espérerons, espérerez, espéreront

CONDITIONNEL
Présent   espérerais, espérerais, espérerait,
                       espérerions, espéreriez, espéreraient

SUBJONCTIF
Présent   espère, espères, espère,
                       espérions, espériez, espèrent

3) Les verbes comme **appeler** (**jeter**, **rappeler**, **rejeter**): la consonne finale est redoublée devant un **e muet**.

PARTICIPES	
Présent/Passé	appelant/appelé
INDICATIF	
Présent	appelle, appelles, appelle
	appelons, appelez, appellent
Imparfait	appelais, etc.
Futur	appellerai, etc.
CONDITIONNEL	
Présent	appellerais, etc.
SUBJONCTIF	
Présent	appelle, appelles, appelle,
	appelions, appeliez, appellent

4) Les verbes comme **payer** (**ennuyer**, **essayer**): le **y** devient **i** devant un **e muet**.

PARTICIPES	
Présent/Passé	payant/payé
INDICATIF	
Présent	paie, paies, paie,
	payons, payez, paient
Imparfait	payais, etc.
Futur	paierai, etc.
CONDITIONNEL	
Présent	paierais, etc.
SUBJONCTIF	
Présent	paie, paies, paie,
	payions, payiez, paient

5) Les verbes comme **manger** (**changer**, **corriger**, **diriger**, **nager**): le **g** est suivi d'un **e** devant une voyelle différente de **e** ou **i**.

PARTICIPES	
Présent/Passé	mangeant/mangé
INDICATIF	
Présent	mange, manges, mange,
	mangeons, mangez, mangent
Imparfait	mangeais, mangeais, mangeait,
	mangions, mangiez, mangeaient
Futur	mangerai, etc.
CONDITIONNEL	
Présent	mangerais, etc.
SUBJONCTIF	
Présent	mange, manges, mange,
	mangions, mangiez, mangent

6) Les verbes comme **commencer** (**agacer**): le **c** prend une cédille (ç) devant une voyelle différente de **e** ou **i**.

PARTICIPES	
Présent/Passé	commençant/commencé
INDICATIF	
Présent	commence, commences, commence, commençons, commencez, commencent
Imparfait	commençais, commençais, commençait, commencions, commenciez, commençaient
Futur	commencerai, etc.
CONDITIONNEL	
Présent	commencerais, etc.
SUBJONCTIF	
Présent	commence, commences, commence, commencions, commenciez, commencent

C. Les verbes auxiliaires avoir et être

INFINITIF	avoir		être	
PARTICIPES				
Passé	eu		été	
Présent	ayant		étant	
INDICATIF				
Présent	ai	avons	suis	sommes
	as	avez	es	êtes
	a	ont	est	sont
Imparfait	avais	avions	étais	étions
	avais	aviez	étais	étiez
	avait	avaient	était	étaient
Futur	aurai	aurons	serai	serons
	auras	aurez	seras	serez
	aura	auront	sera	seront
Passé composé	ai eu	avons eu	ai été	avons été
	as eu	avez eu	as été	avez été
	a eu	ont eu	a été	ont été
Plus-que-parfait	avais eu		avais été	
Futur antérieur	aurai eu		aurai été	
IMPÉRATIF	aie		sois	
	ayons		soyons	
	ayez		soyez	

CONDITIONNEL

Présent	aurais	aurions	serais serions
	aurais	auriez	serais seriez
	aurait	auraient	serait seraient

Passé	aurais eu		aurais été

SUBJONCTIF

Présent	aie	ayons	sois soyons
	aies	ayez	sois soyez
	ait	aient	soit soient

Passé	aie eu		aie été

D. Verbes irréguliers

Chacun des verbes suivants se conjugue de la même façon que le verbe entre parenthèses qui le suit.

abattre	(battre)	offrir	(ouvrir)
admettre	(mettre)	peindre	(craindre)
apercevoir	(recevoir)	plaindre	(craindre)
apprendre	(prendre)	produire	(conduire)
atteindre	(craindre)	promettre	(mettre)
combattre	(battre)	recouvrir	(ouvrir)
comprendre	(prendre)	retenir	(tenir)
construire	(conduire)	sentir	(partir)
couvrir	(ouvrir)	servir	(partir)
décevoir	(recevoir)	soumettre	(mettre)
découvrir	(ouvrir)	sourire	(rire)
détruire	(conduire)	sortir	(partir)
dormir	(partir)	souffrir	(ouvrir)
s'enfuir	(fuir)	survivre	(vivre)
mentir	(partir)		

INFINITIF / PARTICIPES	INDICATIF présent	INDICATIF imparfait	INDICATIF futur	IMPÉRATIF	SUBJONCTIF présent
aller, allant, allé	vais, vas, va / allons, allez, vont	allais	irai	va, allons, allez	aille, ailles, aille / allions, alliez, aillent
asseoir, asseyant, assis	assieds, assieds, assied / asseyons, asseyez, asseyent	asseyais	assiérai	assieds, asseyons, asseyez	asseye, asseyes, asseye / asseyions, asseyiez, asseyent
battre, battant, battu	bats, bats, bat / battons, battez, battent	battais	battrai	bats, battons, battez	batte, battes, batte / battions, battiez, battent
boire, buvant, bu	bois, bois, boit / buvons, buvez, boivent	buvais	boirai	bois, buvons, buvez	boive, boives, boive / buvions, buviez, boivent
conduire, conduisant, conduit	conduis, conduis, conduit / conduisons, conduisez, conduisent	conduisais	conduirai	conduis, conduisons, conduisez	conduise, conduises, conduise / conduisions, conduisiez, conduisent
connaître, connaissant, connu	connais, connais, connaît / connaissons, connaissez, connaissent	connaissais	connaîtrai	connais, connaissons, connaissez	connaisse, connaisses, connaisse / connaissions, connaissiez, connaissent
craindre, craignant, craint	crains, crains, craint / craignons, craignez, craignent	craignais	craindrai	crains, craignons, craignez	craigne, craignes, craigne / craignions, craigniez, craignent
croire, croyant, cru	crois, crois, croit / croyons, croyez, croient	croyais	croirai	crois, croyons, croyez	croie, croies, croie / croyions, croyiez, croient
devoir, devant, dû	dois, dois, doit / devons, devez, doivent	devais	devrai	—, —, —	doive, doives, doive / devions, deviez, doivent

Infinitif / Participes	Présent	Imparfait	Futur	Impératif	Subjonctif présent
dire disant dit	dis dis dit disons dites disent	disais	dirai	dis disons dites	dise dises dise disions disiez disent
écrire écrivant écrit	écris écris écrit écrivons écrivez écrivent	écrivais	écrirai	écris écrivons écrivez	écrive écrives écrive écrivions écriviez écrivent
faire faisant fait	fais fais fait faisons faites font	faisais	ferai	fais faisons faites	fasse fasses fasse fassions fassiez fassent
falloir fallu	il faut	il fallait	il faudra	—	il faille
lire lisant lu	lis lis lit lisons lisez lisent	lisais	lirai	lis lisons lisez	lise lises lise lisions lisiez lisent
mettre mettant mis	mets mets met mettons mettez mettent	mettais	mettrai	mets mettons mettez	mette mettes mette mettions mettiez mettent
ouvrir ouvrant ouvert	ouvre ouvres ouvre ouvrons ouvrez ouvrent	ouvrais	ouvrirai	ouvre ouvrons ouvrez	ouvre ouvres ouvre ouvrions ouvriez ouvrent
partir partant parti	pars pars part partons partez partent	partais	partirai	pars partons partez	parte partes parte partions partiez partent
pleuvoir pleuvant plu	il pleut	il pleuvait	il pleuvra	—	il pleuve
pouvoir pouvant pu	peux, puis peux peut pouvons pouvez peuvent	pouvais	pourrai	— — —	puisse puisses puisse puissions puissiez puissent
prendre prenant pris	prends prends prend prenons prenez prennent	prenais	prendrai	prends prenons prenez	prenne prennes prenne prenions preniez prennent

	Présent	Présent	Imparfait	Futur	Impératif	Subjonctif	Subjonctif
recevoir	reçois	recevons	recevais	recevrai	reçois	reçoive	recevions
recevant	reçois	recevez			recevons	reçoives	receviez
reçu	reçoit	reçoivent			recevez	reçoive	reçoivent
rire	ris	rions	riais	rirai	ris	rie	riions
riant	ris	riez			rions	ries	riiez
ri	rit	rient			riez	rie	rient
savoir	sais	savons	savais	saurai	sache	sache	sachions
sachant	sais	savez			sachons	saches	sachiez
su	sait	savent			sachez	sache	sachent
suivre	suis	suivons	suivais	suivrai	suis	suive	suivions
suivant	suis	suivez			suivons	suives	suiviez
suivi	suit	suivent			suivez	suive	suivent
tenir	tiens	tenons	tenais	tiendrai	tiens	tienne	tenions
tenant	tiens	tenez			tenons	tiennes	teniez
tenu	tient	tiennent			tenez	tienne	tiennent
valoir	vaux	valons	valais	vaudrai	vaux	vaille	valions
valant	vaux	valez			valons	vailles	valiez
valu	vaut	valent			valez	vaille	vaillent
venir	viens	venons	venais	viendrai	viens	vienne	venions
venant	viens	venez			venons	viennes	veniez
venu	vient	viennent			venez	vienne	viennent
vivre	vis	vivons	vivais	vivrai	vis	vive	vivions
vivant	vis	vivez			vivons	vives	viviez
vécu	vit	vivent			vivez	vive	vivent
voir	vois	voyons	voyais	verrai	vois	voie	voyions
voyant	vois	voyez			voyons	voies	voyiez
vu	voit	voient			voyez	voie	voient
vouloir	veux	voulons	voulais	voudrai	veuille	veuille	voulions
voulant	veux	voulez			veuillons	veuilles	vouliez
voulu	veut	veulent			veuillez	veuille	veuillent

Vocabulaire - Français/Anglais

A

à at, in, to
abandonner to abandon; to give up
abattre to knock down; to fell
abîmé(e) damaged
abondant(e) abundant
abonder to be plentiful
abord: d'— firstly
aborder to tackle
aboutir à to lead to
abricot (m.) apricot
absent(e) absent
absolument absolutely
absurde absurd
abus (m.) abuse
abuser to abuse
à cause de because of
accéder à to reach
accélérer to accelerate
accentuer to accentuate
accès (m.) access
accessoires (m.pl.) accessories
accidenté(e) injured (person);
    uneven, bumpy (terrain)
accommoder to accommodate
accompagner to accompany
accomplir to accomplish
accord (m.) agreement; chord;
    d'— agreed/O.K.;
    être d'— to agree
accorder to grant; to attach;
    s'— avec to fit in with
accoucher to give birth
accourir to come running
à côté de besides, as well as
accueillant(e) friendly
accueillir to meet, to welcome
accumuler to accumulate
achat (m.) purchase
acheter to buy; **— à crédit** to buy
    on credit
achever to end, to finish
accroître to increase;
    s'— to grow
acquérir to acquire
acteur, trice (m./f.) actor
actuel(le) present
actuellement at present, now
adepte (m./f.) follower, enthusiast
adieu (m.) farewell
admettre to admit
administration (f.) management
adonner: s'— aux sports to do sports
adoptif, ive adoptive
adresser: s'— à to address (someone)
à droite de to the right of
adroit(e) skillful
adversaire (m./f.) opponent
aéroport (m.) airport
affaire (f.) deal;
    —s business; belongings
affamé(e) hungry

affectueux, euse affectionate
affiche (f.) poster
afficher to exhibit; to display
affirmer: s'— to assert oneself
affreux, euse awful
afin que so that
agacer to annoy, to irritate
âge (m.) age;
    quel — avez-vous? how old are
    you?
âgé(e) old, aged
à gauche de to the left of
agence (f.) agency
agent (m.) agent; police officer;
    — immobilier realtor
aggraver: s'— to worsen
agir to act; **s'— de** to be about
agiter to perturb
agneau (m.) lamb
agrandir to enlarge
agréable pleasant
agresser to attack
agressif, ive aggressive
agriculteur (m.) farmer
aide (f.) help
aider to help
aiguille (f.) hand (clock); needle
ail (m.) garlic
aile (f.) wing
ailleurs elsewhere
aimable amiable, friendly
aimer to like; to love; **— mieux** to
    prefer
aîné(e) eldest (child)
ainsi thus; so; in this way
air (m.) air; appearance;
    en plein — outdoors
ailleurs elsewhere
aise: à l'— comfortable (person); **mal
    à l'—** ill at ease
ajouter to add
alarmer to alarm
alcool (m.) alcohol
aliment (m.) food
alimentation (f.) food; diet
Allemagne (f.) Germany
allemand(e) German
aller to go; **s'en —** to leave
aller (m.) one-way ticket;
    — -retour round-trip ticket
allonger to lengthen, to stretch;
    s'— to lie down
allumer to light
allure (f.) look;
    à vive — at full speed
alors so, then;
    — que whereas
alpinisme (m.) mountaineering
alto (m.) viola
amabilité (f.) kindness
ambiance (f.) atmosphere
ambitieux, euse ambitious

amélioration (f.) improvement
améliorer to improve
aménagement (m.) development
amende (f.) fine
amener to bring (a person)
amer, ère bitter
américain(e) American
Amérique (f.) America
ami(e) (m./f.) friend
amical(e) friendly
amitié (f.) friendship
amour (m.) love
amoureux, euse in love;
    être — (de) to be in love (with)
    tomber — de to fall in love with
amusant(e) amusing, funny
amuser to amuse;
    s'— to have a good time
an (m.) year
analogue similar
ananas (m.) pineapple
ancêtre (m./f.) ancestor
ancien, ienne ancient, old
anémie (f.) anemia
anglais(e) English
Angleterre (f.) England
angoisse (f.) anguish, anxiety
animateur, trice (m./f.) activity lead-
    er
année (f.) year; grade
anniversaire (m.) anniversary, birth-
    day
annonce (f.) announcement,
    advertisement (ad)
annoncer to announce, to herald
annuellement annually
anse (f.) cove
antérieur(e) anterior
antipathique disagreeable
août August
apathique apathetic
apercevoir to catch a glimpse of;
    s'— to realize
apparaître to appear
appareil (m.) appliance; plane; device;
    — spatial spacecraft
appartement (m.) apartment
appartenir (à) to belong (to)
appeler to call; **s'—** to be called
appétit (m.) appetite
applaudir to applaud
appliquer to apply;
    s'— à to apply oneself to
apport (m.) contribution
apporter to bring (something)
apprécier to appreciate
apprendre to learn
apprentissage (m.) apprenticeship,
    learning process
approcher to come near;
    s'— de to get near, to go up to
approprié(e) appropriate

approuver to approve

approximativement approximately

âprement fiercely

après after;

  — que after

après-midi (m.) afternoon

aptitude (f.) skill

aquarelle (f.) watercolour

arbitre (m.) referee

arbre (m.) tree

ardeur (f.) ardour, zeal, eagerness

argent (m.) money

armoire (f.) cupboard, cabinet

arracher to tear out, to pull off

arranger to arrange

arrêt (m.) stop;

  sans — without stopping

arrêter to stop; to arrest; **s'—** to stop

arrière (m.) back part;

  en — backward

arrivée (f.) arrival

arrondi(e) rounded

arroser to sprinkle

artisan, ane (m./f.) craftsperson

artisanat (m.) crafts

ascenseur (m.) elevator

asphyxier to asphyxiate

assister to attend

assurance (f.) assurance; insurance

assurer to assure; to insure

  s'— to secure

atelier (m.) workshop

athée (m./f.) atheist; atheistic

atout (m.) asset

attacher to attach

attaquer to attack

atteindre to reach

attendant: en — in the meantime

attendre to wait for; **s'— à** to expect

attente (f.) waiting

Attention! Watch out!

atténuer to attenuate, to lessen

atterrir to land

atterrissage (m.) landing

attirer to attract

attrait (m.) appeal, attraction

attraper to catch

attribuer to award, to grant

attrister to sadden

aubaine (f.) bargain

aucun(e) none, not any

audace (f.) daring, boldness

au-dessous de below

au-dessus de above

au fait by the way

augmentation (f.) increase

augmenter to increase

aujourd'hui today

au moins at least

auparavant before

auprès de near

Au revoir Goodbye

aussi also

aussitôt right away; **— que** as soon as

autant (de)... que as much/many as;

  d'— plus que all the more, especially as

auteur(e) (m. / f.) author

authentique genuine

autobus (m.) bus

autochtone (m./f.) native person

automatisé(e) computerized

automne (m.) autumn, fall

autorisation (f.) authorization

autoriser to authorize

autour de around

autre other; **— chose** something else

autrefois in the past, formerly

autrement otherwise

autrui another, others

auxiliaire auxiliary

avaler to swallow

avance (f.) advance;

  être en — to be early

avancer to be fast; to move along

avant (que, de) before

avant-midi (m.) morning

avec with

avenir (m.) future

avertir to inform; to warn

aveugle blind

avion (m.) airplane; **— à réaction** jet

avis (m.) opinion, advice;

  à mon — in my opinion

avocat(e) (m./f.) lawyer

avoir to have;

  — des nouvelles de to hear from;

  — du mal à to have a hard time;

  — envie de to feel like;

  — honte de to be ashamed of;

  — l'intention de to intend to;

  — l'air to seem, look;

  — lieu to take place;

  — mal (à) to ache, hurt;

  — peur de to be afraid of;

  — raison (de) to be right;

  — tort (de) to be wrong;

  en — assez to have had enough

avouer to confess

avril April

B

baccalauréat (m.) Bachelor's degree

bagages (m.pl.) luggage

bague (f.) ring

baie (f.) bay; berry

baigner: se — to take a bath, to go swimming

bâiller to yawn

bain (m.) bath

baiser (m.) kiss

baisse (f.) drop, decline

baisser to lower

balade (f.) stroll, walk

balai (m.) broom

balayer to sweep

balle (f.) ball

ballon (m.) ball, balloon

banal(e) trite

banc (m.) bench

bande (f.) group, band;

  — magnétique tape

banlieue (f.) suburb

banque (f.) bank

banquier (m.) banker

barbe (f.) beard

barbu (m.) bearded man

barrage (m.) dam

bas, basse low; **en —** downstairs;

  tout — in a low voice

base (f.) base, basis

bataille (f.) battle

bateau (m.) boat;

  — à voile sailboat;

  — de pêche fishing boat

bâtiment (m.) building

bâtir to build

bâton (m.) stick

batterie (f.) drums

battre to beat; **se —** to fight

bavarder to chat

beau, belle beautiful

beaucoup much, many, a lot

beau-frère (m.) brother-in-law, stepbrother

beau-père (m.) father-in-law; stepfather

beauté (f.) beauty

bébé (m.) baby

belge Belgian

Belgique (f.) Belgium

béguin: avoir le béguin pour to have a crush on

belle-mère (f.) mother-in-law; stepmother

belle-sœur (f.) sister-in-law; stepsister

bénéfice (m.) profit

bénéficier de to benefit from

bénédiction (f.) blessing

bénir to bless

berceau (m.) cradle; birthplace

berge (f.) river bank

besoin (m.) need; **avoir — de** to need

bête stupid; (f.) animal

beurre (m.) butter

beurrer to butter

bibliothécaire (m./f.) librarian

bibliothèque (f.) library

bicyclette (f.) bicycle

bien quite, well; (m.) goods, possessions;

  — de(s) many;

  — que although;

  — sûr of course;

  très — very well

bien-être (m.) well-being

bientôt soon; **À —** See you soon

bière (f.) beer

bijou (pl.**-oux**) (m.) jewel

billet (m.) ticket

biscuit (m.) cookie
bison (m.) buffalo
bizarre strange
blague (f.) joke
blanc, blanche white
— **d'œuf** (m.) egg white
blanchir to turn white; to make sth.
white
blé (m.) wheat
blessé(e) injured
blesser: se — to hurt oneself
bleu(e) blue; (m.) bruise
bleuir to become blue
bleuet (m.) blueberry
blondir to turn blond
bloquer to block (up)
bobo (m.) sore, hurt (childish)
bœuf (m.) beef
boire to drink
bois (m.) wood
boîte (f.) box; **— de conserves** can
bon, bonne good
bon enfant good-natured
bon marché inexpensive
bonbon (m.) candy
bonheur (m.) happiness
bonhomme de neige (m.) snowman
Bonjour Hello; Good morning; Good
day
Bonsoir Good evening
bord (m.) edge; **à —** aboard;
au — de on the edge of
bosquet (m.) grove
botte (f.) boot
bouche (f.) mouth
bouchée (f.) mouthful
boucher (m.) butcher
boucle d'oreille (f.) earring
boue (f.) mud
bouger to move
bougie (f.) candle
bouillir to boil
boule (f.) ball
bouleversement (m.) disruption,
upheaval
bouleverser to disrupt, to upset
bouquin (m.) book
bourse (f.) scholarship
bout (m.) tip; end; **au — de** at the
end of
bouteille (f.) bottle
boutique (f.) boutique
bouton (m.) button
branche (f.) branch
bras (m.) arm
brillamment brilliantly
brillant(e) brilliant, bright
briser to break, to smash
brochure (f.) booklet, pamphlet
bronchite (f.) bronchitis
brosse (f.) brush
brosser: se — to brush
brouillard (m.) fog
bru (f.) daughter-in-law
bruit (m.) noise

brûler un feu rouge to go through a
red light
brûnante (f.) dusk
brun, brune brown; dark(-haired)
brunir to turn brown
brusquement abruptly
brutal(e) rough
bruyamment noisily
bûche (f.) log
bureau (m.) desk; office
but (m.) goal, objective, purpose

C

ça that;
c'est comme — that's how it is;
c'est pour — that's why
cabine (f.) cabin
cacher to hide
cachet (m.) fee
cadeau (m.) gift
cadre (m.) frame; setting
cafard: avoir le — to feel blue, low
café (m.) coffee
cahier (m.) notebook
caillou (m.) pebble
cajoler to cuddle
calculatrice (f.) calculator
calendrier (m.) calendar
calme calm; (m.) calm, quiet
calmer to quiet down
camarade (m./f.) companion, friend
camion (m.) truck
campagne (f.) country
canard (m.) duck
candidature (f.) candidacy;
application
canot (m.) canoe
canotage (m.) boating;
faire du — to go canoeing
cantique (m.) hymn
canton (m.) township
caprice (m.) whim
capter to pick up, to intercept, to
captivate
captivant(e) captivating
car for, because
caractère (m.) characteristic; nature;
avoir bon / mauvais — to have a
good/bad disposition
cardiaque cardiac
carnet (m.) notebook
carré(e) square
carrefour (m.) intersection
carrière (f.) career
carte (f.) card; map
cas (m.) case; **en — de** in case of;
dans ce — là in that case
casque (m.) helmet
casquette (f.) cap
casse-croûte (m.) snack, snack bar
casser to break
cavalier, ière (m./f.) rider
ce, cet, cette, ces this, that, these,
those
ceinture (f.) belt
célèbre famous

célébrer to celebrate
célébrité (f.) fame, celebrity
célibataire single
cent one hundred
centaine (f.) about a hundred
centre (m.) centre;
— **commercial** shopping centre;
— **hospitalier** hospital complex;
— **-ville** downtown
cependant however, nevertheless
cerner to surround
cerise (f.) cherry
certain(e) certain; (pl.) some
certainement certainly
certitude (f.) certainty
cesser to cease
chacun(e) each one
chaîne de montage (f.) assembly line
chair (f.) flesh
chaise (f.) chair
chaleureux, euse warm, cordial
chambre (f.) bedroom
charmant(e) charming
champ (m.) field
champignon (m.) mushroom
championnat (m.) championship
chance (f.) luck, opportunity
chandail (m.) sweater
changement (m.) change
chanson (f.) song
chant (m.) song
chanter to sing
chanteur, euse (m./f.) singer
chapeau (m.) hat
chapitre (m.) chapter
chaque each
chasser to hunt; to chase
chat, chatte (m./f.) cat
château (m.) castle
chaud(e) warm, hot
chaudement warmly
chauffage (m.) heating
chauffeur (m.) driver
chausser to put on (footwear)
chaussette (f.) sock
chaussure (f.) shoe
chauve bald
chef-d'œuvre (m.) masterpiece
chemin (m.) path; **— de fer** railway
cheminée (f.) chimney
cheminer to walk along
chemise (f.) shirt
chèque (m.) check
cher, chère dear; expensive
chercher to look for
chercheur, euse (m./f.) researcher
cheval (pl. **-aux**) (m.) horse
chevalet (m.) easel
cheveu (pl. **-eux**) (m.) hair
cheville (f.) ankle
chez at, to (home, office of)
chien, chienne (m./f.) dog, bitch
chiffre (m.) figure, number
chimie (f.) chemistry
Chine (f.) China
chinois, oise Chinese

chirurgien (m.) surgeon
choisir to choose
choix (m.) choice
chômage (m.) unemployment
chômeur, euse (m./f.) unemployed person
chose (f.) thing
chou (m.) cabbage
chute (f.) fall
cible (f.) target
ciel (m.) sky
cime (f.) peak
cimetière (m.) cemetery
cinéma (m.) movie theater
cinéphile (m./f.) film enthusiast, movie buff
circulation (f.) traffic
citer to quote
citoyen, enne (m./f.) citizen
clairière (f.) clearing
classe (f.) class; classroom
clavecin (m.) harpsichord
clavier (m.) keyboard
clé (f.) key
clément(e) mild
cloche (f.) bell
cœur (m.) heart; **avoir mal au —** to be nauseated; **de bon —** heartily; **par —** by heart
coffre (m.) chest
cohabitation (f.) living together
coiffeur, euse (m./f.) hairdresser
coiffure (f.) hairdo
coin (m.) corner
colère (f.) anger
collègue (m./f.) colleague
colline (f.) hill
combat (m.) fight
combattre to fight
combien how much (many)
combler to fill
combustible (m.) fuel
comédien, ienne (m./f.) actor
comique comical, funny
comité (m.) committee
commande (f.) order (of goods)
commander to order
comme as, like;
— d'habitude as usual;
— ci — ça so-so
commencer to begin
comment how, what; **— allez-vous?** how are you? **— vous appelez-vous?** what is your name?
commentaire (m.) comment
commerçant(e) (m./f.) merchant
commerce (m.) trade, business
commettre to commit
commis (m.) clerk
commode convenient
commun(e) common
commun: mettre en — to share
communauté (f.) community
communiquer to communicate
compagnon, compagne (m./f.) companion; roommate

compagnie (f.) company
comparaison (f.) comparison
compenser to compensate
compliqué(e) complicated
comportement (m.) behavior
compréhension (f.) understanding
comprendre to understand; to include
comprimé (m.) tablet, pill
comptabilité (f.) accounting
comptable (m./f.) accountant
comptant: payer — to pay cash
compte (m.) count; account;
se rendre — to realize
compter to count; to intend;
— parmi to rank among
— sur to count on
comptoir (m.) counter
concentrer: se— to concentrate
conception (f.) idea
concilier to reconcile
conclure to conclude
concombre (m.) cucumber
concours (m.) competition
concubinage (m.) cohabitation
concurrence (f.) competition
conducteur, trice (m./f.) driver
conduire to drive
conférencier, ière (m./f.) speaker
confiance (f.) confidence
confier: se — à to confide in
confiture (f.) jam
confronter to confront
congé (m.) holiday; **en —** on leave
conjoint, conjointe (m./f.) spouse
connaissance (f.) knowledge;
faire — to meet
connaître to know, to experience
conquête (f.) conquest
consacrer to devote
conscience (f.) awareness;
prendre — de to become aware of
conscient(e) conscious, aware
conseil (m.) advice
conseiller to advise
conséquent: par — therefore, consequently
conservatoire (m.) school of music
conserver to preserve, to keep
consoler to soothe, to console
consolider to reinforce
consommateur, trice (m./f.) consumer
consommation (f.) consumption, drink
constamment constantly
constater to note; to verify
constituer to make up
construire to build
consulter to consult
contemporain(e) contemporary
conte (f.) story
contenir to contain
content(e) glad
contenter: se — de to be content with

conteur (m.) storyteller
continuel(le) constant
contraignant(e) constraining, compelling
contre against
contrée (f.) land, region
contrebasse (f.) double bass
contribuer to contribute
convaincre to convince
conventionnel(le) conventional
convive (m.) guest at a meal
copain, copine (m./f.) buddy, pal
cor (m.) horn
corps (m.) body
correctement correctly
corriger to correct
costume (m.) costume, suit
côte (f.) coast
côté (m.) side; **à — de** next to;
de l'autre — de on the other side; across
côtelette (f.) chop
côtier, ière coastal
côtoyer to mix with
cou (m.) neck
couche (f.) layer; diaper
coucher: se — to lie down; to go to bed
coude (m.) elbow
couler to flow
couleur (f.) colour;
de quelle —? what colour?
coup (m.): **— de fil** phone call, ring;
— de foudre love at first sight
coupable guilty
couper to cut
cour (f.) yard
courageux, euse courageous
courant(e) current
courant (m.): **— d'air** draft;
être au — to be informed
courbé(e) bent
coureur (m.) runner
courrier (m.) mail
cours (m.) class, course;
au — de in the course of
course (f.) race (sport);
faire des —s to go shopping
court(e) short
cousin, cousine (m./f.) cousin
coût (m.) cost
couteau (m.) knife
coûter to cost
coûteux, euse costly
coutume (f.) custom
couvert(e) covered
couverture (f.) blanket
couvrir to cover
craie (f.) chalk
craindre to fear
cravate (f.) tie
crayon (m.) pencil
créer to create
crépuscule (m.) twilight
cri (m.) shout, scream
criminel(le) criminal

critique critical

critique littéraire (f.) literary criticism

crochet (m.) hook

croire to believe

croisière (f.) cruise

croissance (f.) growth

croissant(e) growing

croître to grow, to increase

croix (f.) cross

croquis (m.) sketch

croûte (f.) crust

croyance (f.) belief

cru(e) raw

cuillère (f.) spoon

cuir (m.) leather

cuisine (f.) kitchen; cuisine; cooking

culture (f.) culture, cultivation, agriculture

culturel(le) cultural

cultivé(e) educated, cultivated

cultiver to cultivate, to farm

curieux, euse curious, strange

D

d'abord (at) first

dactylographier to type

dangereux, euse dangerous

dans in, into

danse (f.) dance

danser to dance

d'après according to

date (f.) date

dater de to date back to

dauphin (m.) dolphin

davantage more

de of, from

déambuler to stroll

débarquer to disembark

déboisement (m.) deforestation

débouché (m.) opening, job prospect

debout standing

débrouiller: se — to manage

début (m.) beginning

débuter to begin

décembre December

déchet (m.) waste

décennie (f.) decade

décevoir to disappoint

décision (f.) decision;

   prendre une — to make a decision

décontracté(e) relaxed

décor (m.) scenery; theatre set

décorer to decorate

découragé(e) discouraged

découvrir to discover

décrire to describe

décroissance (f.) decrease

décroître to decrease

dedans inside

défaut (m.) fault, flaw

défilé (m.): **— de mode** fashion show

définir: se — to define oneself

définitif, ive final

degré (m.) level, degree

déguster to sample

dehors outside

déjà already

déjeuner (m.) lunch; breakfast

demain tomorrow; **à —** see you tomorrow;

   après — day after tomorrow

demande (f.) request;

   — d'emploi job application

demander to ask for;

   se — to wonder

démarrer to start (up)

dément(e) lunatic

demeure (f.) home, residence

demeurer to live, to reside

demi(e) half

démodé(e) out of date, old-fashioned

démolir to demolish

démontrer to demonstrate

dénoncer to denounce

dent (f.) tooth

dentiste (m./f.) dentist

départ (m.) departure

dépêcher: se — to hurry

dépendre (de) to depend (on)

dépense (f.) expense, consumption

dépenser to spend

dépit: en — de in spite of

déplacement (m.) travelling, trip

déplacer: se — to move about

dépliant (m.) leaflet

déplorer to deplore

déprimé(e) depressed

depuis since, for; **— que** since

dernier, ière last

dérober to steal

derrière behind

dès as early as; **— que** as soon as

désagréable unpleasant

descendre to go down;

   — de to be descended from

désespéré(e) desperate

déshabiller: se — to undress

désobéir to disobey

désœuvré(e) idle

désolé(e) upset, sorry

désormais henceforth

dessin (m.) drawing

dessinateur, trice (m./f.) draftsperson;

   cartoonist

dessiner to draw

dessous below

détendre: se — to relax

détendu(e) relaxed

détente (f.) relaxation

détester to detest

détour (m.) deviation, circuitous way

détruire to destroy

dette (f.) debt

devant in front of

développer to develop

devenir to become

déverser to unload

deviner to guess

devise (f.) motto

devoir to have to; to owe

devoir (m.) duty; **—s** homework

dévoué(e) devoted

diagnostic (m.) diagnosis

dieu, déesse (m./f.) god, goddess

difficile difficult

difficilement with difficulty

digérer to digest

digue (f.) dike

dimanche Sunday

diminuer to diminish, to decrease

diminution (f.) decrease

dinde (f.) turkey

dîner to dine, to have dinner

dîner (m.) dinner; lunch

dingue crazy

diplôme (m.) degree, diploma

diplômé(e) (m./f.) graduate

dire to say, to tell;

   c'est-à — that is to say;

   se — to say to oneself

directeur, trice (m./f.) director, manager

diriger to direct

discours (m.) speech

discuter to discuss

dispendieux, ieuse expensive

disponible available

disposer de to have available

disposition (f.) clause

dispute (f.) quarrel

disputer: se — to quarrel

disque (m.) record

disquette (f.) diskette

dissertation (f.) essay

dissimuler to dissimulate

distinguer to distinguish

distrait(e) absent-minded

divers, erse(s) varied, various

divertir: se — to amuse oneself, to have fun

divorcer to divorce

divulguer to disclose

dizaine (f.) about ten

doctorat (m.) doctoral degree

doigt (m.) finger

domaine (m.) field, area; domain

dommage: c'est — it is a pity

don (m.) gift

donc therefore

données (f.pl.) data

donner to give

dont of which, whose

dormir to sleep

dos (m.) back

dossier (m.) file

d'où hence; whence

douane (f.) customs (inspection)

doublé(e) dubbed

doucement gently, slowly, softly

douceur (f.) gentleness

douche (f.) shower

douleur (f.) pain

douloureux, euse painful

doute (m.) doubt; **sans —** probably;

   sans aucun — without a doubt

douter to doubt; **se — de** to suspect

doux, douce gentle, sweet

douzaine (f.) dozen

doyen (m.) dean

dramaturge (m./f.) playwright

dresser to train (animal)

drogue (f.) drug

droit (m.) right; (study of) law;
   avoir — to have a right to;
   exercer un — to exercise a right;
   faire du — to study law

droit, droite right, straight;
   à droite de to the right of

drôle funny

durant during

durée (f.) duration

durer to last

dynamisme (m.) drive

E

eau (pl. **eaux**) (f.) water;
   — douce fresh water

échapper: s'— to escape

échec (m.) failure; **—s** chess

échelle (f.) ladder; scale

échouer to fail

éclairage (f.) lighting

éclatement (m.) explosion

éclater de rire to burst into laughter

école (f.) school

écolier, ière (m./f.) schoolboy,
   schoolgirl

économe thrifty

économie (f.) economics (class);
   economy;
   —s savings

économiser to save

écouter to listen to

écouteurs (m.pl.) headphones, earphones

écran (m.) screen

écrire to write

écriture (f.) writing

écrivain (m.) writer

écureuil (m.) squirrel

édifice (m.) building

éducation (f.) education, upbringing

effacer to erase, to delete

effet (m.) effect; **en —** indeed;
   — de serre greenhouse effect

efficace effective

effectuer to carry out

effronté(e) insolent

égal(e) equal

également equally, also

égalité (f.) equality

égard (m.): **à cet —** in this respect

église (f.) church

égout (m.) sewer

élargir to widen, to broaden

électricien, ienne (m./f.) electrician

élevage (m.) breeding (livestock)

élève (m./f.) pupil

élevé(e) high

élever to bring up; to raise
   s'— to rise

éliminer to eliminate

élire to elect

éloge (m.) praise

élu(e) elected, chosen

emballer to thrill; to wrap

embarrassant(e) embarrassing

embarquer to embark

embaucher to hire

emboutir to hit, to run into

embrasser to kiss

émergence (f.) surfacing

émission (f.) programme, broadcast

emmener to take (someone) along

émouvant(e) touching, moving

empêcher to prevent

emplette (f.) purchase, shopping

emploi (m.) job; employment; use
   — du temps (m.) schedule

employé(e) (m./f.) employee, clerk

employer to use

employeur, euse (m./f.) employer

empoisonner to poison

emporter to take (something) along;
   l'— sur to prevail over

emprunter to borrow

ému(e) moved, disturbed

en in, by

encaisser to cash

enceinte pregnant

enchanter to delight

encombrant(e) inhibiting

encore again, still
   — une fois once more

endommager to damage

endormir: s'— to fall asleep

endroit (m.) place, spot

énergique energetic

énervé(e) on edge

enfance (f.) childhood

enfant (m./f.) child

enfiévré(e) feverish

enfin finally, at last

enfuir: s'— (de) to flee, to escape

engagement (m.) agreement;
   involvement

engin (m.) machine

enneigé(e) snow-covered

ennemi(e) enemy

ennui (m.) boredom; trouble

ennuyer to annoy; to bore;
   s'— to be bored

ennuyeux, euse boring

énorme enormous, huge

enquête (f.) investigation; survey

enragé(e) fanatic

enregistrer to record; to save (computer)

enrichir to enrich

enseigne (f.) sign

enseignement (m.) teaching; education

enseigner to teach

ensemble together

ensuite then

entendre to hear;
   — dire que to hear that;
   — parler de to hear about;
   s'— avec to get along with

entêter: s'— to persist

entier, ière entire, whole

entièrement entirely

entourer to surround

entraide (f.) mutual aid

entraînement (m.) training

entraîner: s'— to train

entraîneur (m.) coach

entre between; among

entrée (f.) entrance; main course

entremêlé(e) de intermingled with

entreprendre to undertake

entrepreneur (m.) contractor

entreprise (f.) firm, business

entrer to enter

entretenir to maintain;
   s'— to converse with

entretien (m.) maintenance

énumérer to enumerate

envahir to invade

envergure (f.) range, scope

envers towards

envers: à l'— inside out

envie (f.) envy; craving
   avoir — de to wish for; to feel like

environ about

environs (m.pl.) surroundings

envisager to consider

envoyer to send

épais, aisse thick

épanouissement (m.) blossoming

épatant(e) splendid

épater to amaze

épaule (f.) shoulder

épeler to spell

épice (f.) spice

épicé(e) spicy, hot

épicerie (f.) grocery store

épinards (m.pl.) spinach

éponge (f.) sponge

époque (f.) period

épouser to marry

époux, ouse (m./f.) spouse

épouvante (f.) terror;
   film d'— horror movie

épreuve (f.) event (sports); test

éprouver to feel

épuisant(e) exhausting

épuisement (m.) exhaustion; scarcity

équilibre (m.) balance

équilibré(e) (m.) balanced

équipe (f.) team

équipement (m.) machinery

equipier, ière (m./f.): **co- —** team member

équitation (f.) horseback riding

érable (m.) maple tree

erreur (f.) error, mistake

escalier (m.) staircase, stairs

escargot (m.) snail

escrime (f.) fencing

espadrille (f.) sneaker

Espagne (f.) Spain
espagnol(e) Spanish
espèce (f.) species, type, sort
espérer to hope
espionnage (m.) spying
espoir (m.) hope
esprit (m.) mind
essayer to try
essence (f.) gasoline
essor (m.) progress
est (m.) east
estomac (m.) stomach
estomper: s'— to shade off; to fade
établir to establish; **s'—** to settle
établissement (m.) institution
étage (m.) floor
étagère (f.) shelf
étape (f.) lap; stage
état (m.) state; position
États-Unis (m.pl.) United States
été (m.) summer
éteindre to turn off (lights); to put
  out (fire)
étendre: s'— to lie down; to stretch,
  to spread
étendue (f.) stretch
éterniser: s'— to outlast the years
étoile (f.) star;
  à la belle — in the open air
étonner to amaze
  s'— to be surprised, to wonder
étouffer to suffocate; to smother
étourdissement (m.) dizzy spell
étranger, ère foreign;
  à l'étranger abroad
être to be; **— à** to belong to; (m.)
  being
étroit(e) narrow
études (f.pl.) studies;
  faire des — to study
eux, elles them
évaluer to evaluate
événement (m.) event
évidemment of course, obviously
évident(e) obvious
évier (m.) sink
éviter to avoid
évoluer to evolve
exactement exactly
examiner to check, to examine
excentrique eccentric
excepté except
exceptionnel(le) exceptional
exciter to stimulate
excursion (f.) excursion, outing
exécuter to execute, to perform
exercer to exercise
exercice (m.) exercise
exigeant(e) demanding, requiring
exiger to demand, to require
exode (m.) exodus
expérience (f.) experience; experiment
explication (f.) explanation
expliquer to explain
explorateur, trice (m./f.) explorer

exportation (f.) export
exposer to exhibit
exposition (f.) exhibition
exprès: faire — to do on purpose
exprimer to express
extérieur(e) exterior, outside
extérieur (m.) exterior;
  à l'— de outside of
extrêmement extremely

F

fabriquer to make, manufacture
façade (f.) façade, frontage
face (f.) face; **en — de** facing
fâché(e) mad, angry
fâcher: se — to get mad
facile easy
facilement easily
facteur (m.) factor; mailman
façon (f.) manner, way;
  de toute — in any case
facultatif, ive optional
faible weak; slight
faim (f.) hunger;
  avoir — to be hungry
faire to do, make;
  — le tour to go around;
  — la queue to wait in line;
  se — mal to hurt oneself;
faire-part (m.) wedding announcement
fait (m.) fact
fait: ça ne — rien it doesn't matter
falloir to be necessary
familial(e) family, domestic
fané(e) wilted
fantôme (m.) ghost
farine (f.) flour
farcir to stuff
fascinant(e) fascinating
fasciner to fascinate
fatigant(e) tiring
fatigué(e) tired
fatiguer: se — to get tired
faut: il — it is necessary
faute (f.) fault, mistake
fauteuil (m.) armchair
faux, fausse false
favoriser to favor
fée (f.) fairy
félicitations (f.pl.) congratulations
féliciter to congratulate
femme (f.) woman, wife
fenêtre (f.) window
fer (m.) iron
fermer to close
fermeture (f.) closing
fermier, ière (m./f.) farmer
fête (f.) holiday, feast day, celebration; birthday
fêter to celebrate
feu (m.) fire; traffic light;
  faire un — to build a fire
feuille (f.) leaf; sheet (of paper)
feuillu(e) leafy
fève (f.) bean

février February
fiançailles (f.pl.) engagement
fiancer: se — to get engaged
fiche (f.) slip, form
fichier (m.) file
fidèle faithful
fier, fière proud
fierté (f.) pride
fièvre (f.) fever
fil (m.) thread, wire
filet (m.) net; fillet
fille (f.) girl, daughter;
  jeune — young lady
fils (m.) son
fin (f.) end;
  à la — de at the end of
finalement finally
fin, fine slender
finir to finish
fixations (f.pl.) bindings (ski)
fixer to determine
flâner to stroll
flatteur, euse (m./f.) flatterer
fleur (f.) flower
fleurir to bloom
fleuve (m.) river
foie (m.) liver
fois (f.) time;
  une — once; **à la —** at the same time
folie (f.) madness
follement madly
fonction publique (f.) civil service
fonctionnaire (m./f.) civil servant
fonctionnement (m.) working (machine)
fond (m.) bottom, background
fondateur, trice (m./f.) founder
fonder to found;
  — un club to start a club
fondre to melt
force (f.) strength
forêt (f.) forest;
  — pluviale rain forest
formation (f.) training, education
forme (f.) shape, form;
  en pleine — in great shape
former to make up; to train
formidable fantastic; great
fort, forte strong; loud;
  travailler fort to work hard
fortune: de — makeshift
fougue (f.) ardour, spirit
fouiller to dig
foulard (m.) scarf
foule (f.) crowd
four (m.) oven; flop
fourbu(e) exhausted
fourchette (f.) fork
fourmi (f.) ant
fournir to supply, to provide
fourrure (f.) fur
foyer (m.) home; fireplace
fracassant(e) shattering
frais (m.pl.) **— de scolarité** tuition fees

frais, fraîche cool, fresh
fraise (f.) strawberry
framboise (f.) raspberry
français(e) French
franc, franche candid, fresh, free
francophone French-speaking
frapper to knock, to hit, to strike
frein (m.) brake
frère (m.) brother
fringale (f.) raging hunger
frisson (m.) quiver, shiver
frites (f.pl.) French fries
froid (m.) cold
   avoir — to be cold
froissé(e) hurt, bruised
fromage (m.) cheese
front (m.) forehead
fuir to flee, to evade
fumée (f.) smoke
fumer to smoke
fumeur, euse (m./f.) smoker
furieux, euse furious
futile trivial, frivolous

G

gagnant(e) (m./f.) winner
gagner to win, to earn, to gain
galerie (f.) (art) gallery
gant (m.) glove
garagiste (m.) garage owner
garantir to safeguard, to guarantee
garçon (m.) boy; waiter
garde (f.) **des enfants** care, custody
garderie (f.) day-care center
gardien, ienne (m./f.) babysitter
gare (f.) train station
gâté(e) spoiled
gâteau (m.) cake
gauche (f.) left;
   à — de to the left of
gazon (m.) grass, lawn
geler to freeze
gênant(e) embarrassing
gêné(e) embarrassed, shy
généreux, euse generous
genévrier (m.) juniper tree
génial(e) brilliant, inspired
génie (m.) genius; engineering
genou (pl. **-oux**) (m.) knee
genre (m.) gender; sort, kind
gens (m.pl.) people
gentil, ille nice, kind
gentillesse (f.) kindness
gérer to manage
gigue (f.) jig
gigantesque gigantic, immense
gifle (f.) slap
glace (f.) mirror; ice
glacé(e) chilled, frozen
glaçon (m.) icicle, ice cube
glisser to slide
gorge (f.) throat, gorge
goût (m.) taste
goûter to taste
goutte (f.) drop
grâce à thanks to

grand(e) tall, big, great
grand magasin (m.) department store
grand-mère (f.) grandmother
grand-père (m.) grandfather
grandir to grow up
grands-parents (m.pl.) grandparents
gras, grasse fat, luxuriant, rich
gratter to scratch
gratuit(e) free of charge
grave serious
gravure (f.) engraving
grec, grecque Greek
Grèce (f.) Greece
grêler to hail (weather)
grenouille (f.) frog
grief (m.) grievance
griffe (f.) claw
grimper to go up, to climb
grippe (f.) flu
gris, grise gray
gronder to scold
gros, grosse big, fat
grossesse (f.) pregnancy
grossir to gain weight
groupe (m.) group; band
guérir to cure, to heal
guerre (f.) war
gueule (f.) mouth (animal)
guichet (m.) ticket window

H

habillé(e) dressed
habiller: s'— to get dressed
habit (m.) garment
habitant(e) (m./f.) inhabitant
habitation (f.) dwelling
habiter to live, to dwell
habitude (f.) custom, habit;
   d'— usually
habituel(le) habitual, customary
habituer: s'— to get used to
haïr to hate
haricot (m.) bean
hasard (m.) coincidence, chance
hâte (f.) haste;
   avoir — de to be eager to
hausse (f.) rising, increase
haut, haute high;
   du — de from the top of;
   en — upstairs
haut-parleur (m.) loudspeaker
hebdomadaire weekly
hebdomadaire (m.) weekly magazine
hein? what? eh?
hélas! alas!
herbe (f.) grass
hésiter to hesitate
heure (f.) hour; **à l'—** on time;
   à quelle —? at what time?
   quelle — est-il? what time is it?
   tout à l'— in a while, a moment ago
heureux, euse happy
heureusement fortunately
heurter to run, bump into;
   se — à to come up against

hier yesterday
histoire (f.) history, story
hiver (m.) winter
hollandais(e) Dutch
Hollande (f.) Holland
homard (m.) lobster
homme (m.) man;
   — d'affaires businessman
honnête honest
honnêteté (f.) honesty
honneur (m.) honour
honte (f.) shame
horaire (m.) schedule
horloge (f.) clock
hors-d'œuvre (m.) hors d'œuvre(s)
hors outside
hôte, hôtesse (m./f.) host, hostess
huile (f.) oil
humer to breathe in
humeur (f.) mood;
   être de bonne/mauvaise — to be in a good/bad mood
humide humid, damp

I

ici here
idée (f.) idea
il y a there is, there are; ago
image (f.) picture, image
imaginer to imagine
imiter to imitate
impatienter: s'— to lose patience
imperméable (m.) raincoat
impliquer to imply
impôts (m.pl.) income tax
impressionner to impress
imprimante (f.) printer (computer)
imprimer to print
incendie (m.) fire
incommoder to disturb, to bother
inconnu(e) (m./f.) stranger
incontestable indisputable
inconvénient (m.) disadvantage, drawback
incroyable incredible
indécis, ise undecided
indiquer to indicate
inévitable unavoidable
infirmier, ière (m./f.) nurse
influer sur to affect
informaticien, ienne (m./f.) computer scientist
informatique (f.) computer science
informatisation (f.) automation
informatiser: s'— to become automated
informer to inform
infortune (f.) misfortune
ingénieur (m.) engineer
ingéniosité (f.) ingenuity
ingrat(e) ungrateful
inhabituel(le) unusual
inhibé(e) inhibited
injustice (f.) injustice, unfairness
inquiet, ète worried
inquiéter: s'— to worry

inscription (f.) registration
inscrire: s'— to register
insolite unusual
inspecteur, trice (m./f.) inspector
inspirer: s'— de to draw inspiration from
installer: s'— to settle
instituteur, trice (m./f.) schoolteacher
instructeur (m.) instructor
insuffisant(e) insufficient
insulter to insult
intention (f.) intention;
avoir l'— de to intend to
intéresser to interest;
s'— à to be interested in
intéressant(e) interesting
interdire to forbid
intérieur (m.) inside; **à l'— (de)** inside
interroger to interrogate, to question
intervenir to intervene
intrigue (f.) plot
inutile useless
investir to invest
investissement (m.) investment
invité(e) guest
irrégulier, ière irregular
irriter to irritate
isolé(e) isolated
Italie (f.) Italy
italien, ienne Italien
ivre drunk

J

jamais never
jambe (f.) leg
jambon (m.) ham
janvier January
Japon (m.) Japan
japonais(e) Japanese
jardin (m.) garden
jaser to chat
jaune yellow; **— d'œuf** (m.) egg yolk
jaunir to turn yellow
jeter to throw (away);
— un coup d'œil to glance
jeton (m.) token
jeu (m.) game, play
jeudi (m.) Thursday
jeune young;
— homme young man;
les —s young people;
des —s gens young men, young people
jeunesse (f.) youth
joie (f.) joy
joli(e) pretty
joue (f.) cheek
jouer to play
joueur, euse (m./f.) player
jouissance (f.) enjoyment
jour (m.) day
— de l'An New Year's day;
de nos —s nowadays;

par — per day;
tous les —s every day
journal (pl. **-aux**) (m.) newspaper
journée (f.) day
joyeux, euse merry, joyful
juillet July
juin June
jumeau, elle (m./f.) twin
jumelles (f. pl.) binoculars
jupe (f.) skirt
jus (m.) juice
jusque until
jusqu'à (ce que) up to; until
justement precisely
juste just, fair

K

kilo(gramme) (m.) kilogram
kilomètre (m.) kilometer

L

là there; **—-bas** over there
laboratoire (m.) laboratory
lac (m.) lake
laid(e) ugly
laine (f.) wool
laisse (f.) leash
laisser to let; to allow; to leave;
— tomber to drop
lait (m.) milk
laitue (f.) lettuce
lampe (f.) lamp
lancer to throw
lanceur (m.) pitcher
langue (f.) language; tongue
— maternelle first language
lapin (m.) rabbit
large wide
larme (f.) tear
lavabo (m.) washbasin
laver to wash;
se — to wash oneself
lave-vaisselle (m.) dishwasher
le, la, l', les the; him, her, it, them
leçon (f.) lesson
lecteur, trice (m./f.) reader
léger, ère light (weight)
légume (m.) vegetable
lendemain (m.):
le — the next day
lent(e) slow
lequel, laquelle which, which one
lever to raise; **se —** to get up
lèvre (f.) lip
libérer to free
liberté (f.) liberty, freedom
libraire (m./f.) bookseller
librairie (f.) bookstore
lien (m.) bond, link
lier to bind, to connect
lieu (m.) place;
au — de instead of;
avoir — to take place;
donner — à to give rise to
ligne (f.) line; **— aérienne** airline
ligue (f.) league

lilas (m.) lilac
lire to read
liste (f.) list
lit (m.) bed
littéraire literary
littérature (f.) literature
livre (m.) book
local (m.) premises, place, room
locataire (m./f.) tenant
logement (m.) dwelling
logiciel (m.) computer program
logis (m.) dwelling, home
loi (f.) law
loin far;
— de far from
loisir (m.) leisure
long, longue long
long: le — de: along
longtemps a long time
longueur (f.) length
lorsque when
loterie (f.) lottery
louer to rent
lourd(e) heavy
loyer (m.) rent
lumière (f.) light
lundi (m.) Monday
lune (f.) moon:
— de miel honeymoon
lunettes (f.pl.) glasses
lutte (f.) struggle
luxe (m.) luxury
se payer le — de to allow oneself the luxury of
luxueux, euse luxurious
lys (m.) lily

M

machine à coudre (f.) sewing machine
maçon (m.) mason
madame Madam, Mrs.
mademoiselle Miss
magasin (m.) store
magasinage (m.) shopping
magasiner to go shopping
magie (f.) magic
magique magic, magical
magnifique magnificent
mai May
maigre skinny
maigrir to grow thin, to lose weight
maillot (m.) **(de bain)** swimsuit
main (f.) hand
main-d'œuvre (f.) labour force
maintenant now
maintenir to maintain, to hold
mais but
maïs (m.) corn
maison (f.) house;
à la — at home
— d'édition publishing company
maîtrise (f.) Master's degree
maîtriser to master, to control
maîtresse de maison (f.) housewife
majeur(e) major

mal (m.) evil, difficulty;
  avoir — (à) to ache, hurt;
  pas — not bad
malade sick; (m.) patient
maladie (f.) sickness, illness, disease
maladroit(e) clumsy
malaise (m.) indisposition
malchanceux, euse unlucky
malgré in spite of
malheur (m.) misfortune
malheureux, euse unhappy
malhonnête dishonest
maltraité(e) ill-used
maman (f.) mama, mom, mummy
manche (f.) sleeve
manger to eat
manière (f.) manner, way
manifester to manifest;
  se — to appear
manque (m.) lack
manquer to lack; to miss
manteau (m.) coat
manuel scolaire (m.) textbook
maquillage (m.) make-up
maquiller: se — to make up (one's face)
marais (m.) swamp
marchand, ande (m./f.) merchant, shopkeeper
marché (m.) market;
  bon — cheap, inexpensive
marcher to walk; to work (function)
mardi (m.) Tuesday
marée (f.) tide
mari (m.) husband
mariage (m.) marriage, wedding
marié(e) married
marier: se — (avec) to marry (get married to)
marin (m.) sailor
marquer to mark;
  — des points to score points
marre: en avoir — to be fed up with
mars March
matelas (m.) mattress
maternel(le) maternal
maternelle (f.) nursery school
matière (f.) material; subject (school)
matin (m.) morning
mauvais(e) bad, wrong
mécanicien, ienne (m./f.) mechanic
méchant(e) mean
mécontent(e) discontented
médaille (f.) medal
médecin (m.) doctor
médecine (f.) medicine
médicament (m.) medicine
méfier: se — de to distrust
meilleur(e)... que better...than
  le, la — the best
mélanger to mix
mêler: se — à to mingle
même even; same; very
  de — que as well as
mémoire (f.) memory
menace (f.) threat

menacer to threaten
ménage (m.) household; housekeeping
mener to lead
mensonge (m.) lie
mensuel(le) monthly
mentalité (f.) mentality
mentionner to mention
mentir to lie
menton (m.) chin
menuisier (m.) carpenter
mépris (m.) contempt
mer (f.) sea
Merci Thank you
mercredi (m.) Wednesday
mère (f.) mother
mériter to deserve
merveilleux, euse marvellous, wonderful
messe (f.) mass
mesure (f.) measure; measurement;
  dans la — to the extent
métier (m.) profession, trade
mètre (m.) meter
métro (m.) subway
mets (m.) dish (of food)
metteur en scène (m.) film director
mettre to put, to place;
  se — à to begin
meuble (m.) piece of furniture
mexicain(e) Mexican
Mexique (m.) Mexico
midi (m.) noon
miens: les — my family, my people
mieux... que better...than
mijoter to simmer
milieu (m.) middle; environment;
  au — in the middle
mille thousand
milliard (m.) billion
million (m.) million
mince thin
minerai (m.) ore
mineur (m.) miner
minuscule tiny
minime very small
ministre (m.) minister
minuit (m.) midnight
miroir (m.) mirror
mixte mixed
mode (f.) fashion
  à la — fashionable
mode (m.) **(de vie)** way (of life)
modèle (m.) model
modérément moderately
modifier to modify
moins less, minus;
  à — que unless;
  au — at least;
  — de fewer than;
  —... que less...than
mois (m.) month
moitié (f.) half
moment (m.) moment, instant;
  à ce — là at the time;

  au — où at the time when;
  en ce — now
monde (m.) world; people;
  tout le — everybody, everyone
mondial(e) worldwide;
  guerre mondiale world war
monnaie (f.) change
monoparentale: famille — (f.) single-parent family
monsieur (m.) gentleman, sir, Mr.
montagne (f.) mountain
montant (m.) amount
monter to go up, to get on
montre (f.) watch
montrer to show
moquer: se — de to make fun of
moral: avoir le — to be in good spirits
morceau (m.) piece
mordre bite
mordu(e) (m./f.) enthusiast, buff
mort (f.) death
mort, morte dead
mortel(le) mortal
morue (f.) cod
mot (m.) word;
  en un — in short
moto (f.) motorbike
motoneige (f.) snowmobile
mou, molle soft
mouette (f.) gull
mourir to die;
  — de faim to be starving
moutarde (f.) mustard
mouton (m.) sheep
mouvementé(e) animated
moyen (m.) means, way;
  — de transport means of transportation
moyenne (f.) average
muet, muette mute
multiple numerous
munir to equip
mur (m.) wall
mûr(e) ripe
musclé(e) muscular
museau (m.) muzzle
musée (m.) museum
musicien, ienne (m./f.) musician
myope short-sighted
mystère (m.) mystery
mystérieux, euse mysterious

N

nager to swim
naissance (f.) birth
naître to be born
nappe (f.) tablecloth
natal(e) birth
natalité (f.) birth
natation (f.) swimming
naturel(le) natural
navet (m.) turnip; flop
néanmoins nevertheless
né(e) born
ne...guère hardly

ne... jamais never
ne... ni...ni neither...nor
ne... non plus neither, not either
ne... nulle part nowhere
ne... pas not
ne... pas encore not yet
ne... personne nobody
ne... plus no longer, no more
ne... que only
ne... rien nothing
nécessaire necessary
nécessiter to necessitate
négatif, ive negative
neige (f.) snow
neiger to snow
nerveux, euse nervous
nervosité (f.) nervousness
net, nette clear, precise, sharp
nettoyer to clean
neuf, neuve brand-new
neveu (m.) nephew
névrosé(e) neurotic
nez (m.) nose
ni... ni neither...nor
nid (m.) nest
nièce (f.) niece
n'importe où anywhere
niveau (m.) level
noce (f.) wedding
nocif, ive noxious, harmful
Noël (m.) Christmas
noir(e) black
noircir to become black
noirceur (f.) darkness
nom (m.) noun, name
nombre (m.) number
nombreux, euse(s) numerous
non no; **— plus** neither, not either
nord (m.) north
normalement normally
notaire (m.) notary
notamment particularly
note (f.) note, grade
noter to note; to grade
nouille (f.) noodle
nourrir to nourish
nourrissant(e) nourishing
nourriture (f.) food
nouveau, nouvelle new
nouvelle (f.) short story
nouvelles (f.pl.) news
novembre November
nucléaire nuclear
nu(e) naked
nuage (m.) cloud
nuit (f.) night
nulle: ne... — part nowhere, not
  anywhere
numéro (m.) number

O

obéir to obey
objet (m.) object
objectif, ive objective
objectif (m.) goal, objective
obligatoire compulsory

obliger to force, to impel
obscur(e) dark
obtenir to obtain, to get, to receive
occasion (f.) opportunity;
  d'— second-hand
occupé(e) busy
occuper to occupy;
  s'— to busy oneself;
  s'— de to look after
octobre October
octroi (m.) grant
odeur (f.) odour, smell
odorant(e) sweet-smelling
œil (pl. **yeux**) (m.) eye
œuf (m.) egg
œuvre (f.) work
officiel(le) official
offrir to offer
oie (f.) goose
oignon (m.) onion
oiseau (m.) bird
ombre (f.) shade, shadow;
  à l'— in the shade
on one, people
oncle (m.) uncle
ongle (m.) nail
onguent (m.) ointment
or (m.) gold
orage (m.) thunderstorm
ordinateur (m.) computer
ordonnance (f.) prescription
ordonner to order
ordre (m.) command;
  en — in order
oreille (f.) ear
organisme (m.) organization
orgue (m.) organ
origine (f.) origin;
  à l'— originally
originaire originating from
orteil (m.) toe
os (m.) bone
oser to dare
ôter to take off
ou or
où where;
  d'— whence
oublier to forget
ouest (m.) west
oui yes
outil (m.) tool
ouvert(e) open
ouvrage (m.) work
ouvrier, ière (m./f.) worker
ouvrir to open

P

pacifique peaceful
pain (m.) bread
paisible peaceful
paix (f.) peace
palace (m.) luxury hotel
palais (m.) palace
pamplemousse (m.) grapefruit
pâlir to turn pale
panier (m.) basket

panne (f.) failure;
  tomber en — to have a mechani-
  cal breakdown
pantalon (m.) pants
papa (m.) dad
papier (m.) paper
Pâques (f.) Easter
paquet (m.) package
par by;
  — hasard by chance
paraître to appear
parapluie (m.) umbrella
parc (m.) park
parce que because
pardon! excuse me!
pareil(le) like, similar
parenté (f.) kinship
paresseux, euse lazy
parfait(e) perfect
parfaitement perfectly
parfois sometimes
parfum (m.) perfume, fragrance
parlement (m.) parliament
parler to speak, talk
pari (m.) bet
parmi among
paroisse (f.) parish
parole (f.) spoken word
part: à — except, aside;
  d'autre — moreover
  de la — de on behalf of;
  quelque — somewhere
part (f.) part, share
partager to share, to split
partenaire (m./f.) partner
particulier, ière particular;
  en — in particular
particulièrement particularly
partie (f.) part; game, match
  faire — de to be part of
partir to leave
  à — de from
partition (f.) musical score
partout everywhere
parvenir à to manage to
pas (m.) step
pas: ne... — not
passager, ère (m./f.) passenger
passé (m.) past
passer to pass, to go through; to
  spend (time);
  se — to happen;
  — un examen to take an exam;
  — un film to show a film
passionné(e) passionate
patate (f.) potato
pâte (f.) dough; (pl.) pasta
paternel(le) paternal
patience (f.) patience
patin (m.) skate
patinage (m.) ice skating
patiner to skate
patinoire (f.) ice rink
pâtisserie (f.) pastry; pastry shop
patrimoine (m.) heritage
patron, onne (m./f.) boss

patte (f.) paw
pauvre poor; (m./f.) poor person
payer to pay for;
   — comptant to pay cash
pays (m.) country, land
paysage (m.) landscape, scenery
paysan, anne (m./f.) peasant
peau (f.) skin
pêche (f.) fishing; peach
pêcheur (m.) fisherman
peigner: se — to comb one's hair
peindre to paint
peine (f.) sadness, difficulty;
   à — hardly;
   — de mort death penalty
pelage (f.) fur
pendant during;
   — que while
pénétrer to enter
pénible hard, tiresome
pensée (f.) thought
penser to think
pension alimentaire (f.) alimony
pente (f.) slope
pénurie (f.) shortage
percevoir to perceive
perdant(e) (m./f.) loser
perdre to lose
perdrix (f.) partridge
père (m.) father
période (f.) period (of time)
perle (f.) pearl
permettre to allow, to permit; to
   enable, to make it possible
permis (m.) **de conduire** driver's
   license
persienne (f.) shutter
persister to persist
personnage (m.) character; person of
   rank
personne (f.) person;
   ne... — nobody
perte (f.) loss
peser to weigh
pessimiste pessimistic
petit(e) small
petit-déjeuner (m.) breakfast
petit-fils (m.) grandson
petite-fille (f.) granddaughter
petits-enfants (m. pl.) grandchildren
pétoncle (m.) scallop
pétrole (m.) crude oil
peu: un — de a little;
   — à — little by little;
   à — près about, almost
peuple (m.) (a, the) people; nation
peur (f.) fear
peut-être perhaps, maybe
pharmacien, ienne (m./f.) druggist
phrase (f.) sentence
physiquement physically
pièce (f.) room; part; coin;
   — de théâtre play
pied (m.) foot
pierre (f.) stone
piéton (m.) pedestrian

piètre mediocre
pilule (f.) pill
pin (m.) pine
pinceau (m.) brush
pionnier, ière (m./f.) pioneer
pique-nique (m.) picnic
piqûre (f.) shot, injection
pire worse;
   le — the worst
piscine (f.) swimming pool
piste (f.) trail; **— cyclable** bicycle
   path
place (f.) place, room, seat, square
placer to place; **se —** to find
   employment
plafond (m.) ceiling
plage (f.) beach
plaindre to pity;
   se — to complain
plaire à to please;
   s'il vous plaît please
plaisir (m.) pleasure
plan (m.) plan, project; level
planche à voile (f.) wind surfing
plancher (m.) floor
planète (f.) planet
plaque (f.) **d'immatriculation**
   license plate
plat (m.) dish
plat, plate flat
plein, pleine full
pleurer to cry
pleuvoir to rain;
   il pleut it is raining
plier to fold
plombier (m.) plumber
plongée sous-marine (f.) skin-diving
plonger to dive
pluie (f.) rain
plume (f.) pen; feather
plupart: la — de most of
plus more
   ne... — no more, no longer;
   — ou moins more or less;
   — que more than;
   de — furthermore;
   de — en — more and more
plusieurs several, many
plutôt rather
pluviale: forêt — rain forest
pneu (m.) tire
poêle (f.) frying pan
poésie (f.) poetry
poids (m.) weight
poignet (m.) wrist
poilu(e) hairy
point (m.) **de vue** point of view
pointu(e) sharp
pointure (f.) size (shoes, gloves)
poire (f.) pear
poisson (m.) fish
poitrine (f.) chest
poivre (m.) pepper
poli(e) polite
policier (m.) policeman
politicien, ienne (m./f.) politician

politique (f.) politics; policy
polluer to pollute
pomme (f.) apple; **— de terre**
   potato
pompier (m.) fireman
pont (m.) bridge
porc (m.) pig, pork
port (m.) harbor
porte (f.) door
porté(e): être — vers to be inclined
   toward
portée (f.) significance
porte-monnaie (m.) wallet
porter to carry; to wear;
   — secours à to come to the aid of
poser to put;
   — une question to ask a question
posséder to possess, to own
poste (f.) post office, mail
poste (m.) position (job)
potage (m.) soup
poterie (f.) pottery
poubelle (f.) garbage can
pouce (m.) thumb
poulet (m.) chicken
poumon (m.) lung
poupée (f.) doll
pour for, in order to;
   — que so that
pourboire (m.) tip
pourquoi why
poursuivre to chase, to pursue;
   to carry on with
pourtant however, yet
pourvu que provided that
pousser to grow; to push;
   — à to urge, to impel
pouvoir to be able to
pouvoir (m.) power, authority
pratique practical; (f.) practice
pratiquer to practice
précédent(e) preceding
précieux, euse precious
précisément precisely
préféré(e) favourite
préférer to prefer
premier, ière first
premièrement firstly, in the first
   place
prendre to take
prendre conscience de to become
   aware of
prénom (m.) first name
préoccupé(e) preoccupied
préparatif (m.) preparation
près de near, close to
présentement presently
présenter to present, to introduce
presque almost
pressé(e) in a hurry
pression (f.) pressure
prêt (m.) loan
prêt, prête ready
prêter to lend
prêtre (m.) priest
prévaloir to prevail

prévenir to forewarn
prévoir (m.) to foresee, to expect, to anticipate
prière (f.) prayer
principal(e) main
principe (m.) principle;
   en — theoretically, as a rule
printemps (m.) spring
prix (m.) price; prize
probable likely
probablement probably
procès (m.) lawsuit
prochain(e) next
prochain (m.) fellow human being
proche close, near
procurer to supply, to provide
produire to produce;
   se — to perform, to happen
produit (m.) product
professeur (m.) professor, teacher
profiter to profit, to take advantage of
profond(e) deep, profound
programmer to program
progrès (m.) progress, improvement
prolonger to prolong
promenade (f.) walk, stroll
promener to take for a walk;
   se — to take a walk
promesse (f.) promise
promettre to promise
propos (m.) talk, words; intent
propos: à — by the way;
   à — de about, concerning
propre proper; clean; own
propriétaire (m.) owner; landlord
provenir to come from
provision (f.) food supply
provoquer to cause
prudent(e) cautious
psychologie (f.) psychology
publier to publish
puis then
puisque since
puissant(e) powerful
punir to punish
punition (f.) punishment
pupitre (m.) desk
purée (f.) **de pommes de terre** mashed potatoes

Q

qualifié(e) qualified
quand when
quant à as for/to
quart (m.) quarter, fourth
quartier (m.) neighbourhood, district
quatuor (m.) quartet
que whom, which, that
quel(le) what, which
quelque chose something
quelquefois sometimes
quelque part somewhere
quelques a few, some
quelqu'un someone
quelques-uns, unes some, a few

queue (f.) queue, line up; tail
qui who, which;
   — est-ce? who is it?
quincaillerie (f.) hardware: hardware store
quitter to leave
quoi what
quoi que ce soit anything
quoique although
quotidien, enne daily
quotidien (m.) daily newspaper

R

racine (f.) root
raconter to tell
radiographie (f.) X-ray
raffiner: se — to become more sophisticated
rafraîchir to refresh, to cool
ragoût (m.) stew
raisin (m.) grape
raison (f.) reason;
   en — de on account of;
   avoir — to be right
rajeunir to rejuvenate, to get younger
ralentir to slow down
ramasser to pick up
rame (f.) oar
ramener to bring back
ramer to row
randonnée (f.) outing, walk
rang (m.): **être au premier —** to be in the forefront
rangée (f.) row
rapide fast, quick
rappeler to remind;
   se — to remember
rapport (m.) report; rapport; relationship;
   par — à in comparison with
rapporter to bring back
raquette (f.) racket
raser: se — to shave
rassembler to gather
rassurer to reassure
rattacher: se — à to be connected with
rater to fail; to miss
rationnel(le) rational
rationner to ration
ravir to delight
rayon (m.) ray
réagir to react
réaliser to realize; to achieve
réaliste realistic
réapparaître to reappear
récent(e) recent
recette (f.) recipe
recevoir to receive
réchauffer: se — to warm up
recherche (f.) research
rechercher to search for
récit (m.) narration
réclamer to claim, to demand
recommandé(e) registered (mail)
recommander to recommend

recommencer to start over
reconduire to see home
réconfort (m.) comfort
reconnaissance (f.) recognition
reconnaître to recognize
reconnu(e) recognized, well-known
reconstruire to rebuild
recours (m.) resort, recourse
recouvrir to cover
recueillir to collect
rédiger to write, to compose
redonner to give back
redressement (m.) setting right
réduire to reduce
réel(le) real
réfléchir to think, reflect
refléter to reflect
réfrigérer to refrigerate
refuser to refuse
regard (m.) look, glance
regarder to look at
régime (m.) diet; **suivre un —** to diet
règle (f.) rule
règlement (m.) regulation
règne (m.): **— animal** animal kingdom
regretter to regret
régulièrement regularly
reine (f.) queen
rejeter to reject; to discharge
rejeton (m.) offspring
rejoindre to rejoin, to meet
réjouir: se — to rejoice
relache (f.) break
relever to help (someone) up
relier to bind, to connect, to link
religieux, euse religious
relire to reread
remarque (f.) remark
remarquer to notice
remède (m.) remedy, cure
remercier to thank
remettre to put back, to hand back;
   se — to recover
remonter to go back up
remplacer to replace
remplir to fill (out); to carry out
remporter to win
rémunérateur, trice paying, profitable
rencontrer to meet
rendez-vous (m.) date, appointment
rendre to give back;
   se — to go;
   se — compte to realize
renfermer to contain, to hold
renommé(e) renowned, famous
renouveau (m.) revival, renewal
renouveler to renew, to replace
renseignement (m.) (piece of) information
renseigner to inform;
   se — to make inquiries
renvoyer to send back
répandre to spread

réparer to repair, to fix
répartir to allocate, to distribute
répartition (f.) distribution
repas (m.) meal
répéter to repeat
répondre to answer
repos (m.) rest
reposer to put back;
   se — to rest
reprendre to take back, to resume
représentant(e) (m./f.) representative
représentation (f.) performance
réputé(e) famous, well known
réseau (m.) network
résister to resist
résoudre to solve
respectueux, euse respectful
respirer to breathe
ressembler (à) to look like, to resemble
rester to stay
restes (m.pl.) remains, leftovers
résultat (m.) result
retard (m.): **être en —** to be late
retour (m.) return
retourner to return, to go back
retracer to trace back
retraite (f.) retirement
retrouver to find again
   se — to meet, to join, to gather
réunion (f.) meeting
réunir to unite, to gather;
   se — to get together
réussir to succeed
réussite (f.) success
rêve (m.) dream
révéler to reveal
réveille-matin (m.) alarm clock
réveiller: se — to wake up
réveillon (m.) Christmas Eve dinner
revenir to come back, to return
rêver to dream
revoir to see again
rhume (m.) cold
riche rich
ridicule ridiculous
rien nothing; **en un — de temps** in no time at all
rire (m.) laugh
robe (f.) dress
roc (m.) rock
roi (m.) king
roman (m.) novel; **— policier** detective novel
romancier, ière (m./f.) novelist
rondelle (f.) puck
rosbif (m.) roast beef
rose pink
rosée (f.) dew
rôti (m.) roast
roue (f.) wheel
rouge red
rougir to turn red; to blush
rouleau (m.) roll
rouler to roll along; to drive, to ride
rouspéter to grumble

route (f.) road
rubrique (f.) column
rudiments (m.pl.) basics
rue (f.) street
ruiner: se — to ruin oneself
ruisseau (m.) brook
rupture (f.) breaking off
rural(e) country, rural
russe Russian
Russie (f.) Russia

S

sable (m.) sand
sac (m.) bag, purse
sacrifier to sacrifice
sage wise
saignant rare (steak)
sain, saine healthy
saison (f.) season
salaire (m.) salary, wages
salarié(e) (m./f.) wage earner
sale dirty
salle (f.) room;
   — d'attente waiting room
   — de bains bathroom
   — de cours classroom
   — à manger dining room
salon (m.) living room
saluer to salute, to greet
Salut! Hello!, Hi!; Good-bye!
samedi (m.) Saturday
sang (m.) blood
sans (que) without
santé (f.) health;
   en bonne — in good health
sapin (m.) fir
satisfait(e) satisfied, content
sauf except
saumon (m.) salmon
sauter to jump
sauvage wild
sauvegarder to safeguard
sauver to save
savoir to know
savoir (m.) knowledge
savon (m.) soap
scellé(e) sealed
scientifique scientific
scolaire academic
scolarisation (f.) schooling
sculpture (f.) sculpture
sec, sèche dry
secondaire secondary
secours (m.) aid, assistance
secteur (m.) area
sécuritaire safe
sel (m.) salt
selle (f.) saddle
selon according to
semaine (f.) week
sembler to seem
sens (m.) meaning;
   — de l'humour sense of humor
sensible sensitive
sentier (m.) path
sentiment (m.) feeling

sentir to feel; to smell;
   se — to feel
séparer to separate
septembre September
sérieux, euse serious
serpent (m.) snake
serre (f.) greenhouse
serrer la main to shake hands
serviette (f.) napkin; briefcase
servir to serve;
   se — de to use
seuil (m.) threshold
seul(e) alone
seulement only
sévère strict
si if, whether
siècle (m.) century
sien: les —s one's own people
signifier to mean
simple simple, easy
singe (m.) monkey
sinon if not, or else
sirop (m.) syrup
situé(e) located
ski (m.) ski, skiing;
   — nautique water skiing
   — de fond cross-country skiing
   — alpin downhill skiing
skieur, euse (m./f.) skier
sœur (f.) sister
soif (f.) thirst;
   avoir — to be thirsty
soigner to care for, to look after, to tend
soin (m.) care;
   avec — carefully
soir (m.) evening;
   ce — tonight
soirée (f.) evening; evening party
soi self
soit either, or
sol (m.) soil, ground
solaire solar
soleil (m.) sun;
   au — in the sun
solennel(le) solemn
sombre dark
sommeil (m.) sleep;
   avoir — to be sleepy
sommet (m.) top, summit
somnifère (m.) sleeping pill
son (m.) sound
sondage (m.) poll
songer to dream
sonner to ring
sorcière (f.) witch
sort (m.) fate
sorte (f.) sort, kind
sortie (f.) exit
sortir to go out
sot, sotte silly
souci (m.) worry
soucoupe (f.) saucer;
   — volante flying saucer
soudain all of a sudden
souffrir to suffer

souhait (m.) wish
souhaitable desirable
souhaiter to wish
soulever to lift
soulier (m.) shoe
souligner to stress, to underline
soumettre to submit
souper to have supper
source (f.) spring, source
sourcil (m.) eyebrow
sourd, sourde deaf
sourire (m.) smile
sourire to smile
souris (f.) mouse
sous under
soustraction (f.) subtraction
sous-vêtement (m.) undergarment
soutien-gorge (m.) bra
souvenir: se — de to remember
souvenir (m.) memory, recollection
souvent often
spatule (f.) spatula
spécialement especially
spécialiser: se — to specialize
spécialiste (m./f.) specialist
spectacle (m.) show, play
spectateur, trice (m./f.) spectator
sport (m.) sport
sportif, ive athletic; (m.) sportsman
stade (m.) stadium
stationnement (m.) parking
stationner to park
stylo (m.) pen; — à bille ballpoint
  pen
subir to undergo
subitement suddenly
subvenir to provide
succès (m.) success
succulent(e) delicious
sucre (m.) sugar
sud (m.) south
Suède (f.) Sweden
suffisamment sufficiently, enough
suffisant(e) sufficient
suggérer to suggest
suicider: se — to commit suicide
Suisse (f.) Switzerland
suite (f.): par — de as a result of
suivant(e) following
suivre to follow; to take (a course)
sujet (m.) subject, topic
supermarché (m.) supermarket
supprimer to remove
sur on
sûr(e) sure; safe
sûrement surely
sûreté (f.) safety
surprise (f.) surprise
surtout above all, especially
surveiller to watch over
survivre to survive, to outlive
susciter to give rise to
sympathique likable, nice
syndicat (m.) trade union

tabac (m.) tobacco
tableau (m.) blackboard, painting
tache (f.) stain
tâche (f.) task, work
taché(e) stained
tacite implied
taille (f.) size; waist; figure
tailleur (m.) tailor
taire: se — to be quiet, to be silent
talon (m.) heel
tambour (m.) drum
tandis que while, whereas
tant (de) so much (many);
  — mieux so much the better;
  — pis too bad
tant que as long as, as well as
tante (f.) aunt
tantôt at one time
tapis (m.) rug
tard late
tarder: sans — without delay
tarif (m.) rates
tarte (f.) pie
tas: un — de a lot of
tasse (f.) cup
taux (m.) rate
technique technical
tel(le) such; — que such as
tellement so, so much
témoigner to testify; — de to bear
  witness to
témoin (m.) witness
tempérament (m.) nature
tempête (f.) storm
temps (m.) time; weather; tense
  (verb);
  de — en — from time to time;
  en même — at the same time;
  être de son — to keep up with the
  times;
  — partiel part-time;
  — plein full-time;
  perdre son — to waste one's time;
  Quel — fait-il? What is the weather like?
ténacité (f.) stubbornness
tendance (f.) trend
tendresse (f.) tenderness
tenir to hold;
  — à to insist upon; to value
  se — à l'écart to keep to oneself
tentative (f.) attempt
tenter to attempt, to try
tenu(e): être — de to be bound to
terminaison (f.) ending
terminer to end
terminus (m.) terminal
terrain (m.) ground, lot
terre (f.) earth, soil; land;
  par — on the floor (ground)
terrifiant(e) terrifying
terrifier to terrify
tête (f.) head;
  — à — private conversation;
  mal de — headache
thé (m.) tea

Tiers-Monde (m.) Third World
tigre, tigresse (m./f.) tiger, tigress
tirer to pull
tiroir (m.) drawer
tisane (f.) herbal tea
tissu (m.) material
titre (m.) title
titulaire (m./f.) possessor
toile (f.) canvas; painting
toilette (f.) washing up, dressing up;
  —s restrooms
toit (m.) roof
tolérer to tolerate
tomber to fall
ton (m.) (de la voix) tone (of voice)
tonnelle (f.) arbour
tonnerre (m.) thunder
tornade (f.) tornado
tort (m.) fault;
  avoir — to be wrong
tôt early
  le plus — possible as soon as possible
toucher to touch; to concern
toujours always, still
tour (m.) turn;
  à mon — my turn;
  faire le — de to tour, to go
  around;
  jouer un — to play a bad trick
tour (f.) tower
tournée: être en — to be on tour
tourner to turn
tousser to cough
tout, toute, tous, toutes all, whole,
  every, everything;
  — à coup suddenly;
  — à fait quite; entirely;
  — de suite immediately;
  — le temps all the time;
  pas du — not at all
toutefois however, yet
trac (m.) stage fright
traducteur, trice (m./f.) translator
traduire to translate; to convey
trahir to betray
train: être en — de to be in the midst
  of (doing something)
traîneau (m.) sled
trait (m.) feature, characteristic
traitement de texte (m.) word processing, word processor
trancher to slice
tranquille quiet;
  laisser — to leave alone
transmettre to transmit, to convey, to
  pass on
transporter to carry
transports en commun (m.) public
  transport
travail (m.) work, job; assignment
travailler to work
travailleur, euse hardworking;
  (m./f.) worker
travaux ménagers (m.pl.) housework
travers: à through; across

traverser to cross
traversier (m.) ferryboat
tremplin (m.) ski jump; diving board
très very
trésor (m.) treasure
tribu (f.) tribe
triste sad
tristesse (f.) sadness
tromper: se — to make a mistake
tronc (m.) trunk
trop (de) too, too much/many
trottoir (m.) sidewalk
trou (m.) hole
troupe (f.) band
trouver to find
truite (f.) trout
tuque (f.) cap, tuque

U

un, une a, an; one
unir to unite
urbain(e) urban
urgence (f.) emergency
usage (m.) use, usage; practice
usé(e) worn out
usine (f.) plant, factory
utile useful
utilisation (f.) use
utiliser to use

V

va-et-vient (m.) coming and going
vacances (f.pl.) vacation, holidays
vache (f.) cow
vague (f.) wave
vaguement vaguely
vain: en — in vain
vainqueur (m.) conqueror, victor
vaisselle (f.) dishes;
   faire la — to do the dishes
valeur (f.) value;
   mettre en — to enhance; to promote
valise (f.) suitcase
valoir to be worth
valoriser to self-actualize
vapeur (f.) steam
varié(e) varied
vaut: ça — la peine de it's worth (doing);
   il — mieux it is better

veau (m.) calf, veal
vedette (f.) star
végétarien, ienne vegetarian
veille: la — de the day before
veillée (f.) evening gathering
veiller à to see to, to look after
vélo (m.) bicycle
vendeur, euse (m./f.) salesclerk
vendre to sell
vendredi (m.) Friday
vénérien, ienne venereal
venir to come
vent (m.) wind
vente (f.) sale
ventre (m.) belly, stomach
verdir to turn green
vérifier to check
véritable real, genuine, true
vérité (f.) truth
verre (m.) glass;
   —s de contact contact lenses
vers toward; around; about
vert, verte green
vertige (m.) vertigo
veste (f.) jacket
vestige (m.) trace, remains
veston (m.) jacket
vêtement (m.) garment, clothing
veuf, veuve (m./f.) widower, widow
viande (f.) meat
vide empty
vie (f.) life
vieillard (m.) old man
vieillesse (f.) old age
vieillir to grow old
vieillissement (m.) aging
vieux, vieille old
ville (f.) town, city
vin (m.) wine
violemment violently
violet, ette purple, violet
violon (m.) violin
violoncelle (m.) cello
virage (m.) turn, bend
visage (m.) face
visée (f.) design
viser to aim at
visite (f.) visit;
   rendre — à to visit someone
vite quickly, fast
vitesse (f.) speed

vitrine (f.) shop window
vivant(e) living
vivre to live
voici here is, here are
voie (f.) track, way;
   en — de disparition endangered
voilà there is, there are
vouloir: en — à to hold a grudge against
voile (f.) sail
voilier (m.) sailing ship
voir to see
voisin(e) (m./f.) neighbour
voiture (f.) car
voix (f.) voice;
   à — basse in a low voice
vol (m.) theft; flight
volant (m.) steering wheel
voler to steal
voleur (m.) thief
volonté (f.) will
volume (m.) book
vouloir to want, wish;
   — dire to mean
voyage (m.) trip, journey;
   — de noces honeymoon
voyager to travel
voyageur, euse (m./f.) traveller
vrai(e) true
vraiment really, indeed
vue (f.) sight, view
vulgaire vulgar

W

wagon-lit (m.) sleeping car
week-end (m.) weekend

Y

y there
yeux (m.pl.) (sing. **œil**) eyes

Z

zodiaque (m.) zodiac
zoo (m.) zoo

Vocabulaire – Anglais/Français

▪A

able (to be__) pouvoir
about (concerning) au sujet de, concernant
about (time) vers
abroad à l'étranger
absolutely absolument
accomodate accommoder
accomplish accomplir
according to selon
account (on my__) à mon compte
accountant comptable (m.)
across from en face de
actor, actress acteur, actrice (m./f.)
ad annonce (f.)
adapt (s')adapter
add ajouter
admit admettre, avouer
advertising publicité (f.)
advise conseiller
aerobic aérobique
afraid (to be __) avoir peur
after après, après que
afternoon après-midi (m. /f.)
afterwards ensuite
again encore
against contre
ago il y a
agreed entendu; d'accord
agreement accord (m.)
aids sida (m.)
alarm clock réveille-matin (m.)
alcohol alcool (m.)
all best wishes tous mes vœux
all the time tout le temps
allow permettre
almost presque
already déjà
although bien que
always toujours
among parmi
ancestor ancêtre (m.)
ancient ancien, ancienne
anger colère (f.)
angry en colère, fâché(e)
angry (to be) se mettre en colère; se fâcher
animated animé(e)
ankle cheville (f.)
announce annoncer
annoy ennuyer
annoyed fâché(e), ennuyé(e)
annoying ennuyeux, euse
answer répondre
anxious (to be__) avoir hâte de
apartment building immeuble (m.)
apple pomme (f.)
appreciate apprécier
approve approuver
approximately environ
April avril (m.)
arm bras (m.)

around autour de
arrival arrivée (f.)
arrive arriver
as aussi;
   __ **a matter of fact** justement;
   __ **far as** jusqu'à;
   __ **many,** __
   __ **much** - autant
as soon as aussitôt que
ashamed (to be __ of) avoir honte de
Asian asiatique
ask demander
asleep (to fall __) s'endormir
astonish étonner
astonished étonné(e)
astonishing étonnant(e)
at en, à, chez
athletic sportif, ive
atrocious atroce
attend assister
attic grenier (m.)
attract attirer
August août (m.)
aunt tante (f.)
author auteur(e) (m./f.)
authorized autorisé(e)
average moyen(ne)
avoid éviter

B

back dos (m.)
   be __ home être de retour chez soi
backpack sac à dos (m.)
bad mauvais(e)
badly mal
bag sac (m.)
bakery boulangerie (f.)
bandage pansement (m.)
basement sous-sol (m.)
basketball ballon-panier (m.)
bathroom salle de bain (f.)
be être
beach plage (f.)
bean haricot (m.)
beautiful beau, belle
because parce que
because of à cause de
become devenir
bed lit (m.)
bedroom chambre (f.)
beef bœuf (m.)
beer bière (f.)
before avant, avant que
beforehand auparavant
begin commencer
beginning début (m.)
behind derrière
Belgian belge
Belgium Belgique (f.)
believe croire
belong to appartenir, être à
belt ceinture (f.)
besides en plus, de plus

best meilleur(e)
better mieux
between entre
bicycle bicyclette (f.)
big grand(e)
bill addition (f.)
biology biologie (f.)
birth naissance (f.)
birthday anniversaire (m.)
bit peu
black noir(e)
blackboard tableau noir (m.)
blank blanc; espace vide (m.)
blueberry bleuet (m.)
blush rougir
boat bateau (m.)
body corps (m.)
body-building faire de la musculation
book livre (m.)
bookstore librairie (f.)
boot botte (f.)
booth cabine (f.)
bore ennuyer
bored (to be __) s'ennuyer
boring ennuyeux, euse
both les deux
bother ennuyer, déranger
bottle bouteille (f.)
bowl bol (m.)
box boîte (f.)
boy garçon (m.)
boyfriend chum, petit ami (m.)
brand marque (f.)
bread pain (m.)
break casser (se)
break down tomber en panne
breakfast déjeuner (m.)
breathe respirer
bridge pont (m.)
bring apporter
British Columbia Colombie-Britannique (f.)
broadcast émission (f.)
bronchitis bronchite (f.)
broom balai (m.)
brother frère (m.)
brother-in-law beau-frère (m.)
brown brun(e)
brush brosser
building édifice, bâtiment (m.)
burst out laughing éclater de rire
business commerce (m.)
businessman homme d'affaires (m.)
businesswoman femme d'affaires (f.)
busy occupé(e)
but mais
butcher boucher, bouchère (m./f.)
butcher's shop boucherie (f.)
butter beurre (m.)
buy acheter
by par; avant (time)
by the way à propos

Bye! Salut!

C

cake gâteau (m.)
calendar calendrier (m.)
call appel (m.)
call appeler
called (to be) s'appeler
calmly calmement
campground camping (m.)
camping (to go __) aller camper
can boîte (f.)
candy bonbon (m.)
canoeing (to go __) faire du canotage
car voiture, auto (f.)
card carte (f.)
career carrière (f.)
careful prudent(e)
cartoon bande dessinée (f.)
cast plâtre (m.)
cat chat, chatte (m./f.)
CD disque compact (m.)
CD player lecteur de disque (m.)
celebrate célébrer, fêter
century siècle (m.)
chair chaise (f.)
change changement (m.)
change changer
character personnage (m.)
charming charmant(e)
chat bavarder, jaser (Québec)
check vérifier
cheek joue (f.)
cheese fromage (m.)
chemistry chimie (f.)
chest poitrine (f.)
chestnut brown châtain(e)
chicken poulet (m.)
child enfant (m./f.)
chin menton (m.)
Chinese chinois(e) (m./f.)
choose choisir
chores travaux ménagers (m. pl.)
Christian chrétien, chrétienne
Christmas Noël (m.)
church église (f.)
cider cidre (m.)
circulate circuler
city ville (f.)
city hall hôtel de ville (m.)
civil servant fonctionnaire (m./f.)
class cours (m.), classe (f.)
classmate camarade de classe (m./f.)
classroom salle de classe (f.)
clean propre
clear clair(e)
close fermer
closed fermé(e)
clothing vêtement (m.)
cloud nuage (m.)
cloudy nuageux, nuageuse
coat manteau (m.)
cold froid(e) ; **to be __** avoir froid
cold rhume (m.)
comb one's hair se peigner

come venir; **to __ back** revenir
comedy comédie (f.)
commonly communément
compare comparer
compared to en comparaison de
complain plaindre (se)
completely complètement; tout à fait
complicated compliqué(e)
computer ordinateur (m.)
computer science informatique (f.)
computer scientist informaticien, informaticienne (m./f.)
confess avouer
congratulate féliciter
congratulations félicitations (f.pl.)
conjugate conjuguer
conjugation conjugaison (f.)
consequently par conséquent, donc
consider considérer
constantly constamment
consult consulter
continuation suite (f.)
continue continuer
convinced convaincu(e)
cook cuisinier, cuisinière (m./f.); **to __** faire la cuisine
cookie biscuit (m.)
cooking cuisine (f.)
cool frais, fraîche
cost coût (m.); **to__** coûter
cough tousser
cough toux (f.)
count compter
country pays (m.); **in the __** à la campagne
cracker biscuit (m.)
craft shop boutique d'artisanat (f.)
crafts artisanat (m.)
crazy fou, folle
create créer
crisis crise (f.)
criticize critiquer
cross traverser
cross-country skiing ski de fond (m.)
cry pleurer
cup tasse (f.)
cure guérison (f.)
custom coutume (f.)
customer client(e) (m./f.)
cut (oneself) couper (se)
cute mignon(ne)
cycling cyclisme (m.); **to go __** faire du vélo, de la bicyclette

D

daily quotidien(ne)
damp humide
dance danse (f.); danser
dangerous dangereux, euse
dare oser
dark foncé(e)
daughter fille (f.)
day jour (m.)
dear cher, chère

death mort (f.)
debate débat (m.)
deceive décevoir
decide décider
decrease diminuer
delighted ravi(e)
den salle de séjour (f.)
depart partir
department store grand magasin (m.)
departure départ (m.)
depend (on) dépendre (de)
depressed déprimé(e)
describe décrire
desire désir (m.); **to __** désirer
desire (to feel like) avoir envie de
destroy détruire
develop développer
developing en voie de développement
die mourir
difficult difficile
dining room salle à manger (f.)
dinner dîner (m.); **to have __** dîner
direct diriger
director directeur, directrice (m./f.)
disadvantage inconvénient (m.)
disagreement désaccord (m.)
disappear disparaître
disappointed déçu(e)
disappointment déception (f.)
discomfort inconfort (m.)
discouraged découragé(e)
discover découvrir
discovery découverte (f.)
discuss discuter
disgusted dégoûté(e)
dish plat (m.)
dishes vaisselle (f.)
dishwasher lave-vaisselle (m.)
diskette disquette (f.)
displeased mécontent(e)
distrust méfier (se) de
do faire
docteur docteur-médecin (m.)
dog chien, chienne (m./f.)
Don't bother! Ce n'est pas la peine!
door porte (f.)
dormitory dortoir (m.)
doubt doute (m.); **to __** douter
downhill skiing ski alpin (m.)
downtown centre-ville (m.)
dozen douzaine (f.)
drama drame (m.); **to study __** étudier l'art dramatique
dreadful épouvantable
dream rêve (m.); **to __** rêver
dress robe (f.)
dressed (to get __) s'habiller
drink boire; **to have a __** prendre un verre
drugstore pharmacie (f.)
dry sec, sèche
dryer sécheuse (f.)
duration durée (f.)
Dutch Hollandais(e) (m./f.)

E

each chaque
each one chacun(e)
ear oreille (f.)
early en avance, tôt
earn gagner
earth terre (f.)
earthquake tremblement de
   terre (m.)
ease (at ease) aise (à l'__)
east est (m.)
Easter Pâques (m.)
easy facile
eat manger
ecological écologique
ecology écologie (f.)
economy économie (f.)
edge bord (m.)
egg œuf (m.)
elementary school école primaire (f.)
elsewhere ailleurs
embarassed embarrassé(e)
encourage encourager
encouraging encourageant(e)
end fin (f.), bout (m.)
end terminer
engaged fiancé(e)
engaged (to get __) se fiancer
engagement fiançailles (f. pl.)
English Anglais(e) (m./f.)
enjoy se plaire, jouir de, aimer
enough assez
entertain divertir
entrance entrée (f.)
envy envier
equally également
errands (to do __) faire des courses
especially surtout
event événement (m.)
every tous les...
everyone tout le monde
everything tout
everywhere partout
exactly exactement
exam examen (m.)
except sauf
exchange échange (m.)
excuse excuser, pardonner
exaggerate exagérer
excuse oneself s'excuser
exercise exercice (m.)
   to get some faire de l'exercice
ethnicity ethnie (f.)
evening soir (m.), soirée (f.)
exist exister
expensive cher, chère
explain expliquer
explanation explication (f.)
express exprimer
extraordinary extraordinaire
eye(s) œil (m.) (yeux (m.pl.))

F

face visage (m.)
fact fait (m.)
fairly well assez bien

faithful fidèle
fall tomber
fall automne (m.)
falls chutes (f. pl.)
false faux, fausse
family famille (f.)
famous célèbre
far from loin de
fare tarif (m.)
farm ferme (f.)
farmer fermier, fermière (m./f.)
fascinate fasciner
fast rapide, vite
fat gros, grosse
father père (m.)
father-in-law beau-père (m.)
fatherly paternel, paternelle
fear peur (f.)
February février (m.)
feel sentir (se)
feel sentir;
   to __ like avoir envie de
feeling sentiment (m.)
fees (tuition) frais de scolarité
   (m. pl.)
fever fièvre (f.)
few peu de
fewer moins
finally finalement, enfin
find trouver
finger doigt (m.)
finish finir, terminer
fire feu (m.)
first d'abord, premier, première
first of all tout d'abord
fish poisson (m.)
fish shop poissonnerie (f.)
flight vol (m.)
floor étage (m.)
floppy disk disque souple (m.)
florist fleuriste (m./f.)
flour farine (f.)
flower shop fleuriste (m./f.)
flu grippe (f.)
fluently couramment
fog brouillard (m.)
follow suivre
followed suivi(e)
following suivant(e)
food nourriture (f.)
foot pied (m.)
for pour, pendant, depuis, car
forbidden interdit(e), défendu(e)
forehead front (m.)
foreign étranger, ère
foreigner étranger, étrangère (m./f.)
forest forêt (f.)
forget oublier
forgive pardonner
former ancien(ne)
fortunately heureusement
frankly franchement
free libre
freedom liberté (f.)
freezer congélateur (m.)
French français(e)

French fries frites (f. pl.)
Friday vendredi (m.)
fridge frigo (m.)
friend ami,e (m./f.), copain, copine
   (m./f.)
friendly aimable
friendship amitié (f.)
frightening effrayant(e)
from de, à partir de
frustrated frustré(e)
frustrating frustrant(e)
fun plaisir (m.)
funny amusant(e), plaisant(e)
furious furieux, furieuse
furniture meuble (m.)
future avenir (m.), futur (m.)

G

game jeu (m.)
garden jardin (m.)
gas essence (f.)
generally généralement
generous généreux, généreuse
gentle doux, douce
gentleman monsieur (m.)
gentlemen messieurs (m. pl.)
gently doucement
German allemand(e) (m./f.)
gesture geste (m.)
get obtenir;
   __ used to s'habituer;
   __ along s'entendre;
   __ dressed s'habiller;
   __ it comprendre
gift cadeau (m.)
girl fille (f.)
girlfriend amie, petite amie,
   blonde (f.) (Québec)
give donner
give up renoncer, laisser tomber
glad content(e)
gladly avec plaisir
glass verre (m.)
glasses lunettes (f. pl.)
glove gant (m.)
go aller;
   __ back retourner;
   __ home rentrer;
   __ in entrer;
   __ out sortir;
   __ up monter;
   __ to bed se coucher
goal but (m.)
god dieu (m.)
Good evening! Bonsoir!
Good-bye! Au revoir!
granddaughter petite-fille (f.)
grandfather grand-père (m.)
grandmother grand-mère (f.)
grandparent grand-parent (m.)
grandson petit-fils (m.)
grape raisin (m.)
gray gris(e)
great formidable, super
greedy gourmand(e)
Greek grec, grecque

green vert(e)
greet saluer
groceries provisions (f. pl.)
grocery shopping
  (to go __) faire ses provisions
grocery store épicerie (f.)
ground haché(e)
ground floor rez-de-chaussée (m.)
group leader animateur, animatrice
grow grandir
guess deviner
guest invité(e) (m./f.)
guilty coupable
guitar guitare (f.)
gym gymnase (m.)

H

habit habitude (f.)
hair cheveux (m. pl.)
half moitié, demi(e) (f.)
half-way à mi-chemin
hallway couloir (m.)
ham jambon (m.)
hand main (f.)
hand in remettre
handbag sac (m.)
handsome beau, belle
happen se passer, arriver
happiness bonheur (m.)
happy content(e), heureux, se
Happy Birthday! Bon anniversaire!
Happy Easter! Joyeuses Pâques!
hard disk disque dur (m.)
hardware matériel (m.)
hardware store quincaillerie (f)
hardworking travailleur, travailleuse
  (m. / f.)
hat chapeau (m.)
hate détester
have avoir
hay fever rhume des foins (m.)
head tête (f.)
headphones écouteurs (m. pl.)
health santé (f.)
healthy sain(e)
hear entendre
heart cœur (m.)
heavy lourd(e)
help aide (f.), **to __** aider
here ici
hesitate hésiter
Hi! Salut!
highway autoroute (f.)
hip hanche (f.)
history histoire (f.)
holiday congé (m.);
  to be on __ être en vacances
homesick (to be __) avoir le mal
  du pays
homework devoir (m.)
honest honnête
hope espérer
horror movie film (m.) d'épouvante
hospital hôpital (m.)
host hôte, hôtesse (m./f.)
hot chaud(e)

hot (to be __) avoir chaud
hour heure (f.)
house maison (f.)
household appliance appareil
  ménager (m.)
housing logement (m.)
how comment
How are you? Comment ça va?
  Comment allez-vous?
how many combien
how much combien
however cependant
hungry (to be __) avoir faim
hurricane ouragan (m.)
hurry dépêcher (se)
hurry (to be in a __ to) avoir hâte
  de, être pressé(e)
hurt avoir mal à;
  to __ **oneself** se blesser
husband mari (m.)

I

ice cream crème glacée (f.)
identify identifier
if si
ill (to feel __) se sentir mal
ill-at-ease mal à l'aise
illness maladie (f.)
imagine imaginer
immediately immédiatement, tout
  de suite
impressive impressionnant(e)
impulsively impulsivement
in dans, en, au; **__ front** devant;
  __ love amoureux,euse;
  __ my opinion à mon avis;
  __ order that afin que, pour que;
  __ the beginning au début;
  __ the country à la campagne;
  __ the future à l'avenir;
  __ the middle au milieu;
  __ the past dans le passé, autrefois;
  __ those days à cette époque-là;
include compter, comprendre
increase augmenter
indeed en effet
indicate indiquer, signaler
inexpensive bon marché (inv.)
inform renseigner
information renseignement (m.)
inhabitant habitant(e) (m./f.)
inside à l'intérieur
install installer
instead of au lieu de
insult insulter
insurance assurance (f.)
intend to avoir l'intention de
interest intérêt (m.)
interested (to be __ in) s'intéresser à
interesting intéressant(e)
interrupt interrompre
intersection carrefour (m.)
intervene intervenir
introduce présenter, introduire
introduction présentation (f.)
invite inviter

Irish irlandais(e) (m./f.)
iron fer à repasser (m.)
irregular irrégulier, irrégulière
irritation énervement (m.)
island île (f.)
Israeli israélien, israélienne (m./f.)

K

key touche (f.); clé (f.)
keyboard clavier (m.)
kill tuer
kiss embrasser (s')
kiss baiser (m.), bec (m.)
kitchen cuisine (f.)
knee genou (m.)
know connaître, savoir
know how to savoir comment
Korean coréen, coréenne (m./f.)

L

Ladies mesdames (f. pl.)
language langue (f.), langage (m.)
last year l'an dernier, passé (m.),
  l'année dernière, l'année passée (f.)
last night hier soir, cette nuit
late en retard
lateness retard (m.)
laugh rire
laundry lavage (m.)
lawyer avocat, avocate (m./f.)
lazy paresseux, paresseuse
learn apprendre
leather cuir (m.)
leave quitter, partir, sortir
left gauche (f.)
leisure loisir (m.)
lemonade (pop) limonade (f.)
less moins
lesson leçon (f.)
Let's see... Voyons..
lettuce laitue (f.)
level niveau (m.)
library bibliothèque (f.)
life vie (f.)
light lumière (f.)
light clair(e)
light léger, légère
like aimer
like comme
lined doublé(e)
link lier, relier
listen écouter
little (a __) un peu
little of peu de
live vivre, habiter
living vie (f.);
  to earn one's __ gagner sa vie
living room salon (m.)
located situé(e)
location lieu (m.)
long time longtemps
long sleeves à manches longues
look at regarder
look for chercher
look like ressembler
loosen détendre

lose perdre
lot (a lot) beaucoup
loud (louder) fort (plus fort)
lousy moche
love amour (m.); **in __** amoureux, amoureuse
love adorer, aimer
low bas, basse
luck chance (f.)
lucky chanceux, chanceuse
lunch dîner (m.)
lung poumon (m.)

M

Madam Madame (f.)
magnificent magnifique
mail courrier (m.)
make rendre
make faire
make fun of se moquer de
make plans faire des projets
make sure s'assurer
man homme (m.)
manage (to be able to __) se débrouiller
manner manière (f.), façon (f.)
map carte (f.)
March mars (m.)
mark note (f.)
market marché (m.)
marriage mariage (m.)
married marié(e)
marvellous merveilleux, merveilleuse
maybe peut-être
meal repas (m.)
mean vouloir dire
mean méchant(e)
means moyens (m. pl.)
measure mesure (f.)
meat viande (f.)
medecine médicament (m.)
meditate méditer
meet rencontrer, faire la connaissance de
meet se retrouver
meeting réunion (f.)
memory mémoire (f.), souvenir (m.)
mention mentionner
merchant marchand, marchande (m./f.)
Merry Christmas Joyeux Noël
Mexico Mexique (m.)
microwave oven four à micro-ondes (m.)
middle milieu (m.)
milk lait (m.)
mind esprit (m.)
miss ennuyer (se) de
Miss mademoiselle (f.)
mistake faute (f.), erreur (f.)
misunderstanding malentendu (m.)
moist humide
Monday lundi (m.)
money argent (m.)
monitor moniteur, monitrice (m./f.)

month mois (m.)
monthly mensuel(le)
more plus
more and more de plus en plus
more or less plus ou moins
Moroccan marocain(e) (m./f.)
Moslem musulman(e) (m./f.)
most la plupart de/des
mother mère (f.)
mother-in-law belle-mère (f.)
motherly maternel(le)
mountain montagne (f.)
mourning deuil (m.)
mouse souris (f.)
mouth bouche (f.)
movement mouvement (m.)
movie film (m.)
movie theatre cinéma (m.)
museum musée (m.)
must devoir

N

name nom (m.)
Native person Amérindien, Amérindienne (m./f.)
near près de, proche
necessary nécessaire
neck cou (m.)
need besoin (m.)
need (to __) avoir besoin de
needle (injection) piqûre (f.)
neighbourhood quartier (m.)
neither non plus
neither one ni l'un(e) ni l'autre
neither...nor ne... ni... ni
nephew neveu (m.)
nervous nerveux, nerveuse
Netherlands Pays-Bas (m.pl.)
never ne... jamais
nevertheless quand même
new neuf, neuve; nouveau, nouvelle
Newfoundland Terre-Neuve (f.)
news informations, nouvelles (f.pl.)
newspaper journal (m.)
newstand kiosque à journaux (m.)
next puis, prochain(e)
next to à côté de
nice gentil(le); sympathique
night nuit (f.)
nightmare cauchemar (m.)
no non, aucun(e)
no longer ne.... plus
no one ne.... personne
nonetheless néanmoins
noon midi (m.)
normally normalement
north nord (m.)
nose nez (m.)
not ne... pas
not a single ne.... aucun(e)
not any ne.... aucun(e)
not at all pas du tout
not bad pas mal
not very well pas très bien, pas tellement
not yet ne... pas encore

notebook cahier (m.)
nothing ne... rien
notice remarquer
noun nom (m.)
Nova Scotia Nouvelle-Écosse (f.)
novel roman (m.)
now maintenant
number numéro (m.), nombre (m.)
numerical numérique

O

O.K. D'accord
obey obéir
obviously évidemment
occupy occuper
of de
of course bien sûr
of which dont
of whom dont
offend offenser
offer offrir
office bureau (m.)
often souvent
old vieux, vieille;
     to be X years __ avoir X ans
on sur, à, en
on holiday en vacances
on my account à mon compte
on the other hand par contre
on time à l'heure
once again une fois de plus
one has to falloir (il faut)
one more time une fois de plus
onion oignon (m.)
only ne... que; seulement
open ouvrir
opinion avis (m.), opinion (f.)
opportunity occasion (f.)
or ou
order commander
ordinarily ordinairement
ordinary ordinaire
organize organiser
other autre
outdoors en plein air
outing (to go on an __) faire une excursion
outside dehors
outside of en dehors de
over there là-bas
owe devoir
own posséder
owner propriétaire (m./f.)

P

pay payer
pay attention faire attention
peanut arachide (f.)
pear poire (f.)
peas petits pois (m.pl.)
pen stylo (m.)
pencil crayon (m.)
people gens (m.pl.)
people (national or ethnic group) peuple (m.)
pepper poivre (m.)

perfect parfait(e)
perfume parfum (m.)
perfume store parfumerie (f.)
permit permettre
pet animal de compagnie (m.)
picnic pique-nique (m.)
picture photo (f.)
pie tarte (f.)
piece morceau (m.)
piece of advice conseil (m.)
pill comprimé (m.); pilule (f.)
pity plaindre
place place (f.) endroit (m.)
plan planifier
plan projet, plan (m.)
platform quai (m.)
play pièce de théâtre (f.)
play jouer
pleasant plaisant(e), agréable
please s'il (te)vous plaît
please plaire (se)
pleased content(e)
pleasure plaisir (m.)
plumber plombier, plombière (m./f.)
poem poème (m.)
poet poète (m./f.)
poetry poésie (f.)
policy politique (f.)
politely poliment
poll sondage (m.)
pollute polluer
poor pauvre
popular populaire
post office bureau de poste (m.)
poster affiche (f.)
postpone remettre, ajourner
pound livre (f.)
practise pratiquer
pray prier
prescription ordonnance (f.)
present (to be __) assister à
pretend faire semblant de
pretty joli(e)
previous précédent(e)
previously auparavant
price prix (m.)
printer (computer) imprimante (f.)
private privé(e)
probably probablement
produce produit (m.)
promise promettre
property propriété (f.)
provided that pourvu que
punish punir
purchase achat (m.)
purple violet(te)
put mettre

Q

questioning interrogation (f.)
quite assez, tout à fait

R

rain pluie (f.)
rain pleuvoir
raincoat imperméable (m.)

raise lever
rarely rarement
rate taux (m.)
rather plutôt
read lire
reading lecture (f.)
ready prêt(e)
ready (to get __) se préparer
real estate agency agence immobilière (f.)
realize réaliser, se rendre compte
really vraiment
reasonable raisonnable
reassure (oneself) se rassurer
receive recevoir
recently récemment
recipe recette (f.)
recognize reconnaître
record disque (m.)
red rouge
red (hair) roux, rousse
reduce réduire
reflect réfléchir
regular régulier, régulière
regularly régulièrement
relax relaxer; se détendre
relief soulagement (m.)
relieved soulagé(e)
remedy remède (m.)
remember se rappeler, se souvenir de
remind rappeler
rent loyer (m.)
rent louer
repair réparer
repaired (to get __) faire réparer
repeat répéter
replace remplacer
reproach reproche (m.)
research recherche (f.)
researcher chercheur, chercheuse (m./f.)
resist résister
resolve résoudre
rest repos (m.)
rest se reposer
result résultat (m.)
retirement retraite (f.)
return retourner, rendre
review revision (f.)
rice riz (m.)
ride (to go for a __) se promener;
 (to take for a __) promener
right droit (m.);
 (to be __) avoir raison;
 (to have the __) avoir droit;
 (to the __ of) à droite de
river rivière (f.)
road route (f.)
roast rôti (m.)
roll petit pain (m.)
room pièce (f.)
room (to have__ for) avoir de la place pour
Russian russe (m./f.)

S

sad triste

sadness tristesse (f.)
salesperson vendeur, vendeuse (m./f.)
salt sel (m.)
same même
Saturday samedi (m.)
sausage saucisse (f.)
say dire
scared (to be __) avoir peur de
scarf foulard (m.)
schedule horaire (m.)
scholarship bourse (f.)
school école (f.)
scientist scientifique (m./f.)
Scottish écossais(e) (m./f.)
screen écran (m.)
sea mer (f.)
search for fouiller
season saison (f.)
seat place (f.), siège (m.)
secretary secrétaire (m./f.)
secretary's office secrétariat (m.)
see voir
See you! À la prochaine!
See you soon! À bientôt!
seem avoir l'air; sembler
selfish égoïste
sell vendre
sensitive sensible
sentence phrase (f.)
serious grave, sérieux, sérieuse
serve servir
set the table mettre la table
settle in s'installer
several plusieurs
shake hands serrer la main
shame honte (f.)
 (to be ashamed) avoir honte
shape forme (f.)
share partager
sharp pointu(e); coupant(e)
shave raser (se)
shirt chemise (f.)
shock choquer
shoe chaussure (f.), soulier (m.)
shoe store magasin de chaussures (m.)
shop commerce (m.)
shopping (to go __) magasiner, faire des achats
shopping centre centre commercial (m.)
shore rive (f.); bord (m.)
short court(e)
short-sleeved à manches courtes (f.pl.)
shortly tout à l'heure; bientôt
shoulder épaule (f.)
shovel pelle (f.)
shovel snow pelleter la neige
show montrer
shower douche (f);
 __ of rain averse (f.)
shy timide
sick malade
sickness maladie (f.)

sigh soupirer
silent silencieux, silencieuse
silly bête
similarity ressemblance (f.)
since depuis, depuis que, puisque
sing chanter
singer chanteur, chanteuse (m./f.)
sister sœur (f.)
sister-in-law belle-sœur (f.)
sit down assoyez-vous
skating patinage (m.)
ski skier
skiing (downhill, cross-country, water) ski (alpin, de randonnée, nautique)
skiing (to go __) faire du ski
skirt jupe (f.)
sky ciel (m.)
sleep dormir
sleepy (to be __) avoir sommeil
sleeve manche (f.)
slice tranche (f.)
slim mince
slow lent(e)
slowly lentement
small petit(e)
small talk (to make __) bavarder, jaser (Québec)
smell sentir
smile sourire (m.)
smoke fumer
snack collation (f.)
sneakers espadrilles (f.pl.)
sneeze éternuer
snobbish snob
snow neige (f.)
snow neiger
snowstorm tempête de neige (f.)
so alors, tellement
so many of tant de
so much of tant de
so much the better tant mieux
so that afin que, pour que
so-so comme ci, comme ça
social sciences sciences humaines (f.pl.)
social studies sciences humaines (f.pl.)
sock chaussette (f.)
soft doux, douce
soft drink boisson non alcoolisée, liqueur douce (f.) (Québec)
software logiciel (m.)
soldier soldat (m.)
some quelque(s)
someone quelqu'un
something quelque chose
sometimes quelquefois, parfois
son fils (m.)
soon bientôt
sorrow peine (f.)
sorry désolé(e)
sorry (to be __) regretter
sort sorte (f.), genre (m.)
south sud (m.)
space espace (m.)

Spanish espagnol(e) (m./f.)
speak parler
specialty spécialité (f.)
speech discours (m.)
spell épeler
spend (time) passer (du temps)
spicy épicé(e)
spoonful cuillerée (f.)
spot place (f.)
sprain fouler (se)
spring printemps (m.)
square place (f.) carré (m.)
stadium stade (m.)
stage étape (f.)
stairs escalier (m.)
stamp timbre (m.)
stand in line faire la queue
state état (m.)
stationery store papeterie (f.)
stay séjour (m.)
stay rester
step étape (f.)
still encore
stockings bas (m.pl.)
stomach ventre, estomac (m.)
stomach ache (to have a __) avoir mal au cœur / au ventre
store magasin (m.)
storekeeper commerçant(e) (m./f.)
storm orage (m.), tempête (f.)
stove cuisinière (f.)
straight ahead tout droit
strange étrange, bizarre
street rue (f.)
strike frapper
strong fort(e)
strongly fortement
studies études (f.pl.)
study étudier
sturdy solide
subject (school) matière (f.)
suburbs banlieue (f.)
subway métro (m.)
succeed réussir
such pareil(le)
suggest suggérer
suit habit (m.), costume (m.)
summer été (m.)
sun soleil (m.)
Sunday dimanche (m.)
sunny ensoleillé(e)
supper souper (m.)
supply fournir
suppose supposer
supposed (to be __ to) devoir, être censé
surprise surprendre
surprising surprenant(e)
sweater chandail (m.)
swim nager
swimming natation (f.)
swimming pool piscine (f.)
swimsuit maillot (m.)
Swiss suisse (m./f.)
syrup sirop (m.)

take prendre;
  __ **an exam** passer un examen;
  __ **(person)** emmener;
  __ **advantage of** profiter de;
  __ **charge of** s'occuper de;
  __ **down** descendre;
  __ **in** rentrer;
  __ **leave** prendre congé;
  __ **out** emporter
  __ **place** avoir lieu
tall grand(e)
tape player magnétophone (m.)
taste goût (m.)
taste goûter
teach enseigner
teacher professeur(e) (m./f.)
team équipe (f.)
teasing taquinerie (f.)
tell raconter
terrified (to be __) terrifié(e)
thank remercier
thank you merci
that cela, que, ça;
  __ **day** ce jour-là;
  __ **irritates me** ça m'énerve;
  __ **is** c'est-à-dire;
  __ **'s right!** C'est ça;
  __ **'s too bad** c'est dommage
the day after tomorrow après-demain
the day before yesterday avant-hier
the next day le lendemain (m.)
the same le / la même
The weather is nice! Il fait beau!
The weather is poor! Il fait mauvais!
then alors, ensuite, puis
there là; __ **is** Voilà
There is, there are il y a
There's no harm done! Il n'y a pas de mal!
therefore donc
thigh cuisse (f.)
thing chose (f.);
think penser
thirsty (to be __) avoir soif
this week cette semaine
Thursday jeudi (m.)
ticket billet (m.)
time fois, époque (f.)
time temps (m.)
time heure (f.)
timetable horaire (m.)
tired fatigué(e)
tiring fatigant(e)
to à, chez, dans
toaster grille-pain (m.)
today aujourd'hui (m.)
together ensemble
tomorrow demain
tonight ce soir
Too bad! Dommage!
too many (of) trop (de)
too much (of) trop (de)

tooth dent (f.)
towards envers
toy jouet (m.)
traffic jam embouteillage (m.)
traffic light feu (m.)
train station gare (f.)
transportation transport (m.)
travel voyager
travel agency agence de voyages (f.)
tree arbre (m.);
trip voyage (m.);
  to make a __ faire un voyage
trouble problème (m.)
true vrai(e)
trust confiance (f.)
truth vérité (f.)
try essayer
Tuesday mardi (m.)
tuna thon (m.)
turn tourner, virer

U

ugly laid(e)
umbrella parapluie (m.)
unacceptable inacceptable
unbearable insupportable
unbelievable incroyable
under sous
understand comprendre
underwear sous-vêtements (m.pl.)
undoubtedly sans doute
unemployment chômage (m.)
unfortunately malheureusement
unhappy malheureux, malheureuse
unhealthy malsain(e)
United States États-Unis (m.pl.)
university universitaire (adj.)
university université (f.)
unless à moins que
unlikely peu probable
unmarried célibataire
unpleasant désagréable
unrealistic irréaliste
until jusqu'à, jusqu'à ce que
up (to get __) se lever
up to jusqu'à
up-to-date à jour
usage emploi (m.)
use se servir de, utiliser, employer
useful utile
usually d'habitude

V

vacation vacances (f.pl.)
vacuum cleaner aspirateur (m.)
various divers(e)
VCR magnétoscope (m.)
veal veau (m.)
vegetable légume (m.)
very très
very well très bien
visit rendre visite à (person); visiter (things)
volleyball ballon-volant (m.)
vomit vomir

W

wait attendre
waiter serveur (m.)
waitress serveuse (f.)
wake up réveiller se
walk marcher
walk (to go for a __) faire une marche / promenade
Walkman baladeur (m.)
wall mur (m.)
wallet portefeuille (m.)
want vouloir
war guerre (f.)
warm chaud(e), chaleureux, chaleureuse
wash laver (se)
washer laveuse (f.)
watch montre (f.)
watch regarder, surveiller
water eau (f.)
water skiing ski nautique (m.)
water skiing (to go) faire du ski nautique
way chemin (m.)
weak faible
weakness faiblesse (f.)
wear porter
weather temps (m.);
  __ forecast météo (f.)
Wednesday mercredi (m.)
week semaine (f.)
weekly hebdomadaire
weigh peser
weight poids (m.)
welcome bienvenue (f.)
welcome accueillir
well bien
well (to be __) aller bien
Well...listen... Bon / Eh bien (Ben), écoutez...
west ouest (m.)
West Indies Antilles (f.)
What Qu'est-ce-que; Qu'est-ce-qui
what quoi, quel(le)
What's the matter with you? Qu'est-ce que tu as?
What's the matter? Qu'est-ce qu'il y a?
What's the weather like? Quel temps fait-il?
when lorsque, quand
where où
whereas alors que
which que, qui, quel(le)
while alors que
while (a __) un bout de temps
while (a short __) un peu de temps
white blanc, blanche
who qui
who Qui est-ce que
Who Qui est-ce qui
Who is it? Qui est-ce?
whom que
why pourquoi
widowed veuf, veuve

wife femme (f.)
will volonté (f.)
wind vent (m.)
window fenêtre (f.)
wine vin (m.)
wine grower viticulteur, viticultrice (m. / f.)
winter hiver (m.)
winter coat manteau (m.) d'hiver
wish souhaiter, désirer
wishes vœux (m.pl.)
with avec
within d'ici (time)
without sans, sans que
woman femme (f.)
wonder se demander
wonderful formidable
wonderfully à merveille
wood fire feu de bois (m.)
wool laine (f.)
word mot (m.)
word processing traitement de texte (m.)
work (It works!) marcher, fonctionner, (Ça marche!)
work travailler
work travail (m.)
work of art œuvre d'art (f.)
worker ouvrier, ouvrière (m./f.)
working class classe ouvrière (f.)
world monde (m.)
worried inquiet, inquiète
worry inquiétude (f.)
worry s'inquiéter
Would you mind...? Voulez-vous bien...?
Would you please...? Voulez-vous bien...?
Wow! Oh là là!
write écrire
writing rédaction (f.)
wrong (to be __) avoir tort

Y

year an (m.), année (f.); **to be __ years old** avoir __ ans
yellow jaune
yes oui
yesterday hier
yet pourtant
You poor thing! Mon / Ma pauvre! (m./f.)
You're welcome! De rien!, Bienvenue! (Québec)
young jeune
young ladies mesdemoiselles (f.pl.)
youth jeunesse (f.)

Z

Zairean zaïrois(e)

index

Photo Credits